Die abgeschobene Geschichte
Ein politisch-historisches Lesebuch

Die abgeschobene Geschichte

Ein politisch-historisches Lesebuch

Zusammenstellung,
Kommentierung und Einleitung von
Petr Pithart und Petr Příhoda

Deutsch von
Otfrid Pustejovsky und Gudrun Heißig

Vorwort zur deutschen Ausgabe von
Franz Bauer

Nachwort von
Otfrid Pustejovsky

Institutum Bohemicum
Kultur- und Bildungswerk der
Ackermann-Gemeinde
München 1999

ČÍTANKA
odsunutých dějin.
Uspořádali
Petr Pithart
Petr Příhoda.
Nadace Bernarda Bolzana
Nadace Friedricha Eberta
Praha 1998. 267 str.

LESEBUCH
der
abgeschobenen Geschichte.
Zusammenstellung
Petr Pithart
Petr Příhoda.
Bernhard-Bolzano-Stiftung und
Friedrich-Ebert-Stiftung
Prag 1998. 267 Seiten

ISBN 3-924020-16-7
beiträge 14
Institutum Bohemicum
Kultur- und Bildungswerk der Ackermann-Gemeinde

Herausgeber:
Ackermann-Gemeinde e.V., Hauptstelle
80799 München, Heßstraße 26

Druck: Funk-Druck GmbH, Eichstätt

Inhalt

6

14

Vorwort zur deutschen Ausgabe

Vor Jahren hat die »Verlorene Geschichte« großes Aufsehen erregt – auch das vorliegende Werk »Die abgeschobene Geschichte« verdient unsere besondere Aufmerksamkeit. Ging es dort um die oft trostlose Situation im sog. »Grenzland«, so wird hier eine Dokumentation der Auseinandersetzung über die Vertreibung der Sudetendeutschen in der tschechischen Öffentlichkeit vorgelegt. Sie vermittelt uns einen Einblick in das Denken und in die Empfindsamkeiten unserer tschechischen Nachbarn zu einer Thematik, die auch 50 Jahre nach dem Krieg und 10 Jahre nach der »Samtenen Revolution« sie noch immer belastet.

In einer Zeit, in der Vertreibungen weiterhin Mittel der Politik sind, kommt der Gestaltung eines neuen, entspannten Verhältnisses zwischen Tschechen und Deutschen bzw. Sudetendeutschen über den böhmisch-mährischen Raum hinaus große, vielleicht sogar beispielhafte Bedeutung zu.

Mit der Veröffentlichung der deutschen Übersetzung dieser Dokumentation möchte das Institutum Bohemicum, das Kultur- und Bildungswerk der Ackermann-Gemeinde, auch auf deutscher Seite Anregungen für Gespräche unter uns und mit unseren tschechischen Nachbarn geben, damit wir einen gangbaren Weg der Verständigung und vor allem auch des Verständnisses füreinander finden. In unserer Bildungsarbeit wollen wir nach Kräften mitbauen an diesem Weg in eine gute, friedliche Zukunft für Böhmen und für Europa.

Den Initiatoren und Herausgebern dieser »abgeschobenen Geschichte« gilt unser ausdrücklicher Dank.

Franz Bauer

Einleitung

Es ist sicherlich nützlich, mit der Vergangenheit ins Reine zu gelangen, doch ist dies gleichzeitig für den einzelnen unangenehm und für die Gesellschaft überdies unpopulär. So hat sich auch die tschechische Öffentlichkeit einer derartigen Aufgabe nicht unterzogen. Dabei ist es aber keineswegs so, daß hier etwa keinerlei Interesse bestünde. An der Analyse des Doppeljahrzehnts von 1969 bis 1989 haben sich etliche Chartisten[1] versucht, und den Terror nach dem Februar 1948[2] brachten die sogenannten Aufmucker, d.h. die politischen Gefangenen, in Erinnerung. Doch all diese Versuche waren lediglich auf bestimmte Gesinnungsgruppen beschränkt und sprachen so keineswegs einen bedeutenderen Teil der Öffentlichkeit an.

Eine der Voraussetzungen des seinerzeitigen Erfolgs von Václav Klaus und seiner Demokratischen Bürgerpartei[3] bildete auch die entgegenkommende Haltung gegenüber dieser mehrheitlichen Grundbefindlichkeit. Der Ministerpräsident[4] artikulierte sie durch die bekannte Metapher vom Rückspiegel: Wir werden in der Hauptsache und vor allem durch die Frontscheibe nach vorne sehen, d.h. also der Zukunft entgegen – und von Zeit zu Zeit blicken wir in das Rückspiegelchen, damit uns die Vergangenheit in gar keinem Falle einholen könne. – Doch daß wir sie eventuell im Koffer mitschleppten oder letzten Endes gar in uns selbst mitführten, daran dachte der Premier zumindest nicht laut. Der ambivalente Bezug gegenüber dem kommunistischen Regime kann wohl als Grund für den Widerwillen, die Vergangenheit einer Neubewertung zu unterziehen, ausgemacht werden; zwar wurde dieses Regime juristisch als verbrecherisch eingestuft, doch wurde andererseits eine ganze Reihe seiner »revolutionären Errungenschaften«[5] einfach übernommen, so zum Beispiel die Rechtsordnung, die Beschlagnahme bestimmter Eigentumstypen u.a., weil es ja keine Vorstellung von einer alternativen Vorgehensweise gab. (Bezüglich ehemaligen Kirchenbesitzes war eine derartige Vorstellung zwar erreichbar, doch unannehmbar). Auch dies ist mit ein Grund dafür, warum sich bei uns neben diversen postkommunistischen Gruppierungen auch eine verhältnismäßig starke Kommunistische Partei[6] erhalten hat, die letztendlich auch im Parlament vertreten ist. (In anderen postkommunistischen Ländern – mit Ausnahme Rußlands – gibt es dafür keinerlei Entsprechung).

Im Hinblick auf diese Grundhaltung gegenüber der Vergangenheit wirkte auf unsere Öffentlichkeit die Wiederbelebung der sudetendeutschen Frage mit einer traumatischen Wirkmächtigkeit ein; völlig unerwartet tauchte sie wie ein Spuk auf. Kaum ein anderes Thema bewirkte eine derartige Beunruhigung. Dies ist ja keineswegs verwunderlich: Die Fehlbewertung kommunistischer Vergangenheit, so sehr sie auch immer an der Oberfläche haften blieb, erzeugte eine unwillkürliche Glorifizierung des vorausgegangenen Zeitabschnitts (1945–1948)[7]. Das »Abschub«-Thema trägt selbst in die entferntere Vergangenheit Unsicherheit hinein und erweckt noch tiefergehende Beklemmungsgefühle.

Diese Publikation will daher die nach dem November 1989 diesem Thema widerfahrenen Schicksale in unseren Gemütsverfassungen erfassen; daher stützt sie sich in erster Linie auf dessen Echo in unserer Presse und da vor allem wieder in den zentralen Tageszeitungen, teils auch in der Wochenpresse. Wegen der Begrenztheit unserer Möglichkeiten haben wir den elektronischen Medien keine Aufmerksamkeit gewidmet, obwohl doch gerade in besonderer Weise auch Fernsehsendungen unzweifelhaft eine bedeutsame Erkenntnisquelle darstellen.

Der Tagespresse und etlichen richtungweisenden Zeitschriften entnahmen wir gut tausend Texte, deren kritische Durchforstung uns die Möglichkeit erschloß, ein Projekt zu ihrer Verarbeitung zu entwickeln. Wir haben dann einen weitaus geringeren Teil ausgewählt; doch handelt es sich hierbei nach unserer Meinung um einen repräsentativen Querschnitt, und ihm kommt somit ein durchaus illustrativer Charakter zu. In der Publikation werden diese Texte in gekürzter Fassung abgedruckt. Andernfalls wäre nämlich der Umfang dieser kleinen Schrift zu Lasten ihrer Lesbarkeit unverhältnismäßig angeschwollen. Wir haben uns konsequenterweise mit denjenigen Texten beschäftigt, welche die tschechisch-sudetendeutschen Beziehungen beleuchten, das bedeutet also unter Auslassung des tschechisch-deutschen Aspekts. Dies war unsere volle Absicht.

Wir wollten vielmehr die Vielfältigkeit der diversen Standpunkte registrieren, keineswegs jedoch einen Autoren-Katalog erstellen. Daher entschuldigen wir uns hiermit auch bei denjenigen, welche sich in unserer Sammlung nicht wiederfinden.

Der Widerhall des hier gewählten Themas in der deutschen Presse ist uns lediglich zum Teil bekannt, vielleicht aber doch in einem repräsentativen Bild. Keineswegs verweisen wir darauf und überlassen daher auch eine entsprechende Verarbeitung deutschen bzw. sudetendeutschen Autoren. Wir sind unsererseits davon überzeugt, daß jeder zunächst vor der eigenen Tür zu kehren habe.

Unsere Arbeit hat folglich einen eher sondierenden Charakter. Eine systematische Bearbeitung der Thematik harrt der Gruppierungen von Fachleuten, die gerade dafür die erforderliche Zeit finden müssen.

So möge ihnen diese kleine Schrift einen möglichen Wegweiser bieten.

Auch wir beide als Autoren dieses kleinen Bandes haben uns an den Debatten und Polemiken in unserer Presse beteiligt, folglich sind den daran Interessierten auch unsere Ansichten bekannt. Daher haben wir eigene Texte zur Darlegung unserer Ansichten nicht mißbraucht. Diejenigen Beiträge, welche wir aber für grundlegend-wichtig halten, haben wir als eigenständige Beilage hinzugefügt.

Petr Pithart
Petr Příhoda

1. Kapitel

Die verdrängte, abgeschobene Geschichte

Als am 23. Dezember 1989 Václav Havel – damals noch als Normalbürger Havel, welcher allerdings bereits für das Staatspräsidentenamt kandidierte – vor den Fernsehkameras und dann von den Fernsehschirmen aus sagte, daß er denke, wir seien geradezu verpflichtet, uns bei denjenigen Deutschen zu entschuldigen, welche nach dem Zweiten Weltkrieg abgeschoben worden waren, führte dies zu einem regelrechten allgemeinen Schock: einer Mischung aus Verwunderung, Empörung und Angst.

Als seinerseitiger Vertreter des Bürger-Forums[8] verbrachte ich daraufhin mit den übrigen Mitgliedern der Führung nahezu zwei Tage lang mit der Suche nach den passenden Worten für eine Verlautbarung des Forums, die einerseits Havels Äußerung nicht desavouieren würde, gleichzeitig aber die Öffentlichkeit beruhigte und erläuterte, wie dies unser Kandidat für das Amt des Präsidenten »eigentlich« gemeint hatte. Ich erinnere mich sehr wohl, daß wir die Situation als außerordentlich ernst einschätzten, daß wir nicht ausschlossen, die Präsidentschaft Havels sei somit ernstlich gefährdet, und die Kommunisten daher seine Äußerung auf maximale Weise gegen ihn und gegen uns ins Feld zu führen gedächten. Innerhalb des ungeordneten, aber dafür umso aufgeregteren Gremiums konnten wir uns lange Zeit nicht darüber einigen, wie denn überhaupt eine Erklärung zu formulieren sei. Schließlich stimmten wir länger als eine Stunde lang über einzelne Sätze solch einer Erklärung bzw. über mögliche Alternativen ab. Es war ein nicht endenwollendes Mutmaßen, endlos im Bewußtsein der Bedeutsamkeit dieses Augenblicks: Uns schien es jedenfalls so, als ob nunmehr alles auf dem Spiel stehe, weil ganz und gar unerwartet diese unüberwindliche Kluft zwischen dem Denken Havels und dem allerkleinsten Teil der Dissidenten[9] (damals aber gleichzeitig eines bedeutenden Teils der OF-Führung[10]) und der überwältigenden Mehrheit der Öffentlichkeit offenbar wurde.

Als ich aber an jenem Abend dann diese Erklärung vor den Fernsehkameras verlas, beschlichen mich gemischte Gefühle, die ich selbstverständlich nicht zu erkennen geben durfte. Diese Situation war für mich auch ganz persönlich sehr prekär. Ich hatte mich mit der Thematik des »Abschubs« bereits jahrelang zuvor beschäftigt[11] und hatte mich hierbei zu einer Haltung durchgerungen, die insgesamt eindeutig-klar war. Und nun sollte ich also vor Millionen Zuschauern in irgendwelche halbherzigen, allgemein akzeptablen, in jedem Fall aber relativierenden Formulierungen nur deswegen »ausquietschen«, weil Havel alles ohne entsprechende Vorbereitung losgetreten hatte?

Ja doch, ich erinnere mich, daß wir alle über ihn durchwegs nicht gerade wenig verbittert waren, daß er sich nicht einmal mit irgendeinem von uns beraten hatte, doch gleichzeitig auch, daß wir wußten, daß nunmehr gar nichts anderes übrig bleibe als eben zu »erläutern«, wie er dies eigentlich gemeint hatte.

In dieser Situation habe ich mir vielleicht zum ersten Mal unmittelbar vergegenwärtigt, welche weitestgehenden politischen Folgen die Kluft zwischen Dissens[12] und Öffentlichkeit haben kann; wir hatten uns dies zwar ganz allgemein bewußt gemacht, hatten jedoch mit ihren Konsequenzen bis zu diesem Augenblick ganz konkret nicht gerechnet. Die Dissidentenbewegung machte zwar vom Beginn der Charta 77[13] an kontroverse Themenbereiche ausfindig, um diese dann zunächst innerhalb interner (und daraufhin veröffentlichter) Diskussionen und Texte näher zu beleuchten, zu benennen oder einer Lösung näher zu bringen. Wir lebten so viele Jahre hindurch mit Themenstellungen, vor denen nicht nur das Regime die Augen verschloß, sondern auch von vielen anderen eine Anhörung verweigert wurde.

Die Thematik des Abschubs war unmittelbar von Anfang an ein verbotener Erörterungsbereich gewesen, bereits von jener Zeit an, als wir damit begonnen hatten, die Deutschen »abzuschieben«[14]. (Ich werde mich auch weiterhin konsequent an den Begriff »Abschub« halten, jedoch nicht vor allem deswegen, weil ich ihn für zutreffend hielte, sondern vor allem deswegen, weil er in seiner »unverdeckten Scheinheiligkeit« charakteristisch ist). Davon legen vor allem diejenigen Menschen ein beredtes Zeugnis ab, welche dieses Verbot nicht respektierten: Nahezu alle endeten bestenfalls im Exil. Je mehr bereits damals darüber geschwiegen wurde, umso mehr nahmen die Gründe für das Schweigen zu, denn in einer Atmosphäre allgemeiner Straffreiheit erhielten die allerschlimmsten menschlichen Neigungen ihre Chance.

So wurde der Abschub eine über Jahrzehnte hinweg tabuisierte Thematik, wobei die Stärke dieses Verbots-Tabus darin bestand, daß sie einherging mit Befürchtungen und Ängsten vor einer deutschen Revanche, welche das Regime bei den Menschen erhalten, ja sogar noch vergrößern konnte. Diese Besorgnis bestand als solche bereits vom Kriegsende an und hing unmittelbar mit dem Abschub zusammen: Sie bestand wirklich, womit jedoch nicht gesagt ist, daß sie auch begründet war.

Dabei war ja der Abschub keineswegs das einzige tabuisierte Thema (es gab ja noch eine ganze Menge anderer Themenbereiche, angefangen etwa mit der Existenz von Konzentrationslagern für politische Gefangene bis zur – sagen wir einmal – Uranförderung für die UdSSR), es wurde aber sozusagen ein privilegiert-tabuisierter Bereich. Es hing aber auch unmittelbar mit der Installierung und Beibehaltung des kommunistischen Regimes zusammen, aber auch damit, was man möglicherweise als dessen besondere »Legitimität« verstehen könnte – das heißt also eine Legitimität, welche von der Angst und von einem Feindbild her abgeleitet wird, jedoch keineswegs von der Anerkennung der Rechtmäßigkeit dieses Regimes. Je mehr Menschen ihren Glauben an die Realisierbarkeit kommunistischer und sozialistischer Ideale einbüßten, – und nach 1968 tat das Regime selbst auf äußerst autoritative Weise kund, daß kein anderer als der bestehende (»reale«) Sozialismus[15] existiere und auch in Zukunft keiner bestehen werde –, umso mehr konnten sie diese lediglich insofern als legitim auffassen, als sie das Regime vor den Ängsten vor Deutschland befreite. Diese »Ersatz-Legitimität«, welche sich eben von der Angst herleitete, bezog dann aber als ihre verpflichtende Voraussetzung den Verbündetenstatus mit der Sowjetunion ein; dieser sollte jedoch keineswegs für eine kürzere Zeit gelten, sondern für »ewige Zeiten«.

Der Abschub wurde aber auch deshalb tabuisiert, damit diese eigenartige Legitimität nicht in Zweifel gezogen werden konnte: Die Problematik des Abschubs wäre so nämlich zur Problematisierung der Angst vor Deutschland und den Deutschen geworden und hätte sodann zu praktischen Fragen geführt, wie man diese Angst irgendwie loswerden könnte. Beispielsweise dadurch, daß wir es fertigbrächten, uns zumindest von etlichen Erscheinungsformen dieses Abschubs zu distanzieren.

Das vergangene Regime war daher wesenhaft nicht nur mit dem Abschub verwoben, sondern auch mit dessen Tabuisierung. Und bis heute ist jede nur erdenkliche Angsterzeugung vor den Deutschen und vor Deutschland (und der deutschen Wirtschaftsexpansion) eines der wirksamsten Argumente bei den Mitgliedern und Wählern der Kommunistischen Partei Böhmens und Mährens[16].

Diese einführende Positionsbestimmung dieses »Lesebuches« erhebt keinerlei Anspruch, eine erschöpfende historische Studie über die einzelnen Phasen der Debatten bezüglich des Abschubs oder gar der verschiedenen Einzelepisoden dieser Auseinandersetzung sein zu wollen. Dessen ungeachtet möchte ich aber gerne aufzeigen, daß es zu keinem Zeitpunkt hier eigentlich eine grundlegende Debatte gab bzw. daß lediglich ein kleines und kaum zur Kenntnis genommenes Segment der tschechischen Öffentlichkeit stets an den jeweiligen einzelnen Episoden beteiligt war, daß also diese Wenigen zudem kaum repräsentativ waren, und ferner diese Debatte selbst zu keinem Zeitpunkt lange genug gedauert hätte, um auf irgendeine Weise die öffentliche Meinung beeinflussen zu können.

Keineswegs gegen den Abschub als solchen, sondern lediglich gegen etliche Methoden, gegen ihre Durchsetzung erhoben sich nur vereinzelte kritische Stimmen – in der Regel aus der Umgebung der Sozialdemokraten, der Volkspartei[17] und von kirchlichen Stellen. Doch das Prinzip als solches, auf welchem der Abschub begründet war, d.h. das Prinzip der Kollektivschuld, stellte nach dem Krieg kaum jemand vernehmlich in Frage.

Kritische Stimmen gegen die Art und Weise, wie mit den Deutschen verfahren wurde (gegen die Exzesse, gegen den »tschechischen Gestapismus«[18]), konzentrierten sich überwiegend in den beiden Zeitschriften »OBZORY« und »DNEŠEK«[19]. Und dies war nicht gerade wenig: Vielleicht ist es aber notwendig zu bemerken, daß sich gegen den Massentransfer als solchen keine einzige Regierung der siegreichen alliierten Mächte nach der Potsdamer Konferenz gewandt hatte. Etwas anderes wiederum waren die Reaktionen einzelner – vor allem Politiker und Journalisten. Die meldeten sich über die Nachrichtenagenturen aus der Tschechoslowakei, und ihre kritische Haltung wurde nach und nach immer stärker. Ganz besonders vernehmlich erhoben sich derartige kritische Stimmen aus Großbritannien und aus den Vereinigten Staaten. Die Wochenzeitung »DNEŠEK«, von der noch weiter die Rede sein wird, berichtete über derartige kritische Stimmen nicht nur einmal.

Die erste ganz besonders charakteristische Episode disso-
nanten Charakters bildete in der Nachkriegs-Tschechoslowakei das praktische Wirken des christlich motivierten So-
zialpädagogen Přemysl Pitter, eines Mannes, der manchmal auch als tschechischer Albert Schweitzer bezeichnet
wird. Doch Pitter war jedoch weder Politiker noch Publizist,
hingegen aber ein Mensch, welcher vor allem wirkungs-
stark handelte. Leider Gottes hörte man umso weniger von
ihm, je mehr er sich konkret bemühte, den Hilfsbedürftigen
zu helfen[20].

Sein ganzes Leben lang half er verlassenen, vernachlässig-
ten und bedrohten Kindern; auch im Jahre 1938 kümmerte
er sich um Kinder tschechischer Menschen, die aus den
von den Deutschen annektierten Gebieten herausgejagt
worden waren, während des Krieges bemühte er sich
darum, wenigstens für eine gewisse Zeit jüdischen Kindern
das Leben zu erleichtern (bevor sie mit ihren Eltern per
Transport weggebracht wurden). In dieser Tätigkeit fuhr er
nach dem Krieg fort, als er wiederum damit begann, sich
um jüdische Kinder zu kümmern, welche die deutschen
Konzentrationslager überlebt hatten. Doch bald brachte
man in diejenigen Einrichtungen, welche er für sie erworben hatte, auch deutsche Kinder aus Internierungslagern
herbei. (Es wird geschätzt, daß im Verlauf von nur zwei Jahren mehr als 400 deutsche Kinder in den Pitterschen Zentren Rettung, Hilfe und Schutz gefunden haben).

Pitter hatte aufgrund seiner Funktion im Landes-Nationalausschuß[21] das Recht, Internierungslager aufzusuchen und
zu kontrollieren. Seine entsprechenden Überprüfungsbe-
richte waren alarmierend, doch alarmierten sie in der Tat
kaum jemanden. Seine Beobachtungen und Bewertungen
publizierte er in einer maschinenschriftlich vervielfältigten
Zeitschrift mit dem Titel »BOTE AUS DEM MILÍČ-HAUS«. In
einem Fall gelang es ihm sogar, das fürchterlichste Internierungslager (im Strahover Stadion)[22] aufzulösen. Pitter sah
und dokumentierte alles, was zu sehen und zu dokumentieren war – daher waren auch amtliche Stellen keineswegs
uninformiert. Seine Beurteilung dessen, was er sah, war
demnach schroff – doch gehört es aber zum Persönlich-
keitsprofil Pitters, daß er schließlich und endlich der wirksa-
men Hilfe für einzelne Menschen den Vorrang vor öffentli-
chem Wirken einräumte. So war seine Stimme folglich
kaum hörbar und erlosch dann völlig.

Anfang der fünfziger Jahre entrann er der drohenden Verhaftung durch die Flucht über die Grenze und setzte dann

im Westen unter veränderten Bedingungen seine Arbeit zu Gunsten von Flüchtlingen fort. In seinem Buch »EINE GEISTIGE REVOLUTION IM HERZEN EUROPAS« (1968 in der Schweiz und in der Bundesrepublik Deutschland erschienen, tschechisch sodann im Exil-Verlag »KONFRONTACE« in der Schweiz 1974) schrieb er: »Die Ausrottung der tschechischen Elite rächte sich später furchtbar an den Deutschen selbst. Als das Dritte Reich zusammenbrach, fehlten den Tschechen führende Geister, welche das Feuer der Rachsucht hätten eindämmen können. Anstelle des ursprünglichen Plans, dem entsprechend lediglich die aktiven Nazis hätten bestraft werden sollen, wurden nahezu alle böhmischen Deutschen ausgesiedelt – über drei Millionen Personen, die mit dem Heimatboden verwachsen waren. Masaryk hätte damit zu keinem Zeitpunkt übereingestimmt«.

Die Sympathien Pitters in seinen Exiljahren gehörten der Evangelischen Kirche und der sudetendeutschen katholischen Organisation Ackermann-Gemeinde. Dies war zu einem Zeitpunkt der Fall, als ihr Mitbegründer Pater Paulus Sladek Worte formulierte, die dann wiederum Pitter in seinem Buch »FEUER AUF ERDEN«[23] abdruckte:

»Vor Gott und vor den Brüdern und Schwestern des Tschechischen Volkes bekennen wir heute unsere Schuld, die Schuld unseres Volkes. Das Unrecht begann nicht erst im Jahre 1945, als es uns schließlich erreichte. Wir müssen all das auf uns nehmen, was vordem dem Tschechischen Volk widerfahren ist. Unser Bekenntnis muß auch die Vergangenheit mit einschließen … Wir haben nicht das allergeringste Recht zum abscheulichsten Handel, heute die Zahl der Toten auf unserer Seite vorzuweisen und sie mit der Zahl der Toten auf der anderen Seite zu vergleichen, das heißt also die Menge der Opfer beim Abschub und der Opfer während der Besatzungszeit«.[24]

Pitter erhielt die höchsten Auszeichnungen dieser Welt – in Deutschland von Präsident Heinemann (das Bundesverdienstkreuz I. Klasse), und in Israel ist sein Name am Har Hazikeron (Berg des Erinnerns) in Jerusalem verewigt. Hier wächst auch der Baum heran – ein Brotbaum –, den er eigenhändig eingepflanzt hatte. Dies ist eine Ehre, welche auf ganz wenige Menschen begrenzt ist, die einem anderen als dem jüdischen Glauben angehören. Doch zu Hause war er ganz in Vergessenheit geraten und mußte somit nach dem Jahre 1989 aufs neue wiederentdeckt werden – so als ob er nie unter uns gelebt hätte. So als ob seine leise Stimme nie erklungen wäre und so, als ob seine helfenden Hände niemals gewesen wären.

Erst im Jahre 1991 erhielt er in memoriam den T. G. Masaryk-Orden.

Die Nachkriegspublizistik nahm durchwegs den Mehrheitsstandpunkt ein. Die Menschen billigten den Abschub, und sofern sie überhaupt Vorbehalte hatten, behielten sie diese für sich. Glücklicherweise gilt dies nicht ausnahmslos.

Denn es gab da zwei Zeitschriften und einzelne Journalisten und Publizisten, die ausgesprochen riskant den vorherrschenden Ton störten, indem für sie außer Zweifel stand, daß das, was mit den Deutschen bei uns geschah, mit ihnen wenn schon nicht nach geltendem Recht, so doch zumindest entsprechend der Gerechtigkeit zu geschehen hätte. Es geht hier um Tigrids »OBZORY« und Peroutkas »DNEŠEK«.[25]

Gegen den tschechischen »Gestapismus« meldete sich das Wochenblatt »OBZORY« systematischer – vor allem durch das Medium abgedruckter Leserbriefe – vor allem ab dem Ende des Sommers und im Verlauf des Herbstes 1945 zu Wort. Die Zeitschrift wurde vom Exekutivausschuß der Tschechoslowakischen Volkspartei herausgegeben (im Redaktionskollegium befanden sich Pavel Tigrid, Ivo Ducháček, Bohdan Chudoba, Helena Koželuhová, Jan Strakoš), denn weder Zeitungen noch Zeitschriften konnten damals von Einzelpersonen herausgegeben werden. Eine Zeit lang erschien das Blatt mit der imposanten Auflage von rund 100 000 Exemplaren.

Doch selbst diese Zeitschrift »OBZORY« stellte zu keinem Zeitpunkt den Abschub als solchen in Frage: nichtsdestoweniger war ihre dissonante Stimme vor allem gerade deshalb unüberhörbar, daß sie isoliert dastand. Sie ließ sich daher gegen die Auswüchse des sogenannten wilden Abschubs vernehmen und rief so letztendlich auch Aktionen einiger Politiker hervor (so beispielsweise des der Volkspartei zugehörigen Gesundheitsministers Procházka), welche sich in Einzelfällen gegen einen brutalen Abschub wandten – so wurde beispielsweise eine Kommission zur Untersuchung der Sammellager eingerichtet[26]. Die »OBZORY« publizierte auch etliche skeptische britische Ansichten. Andererseits ließ sie sich jedoch auf keinerlei Polemik nicht einmal mit denjenigen äußerst chauvinistischen Stimmen ein, die etwa von den Seiten des »SVOBODNÉ SLOVO«[27] vernehmlich wurden.

Die Wochenzeitung »OBZORY« geriet schon bald unter den mächtigen Druck der Linken (personifiziert in der Person des Ministers für Information und Bildung Kopecký[28], aber auch durch den Fierlinger-Flügel der Sozialdemokraten[29]), der zu einer gewissen Zeit einmal die ganze Existenz der Zeitschrift bedrohte (beispielsweise dadurch, daß der Zeitschrift kein Papier zugeteilt wurde). Insbesondere das RUDÉ PRÁVO[30] und die TVORBA[31] fielen mit unverhohlenem Haß über den kritischen Ton der »OBZORY« her.

Doch es gab auch einen unsichtbaren Druck, so als Tigrid und Ducháček von den Parteiführern Šrámek und Hála vorgeknöpft wurden. Diese hielten ihnen nicht nur vor, sie schrieben die Unwahrheit, sondern daß man so auch nicht schreiben dürfe, weil wir ja eine Partei der Nationalen Front[32] sind, keineswegs Oppositionspartei ... Die Redaktion trat daraufhin den Rückzug an und strich mehr oder weniger ihre Aktivitäten bezüglich des Abschubs. In den folgenden Jahren brachte die Zeitschrift dieses Thema nur mehr sporadisch in die Diskussion ein, die sie einst eröffnet hatte. Die kritische Stimme war damals bereits bis zu einem gewissen Grad geschwächt worden.

Einen charakteristischen Zusatz zu dieser ehrenhaften, wenngleich kurzen Geschichte eines Redaktionskollegiums, folglich auch einer Ergänzung zur Infragestellung der Eindimensionalität von Anschauungen und kritischer Haltungen gegenüber der Art und Weise des Abschubs, ist das politische Schicksal der talentierten Autorin und ungewöhnlich populären Abgeordneten der Tschechoslowakischen Volkspartei Helena Koželuhová, (sie war eine Schwester der Brüder Čapek), vor allem im Zusammenhang mit ihrer Haltung zur Frage der Verfahrensweise des Abschubs. Noch im Sommer 1945 hatte sie über die Deutschen mit derartigen Haßgefühlen geschrieben (»... wir haben einen berechtigten Anlaß, die Deutschen nicht für Menschen zu halten ...«), daß sie den allerschlimmsten heimatlichen Chauvinisten in nichts nachstand. Doch dann kam bei ihr offenkundig die Einsicht, sie begann die Methoden des Abschubs zu kritisieren, und im Januar 1946 verschwindet ihr Name aus dem Zeitschrift-Impressum, folglich auch aus dem Redaktionskollegium (zusammen mit dem Namen von Bohdan Chudoba) – offenkundig aus dem Bestreben heraus, diejenigen zu beruhigen, welche die »OBZORY« angegriffen hatten. Doch schließlich wurde Helena Koželuhová als unbelehrbar und wegen ihrer scharfen Feder durch ihre politische Partei ihres Abgeordneten-

Mandats enthoben (denn auch nach dem Krieg war die Praxis von Abgeordneten-Erklärungen üblich, mit denen sich Abgeordnete ihrer Mandata im vorneherein schriftlich begaben und solche Erklärungen in den Safes der Partei-sekretariate hinterlegten). Sie endete in der Emigration.

An die »OBZORY«, die bis zu einem gewissen Grad ins Schweigen versank, schließt sich durch seine kritischen Berichte und Bewertungen der »DNEŠEK« direkt an. Es handelte sich hier um ein Wochenblatt der nichtkommunistischen Intelligenz, somit knüpfte es an Peroutkas »PŘÍTOMNOST« aus der Zeit der Ersten Republik an und nützte zu Recht die Autorität des Chefredakteurs. Das Blatt erschien ab dem März 1946 bis Ende Februar 1948. Wiederum war Ferdinand Peroutka der Chefredakteur, zwar kritisch eingestellt zu etlichen Praktiken der KPTsch, andererseits aber aus der Erkenntnis handelnd, daß es im gesellschaftlichen Leben des Landes zu grundlegenden Veränderungen kommen müsse. Über diese sicherlich verständliche Botmäßigkeit gegenüber dem Nachkriegs-Radikalismus hinaus unterschied sich das Blatt »DNEŠEK« ganz ausdrücklich von der Mehrzahl der Periodika gerade durch den Ton der Besorgnis nicht nur darüber, wie der Abschub durchgeführt werde und wie denn seine Begleitumstände seien, sondern auch überhaupt über diese »Amputation« von drei Millionen Menschen – der Deutschen. Falls wir einen Vergleich ziehen, so war der Ton des »DNEŠEK« wesentlich schärfer als derjenige der »OBZORY«. Schon drängte die Zeit, und die Fronten des künftigen feindlichen Zusammenstoßes zeichneten sich klarer ab, und alles zielte auf eine definitive Lösung hin. Eine Argumentation unter Benutzung der Formel von der Nationalen Front und dem Loyalitätserfordernis ihr gegenüber sowie gegenüber allen Partnern in dieser Nationalen Front war bereits nicht mehr so wirkungsvoll wie im Herbst 1945.

Mehr noch als die »OBZORY« stieß der »DNEŠEK« in offene Wunden hinein. Und dies geschah nicht nur mittels Leserbriefen, sondern direkt durch Autorenbeiträge der Redakteure, welche kritische und warnende Standpunkte einnahmen. Und nicht allein bezüglich der Exzesse, sondern auch gegenüber dem Abschub als solchem.

Zu dieser Zeit war aber auch bereits die Verwüstung des Grenzgebiets offenkundig geworden, so daß der »DNEŠEK« den Abschub als »Amputation« charakterisierte, als »einen schweren chirurgischen Eingriff an einem kranken Körper«. Klarsichtig wird vorhergesehen, daß die böhmischen Länder in zwei Teile zerfallen werden: »... so als ob die Tschechen aus dem sogenannten Binnengebiet und als dort auch Verbleibende bemerkt hätten, daß das Grenzgebiet von einem anderen Volk besiedelt worden sei als von demjenigen, welches im Binnengebiet verblieben war«.

Der Gesamteindruck aus einer Lektüre des »DNEŠEK« erweckt das Gefühl, daß kritische Haltungen zumindest gegen die Methoden des Abschubs innerhalb der tschechoslowakischen Gesellschaft nicht so vereinzelt waren, wie dies anders den Anschein erweckt. Es handelt sich aber darum, wie sie vernehmlich artikuliert werden wollten oder konnten. Entsprechend allen Umständen war es nämlich möglich, eine derartige Atmosphäre der Intoleranz und der Angst zu erzeugen, daß viele Menschen ihre Vorbehalte, wenn nicht gar sogar ihren Widerstand gegen bestimmte Praktiken lieber für sich behielten.

Aus den Seiten des »DNEŠEK« geht auch hervor, daß die öffentliche Meinung in der Welt gegenüber dem, was sich bei uns ereignete, keineswegs so indifferent war, wie dies aus dem bloßen Faktum der Zustimmung zum Abschub auf der Potsdamer Konferenz hätte geschlossen werden können. Die Haltung eines amerikanischen Kritikers unserer Nachkriegsverhältnisse führt einen Autor des »DNEŠEK« zu nachfolgender selbstkritischer Schlußfolgerung: »Die Menschen in Mitteleuropa glauben an den Gedanken einer Kollektivschuld – auch wenn es sich bei manchen Beispielen um irgendwie an den Haaren herbeigezogene Beispiele handelt –, doch selbst diese Art und Weise haben wir irgendwie von den Nazis übernommen«.

In diesem Zusammenhang kann nicht unvermerkt bleiben, daß sowohl Redakteure als auch Autoren des »DNEŠEK« nicht nur einmal enthüllen, daß die Opfer brutaler Gewalt nicht nur Deutsche sind, sondern auch Tschechen und sogar Juden (die beispielsweise gerade aus den Konzentrationslagern zurückkehrten, jedoch deutsch sprachen).

Auf den Seiten des »DNEŠEK« fällt einem aufmerksamerem Leser auf, daß nicht übersehen werden kann, daß der Abschub keineswegs eine Angelegenheit eines insgesamt verständlichen ethnischen Nachkriegs-Konfliktes zwischen Tschechen und Deutschen war, sondern eher das Ergebnis einer so noch nie dagewesenen, weitverbreiteten Verachtung universeller Menschenrechte überhaupt. Der Haß gegen die Deutschen war somit lediglich der beschleunigende Anlaß für eine Resignation gegenüber der Humanität gegen jedermann, der aus beliebigen Gründen wie auch immer unbequem geworden war und sei es nur in der Stellung eines Opferlammes.

Peroutka hat damals Worte niedergeschrieben, welche als solche wohl irgendein Motto für die Schreiber des »DNEŠEK« über den Abschub sein konnte: »Die erste Sache, welche ein Volk benötigt, ist eine geistige Ordnung sowie die Erkenntnis, daß Übles auch Übles sei. Das unaufgedeckte, nicht erklärte und entschuldigte Böse ist dazu fähig, weiteres Übel hervorzubringen. Noch mehr als um die Bestrafung von Schuldigen geht es darum, daß eine Nation klare Vorstellungen von dem entwickelt, was schlecht ist«. Das Dilemma seiner Zeit drückte er durch seine persönliche, trockene lapidare Diktion so aus: »Und falls eine Frau weinen sollte, daß man ihr den Mann ohne Gerichtsurteil erschossen habe, könnte es denn sein, daß wir ihr dadurch helfen, daß wir wahrheitsgemäß sagen: Aber die Mehrheit aller Tschechen wird doch nicht etwa einen Unschuldigen erschießen?« Sicherlich, auch tschechischerseits kann man nicht von einer Kollektivschuld in bezug auf den Abschub reden, doch bleibt trotzdem die Verantwortlichkeit für das Schweigen dort, wo eigentlich zumindest ein Wort des Zweifels, wenn schon nicht ein Protestaufschrei hätte ertönen müssen.

Dies war keineswegs unmöglich – daher ist es wohl erforderlich, gerade in diesem Zusammenhang zumindest zwei Namen in Erinnerung zu rufen: den bis zum letzten Augenblick sich engagierenden Schriftsteller Eduard Valenta[33] und den unversöhnlichen Kämpfer gegen den sogenannten Gestapismus, Autor einer ganzen Reihe packender Reportagen, Michal Mareš[34]. Den Letztgenannten verfehlte nach dem Februar 1948 keineswegs die Rache derer, über die er im Grunde geschrieben hatte.

Mit dem Februar 1948 endigen alsdann in der Tschechoslowakei für lange Zeit auch die sporadischen und verhaltenen Diskussionen über den Abschub. Eine einzige Einheitsmeinung ertönt, und diese versäumt es zu keiner Zeit, an die Drohgebärde des Revanchismus zu erinnern[35]. In dieser Drohung ist der Imperativ mitenthalten, sich keineswegs anders als apologetisch dem vergangenen Geschehen anzunähern.

Wie ein gewundener Flußlauf (allerdings handelte es sich eher um ein kleineres Rinnsal), der in lieblicher Landschaft fließt, verschwindet und immer wieder von neuem anderswo erscheint, bricht die Diskussion sodann etliche Male dort durch, wo dies einzig und allein geschehen kann, das heißt also im Umfeld des Exils, somit jenseits des »Eisernen Vorhangs«.

Ansichten und Haltung von Millionen Menschen zu Hause konnten damals jedoch davon überhaupt nicht beeinflußt werden.

Es ist daher erwähnenswert, daß die erste grundsätzliche Verurteilung des Abschubs als solchen, das heißt also des Prinzips, auf dem er begründet worden war, bereits 1946 von seiten des erbarmungslosen Kritikers Beneschs kam, der aber bereits zuvor sein unterlegener politischer Rivale gewesen war (er war dies bereits vom unmittelbaren Kriegsbeginn an), von General Lev Prchala. In London veröffentlichte er – noch gemeinsam mit etlichen weiteren politischen Weggefährten (Vladimír Ležák-Borin, Václav Míšek, Karel Locher, Jiří Bertl und Zdeněk Sládeček) – eine Erklärung in demjenigen Sinne, daß das tschechische und das polnische Volk für die Deportation der Deutschen nicht verantwortlich seien, sondern daß es die Regierungen seien, welche jedoch nicht aus dem Willen des Volks hervorgegangen seien. Darin war ein deutlicher Stachel gegen Benesch enthalten, doch in bezug auf die überwiegende Haltung der Nation war dies keineswegs die Wahrheit. Was aber in diesem Zusammenhang gilt, das ist die Feststellung, daß die Regierung der Tschechoslowakischen Republik nicht nur nicht versuchte, die aufgeregte öffentliche Meinung, den voll verständlichen Haß gegen die Deutschen als solche zu besänftigen und Einzelpersonen sowie hauptsächlich Behörden zu rechtlich einwandfreiem Handeln zu veranlassen, sondern daß sie im Gegenteil ganz bewußt diesen Haß noch schürte und ermunterte. Doch alle Umstände sprechen dafür, daß es hier nicht allein Beneschs Interesse war, möglichst viele Deutsche aus dem Lande hinauszubekommen, bevor noch der vorausgesetzte Abschub in seine »offizielle« Phase eintreten würde.

Im Jahre 1949 begann dann ein winziges Grüppchen Exulanten – es handelte sich um Studenten, welche sich in der Schweiz niedergelassen hatten, um dort auf schnellstmögliche Weise ihr Studium zuende zu bringen, – die Revue »SKUTEČNOST«[36] mit der mehr oder minder spürbaren Ambition herauszugeben, an Peroutkas Vorkriegs-»PŘÍTOMNOST« und an den Vorkriegs-»DNEŠEK« anzuknüpfen. Anfangs wurde die Zeitschrift im Vervielfältigungsverfahren hergestellt, vom November 1949 erschien sie gedruckt.

Im Jahre 1951 beginnt auf den Seiten dieser Zeitschrift eine verhältnismäßig systematische und kritische Diskussion über das Wesen des Abschubs und über seine Ergebnisse. Dabei handelt es sich um die eigentlich erste wirklich freie Diskussion, welche sich nicht allein auf die Kritik einzelner Exzesse beschränkt, sondern sich auf das Prinzip des Abschubs als solchen bezieht, somit also auch auf das Konzept der Kollektivschuld. Die Autoren Peter Demetz, Karol Belák, Ladislav Matějka, Jindřich Skalický, Alexander Heidler und Zdeněk Suda grenzten sich scharf und hierbei mit einem geradezu gegenwärtigen, ganz und gar modernen Vokabular gegenüber dem Nationalismus ab – gegen den tschechischen Chauvinismus und genauso gegenüber dem (sudeten-)deutschen Chauvinismus. Folglich erhalten diese Autoren regelmäßig von beiden Lagern wenig schmeichelhafte Charakteristiken: Für die einen seien sie mit den »SS-Mördern« gleichzusetzen, für die anderen hingegen mit den »Bolschewiken«.

Die Redaktion nahm unter anderem eine kritische Haltung ein gegenüber den Angaben in bezug auf Opferzahlen des Abschubs, welche im sogenannten »Weißbuch«[37] veröffentlicht worden waren; diese Publikation war Anfang der fünfziger Jahre von den Sudetendeutschen herausgegeben worden.

Diese jungen Leute aus dem Umfeld der »SKUTEČNOST« nehmen bereits damals mit einem Kreis sudetendeutscher Katholiken, die wiederum in der Ackermann-Gemeinde vereint sind, Kontakt auf, und suchen mit diesen gemeinsame Lösungen. Diese kritisch ausgerichtete Gedankenwerkstätte blieb auch später nicht ohne Einfluß, als die Zeitschrift einging: Eine ganze Reihe von Autoren der »SKUTEČNOST« trat dann in die bald daraufhin entstehende Redaktion des »FREIEN EUROPA«[38] ein; einige wurden sogar schließlich profilierte Autoren und führende Mitarbeiter dieser Rundfunkanstalt.

Im politischen Exil der »Senioren«, das heißt der aktiven Protagonisten der Nachkriegsereignisse, ergab sich zu Beginn des Jahres 1953 eine konzentriertere und tiefergehende Debatte über den Abschub. Die Ergebnisse des Abschubs und die Forderungen deutscherseits wurden damals bis zu einem gewissen Grad auch vom Gesichtspunkt der vorgegebenen politischen Bedingungen beurteilt, unter denen die Exulanten in die Heimat zurückkehren könnten. Die an der Diskussion Beteiligten fragten sich ganz konkret, was denn bezüglich der Forderungen der abgeschobenen

Sudetendeutschen die Verhältnisse bedeuten würden, unter denen sie, die Exulanten, in die Heimat zurückkehren könnten. Wie würde unter diesen Umständen wohl die Haltung Deutschlands aussehen?

Einige billigten geradeheraus den Abschub (K. Lisický, A. Přibyl), andere wiederum verteidigten ihn nachträglich (L. Sychrava, J. Smutný), während J. Stránský und V. Bernard eine Art Kompromißhaltung einnahmen – der Abschub habe gültig zu bleiben, doch sollten individuelle Rückkehrmöglichkeiten für Ausgewiesene ermöglicht werden. Das alles war damals bei weitem keine akademische Debatte, vielmehr eine Überlegung, was man werde erhalten können, und wo es andererseits erforderlich sein werde, zurückzuweichen.

Die Auseinandersetzung um den Abschub zog sich die gesamten fünfziger Jahre hin: So lehnte Peroutka den Abschub ab, Ripka begrüßte ihn[39]. Im Jahre 1960 beharrte der RAT DER FREIEN TSCHECHOSLOWAKEI auf der Endgültigkeit der Lösung, zu welcher der Abschub geführt hatte: Allein aus taktischen Erwägungen müsse darauf bestanden werden, daß das Problem ein für allemal gelöst worden und somit den Forderungen der Sudetendeutschen Widerstand entgegenzusetzen sei. Jegliche Annäherung zu ihren Gunsten würde nämlich seitens der kommunistischen Regierung als Hinopfern nationaler Interessen an deutsche Interessen dargestellt werden und hätte somit auch katastrophale Folgen für den Geist des Widerstands und Kampfes gegen den Kommunismus in der Tschechoslowakei ... Diese zweckgerichtete Feststellung zeigt aber, daß sich das Exil sehr klar bewußt machte, daß das kommunistische Regime mit seiner »revanchistischen« Propaganda daheim als das betrachtet werde, was sich denn – zumindest in dieser Hinsicht – in Übereinstimmung mit den nationalen Interessen befinde. Es ist wohl nichtsdestoweniger notwendig hinzuzufügen, daß diese Auseinandersetzungen, wie ernst sie auch immer gemeint waren und unser Exil spalteten, absolut keinerlei Einfluß auf die Bewußtseinslage der Menschen in der Tschechoslowakei hatten.

Ähnlicherweise konnten daher auch zwei keineswegs unbedeutende Monographien zweier Exilautoren nichts bewirken: die Arbeit des Benesch-Mitarbeiters Jaromír Smutný »DIE DEUTSCHEN IN DER TSCHECHOSLOWAKEI UND IHR ABSCHUB AUS DER REPUBLIK« (London, 1956, in Englisch erschienen), welche ganz konsequent das Wirken Beneschs enthielt, sowie Radomír Lužas »DER AB-

SCHUB DER SUDETENDEUTSCHEN« (New York, 1954, zunächst Englisch, dann auch Tschechisch erschienen)[40]; letzterer polemisiert gegen die deutschen Angaben über die Opferzahlen beim Abschub. Diese beiden Publikationen bewirkten möglicherweise auch deshalb nichts, weil sie gegenüber dem Abschub außerordentlich unkritisch eingestellt waren.

Andererseits muß wohl nachdrücklich gesagt werden, daß Exilhistoriker, Publizisten und Politiker in gar keiner Weise auf das Buch eines der bedeutendsten und seriösesten deutschen Historiker reagierten – auf den Bohemisten Wolfgang Brügel und sein Buch »TSCHECHEN UND DEUTSCHE 1919–1946« (von 1974)[41], welches sowohl die offizielle tschechoslowakische Abschubpolitik und die kommunistische Taktiererei in dieser Angelegenheit als auch die Argumente etlicher deutscher Gegner dieser Politik kritisierte.

Das totale Fehlen jeglichen Widerhalls auf Brügels Buch auch unter den freiheitlichen Bedingungen des Exil weist deutlich darauf hin, daß es stets notwendig ist abzuwägen, ob es sich lediglich um objektive Hindernisse gehandelt haben könnte, welche es unseren Leuten unmöglich machte, sich anders als unkritisch den Problemen des Abschubs zuzuwenden.

Im Jahre 1967 wurde in drei Nummern der Aussiger Zeitschrift »DIALOG«, einer regionalen Monatsschrift für Politik, Wirtschaft und Kultur, ein Aufsatz Jan Křens mit dem Titel »DER ABSCHUB DER DEUTSCHEN IM LICHTE NEUER QUELLEN«[42] publiziert. Hier handelte es sich überhaupt um die erste seriöse Arbeit eines einheimischen Historikers über dieses vorgegebene Thema, welches seit dem Abschubzeitraum auf tschechoslowakischem Gebiet veröffentlicht wurde.

Der Autor beschäftigte sich darin vor allem mit der Frage, wie die Abschubpläne entstanden waren und sich stufenweise veränderten – er widmete sich also einer insgesamt grundsätzlichen Frage. Zur Problematik als solcher hatte er keinen großen Schritt zu tun, denn bereits seit längerem hatte er die Thematik der Londoner Emigration bearbeitet und darüber eine umfangreiche zweibändige Monographie veröffentlicht[43].

Doch weiterhin handelte es sich nur um eine vereinzelte Episode. Einen mittelbaren Nachweis liefert der Umstand, daß im Jahre 1968, als innere Hinderungsgründe (die Zensur) entfielen, lediglich ein einziger bedeutenderer Versuch zu bemerken ist, das Thema des Abschubs aufzubrechen. Allerdings kann man dies damit erklären, daß über ein derartig explosives Thema in jenem Jahr schwerlich innerhalb eines anderen Zeitraums hätte geschrieben werden können als im Zäsurbereich zwischen April–August (1968)[44].

In der renommierten Brünner literarischen Monatsschrift »HOST DO DOMU«[45] erschien im Mai 1968 ein »TRIALOG ÜBER DAS JAHR 1945«; es handelte sich um eine Diskussion zwischen dem Historiker Milan Hübl, dem Schriftsteller Jan Procházka und dem Redakteur der Zeitschrift Jan Blažek. Procházka bezeichnet darin die »Aussiedlung eines ganzen Volkes« (er meint damit die Durchsetzung des Prinzips der Kollektivschuld) als absolut unannehmbar und fügt hinzu, daß »die Deutschen selbstverständlich die Verpflichtung haben, sich mit dem Erbe des Nazismus auseinanderzusetzen, doch uns muß in erster Linie unsere eigene Verantwortung interessieren«. Dies waren Gedanken, welche bis zum heutigen Tage nicht als selbstverständlich gelten können. Hübl wiederum konstatiert, daß eine Psychose ein Verbrechen nicht entschuldigen könne, und daß diejenige Lösung, welche wir im Jahre 1945 gewählt hatten, keineswegs optimal gewesen sei. Es ist aber eigenartig, daß er in der Dissidenten-Debatte Ende der 70er und Anfang der 80er Jahre einen wesentlich vorsichtigeren und noch weiter relativierenden Standpunkt einnahm. (Er behauptete, daß man von dem, was er seinerzeit im »HOST« gesagt hatte, nicht alles abgedruckt habe …). In jedem Falle scheint es heute in der nachträglichen Beurteilung so der Fall zu sein, daß die Diskussion, welche seinerzeit gerade erst begonnen hatte (und keine Fortsetzung fand), in offenerem Geiste begann als diejenige nach dem November 1989, welche wiederum glücklicherweise nicht beendet wurde. Zwanzig Jahre erzwungenen Rückzugs in die Privatsphäre unter den Bedingungen des realen Sozialismus, dazu noch eine gehörige Portion angeeigneten Zynismus plus einem weiteren Verlust an Erinnerungsvermögen verursachten offenkundig Entsprechendes.

Die Arbeit Křens sowie der Brünner »TRIALOG« blieben lediglich isolierte Episoden, an die man nach dem Jahre 1989 von neuen erinnern mußte – jedenfalls in dem Sinne, daß wir nämlich nicht ganz von vorne beginnen.

Die einheimische Intellektuellenszene schien sich nach »DEN 21. AUGUSTZEITEN«[46] (ich behaupte, daß jener zweite August, derjenige des Jahre 1969, für das nationale

Bewußtsein und das Selbstbewußtsein eine größere Wunde bedeutet hat als die ein Jahr zuvor erfolgte Besetzung) irgendwie völlig zu entvölkern. Die Niedergeworfenen und Erniedrigten erinnern sich ihrer Wunden, lösen existentielle Probleme, kommen mit ihrer Ernüchterung irgendwie ins Reine – sofern sie dies noch benötigten. Doch kann dies sowohl geradewegs zu einer tiefen Reflexion führen als auch zum Zynismus. Lange, viel zu lange macht sich keinerlei Hoffnung auf irgendeine Änderung bemerkbar, vielmehr scheint es so zu sein, daß die Normalisierungsverhältnisse bis zum Ende aller Zeiten herrschen werden.

Doch existiert eine nicht gerade kleine Anzahl derjenigen, welche die Einsicht gewinnen, daß ein wie auch immer geartetes Taktieren im politischen wie auch im geistigen und intellektuellen Leben zu nichts führt. Sie verstehen, daß gerade diese Zeit der Hoffnungslosigkeit zugleich eine Zeit der inneren Freiheit ist. Doch die fordert einen nicht gerade geringen Tribut ein (man muß dabei gegebenenfalls auf die äußere Freiheit völlig verzichten, und dies schließt auch die Freiheit mit ein, entsprechend den eigenen Fähigkeiten und Anlagen zu arbeiten usw.), dafür gelangt man aber in einem maximalen Ausmaß gerade zu dieser inneren Freiheit. Paradoxerweise liegt gerade darin sowohl die Chance als auch die Aufforderung, »LETZTE« Fragen zu stellen und der Wahrheit nicht auszuweichen, wie unangenehm sie auch immer sein möge.

Aus dieser Grenzsituation erwächst die Solidarität von Menschen, die dann letztendlich die Charta 77 unterzeichnen und mit zur Erfüllung ihrer Ziele beitragen. Aber aus ihr entstehen auch nicht nur einmal die Vorsätze Einzelner und kleiner Gruppen, sich wahrheitsorientierter, aber zumindest authentischer Erkenntnis hinzugeben. Darüber hinaus ist damit erstmals das Exil nicht hermetisch gegenüber der Heimat abgeriegelt – vor allem auch deshalb, weil das alles von Leuten geformt wird, mit denen man noch gestern hatte reden können ...

Im Sommer 1977 habe ich eine Studie mit dem Titel »DER ACHTUNDSECHZIGER«[47] geschrieben (in den ersten beiden Jahren wurde sie unter dem Pseudonym Jan Sládeček verbreitet), in der ich unter anderem die Überzeugung äußerte, daß der Abschub der Auslöser für unglückliche Prozesse gewesen sei, die wiederum ihrerseits zum Februar 1948 führten, dann zu den fünfziger Jahren ... Dadurch, daß er (der Abschub-O.P.) erstmals die allgemein geteilte Vorstellung suggerierte, daß es gegenüber einer bestimmten kollektiv umgrenzten Kategorie von Menschen (Ausschluß-prinzip) durchaus möglich sei, gültige Rechtsgrundsätze außer Acht zu lassen, zerschlug er die zivilen Hemm-schwellen, welche entweder für alle oder für niemanden gelten. Dieses Ausschlußprinzip wurde dann ohne größere Skrupel allmählich gegen die unterschiedlichsten »feindli-chen« Gruppen benutzt.

Unmittelbar daraufhin betritt zum zweiten Mal Pavel Tigrid die Debattenszene über den Abschub, wiederum als Redakteur, doch diesmal der Pariser Exilzeitschrift »SVĚDECTVÍ«[48], welche zwar heimlich, dabei jedoch regel-mäßig und in keinem geringen Umfang in die Tschechoslo-wakei eingeführt wird. »SVĚDECTVÍ« gibt bei den Dissiden-ten den Ton an, und in dieser Zeitschrift publizieren zu kön-nen, bedeutet nicht allein Prestige, sondern auch Ehre und Qualität. Schließlich wird es eine Selbstverständlichkeit, daß die Autoren dieser Zeitschrift sich nicht nur aus der (ganzen) Welt rekrutieren, sondern immer häufiger auch aus der Heimat.

Beginnend mit der Nummer 54/1977 eröffnet »SVĚDECTVÍ« die bislang grundsätzlichste Debatte über den Abschub. Es ist bezeichnend, daß die heimischen Autoren sich anfangs unter Pseudonym zu Wort melden, obzwar sie – zumindest in Prag und in Kreisen des Stb[49] – keinerlei Geheimnis dar-stellen.

Die Diskussion wird durch einen kürzeren Brief durch DA-NUBIUS (Ján Mlynárik) eröffnet, es folgt eine Betrachtung aus der Feder von JAN PŘÍBRAM (Petr Příhoda) mit dem Titel »EINE BEGEBENHEIT MIT UNGUTEM ENDE«; in der Folgenummer, eingeführt durch den bedeutenden deut-schen Historiker Johann Wolfgang Bruegel, veröffentlicht wiederum DANUBIUS seine heute bereits berühmten, kon-troversen »THESEN ZUR AUSSIEDLUNG DER TSCHE-CHOSLOWAKISCHEN DEUTSCHEN«. Der Text ist in Slo-wakisch geschrieben, was aber seinen aufreizenden Cha-rakter nur noch verstärkt.

Alle Mitglieder des Redaktionsrates von »SVĚDECTVÍ«, an ihrer Spitze Radomír Luža, distanzieren sich mittels eines Offenen Briefes von der Publikation der Danubius-Thesen. Luža trat schließlich aus Protest dagegen, daß Tigrid die Thesen von Danubius (ohne Zustimmung des Redaktions-rates) abgedruckt hatte, aus diesem Gremium aus.

Danubius-Mlynárik kann man sicherlich in manchem be-richtigen, in vielem noch ergänzen, doch in der Heftigkeit der Kritik am Abschub und dessen Ergebnissen kann man kaum noch weitergehen – höchstens dann, insofern diese Kritik unmittelbar aus der Sicht der Abgeschobenen selbst formuliert würde. Natürlich kann man die Haltung Mlynáriks auch ablehnen, ob nun ganz oder teilweise, doch einzig und allein auf der Grundlage eines anderen Bewertungsprinzips. Dies geschah dann auch und geschieht weiterhin so. Sein hauptsächlicher und unstrittiger Verdienst beruht darin, daß seit der Veröffentlichung seines Textes die Diskussion über den Abschub nicht mehr aufgehört hat.

Für viele Leser mußte die von Mlynárik ostentativ betonte slowakische Optik allerdings provozierend, letztlich sogar irritierend sein, eine Optik slowakischen Interesses, damit eben in seinen Augen völlig abgehoben gegenüber jeglichem tschechischen Interesse. In einem Brief, welcher als Vorauszeichen der »THESEN« gelten kann, sagt er mit schockierender Geradlinigkeit: Der Abschub ist ein tschechisches Problem. Einst hatten die Tschechen die Slowaken deshalb gebraucht, um ein Gegengewicht gegen die Minderheit der 3 Millionen Deutscher zu bilden, doch nach dem Abschub benötigen sie die Slowaken schon nicht mehr. So haben darüber hinaus die Slowaken keinerlei Anlaß, mit den Tschechen gemeinsam in einem Staate zu verbleiben, in dem ein deutscher Fluch und eine ebensolche Rache auch auf sie fallen könnten. Den Tschechen bleibe heute eben nichts anderes übrig, als unter russischem Joch zu verbleiben, denn dieses allein schütze sie vor den Deutschen. Durch die Unterstützung des Abschubs hätten die Russen die Tschechen auf Jahrhunderte von sich abhängig gemacht, sie hätten sie kompromittiert und es ihnen überlassen, sich die Hände schmutzig zu machen. Die Tschechen hätten sich somit selbst zur Abhängigkeit von den Russen verurteilt ... Mlynárik sagt den Tschechen: Zieht uns nicht weiterhin dauernd in euer Maleur mit hinein, schließlich und endlich haben wir ja die Magyaren nicht abgeschoben, obwohl wir dies – entsprechend dem Kaschauer Programm[50] – hätten tun können ... Der Brief an die Redaktion schließt mit folgenden Worten: »Wer garantiert in Zukunft für den Fall, daß in Rußland neue Schwierigkeiten entstehen und in Mitteleuropa sich ein Vakuum bildet, daß die Deutschen nicht eingreifen und den Tschechen keine Rechnung für die Vertreibung der sudetendeutschen Bevölkerung vorlegen!«

Mit einer derartigen Kritik am Abschub als einer rein tschechischen Unternehmung und nota bene aber aus slowakischer Position daherzukommen, mit den Deutschen auch für die Zukunft zu drohen, das war damals wirklich starker Tobak. Es wurde dann ein Vorschlag eingebracht, die »THESEN« zu einem der Dokumente der Charta 77 zu machen. Nach stürmisch verlaufenen Diskussionen überwog jedoch sodann die Ansicht, daß dies aus einer ganzen Reihe von Gründen ungut wäre. Der Hauptgrund bestand darin, daß ein Großteil der Öffentlichkeit, welche dieses Problem gänzlich unvorbereitet treffen würde, mit einer derartigen Haltung gegenüber der Nachkriegsvergangenheit nicht zurande käme und daß dies die Charta noch weiter in die Isolierung triebe. Es war also eine realistische Einschätzung, wie sich dann auch nach dem Jahre 1989 zeigte und wie sich dies bis zum heutigen Tage fortdauernd erweist.

Eine ganze Reihe professioneller Historiker ließ sich dann mit Danubius in eine Auseinandersetzung ein, obwohl sich alle zur damaligen Zeit außerhalb wissenschaftlicher oder akademischer Arbeitsstätten befanden. Sie hielten ihm vieles vor, etliches zu Recht. Ich befürchte, daß sie ihm aber vor allem seine ganz und gar negative Bewertung des Abschubs als solchen vorhielten. Bereits damals war ich der Meinung, daß dies nicht zurecht geschehe.

Unter den vehementesten und nervösesten Kritikern an Mlynárik müßte man wohl an erster Stelle den Historiker Milan Hübl anführen, welcher ihn wegen seiner politischen Verantwortungslosigkeit abkanzelte und sich unter anderem auf die seinerzeitige Ost-Politik der deutschen Sozialdemokratie berief (welche angeblich durch Mlynárik torpediert würde); an zweiter Stelle wohl Luboš Kohout, der den Abschub als einen Akt nationaler Selbsterhaltung verteidigte. Zu den harten Kritikern gehörten weiter Václav Kural und Jaroslav Opat (doch dieser setzte sich kritisch eher mit »BOHEMUS« denn mit DANUBIUS auseinander). Jan Křen und Miloš Hájek trugen ausgewogenere Kritiken bei. Auf die Seite Mlynáriks, das heißt in bezug auf den Abschub, stellten sich die Philosophen Ladislav Hejdánek, Erazim Kohák und der Historiker-Philosoph Bedřich Loewenstein, ferner Zdeněk Mlynář, ebenfalls eine Autorengruppe mit dem gemeinsamen Pseudonym »BOHEMUS« (die damit einen »NICHTCHARTISTEN« in ihrer Mitte verbarg) sowie sudetendeutsche und deutsche Autoren – so Rudolf Hilf und Johann Wolfgang Bruegel. Erwähnenswert aus der Menge von Gruppenstellungnahmen ist die eindeutige Haltung der tschechischen Exil-Sozialdemokratie (Jiří Loewy), welche ihrerseits die Eröffnung dieser Debatte begrüßte und für sie die Seiten ihres Periodikums »PRÁVO LIDU«[51] zur Verfügung stellte.

Im Hintergrund des kritischen Widerhalls der Mlynárikschen Thesen standen am häufigsten Befürchtungen, ob der Autor nicht doch zu weit gegangen sei, ob somit seine Haltung nicht politisch gefährlich sein könnte. Doch in der Auffassung ethischer Normen als solcher lagen zahlreiche Kritiker und auch der Autor der Thesen auseinander; dies bezog sich auch auf ihre Verbindlichkeit: Gelten sie nur irgend einmal oder stets? Für alle oder lediglich für irgendeinen?

Die Mehrzahl der Kritiken, Vorbehalte und Vorhaltungen war jedoch so formuliert, daß sie vor allem die Erudition des Autors, seine heuristische Aufbereitung, »die Wissenschaftlichkeit seiner Methodologie« usw. in Zweifel zog. Mlynárik überschritt in der Tat durch die Art und Weise seines Textes die geläufigen Grenzen der Historiographie, doch muß hinzugefügt werden, daß er niemals vorgab, daß er eine wissenschaftliche Arbeit vorlege. Sein Text stellte eher ein Pamphlet dar, eine Aufforderung, eher ein Memento als eine präzise dokumentierte Studie eines Historikers mit Literaturverweisen und Nachweisen der Archivquellen. Daher ging auch – entsprechend meiner Ansicht, welche allerdings auch seinerzeit nicht der mehrheitlichen Meinung entsprach – die Kritik an seinen Thesen durchwegs am Ziel vorbei. Dafür war sie aber umso dringlicher und manchmal auch umso argwöhnischer.

Eine Gruppe von sechs Autoren, von denen etliche bis dahin nicht gemeinsam aufgetreten und auch nicht anderweitig zusammengearbeitet hatten, nahm sich vor, die »THESEN« von DANUBIUS dadurch zu unterstützen, sie nämlich in einem geringer gestörten Gesamtbild darzubieten, sie vom slowakisch-tschechischen Stachel zu lösen, ihre Gültigkeit tiefer zu begründen, folglich Hinweise auf die entferntere Vergangenheit zu geben und schließlich zu versuchen, etliche überzogene Thesen ausgewogener zu formulieren. Unter dem Pseudonym »BOHEMUS« (Toman Brod, Jiří Doležal, Milan Otáhal, Petr Pithart, Miloš Pojar und Petr Přihoda) verfaßten sie eine »STELLUNGNAHME ZUM ABSCHUB DER DEUTSCHEN AUS DER TSCHECHOSLOWAKEI«, die dann das bereits genannte Exilblatt »PRÁVO LIDU« in einer speziellen, erweiterten, allein dieser Thematik gewidmeten Nummer abdruckte. »BOHEMUS« schloß voraussehend, jedoch umso unpopulärer mit der Feststellung, daß das Problem des Abschubs nicht allein eine Vergangenheitsangelegenheit sei, sondern daß wir uns nolens volens irgendwann einmal dieser Thematik nicht nur als einem historischen Thema, sondern als einem politischen Bereich in den zwischenstaatlichen deutsch-tschechischen Beziehungen würden zuwenden müssen. Das wir ihn, den Abschub, also irgendwie würden wiedergutmachen müssen!

»BOHEMUS« äußerte sich in der Einleitung seines Beitrags mit einer umfangreicheren Überlegung dazu, was damals – kritisch, und dies nicht nur gegenüber DANUBIUS – als unzulässiges »Moralisieren der Geschichte« bezeichnet wurde. Er verwies darauf, daß sich viele aus den Reihen »beflissener Wächter einer methodologischen Sauberkeit beim wissenschaftlichen Abwägen häufig positivistischen Zuschnitts« und gleichzeitig der »entschiedenen Gegner eines Moralisierens der Geschichte« zum sogenannten Reformkommunismus bekennen. Gerade bei ihnen könne man sich des Verdachts nicht erwehren, daß sie eine bestimmte und verständliche Appetitlosigkeit hinsichtlich einer konsequenten Selbstanalyse pflegten. Ähnliche Motive können aber auch Exilpolitiker aus der Vorfebruarzeit haben. Erstere und letztere wollten jedoch nicht einer Revision von Fragen zur Nachkriegsentwicklung nähertreten, weil diese deren problematische Aufgabe in der neueren Geschichte zeigen könnte.

Die Akzeptanz- oder auch Nichtakzeptanz der DANUBIUS-»THESEN« könnte einmal zum Gegenstand detaillierterer Analysen werden. Diese werden jedoch damit nicht den allgemeinen Stand tschechischen Denkens inmitten zweier Normalisierungsdekaden aufzeigen, sondern lediglich den Stand des Denkens einer ziemlich isolierten Gruppe offener Regimegegner, von denen wiederum etliche einige Zeit zuvor professionelle Historiker gewesen waren. In diesem Sinne handelte es sich um eine höchst unrepräsentative Gruppe – andererseits handelte es sich aber häufig um die künftigen Mitschöpfer der öffentlichen Meinung. Nichtsdestoweniger überwog auch in dieser Gruppe (und desgleichen im Exil) die Ablehnungshaltung gegenüber der Akzeptanz.

Außer politischen Gründen und außer dem bereits erwähnten Unverständnis bezüglich des gewählten Darstellungsgenres gab es hier sicherlich auch noch andere Gründe, weshalb Mlynáriks Thesen eher nicht akzeptiert wurden.

Denn er sei ja ein Slowake, war öfters zu hören mit dem anschließenden Fragezeichen, wenn er schon dieses Thema so rasant eröffnet habe, ohne jegliche Rücksichtnahme, warum er dies schließlich sogar unter Weglassung dessen vollzogen habe, daß er sich – als Historiker – immerhin an die professionellen Regeln hätte halten können. Warum gerade er, ein Nichttscheche, der sich darüber hinaus nie mit dieser Problematik beschäftigt hatte? Böswillig wurde auf seine Adresse hin darauf verwiesen, daß er an der Hochschule die Geschichte der Arbeiterbewegung vorgetragen habe ...

An das Thema des Abschubs gerieten damals auch etliche andere, welche überhaupt nicht der Historikerzunft angehörten. Ist dies ein Zufall? Zu ihnen muß ich mich selbst zählen (auch Petr Příhoda, den Mitherausgeber dieses Büchleins, den Philosophen Ladislav Hejdánek, Erazim Kohák und andere).

Damals, also an der Wende der 70er und 80er Jahre, handelte es sich bei weitem nicht um eine »DISKUSSION UNABHÄNGIGER HISTORIKER«, wie dies im Untertitel einer Publikation über »TSCHECHEN-DEUTSCHE-ABSCHUB«[52] steht, die 1990 im Verlag Akademia erschien.

Unabhängige Historiker stiegen in die bereits in Gang gesetzte Diskussion erst später mit ein; sie hatten dann zwar häufig in ihr das ausgedehnteste und oftmals höchst autoritative Wort, doch waren sie diejenigen, welche erst nachträglich reagierten, keineswegs hatten sie die Sache selbst initiiert. Sie gehörten durchwegs zu den Kritikern derer, welche das Thema erst anschließend eröffneten, als sie gerade ihre Initiative ungeduldig abwarteten.

Es ist daher grundlegend wichtig, folgendes hervorzuheben: Nicht einmal Mlynárik publizierte seine »THESEN« als Historiker, sondern als einer, dem »ETWAS ZUKAM«, was er als irgendetwas verstand und sich nun an diesem – zusammen mit anderen – beteiligen wollte. So betrachtet war seine Motivation nicht fachbedingt, auch nicht in erster Linie politisch – denn die meisten von uns konnten sich damals nicht vorstellen, daß sich die Verhältnisse einmal ändern würden und die Probleme des Abschubs sich zu einer Angelegenheit der aktuellen Politik entwickelten. Ja wir glaubten nicht einmal daran.

Das Interesse Mlynáriks wurde ursprünglich durch den unmittelbaren Kontakt mit derjenigen Gegend geweckt, welche durch den Abschub und Versuche zu einer Neubesiedlung und Förderung gekennzeichnet war, ferner durch Kontakte mit Leuten, mit Augenzeugen und auch mit denjenigen, welche anstelle der Abgeschobenen in diese Gegenden gekommen waren. Die Landschaft aber sprach gegenüber einem aufmerksam aufnehmendem Menschen vernehmlicher und vor allem eindringlicher als menschliche Worte sporadischer Erinnerungen, die noch dazu von menschlichen Interessen vorgefiltert waren (aber auch vom Wunsch nach Vergessen), die darüber hinaus niemand zusammengetragen hatte als die historische Fachliteratur, welche übrigens im Lande völlig fehlte, beredter als seinerzeitige und gegenwärtige politische Parolen.

Die Begegnung mit einer Landschaft, Menschen, die durchwegs auch weiterhin in ihr desorientiert waren, war nicht nur für einen aus unseren Reihen ein entscheidender Impuls. Im Sommer 1977 habe ich darüber im Buch »DER ACHTUNDSECHZIGER« folgendes geschrieben: »Ich empfehle doch, über diese Fragen auf langen Spaziergängen nachzudenken, über die mancherorts noch entvölkerte, verlassene Landschaft unseres Grenzgebietes, mit ihren zugewucherten Straßen, den Häuserruinen, den brachliegenden Feldern. Dies sind nämlich Argumente, mit denen wir uns selbst vielleicht überzeugen können, die Landschaft jedoch nicht«.

Dazu müßte aber noch die Atmosphäre in den ersten Jahren nach dem Entstehen der CHARTA 77 hinzugerechnet werden. Es ist ja ein Euphemismus zu sagen, sie sei nur von geringer Hoffnung geprägt gewesen. Tatsächlich haben viele von uns damals auch nicht das allerkleinste Licht am Ende des Tunnels erblicken können. Es schien doch so, daß das einzige, worum wir uns mit relativem Erfolg bemühen könnten, die Weitergabe einer Nachricht sei – daher verständlicherweise die eigene Version einer Nachricht – darüber nämlich, wie wir, Tschechen, Mährer und Schlesier, in diese ausweglose Lage geraten waren. Wenigstens einen kleinen Versuch zu unternehmen, dies alles irgendwie zu verstehen, zu benennen, wenn wir es schon nicht ändern können. Dies war somit ein Ausweg, den man vielleicht wohl als einen Ausweg der Hoffnungslosigkeit bezeichnen könnte. Doch möchte ich mich gerne einer solchen Charakteristik verwehren. Hoffnungslosigkeit führt zur Resignation in bezug auf jegliche Aktivität, möglicherweise auch zur Strategie »nach uns die Sintflut«, somit zum Zynismus, möglicherweise auch zur Suche nach irgendeiner irrationalen Erleichterung. Wir haben das Thema des Abschubs auch deshalb aufgemacht, weil wir zu der Schlußfolgerung gelangt waren, daß gerade dieses mit unserer hoffnungslosen Lage sehr direkt zusammenhängt, selbst über die Kluft der Jahre hinweg, ja vielleicht gerade wegen dieser Kluft der Jahre.

Wir haben nämlich das unabweisbare Gefühl gehabt, daß nun, da ja alles verschustert war[53], nichts anderes übrigbleibe als die Wahrheit, denn die Lüge oder das Verrammeln würden zumindest uns ohnehin nichts mehr bedeuten. Dies alles zusammengenommen legte den Grund für eine persönliche existentielle Gemütsverfassung, einen bestimmten Seelenzustand, und allein mit diesen Elementen konnte das Thema des Abschubs letztendlich noch vor dem November 1989 wiederum eröffnet werden ...

Wir warteten – nein wir erwarteten dann nicht den 17. November 1989[54]. Die Dissidentenbewegung und das Exil waren um ein grundsätzlich eröffnetes kontroverses Thema reicher (und innerlich gegliederter). Die Öffentlichkeit, welche zu einer bestimmten Zeit die Plätze der Städte füllt und aus den Hosentaschen die sprichwörtlich gewordenen Schlüssel zieht[55], hatte aber kaum eine Ahnung davon, womit dann jener Havel sie geradezu überfällt, der dann auch noch ihr Präsident werden will.

2. Kapitel

Die Zeit nach der Rede

Es gibt nichts mit wem und folglich auch über nichts zu reden: Der Dialog mit den Deutschen, die wir aus unserem gemeinsamen Land aus verständlicher, wenngleich ungerechtfertigter Nachkriegs-Geistesverwirrtheit verjagt haben, endigte nämlich bereits früher, ehe er in Wirklichkeit begonnen hatte. Mit wem soll man denn reden: Denn diese »UNSERE« Deutschen sind ja künftig allein nur Deutsche. Als eventuelle Gäste begrüßen wir sie zwar »so wie alle Deutschen«: den Alten aus Neudeck, das Großmütterchen aus Außergefild oder aus Zwittau, genauso wie die businesmen vom Rhein oder Touristen aus dem Schwarzmeergebiet. Ein Deutscher wie jeder andere Deutsche: Die »UNSRIGEN« haben plötzlich nicht einmal einen Namen. Mit der Aberkennung des Namens verloren ihre Lebensumstände ihre tragische Schicksalhaftigkeit und wurden so zum nur noch unglücklichen Zufall: Sie hatten einfach Pech.

Heutzutage ist es bei uns realistisches politisches Tun, ihnen ihren Namen abzuerkennen: Wir haben nämlich eine größere Angst als vor fünf Jahren, vor allem deshalb, weil wir uns während dieser ganzen Zeit nicht getraut haben, uns auf die Wahrheit einzustimmen. Nun ist es nicht so, daß keinerlei Interesse bestünde: Das Interesse besteht schon, doch umgekehrt. Fragen Sie doch einmal im Grenzgebiet in dieser Hinsicht einmal nach: Die Kommunalwahlen fielen dort durchwegs schlecht für diejenigen aus, die sich denjenigen auf der anderen Seite entgegenkommend gezeigt hatten. Und der von den Kommunisten geführte KLUB DES TSCHECHISCHEN GRENZLANDES[56] ist dort diejenige Organisation mit dem bei weitem größten Mitgliederstand.

Was ist das doch für eine fatale Asymmetrie: T. G. Masaryk begann seine Präsidentenlaufbahn mit einer aufgeregten Äußerung, die mutig und weise relativierte – er korrigierte sie für den Rest seiner Präsidentschaft. Damals sagte er (im Dezember 1918), daß »WIR DIESEN STAAT GESCHAFFEN HABEN; DAMIT WIRD DIE STAATSRECHTLICHE STELLUNG UNSERER DEUTSCHEN DEFINIERT, DIE UR-

SPRÜNGLICH ALS KOLONISTEN IN DIESES LAND GE-
KOMMEN WAREN«, mit anderen Worten, daß es somit nur
an uns läge, wie wir mit ihnen auskommen werden. Unser
heutiger Präsident, damals noch Bürger, wenngleich bereits Kandidat, begann seine Präsidiallaufbahn (Dezember
1989) umgekehrt mit wahrheitsorientierten, mutigen bis hin
zu geradezu verrückten, nämlich daheim ganz und gar unzulänglich vorbereiteten) Worten über das Erfordernis einer
Entschuldigung gegenüber den Deutschen, die wir hinausgejagt hatten, alleine dafür, daß sie einfach Deutsche waren, Schuldige, Unschuldige, das war doch alles eins. Nach
fünf Jahren berichtigte er diesen Mut durch eine realpoliti-
sche Überlegung.
Ursprünglich also nur Kolonisten, nunmehr nur Gäste: Waren sie also überhaupt mit uns zusammen gewesen? Oder
hatten wir dies alles lediglich geträumt?
Die Zeit der Entschuldigungen sei angeblich zu Ende gegangen. Doch nicht nur das: Fünf Jahre alte Worte über die
Notwendigkeit einer Entschuldigung hat deren Autor zu-
rückgenommen. Folglich kann ich mich nur so entschuldigen, daß ich sage: Vergib mir das, daß ich Dich gedroschen
habe, aber das war einfach deswegen, weil Du mich gestern hingeschmissen hast; dies könnte also schon eine
wahrhaftige Wahrheit sein, doch keineswegs eine Entschuldigung. Denn ich entschuldige mich – mittels dessen,
womit ich Leid zugefügt habe – gegenüber jemandem oder
wegen irgendeiner Sache, was uns beide unmittelbar betrifft. Nur daß dort nichts ist.
So ist es halt möglicherweise zu spät, was sofort zu Beginn
der Hoffnung hätte aufklingen sollen: In Wirklichkeit entschuldige ich mich nicht, ich mache meine Entschuldigung
davon abhängig, was denn dieser andere macht. Möglicherweise trage ich lediglich Sorge darum, daß ich nicht
vergebe und nicht das Gesicht verliere, dann versteigere
ich etwas oder spiele letztendlich Poker. Doch dabei kann
allerlei passieren, nur keine Reue. Die Entschuldigung jenes
anderen erreicht mich am ehesten dann, wenn ich nicht
einmal im Geist davon rede.
Angeblich sollen wir auch nicht »IN DIE GESCHICHTE UM-
SIEDELN«, aber gerade dazu sind wir verpflichtet: Die
Überlegungen zum Thema »WER HAT DENN WAS BE-
GONNEN« sind ja hoffnungslos unendlich, und gerade sie
»TRANSFERIEREN« uns tiefer und tiefer in die Vergangenheit hinein. Begannen sie denn mit dem Jahr 1938? Können
sie die Sache umdrehen: Wir? Ihr im Jahre 1918! Aber was

denn? Und was habt Ihr Deutschen zur Zeit der Punktatio-
nen[57] gemacht? Und so weiter und so immerfort weiter.
Den Historiker kann dieses nicht unberührt lassen. Der Politiker will gewählt werden und wird den Menschen bestenfalls die Wahrheit in erträglichen Dosen sagen. Der Staatsmann unterscheidet sich vom Politiker dadurch, daß er
neue Wirklichkeiten zu schaffen vermag, denn er kann über
alle Erhebungen aller künftigen Parlamentswahlen hinweg
in die Ferne blicken.
»DU SOLLST NICHT TÖTEN!« – entweder gilt dies oder es
gilt nicht. Eine Kollektivschuld ist eine absolut unannehmbare Perversität, oder es gilt eben das »DEMENTSPRE-
CHENDE«.
»WER ABER ANGEFANGEN HAT«, das ist doch ein Bestreiten der Absolutheit des Verbotes: Ein Verbot mit Ausnahmen entsprechend den Umständen ist eine maximale
technische Norm, so etwas wie eine Regel für den Straßen-
verkehr. »WER ABER ANGEFANGEN HAT«, geben Sie doch
bitte acht, drückt sich nie mittels eines Fragezeichens aus,
vielmehr durch ein Ausrufezeichen: Wir nicht! – Selbstverständlich können erleichternde Umstände existieren: Doch
der irdische Richter kann diese wie auch erschwerende
Umstände nur abwägen – das heißt also bis zur unvollkom-
menen Findung des menschlichen Rechts vor Gericht, also
bei der Strafzumessung. Als ein Richter, keineswegs Ge-
setzgeber oder gar der, welcher sie auf Steintafeln aufge-
zeichnet hat.
Hierbei geht es ganz und gar nicht darum, daß wir etwa zurückweichen.
Es ging und wahrscheinlich geht es auch weiterhin darum,
daß wir mit denen, also mit ihnen reden, die das alles unmittelbar betraf und betrifft. Damit wir guten Willen zeigen und
irgendeine symbolische Art und Weise finden – eine Geste,
mit der wir diejenigen, welche wir hinausgejagt haben, als
unsere Opfer anerkennen und ihnen dabei in die Augen sehen. Über eine materielle Entschädigung wird ja aus Verlegenheit erst dann geredet, wenn es sich zeigt, daß der Wille
zu großzügigen Gesten guten Willens fehlt: anstatt einer
Bitte um Vergebung und der Reue als Voraussetzung des
Ablasses.
Die Dekrete Präsident Beneschs in Geltung zu belassen,
das ist für uns vor allem ein dringendes innerstaatliches
und innenpolitisches Grundproblem. Um unsere Nachbarn
aber gerade davon zu überzeugen, könnten wir dies nur so
erweisen, wenn wir diese Dekrete weiterhin nicht dauernd

verteidigten. Notwendig wäre es auch, unmittelbar zu sagen, daß sie schädlich waren, daß wir sie jedoch nicht beseitigen. Weil wir nicht wollen. Das wäre nicht nur mutig, sondern schließlich auch überzeugend.

Es muß ebenfalls bemerkt werden, daß es auch auf der anderen Seite keine offiziellen Stellen für Ausgleichsaufforderungen, für Hoffnungen auf einen Ausgleich gab. Es zählten mehr die Stimmen und die DM als etwas anderes. Zum Henker damit! Es ging ja doch um die Alten aus Neudeck, das Mütterchen aus Außergefilden und das aus Zwittau. Und um unsere Seelenrettung. Doch ja, ganz sicher, doch was ist das?

Und wohin führt das alles? Nirgendwohin. Es passiert nichts. Allerdings.

So also wäre sie gewesen – vielleicht nach einhundertfünfzig Jahren – die Gelegenheit.

Petr Pithart

3. Kapitel

Versöhnung 95

Alles sei angeblich in Ordnung, was war, das war eben, doch es beläßt nur diejenigen in Unruhe, welche selbst nicht ausgesöhnt sind. Wirklich? Reaktion auf die »VERSÖHNUNG 95« waren gerade in dieser Zeitung eine ganz augenscheinliche Panik (wollen die denn über eine Gebietsabtretung verhandeln!) und beflissene Anzeigen: Sie haben uns unseren Herrn Präsidenten unterschlagen! Erst am darauffolgenden Tag druckten die LIDOVÉ NOVINY[58] den angegriffenen Text ab – dies ist hier schon solch eine Gewohnheit.

Angeblich könne unsere Regierung nur mit der Regierung in Bonn verhandeln. Doch die Regierung handelt, auch wenn sie Handeln initiiert, autorisiert, ausrichtet und schließlich und endlich auch billigt (oder nicht billigt). Wer aber dann ganz konkret am Verhandlungstisch sitzt, ist eine gänzlich andere Sache.

Bislang verhandeln lediglich einzelne Bürger mit den Sudetendeutschen (man sagt dazu, daß sie einen »DIALOG FÜHREN«) – Christen, Historiker, Bürgermeister aus dem Grenzgebiet und da und dort auch irgendein Prager Politiker – ein Abgeordneter. Mehr getrauen wir uns ganz offenkundig nicht. Damit zeigen wir eine Unsicherheit, welche bei den Exaltierten auf der anderen Seite der Grenze die Versuchung weckt, Forderungen zu erhöhen und zu versuchen erpresserisch zu werden.

Was wir diesen Deutschen sagen möchten, kann ihnen nicht irgendwer einfach so sagen. Es muß sich darin die Staatsautorität engagieren, und hierbei muß dies direkt durch diese selbst gesagt werden. Dies ist auch der Sinn des Aufrufs »VERSÖHNUNG 95«. All das, was wir uns vor dem Krieg, während des Krieges und nach dem Krieg gegenseitig angetan haben, war doch um vieles mehr als nur die Summe der Taten von Einzelpersonen. Das Allerschlimmste, was die Deutschen den Tschechen und die Tschechen den Deutschen angetan haben, taten sie mit amtlichem Segen. Es war immerhin die damalige Tschechoslowakische Regierung, welche durch Bekanntmachungen, welche auf den Straßen angeschlagen wurden, die Bürgerschaft zu hartem Vorgehen bei der Beschlagnahme von Eigentum – keineswegs von Nazis, sondern von Deutschen – aufforderte.

Die Deutschen haben wir folglich amtlich mit den Nazis identifiziert, ähnlich wie wenn man autoritativ verkünden würde, daß diejenigen, welche im Jahre 1946 bei uns die Kommunisten gewählt hatten[59], damit auch die politischen Prozesse wählten[60] – und der Rest der Tschechen sei daraufhin einfach der Ordnung halber kollektiv dazugejagt worden. Nicht einmal der beliebte Hinweis auf den Willen der Großmächte kann dem allzulange entgegenstehen. Die ersten Transporte, welche entsprechend den Regelungen und Sanktionen der Potsdamer Konferenz[61] organisiert wurden, fuhren erst dann los, als bereits nahezu eine Million Deutscher aus dem Lande herausgejagt worden war. Egal was wir heute diesen Deutschen und ihren Nachkommen auch immer sagen wollen, so müssen wir ihnen dabei ins Gesicht schauen. Und sie damit als Partner anerkennen – keineswegs aus amtlichem, aber ganz bestimmt aus menschlichem und politischem Gesichtswinkel. Ist es denn nicht ganz offenkundig, daß wir, sofern wir ihnen etwas auf Umwegen mitteilen, da einmal über Zeitungen, dann wiederum über Bonn, da offenkundig in erster Linie Unsicherheit vermitteln? In den vergangenen fünf Jahren haben wir in der deutsch-tschechischen Annäherung lediglich ganz kleine Fortschritte vor allem deshalb gemacht, daß wir bis dato die Sudetendeutschen als nicht mehr denn nur eine Summe von Deutschen anerkannt haben. Wir wollten nicht schwach erscheinen, aber wir waren in Wirklichkeit nur Kraftmeier: Die allgemeine, überwiegende Ansicht bezüglich der Rechtmäßigkeit des Abschubs ist fünf Jahre nach dem November (1989 – O. P.) um etwa so ein Prozent herum stärker geworden.

Ein Verhandeln auf Regierungsebene mit der politischen Vertretung der Sudetendeutschen wäre ein Schritt außerhalb jeglichen Standards, bitteschön. Es wäre eine Geste. Einige politisch unlösbare (weil unkalkulierbare) Probleme kann man aber gerade nur mit Hilfe von Gesten lösen: ergo solchen Taten, deren Entgegenkommen einer Erwartung entspringt, welche aber vorher keineswegs zuverlässig garantiert werden kann. Handlungen, welche aber dann zur Katharsis führen können, zur Reinigung. Zum Ausgleich. Doch solche Taten setzen Phantasie, Großzügigkeit und Mut voraus.

Doch existiert eine sudetendeutsche Vertretung derzeit gar nicht, man müßte sie aber bei dieser Gelegenheit schaffen. Und was sollten wir denn den Sudetendeutschen eigentlich mitteilen und ihnen hierbei noch ins Gesicht blicken? Darüber könnte die Regierung zu einer Übereinkunft gelangen, wenn sie denn über die Hauptsache befände, daß sie nämlich diese Deutschen nicht als dieselben Deutschen betrachtet, wie es diejenigen vom Rhein oder aus Hamburg auch sind. Damit würde sie anerkennen, daß zwischen uns und ihnen besondere Beziehungen sowie eine besondere Verantwortung bestanden und weiter bestehen.

Was sollte man ihnen also sagen?

Vor allem dies, daß keinerlei Rückgabe beschlagnahmten Eigentums in Frage komme. Und dies bei weitem nicht nur deswegen, daß wir einfach nichts haben.

Daß nämlich die Unüberschreitbarkeit der einzig denkbaren Grenze nicht nur für die Restitution, also der 25. Februar 1948[62], heute eine verhältnismäßig feste Rechts- und Politikgrundlage für die Transformation der tschechischen Gesellschaft bildet. (Ein Einwurf über die Grenze hinweg:Es ist die Rede von derjenigen Transformation, der wir uns heute wohl nicht schmerzvoll unterziehen müßten, hätte es nicht den Zweiten Weltkrieg gegeben). Daß wir folglich diese unüberschreitbare Grenze unbedingt benötigen, sonst könnte das ganze Gebäude der neuen Tschechischen Republik anfangen einzustürzen. Und daß die sogenannten Benesch-Dekrete sich JENSEITS dieser Grenze befinden.

Wir sollten auch gleichzeitig hinzufügen, daß etliche dieser Dekrete schändlich waren und eines direkt ungeheuerlich. (Es war dasjenige, welches zusätzlich Verbrechen unserer Leute in der Nachkriegszeit dadurch rechtfertigte, daß sie diese an Deutschen begangen hatten, also das Gesetz Nr. 115 vom 8. Mai 1946[63]). Daß wir den ganzen Geist dieser Dekrete ablehnen, aber daß wir sie wegen der Sauberkeit unserer inneren Beweggründe nicht »ABERKENNEN« können – im übrigen so ähnlich wie etwa die deutsche Seite wegen der Klarheit der inneren Beweggründe es nicht vermag, wie sie fortwährend behauptet, die Gültigkeit des Münchner Abkommen nicht restlos »ABZUERKENNEN«.

Rechnen wir doch besser damit, daß uns die Kontrolleure am Eingangstor zu Europa mit diesem nicht gerade einladenden Gepäckstück der Dekrete nicht einlassen werden. Aber dies wird wohl in irgendeinem späteren Jahr der Fall sein, und dazwischen, so hoffe ich jedenfalls, wird es nicht so schwierig sein, die Dekrete wie ein verkapseltes Geschwür herauszuoperieren.

Weiterhin sollten wir den Deutschen überhaupt noch möglicherweise sagen, daß wir eine Entschädigung als Wiedergutmachungsleistung in die Staatskasse für die tschechischen Opfer von Bonn nicht wollen. Daß sie unser Staat aus eigenen Kräften entschädigt hat, und daß wir kurzum daher auf einer Wiedererstattung nicht weiter bestehen. Daß wir uns ganz einfach nicht insgesamt jeder Mark wegen das Knie verrenken lassen. Wir bleiben somit also das einzige Land Europas, in dem Deutschland seine Opfer nicht entschädigt hat, aber was kann man da schon machen. Zahlreiche Möglichkeiten hat das Deutschland Kohls verstreichen lassen, und ›wer zu spät losgeht, auch selbst im Schaden steht‹[64]: Wir danken dafür so, als ob dies doch geschehen wäre. Ich glaube, daß diese Geste, wenn sie denn nüchtern durchgeführt wird, unser geringes Selbstbewußtsein nur bestärken würde, und gerade das benötigen wir heute.

In solchen Verhandlungen sollten beide Seiten angestrengt nach nicht standardgemäßen Lösungen für diejenigen suchen, die wieder zu uns zurückkehren möchten, und dies dabei noch zu ihren Lebzeiten erreichen wollen. Und die aber damit rechnen, daß sie unsere Bedingungen respektieren werden müssen. Dies bedeutet, daß es in gar keinem Falle zu einem weiteren »ABSCHUB« kommen darf. Jemanden aus dem Heim und Eigentum, welches bereits jemandem gehört, zu vertreiben, insofern es nicht gerade der Staat selbst ist.

Tschechisches Verwünschen ist doch nur eine Lappalie: Nehmen wir doch gerade in diesem Jahr (denn das nächste wird wohl wiederum erst nach einem halben Jahrhundert kommen) allen Mut zusammen, denn der allein kann sich für uns lohnen.

4. Kapitel

Die Erklärung

Mit den Worten »HERBST« und »ERKLÄRUNG« werden erneut nach längerer Zeit Hoffnungen auf einen deutsch-tschechischen Ausgleich verknüpft.
Warum gerade Herbst? Weil wir nämlich realistischerweise voraussetzen, daß ein derartiger Ausgleich unsererseits (jedoch nicht nur von unserer Seite) möglich sei nur in einer Zeit, wo es noch nicht so sehr um Wählerstimmen geht.
Warum eine Erklärung? Denn endlich beginnen wir zu verstehen, daß man sich von der Vergangenheit lösen kann, sofern diese Vergangenheit nicht benannt (deklariert) wird mit einem Zweck, welchen beide Seiten als eine Genugtuung empfinden werden. Wie auch immer im umgekehrten Falle die politischen Vertretungen beider Seiten ihren Willen beschwören, sich künftighin nur noch der Zukunft zuzuwenden, so scheint es dann doch so, daß sie dennoch nur verstanden haben, daß ohne ein glaubwürdiges Wort über das Geschehene die Zukunft hoffnungslos verschlossen bleiben muß wie jenes Kämmerchen im Märchen, zu dem der Schlüssel fehlt.
Wie sehen am ehesten jene Worte aus, wie ist es offenkundig um jene Formulierung bestellt, welche für beide Seiten akzeptabel sein wird und gleichzeitig die so sehr herbeigesehnte Genugtuung bewirkt?
Ich stelle mir keinerlei Gericht über die Geschichte als solche vor, welche mit diplomatischer Feder geschrieben sein würde, das mit krampfhafter Nichtmotorik zwei Hände hält, doch keinerlei vorgeblich ausgewogene (entleerte) gemeinsame Bewertung. Es müssen keinerlei Worte über Schuld, über Schuldige fallen. Aber auch die Entschuldigungen oder Besänftigungen beider Seiten haben hier keinerlei Raum.
Ich bin der festen Überzeugung, daß es letztendlich in erster Linie um eine klare, unzweideutige, nichtrelativierte und abgetrennte ANERKENNUNG tschechischen und deutschen Leidens geht. Die Deutschen müssen in der Erklärung von sich aus feststellen: Unsere Leute haben euch dann und dann dies und jenes angetan, für Eure Menschen

hat dies dieses und jenes Leiden verursacht. Von diesem Leiden wissen wir, wir respektieren es und neigen uns vor ihm. Und wir müssen gleicherweise den Deutschen sagen, daß wir ihr Leid anerkennen, und wir müssen es mit unseren eigenen Worten als solches benennen. (Unter anderem sollten wir auch die nicht geringen Schwierigkeiten bei der Eingliederung der Sudetendeutschen in ihre neuen Heimatorte anerkennen, hierbei auch ihren bedeutenden Anteil an der Wiederherstellung eines demokratischen Deutschlands, also gerade das, was sie in ihrer überwiegenden Mehrzahl eben nicht waren, wofür die kommunistische Propaganda sie ausgegeben hatte).

Keinerlei Aufrechnung der Leiden, kein gegenseitiges Schuldzumessen, keinerlei »WER HAT EIGENTLICH BEGONNEN« hat HIER seinen Platz. Keineswegs deshalb, weil dies nicht möglich wäre: In anderen Zusammenhängen ist es schließlich erforderlich, gerade nach solchen Dingen zu fragen. Wenn es aber heute um irgendein Tun geht – um eine Geste, welche zur Erneuerung von Vertrauen führen könnte, dann schwächt sie jegliches über diese grundlegende Anerkennung hinaus zusätzlich gesagte Wort ab.

Und dann kann die Erklärung bereits mit Vertrauen über die Zukunft reden. Entschädigungen, Rückkehr, Stiftungen, Jugend, grenzüberschreitende Zusammenarbeit, dies alles sind dann Themenbereiche, welche zunächst noch im Kämmerchen eingeschlossen sind; doch seinen Schlüssel besitzt die so einfache Formel, welche nichts anderes bewirkt, als daß sie mit eigenen Worten fremdes Leid benennt, dieses anerkennt und sich vor ihm verneigt, wie sich dies doch vor jeglicher Art von Leid wohl gehört.

Ich glaube fest daran, daß gerade diese Formel es zustande bringt, heutige Spannungen und Mißtrauen abzubauen. Dies funktioniert ja auch nicht allein in den zwischenstaatlichen Beziehungen: Mehr als jegliche Art von Entschuldigung (denn diese kann man ja doch irgendwie nur erlernen und gedankenlos wiederholen) beruhigt und besänftigt uns doch, wenn dieser andere alleine, von selbst, mit eigenen Worten das los wird, was er mir angetan hat und sich vernehmlich vorzustellen vermag, wie ich dies durchlebt habe. Doch sollte ich aber auch voraussetzen, daß dieser andere nicht anders beschaffen ist als ich, daß er somit höchstwahrscheinlich dasselbe von mir erwartet.

Petr Pithart

5. Kapitel

Ungültige Logik
und unausweichliche Wahrheit

(Über den Dialog mit den Sudetendeutschen)

5.1   Eine Volksfront[65] – lies: Eine antideutsche Front

Nach dem Nürnberger Kongreß der Sudetendeutschen Landesvereinigung[66] (um wieviel demgegenüber der Begriff »LANDSMANNSCHAFT« abschreckender klingt) und den heimischen Reaktionen unsererseits darauf sind wir wieder ein Stück Wegs weitergekommen. Leider Gottes jedoch weiter nur in demjenigen Sinne, daß wir etwas mehr von uns selbst, über unsere gegenwärtigen Grenzen wissen – doch das Problem als solches wurde nicht berührt, eher war das Gegenteil der Fall. Sollte ich dies irgendwie mit einem übertriebenen Optimismus ausdrücken, müßte ich wohl sagen, daß die deutsch-tschechischen Beziehungen nicht besser sind als in den ersten beiden Jahren nach dem November. Unsere politischen Parteien haben sich seinerzeit gegenseitig darin übertroffen, welche mit rasanterem Tempo die Einladung nach Nürnberg ablehnt, und keinem einzigen politischen Parteiführer (ausgenommen Dienstbier[67], dem Vorsitzenden der Freiheitlichen Demokraten, der allerdings die Einladung sehr spät erhalten hatte) wäre es eingefallen, daß er hätte hinfahren und sagen müssen, daß er alles anders sehe, so und so und warum. Es mußte doch so aussehen, daß wir verdammtnochmal unser nicht sicher seien und daß wir die Festigkeit unserer Standpunkte durch kraftmeierische Gesten ersetzen.

In diesem Wettlauf, wer sich bezüglich der Einladung nach Nürnberg beleidigter zeigen würde, gaben die politischen Parteien unzweifelhaft zu erkennen, was sie denn tatsächlich meinen, daß mögliche Wähler von ihnen wohl erwarten. Sie gaben folglich einträchtig zu erkennen, daß sie ihre Wähler irgendwie unduldsam, möglicherweise auch etwas aufgeschreckt, zu wie auch immer gearteter ernsthafter Debatte – dem Dialog mit den Deutschen aus den Sudetengebieten – allerdings als ziemlich unwillig typisieren. Sollte dies so der Fall sein, dann müßte aber die äußerste Linke daraus die meisten Vorteile ziehen –, denn ihre Haltung war und ist höchst grundsätzlich und höchst kompromißlos. Und am meisten würde andererseits der Präsident verlieren, der das Problem der Austreibung von unserer Seite aus bereits Mitte Dezember 1989 aufgetan hat.

An dieser Stelle muß man auch daran erinnern, daß eine vergleichbare Rangfolge einer so gearteten antideutschen Stellungnahme hier gleich nach dem Krieg feststellbar war, und daß die Nationale Front unseligen Gedenkens unter kommunistischer Führung sich von Anfang an als antideutsche Front formierte – ihr antidemokratischer Charakter, welcher uns im Gedächtnis haften blieb, entwickelte sich als logische Folge eines gemeinschaftlichen Anti-Deutschtums erst später.

5.2 Die Logik des Grenzsteins und der Grenzbereich der Logik

Wie aber sah denn diese Stellungnahme aus, die man abwägen mußte, um sie von der Tribüne des Nürnberger Kongresses mitteilen zu lassen? Handelt es sich hier überhaupt um irgendeine gemeinsame, beispielsweise um eine Koalitionsstellungnahme?

Wir alle sind uns bis dato lediglich einzig und allein darin einig, daß wir die Benesch-Dekrete nicht beseitigen werden. Es wäre allerdings schon erforderlich, das im Detail zu erläutern, warum dies so ist. Unsererseits müßte gerade dies Gegenstand des Dialogs sein. Für mich selbst würde ich gleich eingangs sagen, daß wir sie nicht etwa deshalb nicht beseitigen, weil sie mit der damaligen Lösung konform gehen – diese Dekrete haben ja offenkundig die Kollektivschuld aller, auch der unschuldigen Deutschen, gesetzlich verankert, andererseits aber die kollektive Schuldlosigkeit aller Unsrigen: Alle Bestialitäten, welche sie an Deutschen begangen hatten, wurden durch diesen einen Akt des Präsidenten der Republik vergessen und vergeben.

Das Problem liegt nicht allein darin, daß wir Tschechen uns bei weitem nicht alle auf eine derartige Bewertung der Benesch-Dekrete einigen werden. Es ist auch darin begründet, daß die deutsche (ich befürchte, daß bei weitem nicht nur die sudetendeutsche) Seite urteilt, daß wir nach einem »A« auch ein »B« sagen müssen – falls wir also die Dekrete verurteilen, wir sie auch annulieren müssen. Daß wir also aus der Logik der Verurteilung der Dekrete auch den bislang geltenden Markstein beseitigen müssen.

Die Benesch-Dekrete stammen aus einer weit vor dem Februar 1948 liegenden Zeit. Der 25. Februar 1948 ist nach dem 17. November 1989 das allerwichtigste Datum unserer neuzeitlichen Geschichte. Vom Rechtsstandpunkt aus betrachtet, führt von diesem Kalendertag an ein dicker Strich hindurch – es ist die gültige Marke für die Restitution, und so haben wir erst von diesem Tag an beschlossen, den Gang der Verjährungsfristen hinsichtlich der Beurteilung der Strafbarkeit derjenigen einzustellen, welche es denn auch sein sollten, jedoch als Prominente des Regimes keiner Strafverfolgung unterlagen.

Ohne diesen einen einzigen und glücklicherweise politisch unstrittigen dicken Markierungsstrich wäre denn auch jeglicher Versuch zumindest irgendwelcher Schadensbeseitigung oder -linderung, welcher durch das ehemalige Regime angerichtet worden war, ganz und gar unmöglich. Es wäre somit unmöglich, auch nur *IRGENDETWAS* wieder in Ordnung bringen zu wollen, denn niemand könnte irgendjemandem verwehren, sich um die Bereinigung *VON ALLEM* zu bemühen – man kann wohl ohne Übertreibung sagen, daß dies bei den Eigentumsausbeutungsakten nach dem Weißen Berg[68] beginnen könnte.

Könnte diese Grenze auch auf irgendeinem anderen Wege geführt werden? Vor allem wäre es erforderlich, unseren Dialogpartnern gegenüber unaufhörlich zu wiederholen, daß diese Grenzfestlegung nicht gegen sie gerichtet war und ist, ergo gegen die Deutschen – und dies unter ausnahmslos allgemeiner Zustimmung. Ich würde schließlich bemerken, daß es folglich kaum jemandem einfiele, welche Folgen dies gerade im Hinblick auf die künftigen Forderungen der Sudetendeutschen haben könnte.

Diese Grenzmarkierung wurde so nicht nur deshalb festgesetzt, daß wir gedanklich nachvollziehbar ausdrücken könnten, welche politischen Verhältnisse wir verurteilen und zu welchen wir um keinen Preis der Welt wieder zurückkehren wollten. Sondern vor allem deswegen, damit die Probleme der Bereinigung beziehungsweise der Milderung etlicher Schäden überhaupt technisch (rechtlich) regelbar würden. Durch die Festsetzung dieser Grenzmarke haben sich symbolisch zwei Regimes abgesondert: das undemokratische nach dem Februar und das demokratische vor dem Februar[69], aber vor allem ganz und gar zwei chirurgisch voneinander grundsätzlich verschiedene Rechtsgrundlagen: der Rechtsstaat davor und die sozialistische Gesetzlichkeit danach.

Folglich ein symbolisches, aber gleichzeitig auch gerade eindeutiges Wort: Alles übrige ist nämlich von der Eindeutigkeit weit entfernt. Es ist unstrittig, daß es mit der Demokratie vor dem Februar 1948 schnell den Berg hinabging. Je mehr wir heute darüber erfahren, umso skeptischer wird unsere Beurteilung: Die Nachkriegsverhältnisse sind tatsächlich eine schräge Böschung, die zum Februar-Umsturz beinahe unausweichlich hinführt.

Aber die Nachkriegsverhältnisse sind ihrerseits eine Frucht der Kriegsjahre, welche für uns mit dem 15. März[70] beginnen, wohin wiederum der Weg über die problematische Zweite Republik[71] führt, und das alles von wo andersher als von München … Auch die Entwicklung von den Pariser Friedensverträgen auf München hin entbehrt nicht einer gewissen Logik usw. usw. –, damit wird aber nur aufgezeigt, daß es ganz und gar absurd ist, durch irgendein Bestreben eine irgendwie nicht geglückte Geschichte mittels immer weiter und weiter verschobener Grenzmarken aufmöbeln zu wollen, welche dann ihrerseits aber rechtlich relevante Grenzfestsetzungen zur Lösung von Rechtsproblemen darstellen würden – vor allem von Eigentums- und Strafproblemen. Möglicherweise gibt es aber doch eine einzig und allein mögliche Grenze, falls es denn möglich ist, dann sozusagen in Sichtentfernung – gerade um sie sind wir bemüht, und wir werden sehen.

Der 25. Februar 1948 ist also jene einzig mögliche, das heißt relativ unstrittige Grenzmarke – eine zweite derartige ist dann aber schon der Tag »V«, also der Tag der Vertreibung aus dem Paradies, doch um das präzise Datum dieser Katastrophe, von der ab doch unstrittig menschliche Geschichte beginnt, das heißt also die Geschichte menschlicher Sündenschuld, geht bis heute der Streit.

Durch die Festlegung einer derartigen Grenze lösen wir keineswegs die Probleme der deutsch-tschechischen Beziehungen, um wieviel weniger noch die Probleme der Nachkriegsordnung Europas. Dies ergibt sich aus unserer Binnensicht, aus unseren Interessen, und nur wir allein wissen, daß wir nicht anders sein können. Wir sind in dieser Hinsicht im übrigen viel weiter gegangen als andere mit ähnlichem Schicksal und wir haben mit diesem zeitlichen Abstand bis heute keine geringen Probleme (Restitution). Wir beharren aber darauf, daß wir ihnen nicht ausweichen können, soll denn diese Gesellschaft nicht auf morschem Grund verbleiben.

Die Forderung nach Annullierung der Benesch-Dekrete ist in Wirklichkeit eine absurde Forderung nach Umkehrung der Geschichte und ihrem Wiedereinspielen, doch diesmal besser und gerechter. Ich glaube jedoch, daß man dies nicht allein in Prag, sondern auch in Nürnberg behaupten kann, wo auch immer und vor wem auch immer. Für die Zukunft guter deutsch-tschechischer Beziehungen ist es aber zugleich notwendig, Lösungen, welche in diesen Dekreten enthalten sind, prinzipiell zu verurteilen.

Also richtigerweise:»A« zu sagen, jedoch »B« abzulehnen. Weil es sich in Wirklichkeit hier nicht um eine Schulaufgabe aus dem Bereich der formalen Logik handelt. Sittlichkeit und menschliche Erfahrung vermögen all das wieder in Ordnung zu bringen, was denn wieder gerichtet werden kann, doch nur so, daß dieses Wiederinordnungbringen nicht mehr an Kosten verursacht als der angerichtete Schaden. Die Aufspaltung grundlegender Rechtssicherheiten durch eine eventuelle Relativierung einer bislang scharfen Grenze zwischen Demokratie und totalem Machtanspruch[72], das heißt der Grenze, welche der Februar-Umsturz gesetzt hat, wäre gerade dieser ungeheure Schaden, so daß es dann sogar besser wäre, möglicherweise auch den 17. November zu beseitigen – wenn schon die Geschichte von Grund auf wiederhergestellt werden sollte.

5.3 Mut zur Inkonsequenz wie auch zur Menschlichkeit

Und gerade über diese Logik der Inkonsequenz, für die wir den Mut und die Kraft zum Durchhalten aufbringen müssen, muß der Dialog geführt werden, welchen wir bislang noch nicht führen. In Wirklichkeit führt der Wille zur Erhaltung der Benesch-Dekrete viele von uns dazu, sie doch weiter zu hegen, obgleich wir nicht immer aus unmittelbarer Überzeugung handeln.

Ich fürchte aber, daß sie jedoch nicht zu verteidigen sind – man kann sie zwar erläutern, jedoch überhaupt nicht entschuldigen oder relativieren. Es ist daher schon von Anfang an eine Auswegllosigkeit, auf andere, möglicherweise um vieles schlimmere Übel bei der Verteidigung eigener Schuld hinzuweisen. Dies führt niemals zum Ausgleich, zur Vergebung, es bestätigt vielmehr nur die Berechtigung einer unglückseligen Gewöhnung an das Übel, welches fortzeugend neues Übel hervorbringt. Jegliches Handeln steht vor dem Richterstuhl menschlicher, geschweige denn auch göttlicher Gerechtigkeit ohne Ansehung dessen, daß darauf hingewiesen werden könnte, wie schlimm doch diese anderen gewesen waren oder sind. Kurz gesagt: Entweder gelten die Zehn Gebote oder sie gelten nicht. Die Austreibung, welche ich bereits zur Zeit des vergangenen Regimes öffentlich verurteilt habe, war ganz sicher solch eine Vergeltung, welche jedoch das Übel als solches nicht geringer macht. Das wäre doch in Wirklichkeit eine Übernahme nazistischer Mittel, nur diesmal vermeintlich zu einem mehr gerechtfertigten Ziel.

Ich glaube fest, wenn wir so die Austreibung verurteilten, würde es sich paradoxerweise zeigen, daß ein auf uns ausgeübter nichtlegitimer Druck – »IHR HABT A GESAGT, NUN SAGT AUCH NOCH B« – weit weniger wirksam sein würde, als wir dies befürchten, daß er heute wirken wird, da wir überwiegend lediglich unschlüssigerweise Umstände machen. Und da wir uns endlich selbst gegenüber begründen, warum es nicht möglich sei, den Dialog beginnen zu lassen, beziehungsweise auf welchen Ebenen dies nicht ginge. So wären wir dann nur stärker und keineswegs geschwächt – durch die Katharsis oder eine Reinigung, welche durch jegliche Art unmittelbarer Gewissenserforschung, durch jede Art von Buße herbeigeführt wird.

5.4 Eine versäumte Thematik nachholen

Doch nicht nur die Furcht davor, daß wir durch die Logik der Argumente zu irgend etwas gezwungen würden, was wir nicht wollen und gleicherweise auch nicht vermögen, auch eine so absolute Unvorbereitetheit auf den Dialog bewirkt doch, daß wir uns tatsächlich davor fürchten. Die sudetendeutsche Seite hat ganze Bibliotheken an Argumenten, Statistiken, an festgehaltenen Vorfällen und Analysen zur Verfügung. Uns steht nichts änliches zur Verfügung, und wir arbeiten leider Gottes nicht einmal bislang an irgendetwas Vergleichbarem. Wir sollten dies aber tun, vor allem schon deshalb, damit wir gegebenenfalls auch sagen können: Etliche unserer Feststellungen sehen anders aus als Eure, diese oder jene Eurer Angaben müssen wir als fehlerhaft bewerten ... Doch auch dies ist noch erforderlich: Da werden wir aber Dinge in Erfahrung bringen, von welchen wir bisher keine Ahnung gehabt haben ...

Bei der Vorbereitung auf den Dialog, in dem wir so stark wie die andere Seite sein werden, können jedoch nicht private Forscher für sich arbeiten. Hierbei ist es vonnöten, Kräfte und Mittel zu bündeln, und der Staat kann dabei nicht beiseite stehen.

Falls wir nach Kräften an der Erkenntnis bezüglich der Sicht und Wertungsweise der anderen Seite arbeiten, werden wir nicht allein eher zu einem festeren eigenen Standpunkt gelangen, wir werden vielmehr auch in die Lage versetzt, diejenigen, welche es mit uns so sehr eilig haben, selbstbewußt in die entsprechenden Schranken zu verweisen: Wie lange hat es denn bei Euch Deutschen gedauert, daß wir uns entschlossen haben, ohne Illusionen auf die eigene Vergangenheit zu blicken? Doch nahezu fünfzehn Jahre! Laßt uns doch irgendeine Zeit lang uns mit alledem bekanntmachen, was Ihr so angehäuft habt – wir können doch heute ja nicht woanders sein als am eigentlichen Beginn unseres Ausgleichs mit der Vergangenheit.

Ein derartig ruhiger und selbstbewußter Ton kann nämlich aus der Tschechischen Republik ertönen, wenn wir doch nur endlich mit der Vorbereitung auf den Dialog wirklich beginnen. Wir müssen grundlegende deutsche Arbeiten zum vorgegebenen Themenbereich übersetzen und herausgeben – auch diejenigen, welche wir in der Hinsicht für unerläßlich halten, daß wir sie mit eigenen, möglicherweise auch korrigierenden Kommentaren versehen.

5.5 Ein Dialog – vor allem als Zuhören

Wie müßte denn dieser Dialog ausgestaltet sein, damit er einen Sinn ergäbe, damit er dann auch zum Ausgleich führte? Wir gehen davon aus, daß die anderen durchwegs nicht wissen und sich auch nicht vorstellen können, wie wir die Jahre zwischen 1938–1945 durchlebt und wahrgenommen haben, wie wir uns ihrer erinnern. Und daß wir wiederum eher nicht wissen, was für ein Trauma für sie die Vertreibung war, auch schon deswegen, weil die Vertriebenen eigentlich die einzigen waren, welche für die nazistischen Verbrechen eine kollektive Strafe getroffen hatte. Unterdessen antworten wir auf ihre Einlassungen mit unseren Einlassungen und sie wiederum auf unsere mit ihren Einlassungen – so als ob wir uns auf unendliche Zeiten gegenseitig übertrumpfen wollten. Bis wir einander erstmals mit einem glaubwürdigen und hierbei unverstellten Erleben derjenigen von der anderen Seite begegnen, bis wir von demjenigen geradewegs angegangen werden, daß »UNS SO ETWAS NICHT EINMAL IM TRAUM EINGEFALLEN WÄRE«, beginnt der Dialog seine Früchte zu tragen. Ich bin mir sicher, daß dasselbe auch der anderen Seite geschieht. Einen Dialog führen – aber auf welcher Ebene? Auf allen nur denkbaren Ebenen. Auch für die Regierungsebene wird ein Partner eher gefunden werden können, wenn wir uns nur ja nicht vor dem Dialog fürchten. Im übrigen stellt ein Dialog noch keine Verhandlung dar. Die Befürchtung, daß wir uns damit, daß sich nicht ganz symmetrische Gremien treffen, etwas vergeben, ist in Wirklichkeit eine Befürchtung, daß wir nicht deshalb auf die Haltung der anderen Seite nicht reagieren, weil man ihr gegenüber nichts anderes als nur JA und Amen sagen könnte, sondern vor allem deshalb, weil uns die Fakten, die Zahlen und die Zusammenhänge fehlen. Ich bin für gemischte Gremien: So sollte zum Beispiel zu den tschechischen und sudetendeutschen Katholiken, die sich bereits das fünfte Jahr nacheinander treffen, künftig irgendein Regierungsmitglied oder ein Abgeordneter hinzukommen. Ein wenig die Kriterien »VERWISCHEN«, nach denen – bislang eher sporadisch – beide Seiten zum Dialog zusammentreten, das wäre doch nur von Nutzen.

5.6 Empfehlung zum Überdenken

– Neben dem Dialog (und hauptsächlich bei der Vorbereitung auf ihn) wäre es ein Erfordernis, sich möglichst rasch von den Befürchtungen hinsichtlich der Euroregionen[73] zu lösen und sie im Gegenteil stärkstens zu fördern.
– »DAS RECHT AUF HEIMAT« und das »RECHT AUF EIN ZUHAUSE« können wir schwerlich als konkret verbindliche Rechtsinstitutionen akzeptieren. Umso mehr sollten wir dann aber äußerst großzügig sein in sämtlichen Individualfällen, wenn Menschen zu uns zurückkehren und hier leben wollen, welche von hier verjagt worden sind. Es kann ja auch sein, daß sich eine nicht allein individuelle Lösung finden läßt. Die Herrschaft der Europäischen Gemeinschaft, wohin wir mit solcher Macht streben, könnten wir vielleicht doch zumindest teilweise vorwegnehmen – oder streben wir etwa zu einem ganz anderen Europa hin? Es gäbe da doch bereits die sichere Gelegenheit, solchen Menschen die doppelte Staatsbürgerschaft zu ermöglichen – neben anderen Chancen ist sie unterdes zunichte gemacht worden. Fehler, manchmal peinliche, haben hierbei beide Seiten begangen.
– Eine Eigentums-Entschädigung muß strikt abgelehnt werden, obgleich sie nur im Rahmen einer Zweiseitigkeit verstanden werden könnte, und daher wäre sie dann auch für uns letztendlich einträglicher. Doch ist sie technisch beinahe undurchführbar (nicht berechenbar), so daß sie not-

wendigerweise die gegenseitigen Beziehungen noch weiter verschlechtern würde. Und hauptsächlich, was geschehen ist, war doch allzu ernst, als daß wir es heute zulassen könnten, dies durch die Übertragung auf ein »ER HAT ZU GEBEN, ER HAT GEGEBEN« zu banalisieren.

– Augenblicklich, ohne die geringste weitere Verzögerung und mit Großzügigkeit aus unserer eigenen Tasche unsere Opfer des Besatzungsregimes entschädigen. Danach sollen die Regierungen dies irgendwie miteinander regeln. Daß wir uns bisher nicht zu sehr dazu bekannt haben, könnte als ein vernehmbares Merkmal dessen aufgefaßt werden, daß wir der Eskalierung der an die andere Seite gerichteten Vorwürfe Vorrang geben gegenüber den tragischen Schicksalen bis heute noch lebender Menschen.

Doch gilt aber gleichzeitig, daß die deutsche Seite dies bereits vor langer Zeit hätte tun müssen. Doch bin ich auch überzeugt, daß Großzügigkeit sich stets auszahlt, es ist nur notwendig, nicht ungeduldig zu werden. Seien wir doch ein Beispiel dafür, daß es überflüssig ist, aus allem eine Frage des politischen Prestiges oder der vorteilhaftesten Verhandlungsposition zu machen.

6. Kapitel

Die Wiederkehr einer verdrängten Thematik

*Die Tschechische Öffentlichkeit und das
(Sudeten)deutsche Problem nach dem November 1989*

Vor dem November-Umsturz 1989 wurde die sudetendeutsche Thematik in der tschechischen Presse, welche damals noch vollständig von Kommunisten beherrscht war, nur gelegentlich und durchwegs aus propagandistischen Gründen eingebracht.

In der Regel war es so, daß für den Fall der Notwendigkeit der Vergegenwärtigung des »SUDETENDEUTSCHEN REVANCHISMUS« man das sozialistische Bewußtsein der Öffentlichkeit zu stützen hatte. Das Ganze geschah aber auf solch eine stereotype Art und Weise, daß seine Wirksamkeit dank der allgemeinen Abgestumpftheit bezüglich des ideologischen Einwirkens des Regimes sich abschwächte. Alle Versuche einer Analyse des sudetendeutschen Problems, welche im »SAMIZDAT«[74] und in der Exilpresse erschienen, berührten eine breitere Öffentlichkeit vor allem deshalb nicht, weil die tschechische Dissidentenbewegung zahlenmäßig relativ gering war, und es dem damaligen Regime gelang, sie zu isolieren.

Die Tatsache, daß das sudetendeutsche Problem kein aktuelles Thema des tschechischen »GESELLSCHAFTSBEWUSStSEINS« darstellte, kann man jedoch nicht allein der eben erwähnten Gleichgültigkeit gegenüber dem Wirken der kommunistischen Propaganda zuschreiben. Auch die allgemeine Unlust zur Aktualisierung dieses Problems wirkte hier mit. Insofern wir uns berechtigt fühlen, eine Analogie des Gesellschafts- und Individualbewußtseins herzustellen, können wir durchaus sagen, daß dieses Problem auch ganz bewußt unterdrückt wurde und unbewußt verdrängt wurde. (Zahlreiche Angehörige jüngerer Altersgruppen haben daher keine Kenntnis davon gehabt, daß es überhaupt existiert). Neben einem schlechten Gewissen hatte auch die seinerzeitige Vorstellung von Deutschland, das heißt vom im übrigen geteilten Deutschland, ihre Wirkung. Das Interesse an der DDR war nur oberflächlich und eher notgedrungen: Alle Reisemöglichkeiten waren eingeschränkt. Dieser Staat war ebenso ein sowjetisches Satellitengebilde wie die sozialistische Tschechoslowakei und außer einem bestimmten Sortiment von Einzelhandelsangeboten hatte er nichts, womit er hätte imponieren können. Demgegenüber wurde die Bundesrepublik als Konsumparadies wahrgenommen, einem Teil der Öffentlichkeit imponierte auch die westdeutsche Demokratie und einer ganz engen Schicht Gebildeter das dortige intellektuelle Leben. Über dieses Land dachte man verständnisvoll, und mancher tschechische Bürger hegte ihm gegenüber vor allem deshalb eine schmeichlerische Haltung, weil seine Währung bei uns einen außerordentlich guten Ruf genoß. Die Bundesrepublik Deutschland war im übrigen der sichtbarste Vertreter des Westens, dem gegenüber ein Gefühl von Neid und Minderwertigkeit vorherrschte. Die Existenz der Sudetendeutschen, von Zeit zu Zeit durch die kommunistische Presse in Erinnerung gerufen, störte dieses idyllische Bild, daher pflegte die öffentliche Meinung sie einfach zu übersehen; höchstens wurde sie als weniger bedeutsamer kosmetischer Fehler im Land des Wirtschaftswunders gehalten. Wie sich dann aber zeigte, blieb dieses Thema in seinem »NICHTWISSEN« fest vermerkt.

So signalisierte also nichts vor dem November-Umsturz, daß das sudetendeutsche Problem weiterhin offenbleibt. Der Umsturz selbst war nur unvollständig, und um den Sieg der antikommunistischen Kräfte mußte ein langwieriger politischer Kampf mit den »ALTEN STRUKTUREN«[75] geführt werden; vielen Menschen war es noch nicht klar geworden, welcher Seite sie sich zuwenden sollten, daher dachte jeder an wichtigere Dinge.

Als dann Anfang Dezember 1989 der damalige Bayerische Ministerpräsident Max Streibl[76] die Regimeänderung in der Tschechoslowakei begrüßte und der Hoffnung Ausdruck verlieh, daß es schon bald zu einem Ausgleich zwischen Sudetendeutschen und Tschechen kommen werde, hatte dies die Wirkung einer unerwarteten Verwundung. Streibls Tun kann man psychologisch deuten, denn vom Titel seiner Funktion her war er ja der »SCHIRMHERR«[77] der Sudetendeutschen. An seinem politischen Weitblick kann man jedoch zweifeln, denn ein Politiker sollte das höchstwahrscheinliche Ergebnis seines Handelns voraussehen. Denn bald zeigte sich, daß der bayerische Premier wie ein Katalysator eines Prozesses wirkte, welcher der politischen Veränderung in der Tschechoslowakei nicht gewogen war.

Das unbefriedigende Ergebnis der Stimme aus Bayern verstärkte kurze Zeit darauf noch Václav Havel. Er tat dies so keineswegs spontan. Bereits in den Novembertagen wurde er zum anerkannten Führer der antikommunistischen Front. Zwar war er zu diesem Zeitpunkt noch nicht Präsident, doch jedermann ahnte, daß er dies bald sein werde. In einem Fernsehinterview vom 23. Dezember 1989 forderte ihn die Moderatorin unter dem Eindruck der Aufforderung von Streibl zu einem Kommentar auf. Havel stützte sich stets auf seine moralische Integrität, so war ihm jegliche diplomatische Ausweicherei fremd und daher antwortete er direkt:

»Mit diesem Thema möchte ich mich nicht beschäftigen, mir obliegt es lediglich, meine Ansicht zu äußern. Ich meine, daß die Grenzen der Tschechoslowakei nicht verändert werden sollen. Ich meine, daß keiner der Abgeschobenen wieder zu uns zurückkehren sollte, aber ich meine auch, daß wir verpflichtet sind, uns gegenüber denjenigen Deutschen, welche nach dem Zweiten Weltkrieg abgeschoben worden sind, zu entschuldigen. Denn hier handelte es sich um einen Akt eines äußerst harten Enthebens etlicher Millionen Menschen von Ihren Heimstätten, und dies war in sich ein Übel, welches die Vergeltung für ein vorausgegangenes Übel war. Und so meine ich, daß wir für den Fall, daß wir Übles mit Üblem beantworten, wir dieses Übel nur weiter und weiter verlängern werden. Und dies ist allerdings – und ich wiederhole dies erneut – meine private Ansicht. Wozu dann die gesetzgebenden Körperschaften, die Regierung, Fachkommissionen und die Öffentlichkeit sich durcharbeiten werden, dies ist eine andere Sache«. – Somit war auch auf tschechischer Seite das Problem eröffnet worden, zu dessen Lösung die tschechische Öffentlichkeit nicht reif war (und bis heute nicht ist).

Havel wurde zwar eine Woche später tatsächlich Präsident, doch den Vertretern des ehemaligen Regimes erwuchs eine unerwartete Stärkung von seiten desjenigen Teils der Öffentlichkeit, welche auf einmal mit der deutschen Nachbarschaft unzufrieden war. Es läßt sich nicht bestimmen, in welch großem Teil der Öffentlichkeit damals jene atavistische Enge erwachte. Es war dies kein geringer Teil, denn die prokommunistische Presse erfaßte augenblicklich diese Gelegenheit, die Reihen der Unzufriedenen ergiebig zu erweitern. Ehemalige Häftlinge nazistischer Konzentrationslager meldeten sich. Einer von ihnen, Miroslav Klen, begann am 1. Januar 1990 auf dem Prager Altstädter Ring einen Protest-Hungerstreik, der wiederum zum Anlaß für tagelange Massendemonstrationen am gleichen Ort wurde. Die Zahl der Demonstranten wurde auf einige Hundert geschätzt. Möglicherweise wird man nie mehr feststellen können, inwieweit diese Kundgebungen spontan waren und wieviel Manipulation. (Angeblich erkannten etliche ehemalige Dissidenten unter den Demonstranten ihre Untersuchungsbeamten von der Staatssicherheit). Es scheint so, daß beides zutraf.

Im Januar 1990 setzte dann der Medienstreit darüber ein, ob die tschechische Publizistik, Politik, Diplomatie und Öffentlichkeit die Unabgeschlossenheit des sudetendeutschen Problems anerkenne oder ablehne. Es war kein Streit darüber, wie es zu lösen sei, sondern ob es überhaupt zu lösen sei und ob es sich denn überhaupt um ein wirkliches Problem handle. Bereits damals konnte man die beginnende Differenzierung der Standpunkte ausmachen. Im wesentlichen handelte es sich um drei Grundhaltungen. Der Einfachheit halber benennen wir sie wie folgt: die nationalistische Haltung, ferner die pragmatische und dann noch diejenige, welche die Spottbezeichnung »MORALISTISCH« erhielt und der masochistische oder gar gewinnsüchtige Beweggründe zugesprochen wurden. (Der geneigte Leser sollte aber wissen, daß die Autoren der Einführungstexte in diese Publikation der dritten Kategorie zuzurechnen sind). Versuchen wir doch einmal, sie mittels einer Paraphrase ihrer grundsätzlichen Argumentation zu charakterisieren.

Die »NATIONALISTEN« verweisen auf die historische Erfahrung eines kleineren Volkes in der Nachbarschaft dieses größeren und traditionell expansiveren, auf die Schwierigkeiten der tschechischen nationalen Wiedergeburt[78], welche die Deutschen nicht wünschten und deren Anstrengungen sie vereitelten, ferner auf die deutschen (beziehungsweise habsburgischen) Germanisierungsversuche, auf den Nazismus[79] mit seinem Ausrottungsprogramm und insbesondere auf die Aufgabe der sudetendeutschen Politik gegen Ende der 30er Jahre, als die Mehrheit der Sudetendeutschen, der Anhänger der Sudetendeutschen Partei Henleins, zur Zerstörung des Tschechoslowakischen Staates beigetragen habe, folglich auch zur Auslieferung der tschechischen Bevölkerung an die Nazis und deren Terror. (Der höchste Vertreter der Nazi-Macht im sogenannten Protektorat Böhmen und Mähren war Staatssekretär K. H. Frank, ein Sudetendeutscher). In der Nachkriegspolitik der Sudetendeutschen Landsmannschaft erblicken die Verfechter dieser Haltung eine bloße Fortsetzung der SdP Henleins. Sie neigen dazu, in Deutschland die Quelle einer fortgesetzten Bedrohung des tschechischen Volkes zu erblicken.

Die »PRAGMATIKER« wiederum, die unter den tschechischen Politikern der Nach-November-Zeit häufig vertreten sind, (zum Beispiel Jiří Dienstbier, der seinerzeitige Außenminister) urteilen, daß die Vertreibung der Sudetendeutschen Teil eines mit dem Zweiten Weltkrieg verflochtenen Geschehens war, folglich heute bereits ein in sich ganz und gar abgeschlossenes Kapitel; dies sei somit ein psychologisches Problem, menschlich zwar weiterhin schmerzlich, wie eben auch zahlreiche weitere Ergebnisse dieses Krieges, aber im Wesen ein Generationenproblem, und daher werde es mit der Zeit von sich aus verschwinden. Die Pragmatiker sind ethische Relativisten, daher werten sie die moralische Dimension dieses Problems nicht als entscheidend, denn »damals wurden die Dinge anders wahrgenommen als heute«.

Jiří Dienstbier selbst ursprünglich Journalist, dann verfolgter Unterzeichner der Charta 77 und schließlich Außenminister, kannte verständlicherweise das sudetendeutsche Problem und das Spektrum der daheim und im Ausland vertretenen Auffassungen. In seiner Stellung konnte er es sich nicht leisten, wie ein Uneingeweihter zu reagieren. Nicht lange nach Havels Fernsehinterview hatte er im Parlament auf eine Interpellation zu reagieren und antwortete folgendermaßen: »... so wie die Deutschen darum bemüht sind – und in vielem haben sie dies erfolgreich getan –, sich zum nationalsozialistischen Unrecht gegenüber unseren Völkern zu bekennen, ist es auch unsere moralische Pflicht, uns dazu zu äußern, was unschuldigen deutschen Frauen und Kindern angetan worden ist (...) Ich bin der Meinung, daß dies unsere moralische Verpflichtung ist, denn nur so können wir dieses Erbe loswerden und wirklich mit reinem Tisch an die Erneuerung und Verbesserung der Beziehungen zwischen unseren Völkern herangehen«. – Selbst er redete damals wie ein »MORALIST«. Als Minister geriet er aber dann zwischen die Mühlsteine. So war er dann genötigt, sich wie alle »PRAGMATIKER« zu verhalten, das heißt also zu lavieren.

Die »MORALISTEN« anerkennen demgegenüber die unveränderbare Gültigkeit moralischer Normen an, die wiederum Bestandteil der Grundlagen (west)europäischer Kultur sind; ursprünglich waren dies christliche, dann humanistische Grundlagen. In ihrer Negierung nehmen sie ein Politikum wahr, dessen verhängnisvolle Bedeutung auch nach Generationen nicht verlorengeht. Sie weisen auf die durch den Krieg und die Nachkriegszeit bedingte Demoralisierung des tschechischen Volkes hin, welche es in die kommunistische Falle getrieben hat, und dann auf die Unerläßlichkeit einer grundsätzlichen Auseinandersetzung mit der Vergangenheit. Im Ausgleich zwischen Tschechen und Sudetendeutschen sehen sie die unerläßliche Voraussetzung für die Einrichtung einer guten Nachbarschaft. Sie sind der Meinung, daß zu diesem Ausgleich das Aufeinanderzukommen auch von der tschechischen Seite aus gehört. (Sie sind sich allerdings darin uneins, wie dies aussehen sollten).

Über die zahlenmäßige Vertretung dieser Vorstellungen in der tschechischen Öffentlichkeit, die im übrigen recht wankelmütig ist, kann man lediglich bemerken, daß die »MORALISTEN« eine Minderheit darstellen, welche selbst bei äußerst optimistischer Schätzung 20% nicht überschreitet.

Die »NATIONALISTISCHE« Haltung ist aufs höchste mit rational unkontrollierten Emotionen verbunden. Es handelt sich hier um einen Populismus eigener Art, denn in der breitesten Öffentlichkeit erlangt er am leichtesten Boden. Seine Gravitationskraft zeigt sich unter anderem darin, daß selbst zahlreiche Pragmatiker seinen Versuchungen nicht widerstehen. (Als Analogieschluß kann hinzugefügt werden, daß kein einziger Moralist zum Pragmatiker geworden ist). Die eben dargestellten Verschiebungen signalisieren, daß der Wille zur Anerkennung des Offenseins des sudetendeutschen Problems im tschechischen Milieu in den Jahren nach dem November sich stufenweise abschwächt. Versuchen wir einmal zu untersuchen, warum es dazu kommt.

Am offensten wurde in der tschechischen Presse über das sudetendeutsche Problem 1990–1991 geschrieben. (Rundfunk und Fernsehen als öffentlich rechtliche Institutionen haben sich in ihrer Position vorsichtiger verhalten). Auch die Leserreaktion war lebendig. Die wichtigsten Argumente »FÜR« und »GEGEN« wurden bereits damals artikuliert. Es schien so, als ob die tschechische Öffentlichkeit zur Kenntnis nehme, daß so etwas wie ein sudetendeutsches Problem tatsächlich existiert, sich aber so ungern geriert, weil dies in ihr Angstgefühle hervorruft.

Man muß wohl nicht gesondert hervorheben, daß am schärfsten die prokommunistische Presse im antideutschen (folglich auch antisudetendeutschen) Geiste schrieb. Warnungen vor der Gefahr von deutscher Seite bewährten sich insofern, als die weiterhin immer noch ungenügend informierte Öffentlichkeit sich vor ihrer Demagogie nicht schützen konnte. Die Kommunisten spürten sehr gut, daß die Hervorhebung deutsch-tschechischer Vergangenheit es ihnen ermögliche, sich aus der Verstrickung mit ihrer eigenen, das heißt kommunistischen Vergangenheit zu entwinden und somit eine neue Legitimierung für ihre Existenz auch nach dem November zu erreichen.

Es war klar, daß der wirtschaftliche Transformationsprozeß, welcher damals noch im Anfangstadium war, keineswegs ein schmerzloser Vorgang sein werde, daß in der nivellierten Gesellschaft ungewohnte Eigentumsunterschiede entstehen würden. Die Liberalisierung der Preise verursachte Sorgen. Die dem November folgende Euphorie verging, sie wurde von Unsicherheit abgelöst und bei den gefährdeten sozialen Gruppen (welche enger mit der sozialistischen Wirtschaft verbunden gewesen waren, manchmal auch unmittelbar mit dem ehemaligen Regime) auch von Angstzuständen. Es war überhaupt nicht schwer, den freien Markt zu diskreditieren. Warnungen davor, daß uns »das westliche, insbesondere das deutsche Kapital verschlingt«, verfehlten nicht ihre Wirkung. Die ständig anwachsende Kriminalitätsrate und die amateurhafte Politik nach dem November bedrohten die Kreditwürdigkeit der Demokratie als solcher. Die ständig anwachsenden Unterschiede zwischen der tschechischen und der slowakischen öffentlichen Meinung zogen unheilverkündend die Einheit des Tschechoslowakischen Staates in Zweifel. Durch die (Wieder-)Vereinigung Deutschlands entstand aufs neue in enger Nähe ein großer und mächtiger Staat, mit dem in der Vergangenheit Nachbarschaft nicht leicht gewesen war …

Die Vorstellungen über die tschechische Zukunft verdunkelten sich irgendwie in vielen Gedankenvorstellungen. Im Vorfrühling des Jahres 1991 bemerkte die tschechische Öffentlichkeit folgendes: Von sudetendeutscher Seite ertönte diesmal eine sehr unfreundliche Stimme. Bis zu dieser Zeit hatten sich auch die weniger ausgleichsbedachten Gruppierungen des sudetendeutschen politischen Spektrums zurückhaltend benommen.

Zu ersten sudetendeutsch-tschechischen Kontakten war es bereits früher gekommen. Glücklicherweise waren sie freundschaftlicher Art. Als erste begannen im Januar 1990 die ACKERMANN-GEMEINDE und die TSCHECHISCHE CHRISTLICHE AKADEMIE den Dialog, das heißt also die »MORALISTEN« beider Seiten. Dieser Dialog dauert bis heute fort, doch mit folgender Hypothek, daß nämlich beide

Partner Probleme jeweils mit ihrem eigenen Umfeld haben. – Bald darauf entstand auch die gemischte Historiker-Kommission. Manche tschechische Historiker waren mit ihren deutschen Kollegen im geheimen bereits vor dem November 1989 zusammengetroffen, insofern waren sie also nicht unvorbereitet. Ihre gemeinsame Tätigkeit in der Kommission erbrachte nicht nur ein bemerkenswertes Ergebnis, doch die tschechische öffentliche Meinung beeinflußte sie nicht.[80] Renommiertere tschechische Historiker nahmen nach außen hin mehrheitlich eine Haltung ein, welche wir bereits als PRAGMATISCH eingestuft haben. Sie hatten nicht die Courage, sich mittels ihrer Fachautorität abzuschirmen und den populistischen Stimmen in der tschechischen Presse die Stirne zu bieten und sei es nur dadurch, daß sie historische Vorurteile der Öffentlichkeit korrigierten. (Die Öffentlichkeit war hinsichtlich der Tätigkeit der gemischten Kommission nicht fortlaufend informiert). Viele von ihnen bekannten sich zeitweilig – in Zeiten aufgeheizter Medienkampagnen – zu einem nationalistischen Standpunkt.

Die sudetendeutsche Stimme von Anfang 1991 ertönte von höchster Stelle der landsmannschaftlichen Vereinigung, deren Sprecher Franz Neubauer nachdrücklich gegen die sogenannte KLEINE PRIVATISIERUNG[81] in den Grenzgebieten, das heißt den einstmals deutschen Gebieten der böhmischen Länder protestierte. Es handelte sich um die Überführung kleiner Gewerbebetriebe aus staatlichem Eigentum an Privatleute mittels der Form eines Verkaufs durch Auktionen. Im Grenzgebiet betraf dies auch Firmen, welche einst deutschen Besitzern gehört hatten, jedoch nach dem Krieg entschädigungslos konfisziert wurden. Die Kleine Privatisierung wie auch die Form der Entstaatlichung waren integraler Bestandteil der ökonomischen Transformation, und es war daher unmöglich, sie nur im Binnengebiet durchzuführen. Franz Neubauer konnte demgegenüber nicht schweigen, denn dies war eine Bestreitung via facti sudetendeutschen Anspruchs auf Eigentumsausgleich. Die sudetendeutsch-tschechische Beziehung präsentierte sich somit erstmals deutlich als ein Problem, dessen gangbare und beiderseits annehmbare Lösung sich zu dieser Zeit niemand auch nur vorstellen konnte. Diese Erkenntnis vermerkte sensibel die Bevölkerung des tschechischen Grenzbereichs; dies bemerkte aufmerksam nicht nur die prokommunistische, sondern auch die gesamte Linkspresse. Im November 1991 verkündete der damalige tschechoslowakische Ministerpräsident Marián Čalfa, daß die ČSFR[82] die »komplizierte Frage der Sudetendeutschen ein für allemal lösen« wolle, daß aber dies auf der Ebene beider Regierungen geschehen solle. Ein bemerkenswert ungünstiger Umstand, welcher grundsätzlich die Möglichkeiten beider Seiten, der tschechischen wie auch der sudetendeutschen, einschränkte, war ihre gegenseitige Uninformiertheit. Die eine Seite konnte sich einfach nicht vorstellen, wie die andere sie wahrnehme und warum gerade so. Dies hatte im übrigen bereits der Bayerische Ministerpräsident Streibl vorgeführt. Die Tschechen wußten nichts von den sudetendeutschen Frustrationen, ja letztlich auch nichts von den Grausamkeiten ihrer Vertreibung nach dem Krieg, daher trachtete die tschechische Journalistik nach Verdikten, welche wiederum zwangsläufig sudetendeutsches Gemüt verletzen mußten. Die Sudetendeutschen hatten keinerlei Vorstellung von den Frustrationen der Tschechen während der nazistischen Besatzungszeit und davon, was für sie bis heute das »TRAUMA VON MÜNCHEN«[83] bedeutet, und sie haben es ferner nicht vermocht, sich in die Erlebniswelt von Angehörigen eines kleinen Volkes hineinzufühlen, welches – ob nun zu Recht oder zu Unrecht – anfängt, sich die Bedrohung durch einen großen Nachbarn bewußt zu machen und dem jahrzehntelange nationalistische und kommunistische Propaganda suggeriert hatte, daß es von urdenklichen Zeiten an bereits bedroht worden sei.

Mitte 1991 begannen die Verhandlungen über einen deutsch-tschechoslowakischen Vertrag über gute Nachbarschaft und freundschaftliche Zusammenarbeit. (Paraphiert am 7.10.1991, unterzeichnet am 27.2.1992).[84] Trotz aller Bemühungen beider Minister, Dienstbier und Genscher, die sich sehr pragmatisch verhielten, war es dennoch schwierig, eine gemeinsame Sprache zu finden. Das Wort »ABSCHUB« war für die deutsche Seite beleidigend geringschätzig, das Wort »VERTREIBUNG« für die tschechische Seite hingegen böswillig beschuldigend. Der deutsche Ausdruck »BESTEHENDE GRENZEN« hatte für ein tschechisches Ohr die Konnotation eines fatalen Provisoriums, obwohl es möglicherweise in der deutschen Vertragspraxis auch die Bedeutung von »STAATSGRENZE« hat. Das Tschechoslowakische Parlament ratifizierte den Vertrag früher, doch um den Preis eines »MOTIVENBERICHTS«[85], welcher darum bemüht war, die Öffentlichkeit mit einer passenden, d.h. zweckmäßigen Textinterpretation zu beruhigen, folglich die Bedeutung des Vertrags »AUF DAS RECHTE MASS« hinzuführen, um so eine Annehmbarkeit für die tschechische Auffassung zu schaffen. Das rief aber auf deutscher Seite Zweifel an der Glaubwürdigkeit ihres Vertragspartners hervor. Das deutsche Hinauszögern der Unterzeichnung dauerte dann fünf Monate, was wiederum die tschechische Öffentlichkeit ganz erheblich nervös machte. Nicht einmal das großzügige deutsche Entgegenkommen hinsichtlich des Baues der Erdölleitung Ingolstadt-Kralup beruhigte sie, obwohl wegen ihr mancher bayerische Bauer die häufig in Erinnerung gebrachten Leiden der sudetendeutschen Mitbürger bei deren Vertreibung aus den böhmischen Ländern vergessen mußte.

Die Parlamentswahlen vom Juni 1992 stellten den Beginn des Zeitabschnitts der Demontage des gemeinsamen Tschechoslowakischen Staates dar. Die slowakischen staatsrechtlichen Bestrebungen genügten als solche, um auf tschechischer Seite eine gewisse Unlust am gemeinsamen Zusammenleben hervorzurufen, daher verlief dann auch die Teilung des Staates so friedlich, wohingegen dann das Entstehen einer selbständigen Tschechischen Republik[86] seitens der Öffentlichkeit mit Bedenken angenommen wurde. »NUN SIND WIR ALSO KLEINER GEWORDEN« – regte es sich in tschechischen Gemütern. Und viele dachten heimlich bei sich: Somit also auch verwundbarer!

Sudetendeutsche Vertreter waren bereits seit 1990 darum bemüht, zumindest informelle Kontakte zur tschechoslowakischen beziehungsweise zur tschechischen politischen Vertretung herzustellen. Die »KLEINE PRIVATISIERUNG« im tschechischen Grenzgebiet hatte sie dringlich erscheinen lassen. Tschechoslowakische und schließlich dann auch tschechische Regierungsstellen haben sie beharrlich zurückgewiesen. Dazu hatten sie einigen Grund. Wegen der sich verstärkenden antideutschen Stimmung in der tschechischen Öffentlichkeit wäre ein derartiger Schritt unannehmbar gewesen, und die Regierung, die sich dazu entschlossen hätte, wäre bei der nächstbesten Gelegenheit zu Fall gekommen. Dies wiederum hätte den Weg für die postkommunistische, ja kryptokommunistische Garnitur geöffnet; diese hätte sich wohl so ähnlich wie die Regierung Mečiar in der Slowakei verhalten: Es wäre für lange Zeit ein Ende gewesen mit der »RÜCKKEHR NACH EUROPA« und mit der bis dahin noch schwer umkämpften ökonomischen Transformation.

Die tschechoslowakische und dann auch die tschechische Politik hatte (und hat) keinerlei in sich abgerundete Vorstellung von der Beschaffenheit des sudetendeutschen Problems, umso weniger noch von der Art und Weise seiner Lösung. Anstelle eines Dialogs begann man daher mit der Konfrontation auf der Ebene der Medien. Auch hier zeigt sich aber die bessere argumentative Vorbereitungsarbeit der sudetendeutschen Seite, worüber man sich ja gar nicht wundern muß: Sie hatte ja dafür nahezu ein halbes Jahrhundert lang Zeit.

Es ist schon schwierig, einem Uneingeweihten zu erklären, warum einer es notorisch ablehnt, mit einem anderen zu verhandeln, welcher wiederum durchaus für eine Verhandlung ist. Václav Klaus, vom Jahre 1992 an tschechischer Ministerpräsident, versuchte daher, wenigstens einen Anfang zur Auflösung dieses Gordischen Knotens zu machen. Er installierte eine Vorbereitungskommission aus zwar nachgeordneten Beamten, welche aber ansonsten Vollmachtens seitens der Regierung haben sollte, um Sondierungsgespräche einzuleiten. Unglücklicherweise geschah dies gerade zur Zeit des Sudetendeutschen Tags (Pfingsten 1993), von wo aus sich gerade Franz Neubauer vernehmen ließ; offenkundig wußte er nichts über die vorbereitete Kommission, und bei dieser Gelegenheit riß ihm ganz offenkundig der Geduldsfaden. Damit war das Schicksal dieser Kommission besiegelt: Ihre Tätigkeit hätte ja als ein Zurückweichen gegenüber dem begriffsstutzigen Stil Neubauers aufgefaßt werden können. Es ist zu bemerken, daß die Tschechische Regierung sich nicht einmal zu sogenannten diskreten Kontakten mit der sudetendeutschen Seite entschlossen hatte. – Es ist schwer abzuschätzen, wie diese ausgefallen wären, wenn es nicht zu diesem Maleur gekommen wäre. Klaus, dessen außenpolitische Instinkte unterentwickelt sind, zielte offenkundig auf die Möglichkeit pragmatischer Verhandlungen ab, wie sie in der Regel von Unternehmern und Nationalökonomen geführt werden. Die Fähigkeit oder auch die Bereitwilligkeit zu derartigen Verhandlungen fehlt aber ganz offensichtlich Neubauer.

Daher entschloß sich dann die Tschechische Regierung, mit der sudetendeutschen Seite keine Verhandlungen zu führen. Sie begründete dies mit formalen Gesichtspunkten: Es handle sich hier nicht um zwei gleichberechtigte Vertretungen; eine solche erblicke die Tschechische Regierung lediglich in der Bundesregierung. Dies hatte natürlich ent-

sprechende Konsequenzen. Die Führung der landsmannschaftlichen Vereinigung[87] beharrte weiterhin – und dies
mit Einverständnis der Bayerischen Regierung – hartnäk-
kig auf Verhandlungen, und hierbei denunzierte sie noch
weiterhin die tschechische Seite gegenüber der Bundesregierung. Sie drohte, daß sie den Beitritt der Tschechischen
Republik zur Europäischen Union verhindern werde, ohne
daß sie dabei bedacht hätte, wie denn Verhandlungen mit
einem derart angewiderten, wenn nicht gar erpreßten Gegenüber ausgefallen wären.
Das tschechische Beharren auf einer formalen Ausgeglichenheit der Partner drängte die Bundesregierung aber in
eine unangenehme Lage, wohin sie eher nicht hatte geraten wollen. So wurde nämlich das sudetendeutsche Problem, aus gesamtdeutscher Sicht bisher eine eher »LO-
KALE« Angelegenheit, zu einem nicht gesamtdeutschen
Problembereich und nötigte somit die Bundesregierung,
die Frage auf »DEUTSCHNATIONALE« Art zu lösen. Dies
aber hätte mit der Zeit vermocht, auf eine Art und Weise
deutsches Selbsterlebnis zu verändern, wie dies den
Tschechen nicht hätte lieb sein können. Die Tschechen wiederum vertrauten einfach darauf, daß die Bundesregierung
im europäischen Konzert, in welchem die Erinnerungen an
den Zweiten Weltkrieg noch nicht verklungen waren, es
sich nicht erlauben könne, ihr Interesse Haltungen zu
schenken, welche außenpolitisch als Wiedereroberungs-
gelüste aussehen könnten. Die Bundesregierung wußte
dies, und daher konnte auch sie sich zu Recht in der Lage
eines Erpreßten fühlen. Die Tschechen konnten es nicht
weiterdenken, wie denn Verhandlungen mit einem derartig
angewiderten deutschen Gegenüber ausfallen würden.
Der Gordische Knoten existiert weiterhin bis zum heutigen
Tag. Die Bundesregierung steht unter dem Druck der europäischen öffentlichen Meinung, welche gegenüber
dem vereinigten, das heißt also mächtiger gewordenen
Deutschland eine wachsamere Haltung einnimmt. Sie befindet sich jedoch auch unter dem Druck der sudetendeutschen Forderungen, denen die völlig begründeten Klagen
der Sudetendeutschen zusätzliches Gewicht verleihen,
welche wiederum durch etliche Haltungsäußerungen aus
der tschechischen Öffentlichkeit gedemütigt werden. (Sie
hält mehrheitlich die Vertreibung keineswegs für ein Unrecht, vielmehr für einen Akt der Gerechtigkeit). Die Tschechische Regierung befindet sich unter dem Druck der
tschechischen Öffentlichkeit und der sudetendeutschen

Forderungen, über welche sie nicht zu verhandeln gedenkt, aber vielmehr die Bundesregierung bedrängt, die wiederum gleicherweise keine Entscheidungsfreiheit besitzt und sich daher mit Verhandlungen Zeit läßt. In dieser Situation haben einige deutsche (sowie sudetendeutsche) einflußreiche Demokraten den größten Spielraum; ihre konstruktiven Bemühungen lassen aber die tschechische Seite gleichgültig bleiben. So besteht also der Gordische Knoten auch weiterhin ...

Sollte demnach die tschechische Politik machtlos (und unfähig dazu) sein, könnte die tschechische Kultur diese Patt-Situation überwinden helfen. Man kann eingestehen, daß eine entgegenkommende Geste seitens eines tschechischen Politikers an die Adresse der Sudetendeutschen derzeit einem politischen Selbstmord gleichkäme. Es ist unvorstellbar, daß sich solch ein Politiker in irgendeiner unserer Oppositionsparteien finden würde: Für jede ist nämlich antideutsche Demagogie oder zumindest ein sudetendeutsches Schreckbild ein begrüßenswerter Propaganda-Artikel. Geschähe dies aber in einer der Koalitionsparteien, würden sich bezüglich der politischen Beseitigung eines derartig verwegenen Kerls die Parteifreunde schon kümmern. Und falls nicht diese, so würde unzweifelhaft die Linke mit ihnen entsprechend verfahren. (Miloš Zeman[88] würde ganz gewiß nicht zögern). – Würde etwas derartiges einen intellektuellen Selbstmord eines tschechischen Intellektuellen bedeuten?

Die Unmöglichkeit, derzeit eine beiderseits annehmbare politische Lösung des sudetendeutschen Problems zu finden, hat Ursachen, welche überwiegend psychologischer (beziehungsweise ideologischer) Natur sind. Die Hemmschwelle liegt in der Unvereinbarkeit der tschechischen öffentlichen Meinung und der Meinung der sudetendeutschen Kommunität. Es handelt sich dabei um Vorstellungen, welche die eine über die andere Seite hegt und pflegt sowie über deren Absichten; es handelt sich hier also um Emotionen, welche von den Traumaerfahrungen der Vergangenheit abhängen und in die sich die jeweils andere Seite bislang nicht hineinzufühlen vermochte, und dies ist eine unterschiedliche und bislang unverträgliche Interpretation der Geschichte des deutsch-tschechischen Zusammenlebens auf dem Boden der böhmischen Länder. Dies sind also die »BLINDEN FLECKEN« beziehungsweise die weißen Stellen,[89] welche auf jeder Seite anders lokalisiert werden und somit den Standpunkt wechselseitig deformieren.

Die tschechische Seite ist unfähig zuzugeben, daß die Entstehung der Tschechoslowakei im Jahre 1918 unter anderem mit der Nichtrespektierung der Rechte der böhmischen Deutschen auf Selbstbestimmung verbunden war und daß die 1. Republik sie diskriminierte. Die Tschechen wollen vom Massaker des 4. März 1919[90] nichts wissen. Sie weisen es von sich, die moralische Unannehmbarkeit und politische Problematik der Vertreibung der Deutschen anzuerkennen und sie bagatellisieren die Greueltaten, zu denen es seinerzeit massenhaft gekommen war.

Demgegenüber weisen es die Sudetendeutschen von sich, die äußerst unglückselige Symbiose ihrer Emanzipationsbewegung in Verbindung mit dem Nazismus zur Kenntnis zu nehmen, und sie wollen weiterhin nicht sehen, welche Rolle ihre seinerzeitige politische Vertretung bei der Expansion von Hitler-Deutschland gespielt hat, für die dann nicht nur die Tschechen, sondern eben ganz Europa draufgezahlt hat. Die Unvereinbarkeit beider Betrachtungsweisen führt dann häufig zu populistischen Zusammenstößen vom Typ »WER DIES DENN EIGENTLICH BEGONNEN HAT«, die wiederum eine ernsthafte Diskussion unmöglich machen. Den Politikern ist es jedoch nicht gegeben, solche derart unvereinbaren und polemisch zugespitzten Haltungen zu überwinden. Eher sind öffentlich sich engagierende Intellektuelle, Vertreter der Gesellschaftswissenschaften, Philosophen, Schriftsteller, Geistliche usw., das heißt also Menschen aus dem Kulturleben, der geistigen Repräsentanz der Nation zum Erreichen eines Standortes berufen, von dem aus es sich ermöglichen lassen würde, die voneinander abweichenden Betrachtungsweisen in einem einheitlichen Gesichtspunkt zusammenzufassen.

In dieser Hinsicht herrscht zwischen der tschechischen und sudetendeutschen Kommunität eine offenkundige Asymmetrie. Das Phänomen einer »SUDETENDEUTSCHEN KULTUR« existiert heute leglich als ein regionaler Ableger einer integralen deutschen (beziehungsweise westdeutschen) Kultur, an der sich allerdings auch herausragende Persönlichkeiten beteiligen, die aus den böhmischen Ländern stammen. Die deutsche geistige Elite setzt sich auf erfolgreiche Weise mit dem Nazi-Erbe bereits seit dem Ende des Weltkrieges auseinander. (Wir nennen anstelle vieler anderer Karl Jaspers, Alexander Mitscherlich und Jürgen Habermas); es ist ihr geglückt, zwei Nachkriegsgenerationen Deutscher zu beeinflussen. In diesem geistigen Milieu bewegen sich und wirken öffentlich auch die Gebildeten sudetendeutschen Ursprungs, beispielsweise Ferdinand Seibt, Angelus Waldstein, Peter Becher, Helga Hirsch, Peter Glotz, Rudolf Hilf und andere. (Ihnen vergleichbar ist zum Beispiel Günter Grass, Vertriebener aus Danzig-Gdansk). Wenn auch diese Leute manchmal emotionalen Angriffen von seiten etlicher vertriebener Landsleute die Stirne bieten müssen, so haben sie dennoch innerhalb der sudetendeutschen Kommunität ihren eigenen, nicht in Frage gestellten Platz und eine natürliche Autorität, und hierbei sind sie gegenüber der tschechischen Seite noch von beachtlichem Entgegenkommen. Kurz gesagt, die sudetendeutsche intellektuelle Elite ist auf einen Dialog mit den tschechischen Partnern wohlvorbereitet.

Die Verhältnisse sehen tschechischerseits in dieser Hinsicht gänzlich verschieden aus. Die tschechische Volksgemeinschaft[91] besitzt keine eigene etablierte intellektuelle Gemeinde. Sie hatte sie noch in den sechziger Jahren besessen. Einen grundlegenden Bestandteil der Reformbewegung bildeten gerade kommunistische Intellektuelle, mit denen auch ihre weniger zahlreichen nichtkommunistischen Kollegen zusammenarbeiteten (oder ihre Initiative mitnutzten). Dies ist heute bereits eine in Vergessenheit geratene Vergangenheit; ein rechtslastiger Journalismus hat schließlich und endlich die Öffentlichkeit gelehrt, auf die »ACHTUNDSECHZIGER«[92] mit einer gewissen Respektlosigkeit zu blicken. – Eine bestimmte intellektuelle Gemeinde bildete dann zwar auch die sogenannte Dissidentenbewegung, eine zwar ausgeprägte Gemeinschaft, die jedoch zahlenmäßig unbedeutend und isoliert war. Auch sie ist bereits Vergangenheit. Ihre Angehörigen drifteten entweder in unterschiedliche parteipolitische Formationen auseinander oder sie entfernten sich überhaupt aus der Politik; entweder sie konnten sich in ihr nicht entsprechend bewegen oder die tschechische Öffentlichkeit (vor allem die jüngere Generation) verlor jegliches Interesse an ihr.

Heute wirken tschechische Intellektuelle entweder auf eigene Faust, oder aber sie konkurrieren miteinander in verhältnismäßig geschlossenen und gedanklich homogenen Gruppen. Daß sie keinerlei Gemeinde bilden, kann man als ein Faktum betrachten, daß also bei uns zwar zahlreiche eindimensionale oder kurzlebige Polemiken geführt werden, jedoch keine langwährenden Diskussionen, welche ihrerseits gesamtgesellschaftlich relevante Probleme erhellen würden, wie zum Beispiel den Ausgleich mit der Vergangenheit, Ethik in der Politik, eine Reflexion des gegenwärtigen Status der tschechischen Gesellschaft, oder die sich gar an der Schaffung einer öffentlichen Meinung beteiligen würde, beispielsweise mittels einer kritischen Revision der Routiniertheit der Terminologie gegenwärtigen Journalismus'. Das Nichtvorhandensein eines solchen Handelns kann unter anderem auch anhand des Tätigwerdens der bereits erwähnten Gemeinsamen Historikerkommission illustriert werden; die Öffentlichkeit weiß nahezu praktisch nichts von ihr. Selbst die Tatsache, daß in den vergangenen Jahren bedeutende Arbeiten über das sudetendeutsche Problem bei uns erschienen sind (beispielsweise von Tomáš Staněk[93] und Eva Háhnová[94] ändert nichts daran, daß die Öffentlichkeit sie nicht kennt, weil nicht allein die »Multiplikatoren«, sondern auch das Interesse fehlen.

Dem sudetendeutsch-tschechischen Dialog zwischen den politischen Vertretern beider Kommunitäten müßte der Dialog ihrer intellektuellen Eliten vorausgehen. Damit aber dieser überhaupt möglich würde, müßte davor noch ein »tschechisch-tschechischer Dialog« stattfinden, das heißt also eine offene Debatte, welche zwischen Persönlichkeiten der tschechischen Kultur geführt werden müßte und somit die durchlebten Vorurteile zerstreuen und neue Problemformulierungen prägen sollte.

Ihr Fehlen kann mit mancherlei Gründen erklärt werden. Eine ganze Reihe Intellektueller, denen es gelungen ist, in die Rolle von »opinion-makers« zu schlüpfen, teilt die antideutschen Vorurteile einschließlich der Vorstellung von der »DEUTSCHEN BEDROHUNG«. (Anstelle vieler anderer seien hier Ludvík Vaculík und Václav Bělohradský genannt). Viele, vor allem diejenigen in den Redaktionen der Meinungsbildungsperiodika, haben vor der vorherrschenden öffentlichen Meinung einfach Angst. Die Tatsache ist sicherlich nicht bedeutungslos, daß eine derartige Debatte, insofern sie überhaupt entstünde, eingebürgerten tschechischen Gewohnheiten nicht entspräche. Sie entstand ja nicht einmal anläßlich anderer grundlegender, weniger brisanter Themenbereiche. Jedesmal entstand daraus eine entsprechende Polemik, zu der die Mehrheit mit ihrem individuellen Credo wie auch mit ihrer spezifischen Konfession einen Beitrag leistete, folglich mit irgendeiner Art »LETZTEN WORTES«, was eine Debattenkontinuität unmöglich macht. Es ist somit nicht auszuschließen, daß das Aufkommen einer Diskussion, eines Dialogs als Möglichkeiten der Auseinandersetzung, schon der kommenden Generation überlassen wird.

Eine bedeutsame Zäsur in der tschechischen Wahrnehmung des sudetendeutschen Problems stellte die Ansprache Václav Havels im Prager Karolinum vom 17. Februar 1995 dar.[95] Der tschechische Präsident begann damit einen Zyklus von Ansprachen bedeutender tschechischer und deutscher Persönlichkeiten. Dieser Zyklus wurde auf deutsche (Bertelsmann-Klub) und tschechische (Karls-Universität) Initiative hin mit der Absicht ins Leben gerufen, um jene weiterhin fehlende Diskussion von Vertretern aus dem Kulturleben beider Seiten zu eröffnen. Inzwischen sind im Karolinum der sächsische Ministerpräsident Kurt Biedenkopf, Kardinal Miloslav Vlk, die Stellvertretende Vorsitzende des Bundestags Antje Vollmer und der Minister für Auswärtiges Josef Zieleniec aufgetreten. Der Zyklus wurde von der Ansprache des ehemaligen deutschen Präsidenten Richard von Weizsäcker im Dezember desselben Jahres 1995 abgeschlossen. Es ist kennzeichnend, daß die tschechischen Medien lediglich den Ansprachen Václav Havels und Josef Zieleniec' überhaupt Aufmerksamkeit schenkten. Mit den Ansprachen der deutschen Teilnehmer am Zyklus wurde die tschechische Öffentlichkeit überhaupt nicht bekannt gemacht, obwohl doch insbesondere die Rede von Antje Vollmer auch in den deutschen Kontext als solchen einen gänzlich neuen Ton hineinbrachte.

Václav Havel gab in seiner Karolinum-Rede das vorherrschende Votum der tschechischen Publizistik wider, insofern sie über die sudetendeutsche Thematik schreibt. Er lehnte es ab, sich wiederum der Geschichte zuzuwenden (»sich in die Vergangenheit zurückzuziehen«), er lehnte es ferner ab, eine Analyse der Schuld an der Vertreibung der böhmischen Deutschen vorzunehmen, denn wir haben uns zwar »anstecken lassen vom tückischen Virus eines ethnischen Verständnisses von Schuld und Strafe«, doch haben wir diesen in unser Land »nicht eingeführt«, und so wies er sehr verständlich darauf hin, daß die Sudetendeutschen die Friedensstörer gewesen seien. (»Die Mitbeteiligung so vieler unserer ehemaligen deutschen Mitbürger an der Vorbereitung und an den Folgen von München«). Unbemerkt hat sich somit in sein Denken die Auffassung von einer Kollektivschuld eingeschlichen. Die Vertreibung (er selbst sprach damals vom »ABSCHUB«) ordnete er in den Zusammenhang der fatalen Ereignisse des Zweiten Weltkriegs mit ein, womit er sie eigentlich irgendwie verurteilte; weil dies jedoch ein bereits in sich abgeschlossener Geschichtsabschnitt sei – und zu diesem sollten wir uns nicht wieder zurückwenden –, schuf er keinerlei Raum für eine fällige Bereinigung oder zumindest doch eine Linderung des Unrechts. Entsprechend Václav Havel sollte »die Zeit der Entschuldigungen und Rechnungsstellungen für die Vergangenheit ..., die Zeit der Monologe und einsamen Aufschreie« endigen und eine »Zeit des Dialogs« beginnen.

Die Karolinum-Rede des Präsidenten wurde zu Hause mit Erleichterung und Lob bedacht. (Kritische Stimmen hatten seinerzeit einen eher schwierigen Zugang zur Mehrzahl der maßgebenden Medien). Die tschechische Öffentlichkeit war einen bedeutsamen Teil ihrer Ängste losgeworden, denn bis zu jenem Zeitpunkt war sie sich dessen gar nicht so gewiß, ob der Präsident mit der Aura einer »MORALISCHEN PERSÖNLICHKEIT« dieses Problem nicht gefährlich »VERWISCHEN« werde. Nichts von alledem geschah. Der Präsident artikulierte die prekärsten Pointen des sudetendeutsch-tschechischen Bezugsfeldes nicht mit der höchstmöglichen Präzision, vielmehr aber mit Metaphern, wodurch er das Problem als solches vedunkelte.

Auf deutscher Seite rief diese Rede Enttäuschung hervor. Lediglich eine ganz kleine Gruppe von Problemkennern (so beispielsweise Angelus Waldstein) drückten ihr Verständnis dahingehend aus, daß der tschechische Präsident sich keineswegs den weit überwiegenden Gefühlen des eigenen Volkes entgegenstellen könne, und daher setzten sie ihre Hoffnung auf das Dialogversprechen.

Doch zu diesem sollte es dann in der Folge nicht mehr kommen. Die Reden der deutschen Teilnehmer des Karolinum-Zyklus (Biedenkopf, Vollmer, von Weizsäcker) wurden zwar höflich angehört, ein Echo kam jedoch nicht. Es kam zu keinerlei »TSCHECHISCH-TSCHECHISCHER« Diskussion. Die Erklärung der Unterzeichner der »VERSÖHNUNG 95« (zwei Monate nach der Präsidentenrede), die sich für einen Dialog mit den Sudetendeutschen einsetzte, erhielt in den tschechischen Medien lediglich eine eingeschränkte Publizität, umso größeren Raum gab man aber der gegen sie gerichteten Kampagne. Eine weitere Erklärung dieser Gruppe vom Frühjahr 1996 rief keinerlei Aufmerksamkeit mehr hervor. Václav Havel war dem drängenden öffentlichen Bedürfnis entgegengekommen und hatte somit einer erneuten »VERDRÄNGUNG« eines grundlegenden Themas nachgeholfen.

Falls es uns gestattet ist, eine Analogie aus der Individualpsychologie heranzuziehen, sähen die Dinge folgendermaßen aus:

Die nach dem November erfolgte Öffnung des sudetendeutschen Problems bedeutete für die unvorbereitete tschechische Öffentlichkeit einen gewissen Schock, welcher als solcher häufiger Verlegenheitsgesten und Unsicherheit hervorruft, somit auch Abwehrmechanismen, einschließlich solcher aggressiver Art. Die Unmöglichkeit, eine politische Lösung zu finden und die gegenseitige Stimulierung radikaler Stimmen auf beiden Seiten hatten zur Folge, daß die tschechische Öffentlichkeit immer weiter ängstlicher reagierte. Havels »ALSO SCHLUSS DAMIT!« führte zu einer sichtbaren Beschwichtigung, beendete aber auch das Bedürfnis, sich mit dem Problem zu beschäftigen.

Daher entstand dann eine gemeinsame Initiative tschechischer und deutscher Intellektueller, welche durch die Proklamation der »Versöhnung 95« auf die Ungelöstheit eines grundlegenden Problems der tschechisch-deutschen Beziehungen hinwies und weiterhin auch darauf, daß seine Lösung des Zusammenwirkens beider Seiten, der tschechischen wie auch der sudetendeutschen, bedürfe.

Seither haben sich tschechische Politik und Journalismus so verhalten, als ob das Problem nie existiert hätte, als ob es folglich nichts zu lösen gäbe. In dieser Zeit (März 1995) wies das Verfassungsgericht der Tschechischen Republik einen Antrag ab, das Dekret Nr. 108/45 (Sammlung der Gesetze und Verordnungen[96]) des Präsidenten der Republik über die Konfiszierung »FEINDLICHEN VERMÖGENS« (eingereicht durch den tschechischen Bürger DREITHALLER, dessen Eltern, Sudetendeutschen, das Haus beschlagnahmt worden war), zu annulieren. In der Begründung seiner Ablehnung argumentierte das Verfassungsgericht – offener, als dies zuvor der Präsident getan hatte – mit dem Hinweis auf die Kollektivschuld des Deutschen Volkes. Die deutschen Medien verhehlten nicht ihre Überraschung und ihre Enttäuschung.

Eingeweihteren Diplomaten und Journalisten konnte es freilich nicht entgehen, daß bedeutende deutsche Persönlichkeiten, an deren demokratischer Grundhaltung keinerlei Zweifel bestehen und die weiterhin mit den Sudetendeutschen nichts gemeinsam haben, der Vorstellung überhaupt nicht nähertreten können, daß es sich hier um ein Pseudoproblem handle, welches allein durch die bloße sudetendeutsche Unversöhnlichkeit am Leben erhalten werde. Daher entstand tschechischerseits im Jahre 1995 die Idee einer gemeinsam Erklärung, welche beide Seiten verkünden sollten, daß die Probleme der Vergangenheit ihre künftigen

Beziehungen nicht weiter belasten sollten und daß beide Staaten gegeneinander keine weiteren Rechtsansprüche erheben würden.

Es war das Bestreben der tschechischen Außenpolitik, Garantien dafür zu erhalten, daß der deutsche Staat künftig nicht zum Verbündeten der vertriebenen Sudetendeutsche würde, beziehungsweise daß eine deutsche »OST-POLITIK« gegenüber der Tschechischen Republik keine Sudetendeutsche Karte spielen werde. Auf deutscher Seite wurde diese Überlegung vor allem seitens der SPD und der »GRÜNEN« unterstützt, vor allem durch Antje Vollmer, doch selbst die Bundesregierung näherte sich diesem Standpunkt an. Die Verhandlungen beider Außenministerien waren unerwartet langwierig. Die deutsche Seite, von der ein Zugeständnis erwartet wurde, forderte dies ebenfalls von der tschechischen Seite: daß nämlich in der Erklärung das tschechische Bedauern bezüglich der Vertreibung als solcher ausgedrückt werden sollte und nicht bezüglich deren »EXZESSEN.«

Für die tschechische Öffentlichkeit, welche seit dem Jahre 1990 durch die tschechische Publizistik bearbeitet worden war, war dies schier unannehmbar. Psychologisch ist dies verständlich: Indem der gebräuchliche Terminus »AB-SCHUB« durch das Wort »VERTREIBUNG« ersetzt würde, bedeutete dies doch, »DIE SUDETENDEUTSCHE INTER-PRETATION DER GESCHICHTE ZU AKZEPTIEREN«, also anzuerkennen, daß die Austreibung Unrecht war, folglich auch die Möglichkeit einer Wiedergutmachung dieses Unrechts ins Auge zu fassen, ob nun in Form einer Entschädigung oder schließlich in Gestalt einer Rückkehr der Sudetendeutschen in die böhmischen Länder; dies ist allerdings der allerschwärzeste Alpdruck für die tschechische Vorstellungskraft. – Die tschechische Seite, welche hierbei durch Presse und Öffentlichkeit unterstützt wurde, war jedoch nicht fähig, gegenüber denjenigen »BENESCH-DE-KRETEN« eine kritische Haltung einzunehmen, die die Kollektivschuld der Sudetendeutschen zum Postulat erhoben; gerade darauf hatte wiederum die deutsche Seite gedrängt.

Über den Verlauf der vertraulichen bilateralen Verhandlungen kann man sich lediglich eine hypothetische Vorstellung machen. Die tschechische Seite argumentierte mit der durch die Potsdamer Erklärung völkerrechtlich gedeckten Vertreibung.

Damit veranlaßte sie aber die deutsche Seite, konkret Minister Klaus Kinkel, die deutsche Auffassung bezüglich der Verbindlichkeit dieses Dokuments vorzutragen, die von Anfang anders war als die tschechische. In der tschechischen Öffentlichkeit verursachte dies einen Riesenkrach und eine Demarche des tschechischen Außenministers bei den Regierungen der seinerzeitigen siegreichen Großmächte. Die russische und französische Reaktion war von einer »FÜR-POTSDAM«-Haltung geprägt, ebenso die amerikanische, wenngleich diese weniger entschieden ausfiel, die britische Reaktion fiel hingegen reserviert aus.

Die tschechische Diplomatie zog in diesem Falle nicht in Erwägung, wie unangenehm für die westlichen Großmächte die Wiederbelebung dieses Problems sein würde, welches die Reminiszenzen bezüglich der Aufspaltung der Kräfte in der Nachkriegszeit aktualisierte, während doch in der Gegenwart die Außenpolitik der westlichen Länder mit einer völlig anderen internationalen Konstellation zu ringen hat. Sie zog nicht einmal in Betracht, daß sie ihren deutschen Partner in eine unangenehme Lage bringe, weil sie ihn nötige, seine eigene Ambivalenz einzugestehen. Das westliche und heutige vereinte Deutschland kann gar nicht anders, als die Potsdamer Erklärung als ein Diktat vom Typ des »ÜBER UNS OHNE UNS« zu betrachten, doch ist es derzeit durch die Pariser Konferenz vom Jahre 1954 gebunden,[97] sich nicht um einen Ausgleich der Schäden zu bemühen, welche Nachkriegs-Deutschland als Ergebnis der Niederlage des Hitler-Regimes erlitten hatte.

Der deutsche Partner bewies trotzdem eine bemerkenswerte Nachgiebigkeit. Wir rechnen ihm dies keineswegs als Schwäche an, eher dem, daß die deutsche Seite im Verlauf der Verhandlungen ein »reiferes« Verhalten zeigte als die tschechische, was wiederum damit belegt werden kann, daß die tschechische Seite bei der Formulierung der Endfassung des Textes nach einer lexikalischen Finte griff. – Beide Seiten entfalteten im Verlauf der Verhandlungen eine bemerkenswerte Energie in bezug auf die Suche nach einer beiderseits annehmbaren Terminologie. Die tschechische Seite nutzte die grammatischen Vorzüge der slawischen Sprachen, das heißt die Möglichkeit, etwas mittels einer verbalen Aktionsart auszudrücken.[98] So tauchte in der Erklärung keineswegs »Vertreibung«,[99] vielmehr »AUSTREIBUNG«[100] auf, überdies in der Nachbarschaft auch noch anderer Arten von Widrigkeiten, welche sowohl Tschechen als auch Deutsche während des Krieges und nach dem

Krieg erfahren hatten, so daß also die Brisanz der auf solche Art abgeschwächten verbalen Aktionsart noch weiter abgeschwächt wurde. Denjenigen Deutschen, welche die Aktionsart des Verbums nicht kennen, blieb nichts anderes übrig, als das tschechische »VYHÁNĚNÍ« als deutsches »VYHNÁNÍ« zu übersetzen. Man kann schon sagen, daß in der Endfassung des Textes der Erklärung tschechische Wünsche mehr zur Geltung kamen als die deutschen.

Und trotzdem stellt ihr Text ein lobenswertes Ergebnis dar, denn es ist das gemeinsame Werk zweier Seiten, deren Verhandlungspositionen enorm schwierig waren. Der katholische Priester Anton Otte, ein Sudetendeutscher, der fünf Jahre lang in Prag als geistlicher Verwalter der deutschsprachigen Katholiken gewirkt hatte, aber hauptsächlich als Vermittlungsperson zwischen der tschechischen und der deutschen Katholischen Kirche, formulierte im Herbst 1996 die positiven Seiten der Erklärung folgendermaßen: »... Gerade deshalb erwarte ich von der vorbereiteten Erklärung, daß sie den unrealistischen Erwartungen der Sudetendeutschen und insbesondere den irrationalen Angstvorstellungen der Tschechen« Einhalt gebietet.

Zur schwierigsten Etappe in der Entstehungsgeschichte der Erklärung entwickelte sich ihre Ratifizierung durch die Parlamente beider Länder, insbesondere durch die Abgeordnetenversammlung der Tschechischen Republik. Die Behandlung im Deutschen Bundestag verlief dann auch nicht ganz glatt, denn man konnte die Stimmen der Abgeordneten aus Bayern und derjenigen, welche aus den böhmischen Ländern stammten, keineswegs überhören. Aber die Erklärung hatte dort doch eine gesicherte Stimmenmehrheit. Die deutsche politische Vertretung betrachtete als solche das Problem wesentlich rationaler, das heißt also weniger emotional als die tschechische Seite. Für die tschechischen Abgeordneten bedeutete die Ratifizierung eine wesentlich schwierigere Prüfung. Mit der billigenden Inkaufnahme einer exemplarischen Vereinfachung haben wir drei Grundhaltungen zum deutsch-tschechischen beziehungsweise sudetendeutsch-tschechischen Problem herausgearbeitet: Die nationalistische, die pragmatische und die moralische Grundposition. Die beiden Parteien, welche gewöhnlich als extremistisch aufgefaßt werden (das heißt: die Kommunisten und die Republikaner), setzten voll auf den Nationalismus, das heißt auf die Idee einer tschechischen Bedrohung durch Deutschland, dessen

Vorhut gerade die Sudetendeutschen seien. In den Koalitionsparteien überwog der Pragmatismus, auf dessen Widerstandsfähigkeit gegenüber den Versuchungen des Nationalismus jedoch niemals ganz Verlaß ist.

Das höchst problematische politische Subjekt bildete aber die Sozialdemokratie. In den Parlamentswahlen von 1996 konnte sie einen überraschenden Erfolg erzielen, denn es gelang ihr, unter ihrem Dach die Wähler einer ganzen Reihe kleinerer Linksgruppierungen zu vereinen; diese Gruppierungen hatten jedoch häufig einen vor dem November liegenden kommunistischen Untersuchungsbefund aufzuweisen. Daher sparte diese größte Oppositionspartei überhaupt nicht mit einer ostentativen, antinazistischen, zwischen den Zeilen folglich auch – manchmal sogar ganz und gar offen – antideutschen Rhetorik.

Der Minister für Auswärtiges Zieleniec war sich der Bedeutung dieser Partei für die Annahme der Erklärung bewußt, und daher informierte er fortlaufend ihren Vorsitzenden Zeman über den Stand der Verhandlung und der Textfassung, womit er ihn in eine gewisse Solidarhaltung miteinband; dies ließ er auch öffentlich verlauten. Zeman stritt diese Möglichkeit auch keineswegs ab. Unmittelbar vor der Ratifizierung zeigte es sich jedoch, daß keineswegs die Loyalität Zemans ausschlaggebend war, sondern die Stimmung der Mitglieder und des Funktionärsaktivs der Partei.[101]

Die Annahme der Erklärung wurde durch eine Indiskretion der deutschen ARD verkompliziert: Der Text gelangte »VORZEITIG« an die Öffentlichkeit. Man kann lediglich vermuten, welche Gründe die deutsche Seite dazu veranlaßt hatten. Wollte sie möglicherweise nach den ermüdenden Verhandlungen die Aufnahmebereitschaft der tschechischen Öffentlichkeit austesten? Falls ja, dann hat sie das Ihrige erreicht. Die sudetendeutsch-tschechische Beziehung füllte erneut den Raum in den tschechischen Medien.

Die Kampagne »FÜR« und »DAGEGEN« beschäftigte unseren Journalismus von Mitte Dezember 1996 bis in die ersten Monate des folgenden Jahres hinein. Auch für die tschechische Seite war sie lehrreich: Ihre Befürchtungen wurden offen und dringlich wie nie zuvor artikuliert.

Gerade in bezug auf Deutschland zeigte sich eine gewisse geistige Affinität der ČSSD[102], zumindest aber eines bedeutenden Teils, mit den sogenannten extremistischen Parteien. Es war nicht möglich, das Verhältnis zwischen den Nationalisten und Pragmatikern innerhalb der ČSSD abzuschätzen, denn selbst ihre Pragmatiker befleißigten sich eines antideutschen Mimikris. Selbst im Zentralausschuß, dem höchsten Organ dieser Partei, kam es am Vorabend der Ratifizierung zu einer scharfen Auseinandersetzung zwischen den Nationalisten und den eher europäisch gesonnenen Pragmatikern.

Schließlich verhängte die ČSSD keinen Fraktionszwang und überließ die Stimmabgabe der Entscheidung jedes einzelnen. So wurde dann die Erklärung mit einer nicht allzu sehr überzeugenden Mehrheit ratifiziert; auch etliche Sozialdemokraten hatten sich darum verdient gemacht.

In der Erklärung drückten beide Seite ihr Bedauern über das Unrecht aus, welches in der Vergangenheit unschuldigen Menschen, Deutschen wie Tschechen, angetan worden war, die tschechische Seite auch auf der Basis des Gesetzes Nr. 115/46 Sammlung der Gesetze und Verordnungen, welches »ES ERMÖGLICHTE, DIESE EXZESSE NICHT ALS UNRECHT ZU BETRACHTEN«. Sie verpflichteten sich dazu, »IHRE BEZIEHUNGEN NICHT DURCH AUS DER VERGANGENHEIT STAMMENDE POLITISCHE UND RECHTLICHE FRAGE ZU BELASTEN« und ferner einen sogenannten Deutsch-Tschechischen Zukunftsfond einzurichten, aus dem Projekte finanziert werden sollten, welche der Entwicklung künftiger Zusammenarbeit zu dienen hätten, ferner Projekte »ZUGUNSTEN VOR ALLEM VON OPFERN DER NATIONALSOZIALISTISCHEN GEWALT«. Die Nöte der Sudetendeutschen wurden nicht ausdrücklich erwähnt. Beide Seiten verkündeten, daß sie übereinkommen werden, ein deutsch-tschechisches Diskussionsforum einzurichten, »IN DEM UNTER DER SCHIRMHERRSCHAFT BEIDER REGIERUNGEN UND UNTER BETEILIGUNG ALLER KREISE, WELCHE EIN INTERESSE AN EINER ENGEN UND GUTEN DEUTSCH-TSCHECHISCHEN PARTNERSCHAFT HABEN WÜRDEN, DER DEUTSCH-TSCHECHISCHE DIALOG GEPFLEGT WERDEN SOLL«.

Mit der Ratifizierung der deutsch-tschechischen Erklärung und der Aufregung um den Besuch des deutschen Kanzlers herum verlor sich die brisante Thematik aus der tschechischen Presse. So als ob die tschechische Öffentlichkeit erst einmal tief durchgeatmet hätte. Allerdings bedrängten sie auch ganz andere Sorgen: das Erfordernis von Zusammenstrichen im Staatshaushalt und der Stand der politischen Diskussion, welche als Vertrauenskrise bezeichnet wurde, dies alles droht doch, ein Gefühl der Desillusionierung hinsichtlich der Zielrichtung der Entwicklung nach dem November 1989 hervorzurufen. Die Wiedereröffnung des sudetendeutschen Problems und die Unfähigkeit, wenn nicht gar Unwilligkeit, sich diesem in aller Offenheit zu stellen, tragen sicherlich zu solch einem Unsicherheitsgefühl bei. Ob sich nun jener deutsch-tschechische Dialog überhaupt entwickelt, ist unter diesen Umständen fraglich. Es ist möglich, daß der Wille obsiegen wird, das ganze Problem einfach ad acta zu legen. Dies wäre aber eine derjenigen Modalitäten, wie man zu Lasten der Zukunft überleben möchte: Seine Lösung würde somit der nächsten Generation zufallen.

Petr Příhoda

7. Kapitel

Die erste Erschütterung –
und ihre Fortsetzung

Die Aufforderung des Bayerischen Ministerpräsidenten Max Streibl sprang die gesamte tschechische Öffentlichkeit geradezu an, und sie schockierte zahlreiche Menschen. Die Reaktion Václav Havels in einem Fernsehinterview brachte keineswegs eine Beruhigung, eher war das Gegenteil der Fall. Unmutsäußerungen, an deren mehrheitlicher Spontaneität wohl kein Zweifel bestehen kann, wurde vor allem im RUDÉ PRÁVO, der Tageszeitung der KPTsch, Raum gegeben. So erhielt also diese politische Partei, welche gerade ihr Machtmonopol verloren hatte, die Möglichkeit, sich der Rechnungslegung bezüglich ihrer eigenen Vergangenheit zu entwinden und sich als Hüterin der tschechoslowakischen Staats- und der tschechischen Nationalinteressen zu präsentieren. Auf verhältnismäßig kleiner Ebene kann man hier verfolgen, wie im Denken der Menschen relativ bald eine Ideologie (die kommunistische) durch eine andere (die nationalistische) verdrängt wird.

LESERBRIEFE

7.1   Wofür sollen wir uns denn entschuldigen?

Die Nachricht, daß der Bayerische Ministerpräsident die Tschechoslowakische Regierung aufgefordert habe, sie sollte sich für die Vertreibung der Sudetendeutschen entschuldigen, das heißt also für ihre Übersiedlung aus dem tschechoslowakischen Grenzgebiet, hat eine Welle empörter Leserbriefe hervorgerufen (...) Zumindest in aller Kürze entnehmen wir ihnen folgendes:
Jiří Boháček aus Lichnov (= Lichnau, O.P.) bezeichnet Streibls Forderung als ungeheuerlich und schreibt dazu: »Wofür sollen wir uns denn entschuldigen? Denn zur Aussiedlung kam es ja auf der Grundlage der Abkommen zwischen allen Siegermächten (...) Im Zusammenhang mit den letzten Geschehnissen bei uns beginnen einfache tsche-

chische und slowakische Menschen, welche im Grenzgebiet leben, Angst vor der Zukunft zu bekommen, und zwar nicht allein Angst um die sozialen Errungenschaften, welche uns der sozialistische Staat gebracht hat, sondern auch um die Souveränität und Zukunft von Tschechen und Slowaken im tschechischen Grenzgebiet (...) Gegen diese ungeheuerliche Forderung der Deutschen, die somit das demokratische Geschehen bei uns dazu ausnützen, protestieren wir nachdrücklich« (...)

Ingenieur Miroslav Pelc aus Prag 4 schreibt: »Es ist ja eigentlich unglaublich, woher der Herr Vorsitzende denn diese Frechheit hernimmt (...) Es wäre bestimmt nützlich, ihn daran zu erinnern, daß es gerade die Sudetendeutschen waren, die zur Zeit der 1. Republik als 5. Kolonne der deutschen Faschisten[103] Mithilfe an der Zerschlagung dieser Republik geleistet hatten. Unser (werktätiges-O. P.) Volk[104] hat zu keiner Zeit die Forderung erhoben, daß die Deutschen sich für unentschuldbare Dinge, das heißt für die Ermordung Hunderttausender Angehöriger des Tschechischen und Slowakischen Volkes entschuldigen«.

»Ich habe daher ganz und gar berechtigte Befürchtungen, daß der Forderung nach einer Entschuldigung weitere Forderungen folgen werden, welche beispielsweise die Karlsbader Becherbitter-Fabrik, Glashütten, Porzellanfabriken usw. darstellen könnten. Wir fordern Euch daher auf, eine Zusicherung abzugeben, daß unser Staat nichts dergleichen, was auf irgendeine Weise einer Entschuldigung entsprechen würde, tun wird« – dies schreibt **Zdeňka Straková** aus Prag 8.

»Wer entschuldigt sich denn bei uns für die Verschleppung zu jahrelanger Zwangsarbeit, wer hat sich denn bei den Familien derjenigen entschuldigt, welche aus dem totalen Einsatz nicht zurückgekehrt sind (...)«, schreibt **Zdeněk Faber** aus Pilsen (...)

Jaroslav Krutina aus Böhmisch-Trübau schrieb uns nachfolgendes: »Heute wollen sie eine Entschuldigung und morgen ein neues München (...)«

»Wir sollen uns bei den Sudetendeutschen entschuldigen?« fragt **Otilie Černohousová** aus Brünn. »Ich konnte das einfach nicht glauben. Ich wurde im Grenzgebiet geboren und zwar im Adlergebirge (...) Nie werde ich vergessen, als ich einmal als etwa Elfjährige noch vor dem Krieg mit einigen Freundinnen zum Einkaufen in Schwarzwasser war. Als Ortseinwohner hörten, daß wir tschechisch sprechen, begannen sie damit, uns mit Steinen zu bewerfen, und dann jagten sie uns bis zum Bahnhof hin. Niemals werde ich dieses entsetzliche Gefühl vergessen. (...)«

Rudé právo – 21.12.1989. In ähnlichem Sinne setzen sich die Leserproteste auch an den folgenden Tagen und in den ersten Monaten des Jahres 1990 fort.

7.2 Mit einem Hungerstreik gegen eine Entschuldigung

Prag (ČTK)[105] – »Ich habe mich dazu entschlossen, einen Hungerstreik als Protest gegen die geplante Entschuldigung gegenüber den Sudetendeutschen für das ihnen durch unser Volk angetane Unrecht zu beginnen« erklärte am Montag in Prag gegenüber einem ČTK-Korrespondenten der 68-jährige **Miroslav Klen** auf dem Altstädter Ring. »Diese meine Absicht habe ich durch einen Brief dem Herrn Präsidenten angekündigt«.

Woher haben Sie davon erfahren, daß wir uns entschuldigen sollen?
Aus dem Fernsehgespräch des Herrn Havel mit der Redakteurin Marta Skarlantová; zu jener Zeit war er noch nicht Präsident.
Wie lange werden Sie wohl in der Lage sein, ihren Protest-Hungerstreik durchzuhalten?
Noch habe ich mich nicht entschieden. In meinem Brief habe ich dem Herrn Präsidenten geschrieben, daß ich kein Fanatiker und vernünftigen Argumenten durchaus zugänglich bin. Falls ich dessen sicher sein werde, daß es zu keiner Entschuldigung kommt, oder falls ich davon überzeugt werde, daß eine Entschuldigung gerechtfertigt ist, breche ich den Hungerstreik ab.
Wie bewerten Sie ansonsten die Absichten des Herrn Präsidenten?
Sehr positiv. Die Entschuldigung gegenüber den Sudetendeutschen ist praktisch die einzige Sache, in der ich mit ihm nicht übereinstimme.

Rudé právo – 2.1.1990. In den folgenden Tagen veröffentlicht Rudé právo Stimmen zur Unterstützung des Hungerstreikenden.

7.3 Erklärung des Vorsitzenden der KPTsch, Ladislav Adamec: Für den Abschub entschuldigen? Nein!

In diesen Tagen erhalte ich große Mengen an Briefen von Parteimitgliedern, Parteilosen und Angehörigen anderer politischer Parteien, von Bürgern unseres Landes. Sie artikulieren, häufig aufgebracht, ihre Nichtübereinstimmung mit den Ansichten, denen zufolge eine Entschuldigung gegenüber den Sudetendeutschen unerläßlich sei (...) Nachdrücklich und entschieden erkläre ich hiermit, daß die KPTsch und ich persönlich mit Entschuldigungen gegenüber den Sudetendeutschen wegen deren Abschubs aus unserem Vaterland nicht übereinstimmen und solchen niemals zustimmen werden. Und dies geschieht nicht allein aus historischen Gründen, sondern vor allem aus Gründen der Verteidigung unserer höchsten staatlichen und nationalen Interessen.

Der Abschub wurde (...) auf der Grundlage des Potsdamer Abkommens umgesetzt (...) Sein Ziel bestand in der Verhinderung jeglicher Art von künftigem Mißbrauch deutscher nationaler Minderheiten (...) Die Entscheidung bezüglich des Abschubs der Deutschen hatte gleichzeitig auch die volle Unterstützung von Präsident Benesch sowie aller politischer Parteien in der Tschechoslowakei.

Es sollte auch nicht vergessen werden, daß die Sudetendeutsche Partei Henleins zum freiwilligen und willfährigen Instrument Hitlers wurde (...), um unseren Staat zu zerstören. Und ich muß hinzufügen, daß eine ganze Reihe von führenden Vertretern der Organisationen deutscher Übersiedler aus der ČSR bisher stets »SELBSTBESTIMMUNG UND RECHT AUF HEIMAT« fordert, was bedeutet, daß sie faktisch weiterhin auf den Positionen des Münchner Abkommens beharren (...)

Und weiter. Eine Entschuldigung (...) ist auch gleicherweise deshalb unzulässig, weil sie zweifelsohne zahlreiche Organisationen deutscher Übersiedler (...) zur Vorlage immer weiterer Forderungen veranlassen würde (...)

Die KPTsch ist darum bemüht, den Geist internationaler Verständigung, Vertrauens und der Zusammenarbeit zu entwickeln (...) Doch haben wir und werden auch in Zukunft die wesentlichsten Interessen unserer Völker im Sinne behalten; von ihrer Verteidigung werden wir uns nicht zurückziehen.

Rudé právo – 4.1.1990.

Die Haltungen, welche *RUDÉ PRÁVO* an der Jahreswende 1989/1990 vertrat, erscheinen auch in etlichen Folgejahren auf seinen Seiten, selbst als diese Zeitung von Zeit zu Zeit ebenfalls anderen Stimmen Raum bot, so beispielsweise Ján Mlynárik, Ota Filip, Peter Becher u.a. Vom Jahre 1995 an, als diese Zeitung aus ihrem Titel das Attribut »RUDÉ«[106] beseitigte, erscheinen auf ihren Seiten häufiger solche Texte, welche eingebürgerte Haltungen überwinden.

Der spontanen Leserreaktion im *Rudé právo* von Ende Dezember 1989 und Anfang Januar 1990 ähneln außerordentlich diejenigen Leserbriefe, welche in der Folgezeit praktisch in allen tschechischen Tageszeitungen veröffentlicht worden sind. Daher kann man begründeterweise wohl annehmen, daß diese Texte die Haltung zumindest eines bedeutsamen Teils, offenkundig aber der Mehrheit unserer Öffentlichkeit zum Ausdruck bringen.

7.4 Václav Houžvička[138]
Im Grenzgebiet sind sie daheim –
Aus den Ergebnissen einer soziologischen
Befragung (…) Abschub – ja oder nein?

Bei den Befragten überwiegt die Ansicht, daß der Abschub der Sudetendeutschen gerechtfertigt war, doch stimmen 40% von ihnen nicht der Art und Weise zu, wie er durchgeführt wurde. (…) Als eindeutig gerechtfertigt schätzen ihn 28% der Befragten ein – damit geben zwei Drittel des Befragungsrasters der Grenzgebietsbevölkerung ihre Zustimmung zum Abschub. Für ungerecht und auf der Grundlage der Entscheidung der (Sieger – O. P.) Mächte durchgeführt verstehen ihn 9,6% aller Befragten, und 3,2% halten den Abschub für ungerecht und grausam (…) Die Bewohner des tschechischen Grenzgebietes sind nicht sehr dazu geneigt, den Gedanken einer Neubewertung des Abschubs als solchen zu erwägen. Anders sieht es hingegen bei der Bewertung seines Verlaufs aus ethischer Sicht aus. (…)

Mláda fronta Dnes – 20.1.1992

7.5 Die öffentliche Meinung
über den Abschub der Deutschen

Prag (res) – Die Ansicht, daß der Abschub der Deutschen nach 1945 gerechtfertigt war, vertreten 58% aller Bürger in Böhmen, 49% in Mähren und 30% in der Slowakei. Entsprechend der März-Befragung des INSTITUTS FÜR DIE

ERFORSCHUNG DER ÖFFENTLICHEN MEINUNG urteilen 23% der Befragten in Böhmen, 25% in Mähren und 28% in der Slowakei, daß er ungerecht war, daß man jedoch unter die Vergangenheit einen dicken Strich ziehen müsse. Entsprechend 42% der Respondenten in Böhmen, 38% in Mähren und 48% in der Slowakei kann ein Vertrag mit Deutschland das Eigentum und die Sicherheit in den ehemaligen Sudetengebieten bedrohen. Auf die Frage, ob ein derartiger Vertrag der Tschechoslowakei zu einer beschleunigten wirtschaftlichen Entwicklung verhelfen würde, antworteten 48% der befragten Tschechen, 52% der Mährer und 36% der Slowaken positiv.

Rudé právo – 27.3.1992

7.6 Die Tschechen haben die Sudetendeutschen nicht hinausgejagt

Die Sudetendeutschen wurden nicht durch die Tschechen hinausgejagt, sondern auf der Grundlage der Entscheidung der Siegermächte auf der Konferenz in Potsdam und somit in Einklang mit dem Völkerrecht ausgesiedelt. Diese Tatsache führt die Weltföderation ehemaliger tschechoslowakischer politischer Häftlinge im Exil in einem Brief an die ARD an. Damit reagiert sie auf deren Berichterstattungsprogramm über die Ansprüche der Sudetendeutschen. In diesen Tagen wurde dieser Brief auch gleichzeitig den Abgeordneten des Föderalen Parlaments[107] übermittelt. Das Schreiben rekapituliert die Geschichte der deutsch-tschechischen Beziehungen sowie der Beziehungen zwischen dem tschechoslowakischen und deutschen Staat und führt weiterhin aus, daß sich bis heute beim Tschechischen Volk niemand für die unermeßlichen Leiden und unermeßlichen Schäden, welche durch die nazistische Okkupation verursacht worden waren, entschuldigt habe. Der Vorsitzende der Föderation, Jaroslav Anděl, spricht sich im genannten Brief daher dafür aus, daß die Entschädigungsfrage der ehemaligen Bewohner der Grenzgebiete Böhmens, Mährens und Schlesiens deutscher Volkszugehörigkeit zwar gelöst werden sollte, jedoch nicht abgesondert, vielmehr gleichzeitig mit einer Entschädigung für alle diejenigen Schäden und Leiden, welche die deutschen Nazis verursacht hatten. (...)

Rudé právo – 18.4.1992

7.7 Vladislav Chlumský
War der Abschub der Deutschen unmoralisch?

In der Diskussion über den Abschub der Deutschen ist es zu einer modischen, irgendwie flagellantischen Pseudo-bußhaltung gekommen, welche ihrerseits der Widerhall einer moralisierenden Tadelshaltung ist und die sich aus den Höhen moralischen Hochmuts eines Teils unserer politischen Elite auf die Nation herabsenkt. Nüchterne und gebildete nichtkommunistische Stimmen sind rar, (…) und der ureigenste Sinn des Abschubs (…) war keineswegs in erster Linie Rache, sondern ein Unterfangen, mittels dessen eine Wiederholung der Geschichte verhindert werden sollte. (…) Man muß sich über die staatliche Unvorsichtigkeit unseres Präsidenten nur wundern, der mit seinen moralisierenden Äußerungen Öl in das bislang nur glimmende Feuerchen des Revanchismus gießt. Darüber hinaus sind seine Äußerungen irrig.

Der Präsident spricht im Zusammenhang mit dem Abschub (…) davon, daß dieser auf einem »REIN NATIONALEN PRINZIP, FOLGLICH AUF DEM PRINZIP DER KOLLEKTIVSCHULD« begründet war, und er sagt, daß dies eine moralisch fehlerhafte Tat gewesen sei. Einer ähnlichen Verwirrtheit begegnen wir auch in den Wertungen der Kommunisten und ihrer Partei. Es geht aber doch um folgendes: Die Sudetendeutschen und die Kommunisten organisierten sich freiwillig in politischen Parteien, in Gebilden, welche jeweils ein verbrecherisches Programm besaßen, im ersten Fall das nazistische des Genozids, im zweiten den Klassen-Genozid[108]. Es ist ganz gewiß, daß die Zugehörigkeit zu einem (bestimmten – O.P.) Volk beziehungsweise zu einer bestimmten Gesellschaftsschicht (…) keinerlei Kollektivschuld begründet. Die entsteht lediglich dort, wo das Handeln (…) einer organisierten Gruppe von Menschen Ursache für Ergebnisse ist, die wir negativ bewerten.

Sofern sich Menschen bezüglich ganz bestimmter Ziele organisieren, stellen sie damit eigenständige Subjekte dar, die wir wiederum ganz allgemein als kollektive Akteure verstehen, (…) und ein organisiertes Ganzes stellt nicht bloß eine einfache Zusammenfassung von Teilen dar, vielmehr eine andere Wirklichkeit (…) Hat sich denn nicht etwa ein Gutteil der Sudetendeutschen in der Henleinpartei vereinigt, um den Staat zu zerschlagen, und hat sie denn nicht etwa auch das Genozidprogramm Hitlers akzeptiert?

Svobodné slovo – 14.5.1993

Die Tageszeitung Svobodné slovo (= Das Freie Wort – O.P.), früher mit der Tschechoslowakischen National-Sozialistischen Partei verbunden, nach dem Februar 1948 mit der Satelliten-Partei Tschechoslowakische Sozialistische Partei, wandte sich an eine höhere Altersgruppe ihrer Leser, der ein Sozialismus mit nichtmarxistischer Bindung geistig nahestand, und die sich darüber hinaus ein tschechisches Vaterlandsgefühl bewahrt hatte. In der Polemik im Zusammengang mit der Wiederbelebung des sudetendeutschen Problems zeigt sich, daß die Generationserfahrung von München und der nazistischen Besatzungszeit ein Bindemittel ist, welches die Differenzen der politischen Haltungen aus späterer Zeit (nach dem Februar 1948) überlagert.

7.8 Die Landsmannschaft[109] verursacht Sorgen

(...) Es ist aber schon verblüffend, in welchem Maße tschechische Politiker auf einmal ihre historische Erinnerung verloren haben. Sie haben den eigentlichen Schlüsselaugenblick vergessen, welcher sich in den Jahren 1938–1939 abgespielt hat. Wie nämlich damals tschechische Menschen aus den Sudetengebieten vor dem Berserkertum der Ordner und der Nazi-Wehrmacht in das Binnengebiet flüchten mußten. War das denn etwa nicht auch ein Abschub? Ja doch, das war ein Abschub und noch dazu ein um vielfach brutaler und inhumaner vollzogener als der Abschub der Sudetendeutschen aus der ČSR, welcher zudem durch die Entscheidung der siegreichen Großmächte rechtlich abgesegnet worden ist (...).

Tschechische Politiker sollten doch einmal das Potsdamer Abkommen durchblättern. Rechtlich betrachtet, ist es ganz und gar eindeutig, daß dieses Abkommen auf humane Weise sowohl den Abschub der Deutschen aus dem Osten als auch aus dem Westen gelöst hat (...). Die Tschechische Republik und ihre Politiker haben keinerlei Anlaß, sich selbst zu richten und einen Dialog mit den Vertretern derjenigen Leute jenseits des Böhmerwaldes zu führen, welche ihren erheblichen Anteil an Verantwortung für die Verbrechen und Leiden tschechischer Bürger tragen. Es ist schauerlich, mit welcher Servilität bis hin zur Erniedrigung sich einige derzeitige tschechische Politiker darum bemühen, dem Großen[110] Nachbarn zu Gefallen zu sein (...)

Jan Jelínek, in: Haló noviny – 17.6.1993

7.9 Der Haß zwischen Deutschen und Tschechen wird mit jeder Stunde größer

Seit dem Jahre 1945 muß niemand mehr in unmittelbarer Nachbarschaft mit Deutschen wohnen, denn damals wurden nahezu drei Millionen »abgeschoben«. Mit Ausnahme der Vertriebenen selbst hat die Mehrzahl der Deutschen dies längst vergessen und einen dicken Strich zur definitiven Beendigung dieses Kapitels darunter gezogen. Dies wollen auch zahlreiche Sudetendeutsche so haben, einmal für ihren eigenen Frieden, zum anderen aber im Sinne der Verständigung zwischen den Völkern. Zahlreiche Tschechen haben von dieser Vertreibung nahezu nichts gewußt, weil sie die propagandistische Erklärung des kommunistischen Regimes davor bewahrt hat, nach der die Vertreibung einen gerechtfertigten Exodus der »Faschisten« dargestellt habe.

Für diesen dicken Strich unter die Vergangenheit sprechen sich auch nahezu alle Tschechen aus und zwar noch nachdrücklicher als ihre deutschen Nachbarn. Nur wenige wagen es, die Dinge so zu betrachten wie der Präsident. Ihre Schuldgefühle verschweigen sie nicht allein mit dem unlogischen Argument, daß der Naziterror und das unmenschliche Regime der Deutschen im Protektorat die Bedingungen für die Vertreibung geschaffen hätten, sondern auch durch ihre heutige ablehnende Haltung gegenüber den Deutschen.

Das Interesse der Tschechen an den Deutschen und umgekehrt befindet sich nicht im Gleichgewicht. Als vor wenigen Wochen der Minister für Auswärtiges, Zieleniec, und danach der Parlamentsvorsitzende Uhde zu uns kamen, war dies den deutschen Nachrichtenmedien nicht einmal eine Zeile wert. In Böhmen reagiert man auf diese Ereignisse übersensibel bis hysterisch.

Bei alledem bewahrt Bonn eine unsensible Haltung, weil man bisher unfähig gewesen ist, die tschechischen Naziopfer zu entschädigen. Die neue Welle von Feindschaft der Tschechen gegenüber den Deutschen verschiebt sich vom konkreten und häufig berechtigten Groll auf vage und grundlose Emotionen. Die deutsch-tschechischen Beziehungen existieren praktisch nicht mehr: das stets gegenwärtige Problem der Sudetendeutschen hat sie ganz und absorbiert.

Süddeutsche Zeitung (Deutschland); Mladá fronta Dnes – 3.1.1994 (Der tschechisch zitierte Text wurde hier ins Deutsche rückübersetzt. – Anmerkung O.P.)

(...) Der in der Nachkriegszeit durchgeführte Abschub der Sudetendeutschen war in einigen Fällen zwar auf inhumane Art und Weise durchgeführt worden, doch wurden die Tschechen im Herbst 1938 auf noch grausamere Weise durch die Deutschen aus dem Grenzgebiet hinausgejagt (...). Das Tschechische Volk hat den Krieg nicht hervorgerufen, es hat niemanden überfallen und hat keinen einzigen Staat bedroht. Warum sollten wir dann irgendeine Entschädigung zahlen? Wer ersetzt denn das Eigentum tschechischer Familien und Vereine? – Die Sudetendeutschen wollen heute nicht wissen, daß: – Sudetendeutsche im Jahre 1938 auf Tschechen geschossen haben, »NACH HEIM« gebrüllt haben[111], und nun rufen sie erneut »NACH HEIM«. Auch kann man die Erklärung Hitlers nicht vergessen, daß: – er überhaupt kein Böhmen im Reich haben wolle und weiter – daß Heydrich öffentlich sagte, daß er die Tschechen[112] aus ihrem von Urzeiten her bestehenden Lebensraum entfernen und sie ausrotten wolle. Jeder von uns weiß nur zu gut, was mit dem Tschechischen Volk für den Fall eines Sieges Hitler-Deutschlands geschehen wäre. Unsere jüngere Generation kennt diese Geschehnisse nur unzureichend oder unvollständig, so beispielsweise die gewaltsame Aussiedlungsaktion der Jahre 1942 und 1943 aus den Kreisen Neveklov, Beneschau, Sedltschan, Wotitz (...) Und dieses Verhalten der Nazis soll man etwa nicht für eine Grausamkeit halten?

Aus einem Brief des Lesers **Václav Kettner** *(Aussig an der Elbe). Lidová demokracie (= Volksdemokratie – O.P.) – 27.4.1994. Die bereits eingegangene Tageszeitung Lidová demokracie gehörte ursprünglich der Tschechoslowakischen Volkspartei und war auf breitere Kreise eher älterer Leser mit einer überwiegenden Grundschul- oder mittleren Schulbildung ausgerichtet; sie waren zudem entweder mit der Katholischen Kirche verbunden, zumindest tolerierten sie diese. Der Brief von V. K. stellt ein typisches Leserecho dar; somit hätte er also in jeglichem anderen Blatt auch erscheinen können. Auch hier erweist es sich, daß die Reaktion auf das sudetendeutsche Thema in einer breiteren Öffentlichkeit übereinstimmende Züge ohne Berücksichtigung politischer Grundhaltungen in der Zeit vor und nach dem November aufwies.*

7.10 Pavel Hirš
Gefährliche Geschichtsrevisionsversuche

Der bekannte Schriftsteller George Orwell schreibt in seinem Buch »1984« (...) über die nicht endenwollende Umwertung der Vergangenheit und ihre Anpassung an die augenblicksbestimmten Erfordernisse des herrschenden Regimes. An diese Bestrebungen (…) fühlte ich mich erinnert, als ich vor kurzem, ähnlich wie auch andere Vorsitzende der parlamentarischen politischen Parteien, eine Einladung zu einem Dialog seitens Franz Neubauers erhielt (…).

Alle diese Aktionen sind nichts anderes als Versuche einer Adaptierung der Geschichte an die Erfordernisse der sudetendeutschen Seite (…). Die historischen Fakten sind bekannt, und lediglich auf ihren Grundlagen kann man zu Wertungsurteilen gelangen. Und dies ist genau das, was die heutigen Kritiker aus den Reihen der Sudetendeutschen und ihrer Gönner nicht tun. Darüber hinaus nehmen sie ein Land ins Visier, welches sie zum Unterschied gegenüber Polen für schwach halten. Schließlich und endlich haben sie auch ungewollte Verbündete unter manchen unserer Persönlichkeiten gefunden. Diejenigen, welche damit begannen, sich für den Abschub zu entschuldigen, welche Versuche unternehmen, die Tschechische Nation zu irgendeiner Form der Selbstgeißelung wegen der Vergangenheit zu bringen, auch diejenigen, welche häufig Meinungen verbreiten, deren Ursprung man in den Reihen sudetendeutscher Organisationen suchen kann. (…)

(Der Autor ist Vorsitzender der LSNS[113] und Parlamentsabgeordneter)

Svobodné slovo (= Das Freie Wort – O.P.) – 11.5.1994

7.11   Ich beabsichtige nicht, mich zu versöhnen

(…) Wir, die Sechzigjährigen und Siebzigjährigen, alle Älteren und diejenigen aus der jüngeren Generation, welche Abscheu und Angst in dieser Zeit verspüren, haben keinerlei Anlaß, uns mit den Sudetendeutschen auszusöhnen. Sie haben uns zusammen mit allen Deutschen unermeßliche Drangsale verursacht, vor allem während des Zweiten Weltkriegs, sie haben den Tod von Dutzenden Millionen Menschen verschuldet, vernichteten unermeßliche menschliche Werte und haben auf eine lange Zeit hin Europa und die Welt zerrüttet. Lesen Sie doch einmal die ersten Seiten des ersten Kapitels von T. G. Masaryks **Česká otázka**[114] und denken Sie einmal über sein Tun nach, doch nicht nur Sie, sondern alle diejenigen, welche sich so wie Sie verhalten.

*Offener Brief des Lesers **Jan Papík** an den Abgeordneten Jiří Payne, Vorsitzenden des Auswärtigen Ausschusses des Parlaments der Tschechischen Republik. –*
Haló noviny – 23.6.1994

7.12 Adam Černy, Jiří Hanák
Die Dekrete

Siebenundfünfzig Prozent der befragten Bürger der Tschechischen Republik sind der Meinung, daß die sogenannten Benesch-Dekrete, welche nachträglich durch die Vorläufige Nationalversammlung gebilligt wurden, auch weiterhin änderungslos gelten sollten. Es besteht aber die Frage, ob alle Respondenten auch wissen, worüber sie befragt worden sind. Man kann voraussetzen, daß dies nicht der Fall ist. In derselben Befragung führten nämlich lediglich sieben Prozent der Befragten eine inhaltlich voll entsprechende Antwort auf die Frage an, bei welchen Dekreten denn ihre Gültigkeit erwogen werden sollte.

Was geht aus solchen Feststellungen hervor? Jeder, ob hier oder jenseits der Grenzen, der versuchen wollte, die Gültigkeit der sogenannten Benesch-Dekrete zu annullieren, geriete in Widerspruch mit der mehrheitlichen Willensäußerung der Bevölkerung der Tschechischen Republik. Selbst dies ändert jedoch nichts an der Feststellung, daß etliche dieser Dekrete aus der Sicht heutigen Verständnisses von Moral, Recht und Gerechtigkeit unannehmbar sind. Doch wurden sie in einer ganz bestimmten historischen Zeit angenommen, und es wäre somit ungeschichtlich, ihre Gültigkeit mit heutigen Augen zu beurteilen – wir haben hierbei vor allem jenes Dekret im Sinn, welches von vorneherein alle an Deutschen begangenen Verbrechen begnadigte.

Diese Dekrete stellen ein aus vergangenen Zeiten stammendes Erbteil dar, aber nolens volens sind sie dennoch Bestandteil der tschechischen Rechtsordnung. Die Durchbrechung ihrer Geltung hätte ein Überschreiten einer allgemein respektierten Zäsur durch den 25. Februar 1948 zur Folge und hätte dann ein Chaos in den besitzrechtlichen Beziehungen zur Folge.

Das oben Gesagte bedeutet jedoch nicht, daß wir ungelöste Probleme zwischen Prag und den böhmischen Deutschen undurchlässig verdecken wollten. Es gibt genügend Dinge, über die man diskutieren und bezüglich derer man Übereinkunft erzielen sollte. Doch kann Prag nicht dessen verdächtigt werden, daß es sich vor der Lösung derartiger Fragen drücken wollte. Bereits etliche Jahre lang ist beispielsweise ein Gesetz in Geltung, entsprechend welchem jeder in der ehemaligen Tschechoslowakei geborene Deutsche – sofern er sein Interesse artikuliert – die Staatsbürgerschaft ohne die übliche fünfjährige Wartefrist erhält. Es ist keine Schuld Prags, daß kaum jemand dieses großzügige Angebot genutzt hat. Und hier sind wir beim Kern des Problems. Diejenigen, welche derartigen Nachdruck auf das »RECHT AUF HEIMAT« legen, ziehen solches nicht in Betracht. Sie bewerten den deutschen Lebensstandard höher als das »HEIMATRECHT«[115]. Somit könnte der Verdacht naheliegen, daß es solchen Leuten nicht um die »WIEDERGUTMACHUNG VON UNRECHT« geht, sondern um die Bewahrung von Ansprüchen auch in eine ferne Zukunft hinein.

Und das ist ein Grund, warum die sogenannten Benesch-Dekrete auch weiterhin gelten müssen.

Lidové noviny (= Volkszeitung – O.P.) – 13.8.1994

7.13 Jiři Haringer
Kollaborateure oder Fünfte Kolonne?

Am 24. September fand in Eger eine Versammlung statt, welche unter der Losung »NIE WIEDER MÜNCHEN, EGER MUSS TSCHECHISCH BLEIBEN!« vom Klub des tschechischen Grenzlandes (KČP) veranstaltet wurde. Die örtliche Stadtbehörde hatte ursprünglich diese Aktion untersagt, doch war der Vorsitzende des Gerichts für den Regierungsbezirk (=»Landgericht« – O.P.) in Aussig an der Elbe, M. Růžicka, an die Organisatoren dieses Treffens appelliert hatten, allerdings anderer Ansicht und machte das Verbot rückgängig. (...) In seltener Übereinstimmung ergänzten sich somit letztendlich hier in Eger die Nutznießer der äußersten Linken und der äußersten »Rechten«, die KSČM[116] von Grebeníček und die SPR-RČS[117] von Sládek. Sicherlich ist es nicht von der Hand zu weisen, wenn wir in erster Linie anfragen, wer denn die Gründungsmitglieder des KČP sind.

Diese Organisation entstand 1991 in Komotau im Norden Böhmens und zwar durch die Initiative der Ortsorganisation der KSČM. Es reicht nur, etliche Namen der Gründer zu nennen, und schon umweht uns der dumpfe Lufthauch des Stalinismus: Dr. phil. Josef Grousl, Kandidat der Wissenschaften[118], Prof. Špaček, Dr. der Wissenschaften, V. Šípek (ehemaliger Sekretär des [Regierungs – O.P.] Bezirks-Ausschusses der KPTsch[KV KSČ] in Aussig an der Elbe), Zdeněk Hoření (ehemaliger Chefredakteur des Rudé právo) sowie der Parlamentsabgeordnete Vratislav Votava (KSČM, Redakteur des Špígl[119]. Heute errichten sie in seltener Einmütigkeit mit Sládeks Republikanern einen »Damm zum

Schutz der Nation« (…). Und so frage ich denn auch: Wohin hatte sich die Vaterlandsliebe dieser Leute in jener Zeit verloren, als wir eine Kolonie der Sowjetunion waren? (…)

Český deník (= Tschechische Tageszeitung – O.P.) – 1.10.1994

7.14 Vladimír Franc
Faschistischen Okkupanten werden wir keine Denkmäler errichten

Was für einen Patriotismus wir eigentlich haben, das kann uns nun wirklich niemand sagen. (…) Wenn das die Deutschen bemerken, dann getrauen sie sich auch ganz ruhig, in unserem Lande (…) Denkmäler für ihre Landsleute zu errichten, damit ihrer nicht vergessen wird. Wir wissen, daß dies unsere Verräter waren (…). Wir wissen auch, daß die Deutschen hier bei uns Kirchen wiederherrichten, in diesen Orgeln restaurieren (…), und daß sie sich auf ihre Rückkehr in ihre ehemalige Heimat freuen, von der sie fest behaupten, daß sie aus ihr verjagt worden seien, was ihnen gegenüber wiederum ohne unsere Zustimmung Präsident Havel erklärt hat. Zu dieser Äußerung ist er von niemandem ermächtigt worden. Wir dürfen es nicht zulassen, daß die Geltung der Benesch-Dekrete, welche Unterpfand der Existenz des tschechischen Grenzlandes sind, annulliert werden (…).Wir wissen, und dies sollte auch Präsident Havel wissen, daß unsere Befreiung von der faschistischen Okkupation aus dem Osten gekommen ist, daß uns die ruhmreiche Rote Armee befreit hat (…). Daher ist unser Patriotismus bei der überwältigenden Mehrheit der Nation auf den Osten hin ausgerichtet und nicht auf den Westen (…). Für die weitere Entfaltung unseres wunderschönen Grenzgebietes![120]

Špígl – 12.1.1995

7.15 Wer hat das Recht zu richten?

Der Abschub hat eine ganze Reihe Unschuldiger betroffen. Statistiken belegen, daß Frauen, Kinder und alte Menschen die überwiegende Mehrheit der Abgeschobenen bildeten. Die Männer waren in der Mehrzahl vor Stalingrad oder auf anderen Kriegsschauplätzen geblieben. Jeder von uns kann seine eigenen Ansichten über die moralischen Aspekte des Abschubs sowie die Art und Weise seiner Durchführung haben. Aber ich glaube, daß niemand, der nicht die Schrecken der Okkupation und den Schock angesichts dessen, daß Zehntausende erbärmlicher menschlicher Ruinen aus den Konzentrationslagern zurückkehrten, durchgemacht hat, ein Recht in Anspruch nehmen kann, Gericht darüber zu halten, was sich in der damaligen Atmosphäre alles tat, zumindest jedoch nicht einseitig.

Und nicht einmal solche Urteile könnten etwas daran ändern, daß die Benesch-Dekrete auch weiterhin Bestandteil der tschechischen Rechtsordnung sind, und daß sie seinerzeit nicht nur in Übereinstimmung mit der Verfassungsordnung der Tschechoslowakei und den damals gültigen Normen des Völkerrechts, sondern auch in Übereinstimmung mit den Verpflichtungen der Tschechoslowakei gegenüber der Völkergemeinschaft und mit deren Zustimmung angenommen wurden. Ohne die Zustimmung dieser Gemeinschaft kann an ihnen keinerlei Veränderung vorgenommen werden.

*Schlußteil eines Beitrags von **Richard Král**, eines führenden Spezialisten für Völkerrecht, mit dem Titel:*
»Benesch war Staatsoberhaupt und seine Dekrete verstießen nicht gegen damaliges Völkerrecht«.
Právo (früher Rudé právo) – 16.2.1995

7.16 Drei Viertel aller Bürger halten den Abschub der Deutschen für rechtens

Prag (ryc) – Drei Viertel der Bevölkerung der Tschechischen Republik (74%) bewerten den Abschub der Sudetendeutschen als eine rechtmäßige Handlung, (49% haben ihn als ZUR GÄNZE rechtens bezeichnet, der Rest als EHER rechtens). 7% betrachten den Abschub als ungerechtfertigt, 13% waren nicht in der Lage, das Problem beurteilen zu können, und 6% interessiert es überhaupt nicht. Diese Ergebnisse einer Befragung durch das IVVM[121] erhielten Journalisten am Donnerstag. Die affirmative Bewertung des Abschubs steigt mit dem Alter der Befragten, doch auch unter den Jüngeren bis zu 29 Jahren bewerten mehr als 60% den Abschub als rechtens. In der Altersgruppe 60 Jahre und darüber vertreten 85% diese Ansicht. (…)
Rudé právo – 24.3.1995

7.17 Ich hab' das persönlich erlebt

(…) Ich lebte in Mährisch-Budwitz, das nach dem Münchner Diktat ein grenznahes Gebiet war, und obwohl ich damals erst zehn Jahre alt war, werde ich nie vergessen, wie die Tschechen im »SCHWEINSGALOPP« in den Rest der ČSR hinausgejagt wurden. Mit Ränzlein und Ranzen, auf

Wagen und zu Fuß, mit den kläglichen Resten ihres Besitzes. In unsere Schule kam ein Lehrer aus dem geraubten Gebiet und erzählte uns von all dem Furchtbaren. (...) Nach dem Krieg habe ich die Aussiedlung der Sudetenländler (tschechisch: Sudeťáky. O. P.) ins REICH[122] als Selbstverständlichkeit begrüßt. Das heißt nämlich derjenigen, welche sich zur Staatsangehörigkeit des Reichs bekannt hatten. Folglich nicht auf der Grundlage des Heilgeschreis oder der Begrüßung der Wehrmacht als Befreier, sondern entsprechend amtlichen Dokumenten. (...)

*Aus einem Brief des Lesers **Zdeněk Souček,** Brünn*
Svobodné slovo – 30.3.1995

7.18 Wir haben bereits im voraus bezahlt!

Es ist doch sonnenklar, daß der Abschub der Sudetendeutschen das rechtliche Ergebnis ihres Verrats war. Denn als ordentliche Bürger der ČSR dienten sie seinerzeit in der tschechoslowakischen Armee und hatten geschworen, daß sie diese Republik verteidigen werden. Wie das dann aber ausgefallen ist, das wissen wir alle, nur allein die Sudetenländler wollen dies nicht zur Kenntnis nehmen. Dadurch, daß sie ihr seinerzeitiges Vaterland verraten haben, schlossen sie sich selbst aus diesem aus. (...)

*Aus einem Brief des Lesers **František Kliment***
Svobodné slovo – 25.4.1995

7.19 Worauf machen denn die Republikaner aufmerksam...?
Der Stellvertretende Parlamentsvorsitzende der ČR[123] Kasal und weitere Abgeordnete sollten sich heute mit einem Flugblatt beschäftigen und keineswegs mit der Aufhebung der Immunität des Abgeordneten Vik

Gestern und während der vergangenen Tage haben uns zahlreiche Bürger der Tschechischen Republik und der Slowakei dazu aufgefordert, den Text eines Flugblattes abzudrucken; dieses war in den vergangenen Tagen in etlichen Städten der Tschechischen Republik erschienen.
Bislang wird nur darüber gesprochen, doch in keiner einzigen Zeitung ist der Wortlaut des Textes erschienen. Das ist doch wie zu Zeiten des totalitären Regimes, als Leute verfolgt wurden, welche den Text der Charta oder den Text von EINIGE SÄTZE[124] unterschrieben, doch die Öffentlichkeit wurde darüber nicht im einzelnen informiert. (...)

Die erste Seite des Flugblattes

Information der Bundesregierung
für die Führung der Sudetendeutschen Landsmannschaft

Im Hinblick auf das künftige Schicksal der Sudetendeutschen und die Vorbereitung ihrer Rückkehr in die Tschechische Republik ist es von unerläßlicher Notwendigkeit, bei den im Juni 1996 in der Tschechischen Republik stattfindenden Parlamentswahlen die regierende Demokratische Bürgerpartei (ODS) und deren Koalitionspartner zu unterstützen – die Demokratische Bürgerallianz (ODA), die Christliche und die Demokratische Union – die Tschechoslowakische Volkspartei. Allein ihr Sieg ist eine Garantie für die Schaffung der Voraussetzungen zur Beseitigung des Unrechts, das die Tschechen an unseren Mitbürgern begangen haben.

Daher wurde das nachfolgende Vorgehen beschlossen, welches seinerseits nach Verhandlungen führender Vertreter der Bundesrepublik Deutschland mit der Tschechischen Republik vereinbart und bestätigt worden ist.

1. Die Bundesrepublik Deutschland entschädigt symbolisch die tschechischen Kriegsopfer. Der Termin – die Jahreswende 1995–1996 – in Einklang mit dem Verlauf der Wahlkampagne in der Tschechischen Republik. Die Summe – sie sollte keineswegs ein Hunderttausendstel derjenigen Summe übersteigen, welche die Sudetendeutsche Landsmannschaft in Form einer Kompensation nach der Rückkehr ihrer Mitglieder in die Tschechische Republik erwartet.

2. Die derzeitige Führung der Tschechischen Republik wird unmittelbar, unter der Voraussetzung ihres Sieges in den Parlamentswahlen, nachfolgende Schritte unternehmen:

a) die Ratifizierung eines Gesetzes über die doppelte Staatsbürgerschaft in der Tschechischen Republik. Termin: August–September 1996,

b) die Verleihung der Staatsbürgerschaft an die Sudetendeutschen entsprechend dem Stand vom 30. September 1938. Termin: Oktober–November 1996.

Die Umsetzung der oben angeführten Forderungen wird auch für den Fall einer möglichen breiten Regierungskoalition aus Demokratischer Bürgerpartei und Tschechischer Sozialdemokratischer Partei zugesichert; auf der Ebene der Vorsitzenden dieser Parteien wurde dies mittels eines Geheimabkommens beschlossen.

Wir hoffen, daß die somit pfleglich behandelte Problematik die Ansprüche der Führung der Sudetendeutschen Landsmannschaft in allen Bereichen befriedigen wird.

H. Kohl f. d. R.
T. Waigel f. d. R.

Špígl – 21.7.1995
(Auf der zweiten Seite dieses Flugblattes wird die angebliche Mitteilung der Pressesprecher der deutschen Unionsparteien bezüglich der Aufgabe der aus den böhmischen Ländern vertriebenen Deutschen als auch der noch dort lebenden Deutschen zur Herausbildung künftiger deutsch-tschechischen Beziehungen wiedergegeben).

7.20 Richard Seemann
Vor fünfzig Jahren wurde der Abschub der deutschen Bevölkerung aus dem Grenzgebiet eingeleitet

Am heutigen Tage rundet sich ein halbes Jahrhundert seit jenem Augenblick, als die Tschechoslowakische Regierung damit begann, auf der Grundlage der Potsdamer Konferenz den Abschub umzusetzen. (...) Nach der Abfahrt der letzten Transporte im Sommer 1947 waren insgesamt zwei Millionen zweihunderttausend Deutsche abgeschoben worden, wobei etwa eine Viertelmillion in der Republik verblieb.

(...) Die Behauptung ist daher unerträglich, daß die Exzesse, welche sich dabei ereigneten, durch die Regierung hervorgerufen worden seien. Dr. Benesch selbst war es (...), der bereits im Oktober 1945 verkündete, daß »der Abschub menschlich anständig sein muß« (...) Daher bewerteten ihn auch die Alliierten, welche den Abschub überwachten, unter den damals gegebenen Umständen als rücksichtsvoll und human durchgeführte Sache. Tschechoslowakische Behörden zögerten nicht, diejenigen ihrer Bürger einer Strafverfolgung zu unterziehen, welche in diesem Zusammenhang unmenschliche Taten begangen hatten. Doch fehlt in den deutschen Medien (...) die Erklärung dafür, warum es zu dieser von uns nicht bestrittenen menschlichen Tragödie gekommen war, daß sich nämlich die Sudetendeutschen durch ihre braunen Führer in überwältigender Mehrheit zur Vernichtung des demokratischen tschechoslowakischen Staates hinreißen ließen.
Die öffentliche Äußerung eines ihrer Führer (...), K. H. Franks, gerichtet an die Adresse des Tschechischen Vol-

kes, daß der nazistische Sieg »die definitive Aussonderung der ewigen Störenfriede« herbeiführen werde, war todernst gemeint gewesen. (...) Nichts derartiges hatte irgendjemand jemals den Sudetendeutschen angedroht (...), und so sind wir auch bereit, einen dicken Strich unter diese traurige Geschichte zu ziehen (...) Unsererseits ist dies ganz bestimmt nicht wenig.

Svobodné slovo – 25.1.1996

7.21 Haß im Herzen

Ich bin 22 Jahre alt. Den Krieg habe ich nicht erlebt, doch kenne ich eine Menge Leute, welche ihn erlebt haben, und gerne höre ich ihren – oftmals traurigen – Erzählungen zu. In Westböhmen wurden unsere Bürger ausgesiedelt, und ein Tscheche versteckte – trotz des bestehenden Verbots – einen Sack Weizen, um seine Familie zu ernähren. Die Deutschen führten ihn ab, und als ihn niemand mehr sehen konnte, wurde er erschossen. Mein Großvater war im Konzentrationslager, und sein ganzes Leben lang litt er an den Folgen von Folter und Quälereien. Niemals beklagte er sich, er war ein sehr ehrenwerter Mann. Mein Großvater verstarb im November. Als er starb, weinte er. Ich auch. Ich sehe die Forderungen der Deutschen und lese von den Schritten unserer Politiker. Mein Herz weint – um den Großvater, um die in den Konzentrationslagern Umgebrachten, um diejenigen Tschechen, welche heldenhaft für ihre Heimat gekämpft hatten. Ich weiß schon, wenn es noch mehr solcher Leute geben würde, die so ähnlich denken wie ich, werden wir niemals diese Sache überwinden, aber ich kann mir einfach nicht helfen – ich trage Haß in mir.

*Aus einem Leserbrief der Leserin S. **Žáčková**, Prag*
Mladá fronta Dnes – 6.2.1996

7.22 Endlich ein eindeutiges Wort

(...) Bereits seit langem bin ich darüber empört, wie sich ein Land, welches den niedergeworfenen Aggressor repräsentiert, sich getraut, vom ersten seiner seinerzeitigen Opfer zu verlangen, sich dafür zu entschuldigen, daß dieses aus ebendieser Aggression entsprechende Konsequenzen abgeleitet hat. Ich glaube, daß die Zeit dafür gekommen ist, daß wir wegen dieser Umstände die Verhandlungen abbrechen. (...) Eine Sache aber (...) fehlt mir noch: die Antwort auf die deutsche Anschuldigung, daß der Abschub auf dem

Prinzip der Kollektivschuld begründet und daß er auch schon deshalb rechtlich nicht in Ordnung war. Wer hat denn aber das Prinzip der Kollektivschuld eingeführt? Wieviele Einwohner von Lidice hatten mit dem Attentat auf den Verbrecher Heydrich etwas gemein? Und was hat es auf sich mit den deutschen Plänen zur Liquidierung des Tschechischen Volkes nach einem siegreichen Krieg? Ganz einfach – der von ihnen ausgeworfene Bumerang kehrte sich um und traf sie selbst. Die Sudetendeutschen waren keineswegs so unschuldig: Durch ihre nahezu uneingeschränkte Unterstützung Hitlers trugen sie entscheidend zur Entfesselung des Weltkriegs bei. Können, ja müssen wir folglich unser Bedauern darüber ausdrücken, daß es durch das Verschulden einiger Einzelpersonen beim Abschub auch zu etlichen unschönen Taten kam, doch in gar keinem Fall dürfen wir wegen des Abschubs Buße tun, seine Legitimität in Frage stellen und den eingeforderten Begriff VERTREIBUNG akzeptieren. Ich bin gegen jegliche Art von Chauvinismus und für freundschaftliche Beziehungen. Doch müssen wir den Stolz einer freien Nation haben und nicht zulassen, daß die Deutschen sich unterstehen, mit uns wie mit ihren Vasallen umzugehen. Und uns davor in acht nehemen, daß sie, was ihnen durch jahrhundertelang ausgeübte Versuche zur Germanisierung unseres Landes nicht gelungen ist, nunmehr ganz heimlich und leise mittels ihrer Wirtschaftsexpansion erreichen.

Aus einem Leserbrief des Lesers **Pavel Pešta**
Lidové noviny – 16.2.1996

7.23 Pavel Macháček
Ein verbarrikadierter Weg zur Verständigung

(...) In Nürnberg waren 16 Verbrecher verurteilt worden (...). Daher war es möglich, die Schuld Einzelner nachzuprüfen. Die Schuld von 80 Millionen Angehöriger des Deutschen Volkes konnte man nicht individuell aburteilen. (...) Kann sich denn jemand vorstellen, daß man nach dem Krieg in denjenigen Ländern, welche nach der sechsjährigen Nazi-Okkupation einen Staatsapparat neu schaffen mußten, die erforderliche Menge von einigen Tausend Richtern aufgetrieben hätte? (...) Und was ist denn mit unseren 360000 Toten und den vorbereiteten Plänen zur Liquidierung des Tschechischen Volkes? Das war alles viel schlimmer als der Abschub der Deutschen. (...) Ich wäre ja ganz ruhig, wäre die SL[125] lediglich ein Grüppchen von Schreihälsen (...).

Weil aber sowohl die Bundesregierung als auch die Bayerische Regierung die SL-Forderungen in internationalen Dokumenten durchsetzen, bedeutet dies meiner Ansicht nach in den Beziehungen zweier souveräner Staaten untereinander eine unerhörte Provokation.

(Der Autor ist Sekretär des ›Kreises der im Jahre 1938 aus dem Grenzgebiet vertriebenen ČR-Bürger‹).

Právo (früher Rudé právo) – 12.8.1996

8. Kapitel

Verlegenheit, Widersprüchlichkeiten, Kontroversen

Der weit überwiegende Teil von Texten zur sudetendeutschen Thematik, welche in unserer Presse veröffentlicht worden sind, vermitteln heutzutage kantige Standpunkte. Unter Zugrundelegung einer bestimmten Vereinfachung kann man sie entweder als »FÜR DEN ABSCHUB EINGESTELLT« oder als »GEGEN DEN ABSCHUB AUSGERICHTET« bezeichnen. Erstere Ansichten überwiegen ganz deutlich. Sofern ein »GEGEN DEN ABSCHUB AUSGERICHTETER« Text erscheint, ruft er in der Regel eine energische, nicht selten sogar sehr umfangreiche Reaktion »FÜR DEN ABSCHUB« hervor. Eine ganze Reihe von Tageszeitungen und Zeitschriften, welche sich der Linken zurechnen, begann bereits bald nach dem Novemberumsturz eine deutliche »FÜR DEN ABSCHUB«-Haltung einzunehmen. Die »RECHTE« (das heißt Reformen zugeneigte) Presse war über einen längeren Zeitraum hinweg verlegen. Sie wollte zwar objektiv sein, doch fehlten Informationen über ein beunruhigendes Problem. Die Redaktionen lösten dies einfach so, daß sie einmal diesen, ein andermal jenen Standpunkt veröffentlichten. So kam es sogar zu Konfrontationen; der Mehrzahl nach hatten sie den Charakter von einmaligen polemischen Auseinandersetzungen in These und Antithese, ohne daß sie in eine längere und systematischere Debatte mit der Zielrichtung auf irgendeine Synthese hin eingemündet wären. Diese ausdrückliche Überparteilichkeit haben sich die LITERÁRNÍ NOVINY (= Literaturzeitung – O. P.) am längsten bewahrt.

Bei denjenigen Blättern, welche der »REGIERUNG ZUNEIGTEN«, kann man erst mit der Zeit Anzeichen einer wie auch immer aussehenden Profilierung feststellen, die allerdings nicht bei allen gleichförmig verläuft. So waren beispielsweise die LIDOVÉ NOVINY (= Volkszeitung – O. P.) anfangs lange Zeit befangen, ja ambivalent. Diese Zeitung veröffentlichte aufrüttelnde Kolumnen von Jiří Hanák und beispielsweise auch den Text von Jan Tichý (»Vrahové mezi námi« – »Die Mörder sind mitten unter uns« – Literárni noviny – 6. 10. 1992) oder von Andrey Baršov (»Über die Ver-

ständlichkeit des sudetendeutschen Rechtes auf Heimat und Eigentum – LN-21.12.1992), beide Beiträge »in einem Zug«. Erst später veröffentlicht die Zeitung des öfteren Texte, welche vor möglicher deutscher Gefahr warnen, somit als »FÜR DEN ABSCHUB« eingestellte, während sie anderen Meinungen Raum lediglich unter dem Vorwand zu deren energischer Ablehnung überläßt. Texte »GEGEN DEN ABSCHUB« erscheinen leichter auf den Seiten der MLADÁ FRONTA DNES« (= Die Junge Front Heute – O. P.) oder im DENNÍ TELEGRAF (= Tagestelegraf – O. P.).

Eine grundsätzlich kritische Haltung zum »Abschub« nahm das grundsätzlich nonkonformistische Blatt ČESKÝ DENÍK (= Tschechische/Böhmische Tageszeitung – O. P.) ein. (Später in ČESKY TÝDENÍK umbenannt – siehe weiter unten).

Über die Verlegenheitsgesten bezüglich eines so strittigen Themenbereiches sollte man sich nicht wundern. Seine moralische appelative Dimension weist in eine andere Richtung als seine politische Brisanz. Daher ist festzustellen, daß die eine oder die andere Redaktion »nicht weiß, wessen sie eigentlich ist«, und veröffentlicht das, was ihr gerade hereinflattert. Fast kein Autor verbirgt dabei seine Verlegenheit.

8.1 Jan Horálek
**Eine Aufgabe,
die aktueller als Entschuldigungen ist**

Die Problematik des Abschubs ist für uns auch nach Jahren (…) weiterhin noch lebendig. Der gewaltsame Transfer eines historischen Ethnikums ist im europäischen Zivilisationskontext keine berechtigte Lösung (…). Man darf nicht darauf hinweisen, daß die Nazis ähnliche »Endlösungen« vorbereitet hatten (…), und daß sie bei einigen Ethnien zu solch einem Vorgehen auch fähig waren. Aber es waren eben IHRE Methoden. (…) Eine Philosophie der Kollektivschuld der Deutschen ist, genauso wie das Hindeuten auf die nazistischen Bestialitäten, im Zusammenhang mit dem Abschub eine bloße Ausrede.

Ein Ablenken der Aufmerksamkeit stellen auch die Streitigkeiten bezüglich der Methoden dar, mit denen der Abschub durchgeführt wurde. (…)

Der Transfer war jedoch nicht nur die Ausmündung des historischen Zusammenstoßes der Tschechen mit dem Nazismus. Der Abschub »löste« einen historischen Konflikt, der das Schicksal des Nazismus weit überragte. Das Zusammenleben von Deutschen und Tschechen wurde in den böhmischen Ländern bereits seit dem Mittelalter von Auseinandersetzungen und Streitigkeiten begleitet (...). Die Niederlage Deutschlands wurde für uns zur Gelegenheit, wie man dieses Problem ein für allemal loswerden kann.

Und gestehen wir's uns doch direkt ein: Ob nun irgendeiner von uns Tschechen von der Legitimität des Transfers denkt, was immer er will, ob uns dies das Gewissen beschwert oder auch nicht – so wird sich denn wohl kaum einer wünschen, daß sich die Dinge wieder umwenden würden. Selbst die allerschärfsten Verurteiler des Transfergedankens fühlen in ihrem Seelenwinkel eine Erleichterung, daß dies so ausgegangen ist, und dies alles hinter uns liegt.

Damit gelange ich nun zur Frage nach einer Entschuldigung. Kann ich mich aber überhaupt für ein Handeln entschuldigen, aus dem ich Nutzen gezogen habe? Ach ja, etwa dann, wenn dieses Handeln nicht mehr berichtigt werden kann. (...) Was aber (...) wird geschehen, wenn die Deutschen uns gegenüber einwenden, daß wir doch etwas beseitigen können? Was werden wir dann tun? Werden wir konsequent bleiben oder beginnen wir damit, uns auszureden? (...) Es scheint mir aber doch so, daß wir eine aktuellere Aufgabe vor uns haben als Entschuldigungen. Wir sollten uns doch ohne Verzögerung in der Transferangelegenheit und unserer Beziehung zu den Sudetendeutschen zu Hause, unter uns einiges klar machen. Endlich aufhören, über den Abschub zu schweigen oder uns aufgeregt in bezug auf die deutschen Sünden ausreden. (...) Lauthals die ganze Wahrheit darüber sagen, wie das eigentlich gewesen war, und ob dies denn auch so hatte sein müssen. (...)
Lidové noviny – 13.1.1990

8.2 Jiří Hanák
Nicht einmal einen Heller

Ich blicke auf eine Fotografie vom Spätsommer 1938. Vor Konrad Henlein und Lord Runciman zieht sich ein Fackelzug unserer damaligen Bürger deutscher Nationalität hin und skandiert bis zur Erschöpfung: Lieber Lord, befrei' uns von der Tschechoslowakei. Auf deutsch reimt sich dies wie das Klappern beschlagener Schaftstiefel: lieber Lord, mach uns frei von der Tschechoslowakei.[126]
Zu diesem Bild kommt die Nachricht hinzu, daß der Sudetendeutsche landsmannschaftliche Verband »die Frage des konfiszierten Eigentums der Sudetendeutschen als

weiterhin offen bewertet«. Ich hingegen halte sie für definitiv abgeschlossen und schlage hiermit allen Steuerpflichtigen vor, keinen einzigen Heller von ihren Steuern zur Begleichung dieser politischen und keineswegs ökonomischen Frage locker zu machen. Es gibt ja niemanden, dem etwas zu zahlen wäre. Oder etwa doch?

Als unsere deutschen Mitbürger durch München von der Tschechoslowakei »befreit« wurden, nahmen sie ein Drittel unseres Gebiets gratis mit. Als sich das Rad der Geschichte sieben Jahre später keineswegs durch ihr Verdienst, vielmehr gegen ihren Willen wendete, verblieben sodann die Sudetendeutschen in Deutschland, lediglich die geraubten Gebiete mußten sie zurückgeben.

Während dieser sieben Jahre ist einiges geschehen. Aus dem Weltkrieg sind wir verhältnismäßig gut herausgekommen, und dennoch kostete er dreihundertsechzigtausend Menschen das Leben. Von den wirtschaftlichen, moralischen und anderen Schäden ganz zu schweigen. Ich weiß nicht, wieviel Lidice gekostet hat. Mir ist auch nicht klar, wie teuer ich die Leben von V. Vančura, J. Čapek, K. Poláček und anderer Hunderttausender bewerten sollte. Kann man denn im Zusammenhang mit der Heydrichiade[127] überhaupt über Geld reden? In Mark oder in Dollar?

Sie werden wohl dagegen einwenden: Aber das haben doch nicht die Sudetendeutschen angerichtet! Ich wende ein: Sie standen am Beginn dieser Geschichte. Schließlich und endlich, Karl Hermann Frank war doch ein besonders hochgezüchtetes Pflänzchen auf dem sudetendeutschen Mistbeet. Wenn wir den Sudetendeutschen überhaupt etwas schulden, dann einzig und allein eine Entschuldigung für die ART UND WEISE des Abschubs. Er war durch die Bank hart, häufig auch brutal und oft verbrecherisch. Das ist unsere Schuld, welche wir anerkennen müssen, doch nur diese und nichts anderes.

Lidové noviny – 26. 10. 1990

8.3 Jiří Hanák
Ein Blick in die eigenen Augen

(...) Wir haben erst sechs Jahre einer normalen Entwicklung hinter uns. Kein Wunder, daß wir keine Lust verspüren, die eigenen Schränke aufzumachen. Denn wir haben Gerippe in ihnen aufbewahrt, die aus dem Jahre 1945, auch wenn ihre Anzahl in keinem Vergleich zur Menge deutscher Gerippe steht. Doch das muß an Gottes Tageslicht gebracht werden, wenn wir uns selbst in die Augen blicken wollen (...). Totengerippe aus tschechischen Schränken zu ziehen bedeutet, über sie zu sprechen und sie zu benennen. Es geht hier nicht um die Aussiedlung der böhmischen Deutschen, auch nicht um die sogenannten Benesch-Dekrete. (...) Es handelt sich hier um ganz ordinäre Verbrechen und Massenmord (...) Und dies waren unsere, dies waren tschechische Verbrechen, vergleichbar mit den Verbrechen des Faschismus.

(...) Unsere Historiker schätzen die Zahl deutscher Opfer auf zwanzig bis dreißig Tausend. (...) Dies betrifft vor allem den bekanntesten Fall eines Massenmordes an deutschen Zivilisten in Ober-Moschtienitz[128]. In der Nacht vom 18. auf den 19. Juni ermordete der damalige Leutnant der Svoboda-Armee, Pazúr, zusammen mit einem militärischen (!) Hinrichtungskommando 265 Menschen (71 Männer, 120 Frauen und 74 Kinder im Alter bis zu 14 Jahren). Das jüngste Mordopfer war ein achtmonatiger Säugling, das älteste ein achtzigjähriger Greis. (Ein Dokument: Nach der Ermordung einer der vielen Mütter bat ihr sechsjähriges Kind darum, daß es auch erschossen werde. Diese Bitte trug es in slowakischem Dialekt vor). Pazúr wurde zu 20 Jahren verurteilt, nach dem Februar entlassen, in der Rangstufe befördert und verlebte den Rest seines Lebens als bedeutender Vertreter des Verbandes der antifaschistischen Kämpfer[129]. Ein weiterer Fall eines dokumentierten Massenmords ereignete sich in Postelberg. (...) Bei der Exhumierung im September 1947 zählte dort eine amtliche Kommission 763 ohne Gerichtsurteil ermordete böhmische Deutsche.[130]

Gemordet wurde an vielen Orten und auf alle nur erdenkliche Art. Sicherlich war auch Pöbel am Werk, wie er sich eben immer und überall findet. Aber doch eben nicht allein der Pöbel. Die Hand zu diesem Tun haben auch etliche militärische Einheiten angelegt. Der Historiker Staněk vermerkt in seinem Buch »Verfolgung 1945« eine Meldung der Kommandantur des Korps der Nationalen Sicherheit(spolizei – SNB) Böhmisch-Leipa: »An denjenigen Orten, wo sich weder Angehörige der Roten Armee noch solche der Tschechoslowakischen Armee befinden, herrscht Ruhe«.

Sich für SO ETWAS nicht zu entschuldigen bedeutet aber zuzugeben, daß wir noch keine demokratische und freie Gesellschaft sind.

Svobodné slovo – 27.4.1996

8.4 Aus Leserreaktionen des Svobodné slovo

Herr Hanák und diejenigen, welche ihm ähnlich sind, sind bislang noch nicht soweit wie Moravec[131] mit ihrer verräterischen Politik vorangekommen, doch sind sie auf dem besten Weg dazu. Ganz klar erinnere ich mich an die Tätigkeit von Emanuel Moravec und kann somit vergleichen. Es besteht kein Zweifel daran, daß die Publizität eines solchen Hanák kein positiver Beitrag für Ihr Blatt ist und somit Abwehrhaltung vor allem bei uns erzeugt, die wir alle während des deutschen Nazismus begangenen Greueltaten diese ganzen sieben Jahre lang schwer genug durchlebt haben.
Dr. B. Carda, Brünn – 15.5.1996

Geehrter Herr Chefredakteur, ich teile Ihnen hierdurch mit, daß ich im Zusammenhang mit den exhibitionistischen Auslassungen des Herrn Hanák auf den Seiten des Svobodné slovo aufhöre. Ihre Tageszeitung, welche früher zu meiner bevorzugten Zeitung gehörte, (...) zu kaufen. (...) Es scheint So, als ob Sie entsprechend den Wünschen der neuen Besitzer das Steuerruder ganz herumgeschwenkt haben. Sie müssen damit rechnen, daß die bisherigen Leser sich nach und nach von Ihnen abwenden werden. Es ist dies das traurige Ende einer einst guten tschechischen Zeitung.
Milan Grus, Prag – 21.5.1996

Jiří Hanák, einer unserer populärsten Kommentatoren, hat keineswegs seine Ansichten geändert, aber seine Lesergemeinde. In den Lidové noviny (= Volkszeitung – O. P.) nach dem November bot er trotzig denjenigen die Stirn, welche sich gegen den »Abschub« als solchen wandten. Später, als er zunächst zur Tageszeitung Práce (= Arbeit – O. P.) überwechselte und daraufhin zum Svobodné slovo, mußte er mit Entrüstung die Äußerungen derjenigen ertragen, welche gar nichts von den an Sudetendeutschen begangenen nachweislichen Verbrechen hören wollten.

8.5 Jiří F. Pilous
(...) Vertreibung oder Abschub?

Man kann feststellen, daß die im Zwischentitel vorgelegte Frage in den gegenwärtigen deutsch-tschechischen Beziehungen vor allem aus der Sicht unserer Gesellschaft eine Kardinalsfrage darstellt. Der Fachbegriff »VERTREI-

BUNG« wird nämlich von zahlreichen Bürgern der Tschechischen Republik aus moralisch-politischer Sicht nur ungern zur Kenntnis genommen: so als ob er unter den gegebenen Zusammenhängen überhaupt nicht existierte. Die Leute wollen einfach nicht eingestehen, daß dieses angeführte Wort in seiner grundsätzlichen Bedeutung die negative Bewertung von Fakten und Geschehnissen umreißt, die in Verbindung stehen mit der mehr oder minder brutalen Aussiedlung der Sudetendeutschen aus Böhmen, Mähren und Schlesien. Oder, andersherum gesagt, die tschechische Öffentlichkeit lehnt, ohne Hinblick darauf, ob dies Historiker sind, Politiker oder ganz gewöhnliche Bürger, diesen Begriff »Vertreibung« ab. Vor allem deshab, weil sie keine Einigung bezüglich der Bewertung der sogenannten »wilden« Vertreibungen der Sudetendeutschen aus unserem Grenzgebiet finden können. Und dies alles ohne Berücksichtigung der Tatsache, daß erhalten gebliebene Dokumente sowie Zahlen, welche nicht nur deutscherseits angeführt werden, sondern auch in tschechoslowakischen Archiven aufbewahrt werden, ganz klar davon sprechen, daß gerade in den ersten drei Nachkriegsmonaten Gewalt an der deutschen nationalen Minderheit in unserem Lande begangen worden ist. Im Rahmen der Objektivität sollen in den folgenden Zeilen einige grundlegende Fakten in Erinnerung gerufen werden ...

(Im weiteren führt der Autor in aller Kürze Angaben aus dem Buch von Tomáš Staněk »Der Abschub der Deutschen aus der Tschechoslowakei 1945–1947«[132]) an und erinnert an Äußerungen der höchsten Vertreter der politischen Repräsentanz der Nachkriegs-Tschechoslowakei, welche sowohl die Planungsmäßigkeit als auch die Programmatik der Vertreibung dokumentieren. Er warnt vor einer »Doktrin, welche bezüglich des Themas Sudetendeutsche in der unmittelbaren Nachkriegszeit entwickelt worden ist, und kommt zu folgendem Resumée:)

... Eine Zusammenfassung verdient auch der Status quo der gegenwärtigen deutsch-tschechischen Beziehungen. Genauer gesagt, der bereits genannte Gedanke des »NEIN« aus der Vergangenheit und des »JA« bezüglich der Zukunft. Oder die Entscheidung einer Regierungskommission, lediglich über Wirtschaftsbeziehungen zu verhandeln, über Handel und Ökonomie, über eine Zusammenarbeit auf den Gebieten der Kultur und Wissenschaft, hierbei aber keinerlei Ausgleich mit der Vergangenheit zuzulassen. Dies ist aber kurzsichtig: Es ist so etwas wie eine Ablage dieses

Problems in einen Tresor, der nie wieder geöffnet werden soll. Nur daß man eben ohne einen Ausgleich mit der Vergangenheit nicht vorwärtskommen kann. Und man auch keine guten Nachbarschaftsbeziehungen mit jemandem entwickeln kann, mit dem man beiderseits ungelöste Probleme, unausgesprochene strittige Fragen hat. Und übrigens noch, ohne die Fähigkeit, die Dinge beim rechten Namen zu nennen, ohne die Fähigkeit, die Wahrheit anzuerkennen, wie auch immer diese aussehen mag, werden wir wohl schwer nach Europa zurückkehren (...).

Aus dem Beitrag »Die Frage der Sudetendeutschen im Lichte einer moralischen Ebene oder Wer schuldet wem eine Entschuldigung und warum?« –
Necenzurované noviny (= Die Unzensierte Zeitung – O. P.) – 52/1994

8.6 Luboš Vydra
(...) Die Benjamine des Verbrechens – weiterhin unschuldig!

Das Faktum ist nicht uninteressant, daß sich der Druck der Landsmannschaften gerade auf die Tschechen konzentriert, von denen sie zu Recht annehmen, daß sie das schwächste Glied der Kette seien. Möglicherweise zu Recht, denn wir haben uns bereits zwei mehr oder weniger grundlegende Fehlinterpretationen gefallen lassen: daß es sich erstens um ein reines deutsch-tschechisches Problem handelt, und zum zweiten, daß der Nachkriegsabschub der Deutschen ein Nachkriegsunrecht aus der Friedenszeit darstelle.

Tatsächlich handelt es sich aber hier um ein europäisch-deutsches Problem (...). Der tatsächliche Grund für die Entscheidung der siegreichen Großmächte bezüglich des Abschubs der deutschen Minderheiten aus Mittel- und Osteuropa war doch die Tatsache, daß diese Minderheiten als Hitlers Fünfte Kolonne agierten und ihre angebliche physische Bedrohung lediglich den Vorwand für die Liquidierung der Tschechoslowakei und für den Überfall auf Polen darstellte, mithin für die Entfesselung des Weltkriegs (...). Das Verschulden der Sudetendeutschen am Zweiten Weltkrieg ist daher vielfach größer als dasjenige der Reichsdeutschen, und ihre heutigen Ansprüche auf »DIE HEIMAT« sind entweder eine historische Blindheit oder von himmelschreiender Frechheit oder sie sind beides zusammen. Die bedauerliche Tatsache, daß viele während der Phase des sogenannten Wilden Abschubs dem unkontrollierten Terror unseres Packs ausgesetzt waren, ändert nichts an der prinzipiellen Feststellung. Dieser Umstand bleibt weiterhin unser Schandfleck (…). So wie es in den Ländern der ehemaligen DDR zu keiner Entnazifizierung gekommen ist, so kam es auch in der Gruppe der Sudetendeutschen dazu, daß sie sich der Entnazifizierung zu entziehen vermochten. Dank dessen, daß sie abgeschoben wurden, fühlten sie sich in der Lage von Opferlämmern der Nazi-Verbrechen, an denen sie ja keinerlei Anteil hätten. Für diesen Fall bestand bei ihnen ja auch keinerlei Erfordernis, Gewissenserforschung zu betreiben, und daher redeten sie unaufhörlich nur von dem ihnen angetanen Unrecht (…). Falls sie aber von uns wollen, daß wir zeigen, wie weit wir denn dazu bereit seien, ihre jahrhundertelange Anwesenheit bei uns anzuerkennen, so wollen wir im Gegenzug, daß sie ihren Anteil an der Irredenta kapieren (…).

Aus einem Artikel mit dem Titel: »Haben sich die Sudetendeutschen bereits für den Landesverrat entschuldigt?«
Necenzurované noviny – 21/1993

Derselbe Autor veröffentlichte im gleichen Periodikum (NN – 01/1995) einen Beitrag unter der Überschrift »Ich bin für Verhandlungen mit den böhmischen Deutschen, jedoch nicht mit den Sudetenländlern«, indem er vor den heimischen »Unzufriedenen« warnt, »welche in unserer gemeinsamen Vergangenheit herumwühlen« und so den Spuren Emanuel Rádls[133] folgen. Ausdrücklich nennt er hierbei Ján Mlynárik und Anastaz Opasek.
Die Zweiwochenzeitung NECENZUROVANÉ NOVINY war eine nonkonformistische Plattform für einen grundsätzlichen Antikommunismus. Dieses Blatt veröffentlichte – sehr wahrscheinlich dank einer Indiskretion irgendeines bedeutenderen Mitarbeiters des Ministeriums des Inneren – die Verzeichnisse der StB[134]-Agenten.
Seine aggressive Unversöhnlichkeit, nicht selten auch Schonungslosigkeit kennzeichnete das eigenartige Ethos eines Willens, die gesamte Vergangenheit der Zeit vor dem November 1989 auf den Pranger zu stellen, wen auch immer dies träfe. Wie zu sehen ist, bildete selbst für diese radikalen Leute das sudetendeutsche Thema ein Problem, dem gegenüber nur schwer kompatible Haltungen von Interesse waren.

8.7 Ludĕk Frýbort
Irgend etwas verstehe ich nicht

Es erscheint kaum eine einzige Nummer derjenigen Zeitungen, in welchen sich nicht auf der Leserseite irgendjemand zu jenen heute bereits allmählich ein halbes Jahrhundert alten Ereignissen äußert, nämlich zum Abschub der Sudetendeutschen (Beachten Sie, bitte, daß ich vom Abschub spreche und nicht von der Vertreibung; damit ich so nicht irgendwelche sensiblen Seelen verletzte). (...) Selbst ich weiß nicht viel davon. Ich war zwar seinerzeit anwesend, aber nur als zwölfjähriger Junge (...) und ich guckte herum, was irgendwo an Interessantem passiere. Und es geschah einiges. Ich sah beispielsweise, wie einige aufgebrachte Mannsbilder irgendeinen Menschen einfingen und diesen zu blutigem Brei zerstampften. Ein wenig weiter im kleinen Park hob irgendein Mensch eine Grube aus und irgend so ein weiterer stand mit der Maschinenpistole hinter ihm und wartete darauf, daß die Grube tief genug würde; dann erschoß er diesen darin. (...) Kurze Zeit später bemerkte ich Haufen von Leuten, welche auf den Ärmeln eine weiße Binde trugen (...), nach einer gewissen Zeit verschwanden sie irgendwohin. Ich verstand das alles nicht; ich bitte Sie, ich war ja noch ein Kind.
Und ich verstehe das bis heute nicht. (...) Aus der Erforschung der öffentlichen Meinung geht hervor, daß drei Viertel der tschechischen Menschen bis heute den Abschub unserer ehemaligen Mitbürger deutscher Sprache für eine gerechtfertigte Sache und durch die nationalen Interessen abgesegnet betrachten; ich bitte Sie, warum denn? Wem ist denn auch immer Gutes daraus erwachsen, möglicherweise außer einer kurzfristigen Mütchenabkühlung und von Räubereien nach Goldgräberart? (...)
Auch andere Dinge verstehe ich nicht. War denn dieser Abschub damals eine tschechische Tat, welche den Gefühlen des Tschechischen Volkes entsprang, und war er durch tschechische Politiker erarbeitet worden? (...) Merkwürdig ist aber, daß ein solcher Einfall im gleichen Augenblick auch in den Köpfen anderer Völker geboren wurde, welche gerade ganz frisch von der ruhmreichen Roten Armee befreit worden waren. Allein dort und nirgend anderswo; ihre Deutschen haben weder Belgier noch Franzosen, auch nicht einmal die Dänen hinausgejagt und ihr Eigentum geplündert, obwohl sie ihnen gegenüber die gleiche Wut haben konnten wie Tschechen, Polen oder Jugoslaven. Wie

120

ich also sage, ich verstehe das alles nicht, aber es erstaunt mich doch. Ob nicht doch weder so alte Widerwärtigkeiten und tschechische Gefühle waren als schließlich ein eher häßlicher Plan, ausgebrütet auf den Sesseln der Moskauer Lubjanka[135] und gehorsam übernommen durch die Regierung dieser ruhmlosen zweieinhalbten Republik? (...) Die Austreibung ganzer Völker entspricht niemals den europäischen und westlichen Kulturgewohnheiten; dafür war sie aber ein gängiges Mittel zur Festigung der Sowjetmacht während der Herrschaft des großen Stalin. (...) Ob es nicht auch in unserem Fallbeispiel nicht so sehr um die Säuberung des tschechischen Grenzgebietes und die Heimzahlung für alles Unrecht gegangen sein mag als vielmehr um die Vorbereitung der Festigung der Sowjetmacht im Februar? (...)

Wenn dem aber wirklich so ist, dann verstehe ich überhaupt nichts mehr. Ich verstehe Sie einfach nicht, liebe Schreiber von Leserbriefen. Ich verstehe Sie nicht, Sie: die Dreiviertel meines Volkes. Ich verstehe insbesondere Sie nicht, die Sie sonst mit demokratischer Sprache reden und sich gleichzeitig etwas auf Ihr rechtsgerichtetes, nichtkommunistisches Denken beziehen. Warum denn hüten Sie denn mit einem derartigen Grimm das Unverfechtbare? (...)

Český deník – 3.3.1994

8.8   Wie es vor dem Jahr 1945 gewesen war

Gerne würde ich meine Meinung zur Frage der Sudetendeutschen äußern. Ich komme aus dem Mährisch-Schönberger Gebiet, folglich aus einer Gegend, wo es mehr als genug Deutsche gegeben hat. Wissen aber alle, die nur vom Abschub reden, wie das alles vor dem Jahre 1945 ausgesehen hat? Noch bestand die Republik, und alle entscheidenden Stellen waren nur von »Schweinkerli und Schweinbübli« besetzt oder auch von »tschechischen Hunden«[136] (...). Wie sich diese Leute etwa auf dem Markt gegenüber tschechischen Verkäufern benahmen, darüber zu sprechen ist eine Schande. Auch versprachen sie uns oftmals, daß, sobald Hitler gesiegt haben werde, sie mit unseren Schädelknochen die Straßen pflastern würden. (...) Nach der Besetzung durch Hitler handelten die aus dem Reich hierher versetzten Deutschen auf diesem Gebiet um vieles anständiger als die einheimischen Sudetenländler. Wissen denn alle, welche über das Unrecht lamentieren, welches sich hierbei ereignete, wer denn diejenigen waren, welche den Abschub durchführten? Diese »Revolutionsgarden« setzten sich mehrheitlich aus Leuten zuammen, welche sich bei der KPTsch dranhängen wollten (...) und ebenfalls, damit sie sich aneigneten, was eben möglich war. Weitere wiederum waren »Auchpartisanen«, denen es während des Krieges gar nicht nach Kampf zumute war, die aber nunmehr ihr Heldentum zeigen mußten. Nur ein geringer Teil waren jene Bürger, welche die Konzentrationslager überlebt hatten, möglicherweise als einzige Person einer ganzen Familie. Kein Mensch hätte sich bei denen gewundert, wenn ihnen in bestimmten Situationen die Nerven durchgegangen wären.

*Aus einem Leserbrief von **Jan Hladil** aus Oppolz*
Česky deník – 9.7.1994

Auf den Seiten des ČESKÝ DENÍK – später wandelte sich die Zeitung in den ČESKÝ TÝDENÍK (=TSCHECHISCHES WOCHENBLATT) war folgendes keineswegs ungewöhnlich: Die Autorentexte bezüglich der Vertreibung der böhmischen Deutschen sind kritisch, während zahlreiche Leserstimmen die Germanophobie ihrer Schreiber verraten. Andererseits aber gehörte der Český deník (bzw. týdeník) nicht zu jenen Blättern, welche von redaktioneller Ratlosigkeit gekennzeichnet waren. Seine Stammautoren (Bohumil Doležal, Adam Drda, Bedřich Karel, Emanuel Mandler, Petr Placák und andere) bildeten ein Team, welches am konsequentesten das »Abschub«-Programm der tschechischen politischen Nachkriegsrepräsentanz und die Haltung desjenigen Teils der Öffentlichkeit kritisierte und analysierte, welche sich damit solidarisierte. Unter anderem und auch deswegen konnte sich dieses Blatt keine zahlenmäßig ausreichende Leserbasis schaffen und ging schließlich ein.
Es war keineswegs eine Ausnahme, daß widersprüchliche Ansichten oder Gefühle ein und denselben Text auszeichneten.

8.9 Vladimír Mlch
Präsident Benesch sah richtig voraus

Der Druck der extremistischen Führungsmitglieder der Sudetendeutschen auf die Konzessionen der Tschechischen Regierung verstärkt sich zusehends. Ein unerträglicher Ton und eine ebensolche Richtung kommen auf. Ein Großteil der deutschen Bürger wurde aus unseren Grenzgebieten ausgesiedelt, doch keineswegs ohne ihre eigene Schuld (...).

Ich habe mir ein Buch Dr. Beneschs aus dem Jahre 1946 zur Hand genommen und muß vor seiner Klugheit meinen Kopf neigen (...). Er schrieb damals: »Ich habe euch gesagt, daß ihr euch alles notieren und alles erzählen sollt, was ihr in Gefängnissen und Konzentrationslagern erlebt habt; nicht etwa nur deswegen, daß ihr uns allen eure Leiden erläutern solltet, sondern auch deswegen, damit ihr euch aufs neue wehren könnt, wenn sie wiederum mit ihrer Säuberungspolitik und -kampagne beginnen werden. Denn der Krieg der Jahre 1938–1945 darf nie in Vergessenheit geraten! Und daß sie beginnen werden, davon könnt ihr überzeugt sein! Und letztendlich werden sie wiederkommen, um von der Säuberungspolitik zum Angriff überzugehen. (...) Seid auf diesen Angriff vorbereitet und haltet eure Fakten bereit, eure Aufzeichnungen und eure Erinnerungen aufbereitet, denn nirgendwo wird soviel vergessen wie gerade in der Politik (...).«

Soviel an Zitaten des weitblickenden Dr. Benesch. Ich glaube, daß es nun notwendig ist, alles in Ruhe, offen und wahrheitsgemäß zu diskutieren, sich gegenseitig zu verstehen und möglichst bald zu einem rationalen und annehmbaren Kompromiß für beide Seiten zu gelangen. Aber wir können von dieser grundlegenden Betrachtung nie abweichen, denn einmal begangenes Unrecht kann nicht vergeben werden.

(...) In der brennenden Frage von Verhandlungen mit den Sudetendeutschen muß man wohl auch unseren Bürgern gegenüber mit Nachdruck betonen, daß man keineswegs alle Sudetendeutschen als eine geschlossene Einheit betrachten darf. (...) In ihrer überwältigenden Mehrzahl sind dies vernünftige, bedächtige Deutsche, welche unsere Haltung verstehen und die keinerlei Forderungen bezüglich unserer Konzessionsbereitschaft haben. (...) In Deutschland ist es zu einer grundsätzlichen demokratischen Entwicklung gekommen.

Denní Telegraf – 10.5.1995

Diese Ratlosigkeit war keineswegs ungewöhnlich in der tschechischen Presse. Ähnlich verhielt sich beispielsweise die ungleich renommiertere LITERÁRNÍ NOVINY (= LITERATURZEITUNG – O. P.), ein Wochenblatt mit einer heroischen Tradition aus der Zeit des Prager Frühlings 1968, als es zum Sprachorgan der tschechischen Intellektuellengemeinde wurde, indem es das Machtmonopol der KPTsch und die sklavische Abhängigkeit von Moskau ablehnte.

Etwas ähnlich Bedeutsames wollte die erneuerte »LI-TERÁRKY« auch nach dem November 1989 werden. Aufgrund ihrer Sensivität konnte sie dem sudetendeutschen Thema nicht entrinnen. Auch dieser Zeitung fehlte aber die Kraft für eine Analyse, umsomehr, noch zur Findung eines ausgewogenen Blicks. Daher blieb ihr auch nichts anderes übrig, als ihre Seiten einzelnen Standpunktsdarstellungen zu überlassen, deren Schieflage sie nicht mehr durch ein Synthesebemühen zu überwinden imstande war.

8.10 Miroslav Červenka
Gab es überhaupt eine andere Möglichkeit?

Ich bin kein Historiker (...), und daher bitte ich darum, daß mich qualifizierte Leute belehren mögen, sofern ich irre.

Es verwundert mich schon, daß bei all den Versuchen einer Kritik an der Aussiedlung der Sudetendeutschen niemand über die Möglichkeiten und Ergebnissen einer Alternative nachgedacht hat, das heißt über die Art und Weise der Existenz einer Nachkriegs-Tschechoslowakei, aus der die Deutschen nicht ausgesiedelt worden wären (...).

In einem Lande (beschränken wir uns einmal auf Tschechien)[137], hätten zwei Völker zusammenleben müssen, nämlich ein siegreiches (das ehedem bedroht und unterworfen war) und ein besiegtes (welches die genannte Unterwerfung verursacht hatte). Für einige Zeit, aber eher über viele Nachkriegsjahre hin hätte dies das Zusammenleben eines herrschenden und eines unterworfenen Volkes bedeutet. Kann sich denn überhaupt jemand deutsche politische Parteien und eine deutsche Vor-Wahlagitation in einem Lande vorstellen, wo erstmals gerade Informationen über Konzentrationslager, Gestapomethoden, den Holocaust und das Verhalten der Besatzungstruppen in ganz Europa zugänglich werden? (...)

Aber all dies ist noch nichts. Versuchen wir uns doch einmal dieses Zusammenleben vorzustellen (...) im Grenzgebiet, wo sich erst eine antideutsche (denn anders konnte sie ja gar nicht sein ...) Staatsmacht etabliert und profiliert. In die zurückgegebenen Gebiete fielen aber auch Goldgräber und Revolutionsgardisten ein (...). Zwischen ihnen und dem eroberten Eigentum stand niemand (...); aber falls ihnen die bisherigen Eigentümer im Wege gestanden hätten? Und wie wäre die Antwort von seiten der Unterlegenen auf die Gewalttaten der Tschechen wohl ausgefallen, die etliche Monate zuvor noch Vergnügungsjagden auf Gefangene, welche den Todesmärschen entflohen waren veranstaltet hatten: Überall herrschte Überfluß an Waffen ... In das Bewußtsein beider Gesellschaften sollte noch eine düstere, blutige und unübersehbare Erfahrung geschrieben werden. Solch eine Erfahrung erahnen wir aus den derzeitigen Reportagen aus bosnischen Dörfern. (...)

Manchmal bleibt nichts anderes übrig, als zwischen Gesellschaften Grenzen zu errichten, damit diese sich nicht bis zur Unendlichkeit gegenseitig in ihrer Verzweiflung abwürgen. Die Grenze war da, tatsächlich. Die Deutschen müßten sich nicht bewegen, falls die Grenze nicht zurückbewegt würde. Ja, erst jetzt sind wir bei der Alternative für die Aussiedlung angelangt, die bisher niemand erwähnt hat und die nicht einmal zu einer ethnischen Säuberung geführt hätte, auch nicht zu Blutvergießen: die Tschechei[137a] in den Grenzen des Protektorats, wie dies Hitler in München durch seine Drohung erreicht hatte. Derjenige, welcher die Aussiedlung ablehnt, propagiert bewußt oder unbewußt diese Lösung oder das weiter oben angeführte Blutbad. (...)

Natürlich bin ich nicht so naiv, daß ich Überlegungen über diese letzte Alternative als realistisch zulassen würde. Ich möchte lediglich aufzeigen, daß diejenigen, welche die Aussiedlung ablehnen, uns unwillkürlich zwei noch erschreckendere Lösungen vorschlagen als selbst die Aussiedlung als solche. (...)

Die oben skizzierten Szenarien, und mit ihnen auch dasjenige, welche dann realisiert worden ist, sind alle furchtbar. Irgendwie überschreiten sie alle das, was uns als Maßstab des Menschen erscheint. Doch kennen wir dies Maß? (...)

Ich möchte ganz einfach, daß wir uns bewußt machen, daß die Menschheit und die Gemeinschaft keinerlei Grenzen besitzen, welche mit denjenigen Grenzen identisch sind, die der Bewahrung von sich selbstveredelnden Prinzipien dienen, daß weiterhin damit in die Richtung fortgefahren wird (...), wo die Prinzipien des Rechts gestört und mit Füßen getreten werden. (...)

Dieser nichtregulierte, durch Recht und Gerechtigkeit nicht geordnete »Grenzbereich« (...) des Menschseins und der Gemeinschaft rückt von Zeit zu Zeit bis zum heutigen Tage ins Zentrum (...) insbesondere in Kriegszeiten. (...) Wer den Krieg entfesselt hat, der hat auch die Verantwortung für diese Verschiebung auf sich genommen. In Zeiten der Suspendierung von Regularien und von Gerechtigkeit verändert sich die Welt (...) dramatisch. Dann endigt eines Tages der Krieg, und die suspendierten Prinzipien kommen erneut zur Ehre. Sie geraten aber in Widerspruch zum ganz und gar neuen Stand der Welt, einem Stand, auf den hin die Welt ohne ihre Beteiligung gelangt ist. Welche Strategie mögen wohl in diesem Augenblick die Träger der erneuerten Rechtsprinzipien auswählen, und welche ebenfalls diejenigen, die zu ihrer erneuerten Annahme gezwungen werden mußten?

Es bleibt ihnen nichts anders übrig, als von neuem im Rahmen jener Konstellation zu beginnen, welche das Geschehen eben nicht mittels des Rechts errichtet hat. (...)

Solange das alle nicht anerkennen, wird der Krieg fortgesetzt werden. Den durch Krieg installierten Zustand kann wiederum lediglich ein Krieg wenden. (...)

Literární noviny – 10/1996.

8.11 Rudolf Zahradník
Sicherlich gab es eine andere Möglichkeit!

Letztlich bin ich der Überzeugung, daß es viele Möglichkeiten gegeben hat. So hätten beispielsweise nach dem Kriegsende die Tschechen theoretisch das in Erwägung ziehen können, was die Deutschen mit den Tschechen nach einem siegreichen Krieg zu tun beabsichtigten: (...) ein Drittel nach Sibirien, ein Drittel eindeutschen und ein Drittel ins Gas. Dies scheint Ihnen wohl grausam zu sein, furchtbar und unmenschlich? Sicherlich ja. Falls Sie jedoch bei den Überlegungen bezüglich der deutsch-tschechischen Beziehungen nicht zu komischen Ergebnissen gelangen wollen, müssen Sie sich eben aufs Neue den Schrecken und die Bestialität des Nazismus bewußt machen.

Dabei muß gerechterweise in Erinnerung gerufen werden, daß der Henleinismus ein sehr abstoßender und fanatischer Bestandteil des Nazismus gewesen ist. Eines muß man jedoch beiden Bewegungen zuerkennen – sie hatten eine ungeheure Unterstützung durch die Deutschen im Reich und durch die Deutschen in der ČSR (...) Es geht nichts über eigene Erfahrungen. (...)

(Weiter teilt der Autor seine Erfahrung als Zeuge von Transporten Prager Juden mit, unter denen er Freunde gehabt hatte. Er erinnert sich des Vaters eines Kameraden, der nach der Heydrichiade in Kobylisé hingerichtet wurde. Mit seinen noch nicht ganz 17 Jahren beteiligte er sich am Prager Aufstand, wo er hauptsächlich Verwundete schleppte.

Er erinnert sich einer grausigen tschechischen Tat: der Verbrennung eines uniformierten Deutschen bei lebendigem Leib; angeblich hatte dieser noch am 10. Mai Prager Fußgänger beschossen, von denen er dabei zwei umbrachte. – Im Sommer besuchte er dann als Pfadfinder den Böhmerwald. Das einzige, was dort beunruhigend war, war die aus der Ferne vernehmbare nächtliche Schießerei von Werwölfen).

Ganz nebenbei, häufig waren tschechische und deutsche Bekanntmachungen ausgehängt, des Inhalts, daß alle Deutschen, welche unter dem Nazismus gelitten hatten (...), die Möglichkeit erhalten, in der ČSR zu verbleiben. Die Namen der Antragsteller waren in einigen Geschäften ausgehängt. Allerdings kam die Unschuldsvermutung nicht zur Geltung, nichtsdestoweniger ist die Vorstellung unwahr, daß man zwischen den Deutschen überhaupt nicht unterschieden hätte.

Damit es klar ist (...): Ich habe Deutschland und die Deutschen gern, und von allen Fremdsprachen ist mir die deutsche die liebste. In Deutschland habe ich, gleich nach der Tschechischen Republik, die meisten Kollegen und ein paar wirkliche Freunde. (...) Ganz anders sieht dies mit meinem Bezug zum Nationalsozialismus aus, (...) ferner zum Henleinismus, dessen Vokabular und Mentalität bis heute in einigen Kreisen der Landsmannschaften lebendig geblieben sind. (...) Für sie beginnt die Geschichte im Jahre 1945. Es ist wohl so, daß es auch in der Tschechischen Republik etliche Fachleute gibt, welche dieses Gefühl teilen. (...) Das erinnert an die »Fünfte Kolonne«. – Selbstverständlich gibt es keinen Grund, sich gegen die Erinnerungen an all die Brutalitäten zu wehren, zu denen es beim Abschub der Deutschen gekommen ist. Man kann sich auch über die Alliierten erregen, daß sie im Februar 1945 durch ihre Bombardements Dresden vernichtet haben (...). Wer unfähig ist oder nicht unterscheiden will zwischen Anlaß und Ergebnis, sollte nicht über zwischenmenschliche Beziehungen urteilen und historische Ereignisse bewerten.

Literárni noviny – 13/1996

Dieser Text besitzt bei all seiner Unoriginalität und offenkundigen Naivität einen bemerkenswerten Wert des Sich-von-der-Seele-Redens. Sein Autor ist nämlich ein renommierter Vertreter der Wissenschaftswelt, es ist der Präsident der Akademie der Wissenschaften der Tschechischen Republik.

8.12 Vladimír Just
Stets gibt es noch eine andere Möglichkeit

Miroslav Červenka hat in einem sehr zuvorkommenden, entgegenkommenden und taktvollen Diskurs (Bestand eine andere Möglichkeit? – Literární noviny – 10/1996) eine Verteidigung der Unmoralität geschrieben: »Allein neue Gewalt«, so urteilt er, würde das umbauen, was der Krieg zwischen uns und den Deutschen aufgerichtet hat«. (...) Mit anderen Worten: Auf die Unmoral hat man also gar nicht anders reagieren können als durch neue Unmoralität. Anders wäre es demnach zu einem weit schlimmeren Blutvergießen gekommen (...). Alle weiteren Moralisierer würden angeblich »gänzlich ungebührlich die Kategorien von Recht, Friedensnormen der internationalen Beziehungen und der Handlungsweisen von Gesellschaften mit anderen nutzen, indem sie nämlich diese der durch den Krieg gesetzten Wirklichkeit anfügen, an deren Ende dann aber der Siegerwille entscheidet«.

Beginnen wir einmal mit der Widerlegung dreier grundlegender Irrtümer Červenkas gerade von hier aus. (1) Waren W. Churchill und H. Truman Sieger? Sie waren es. Und trotzdem gehören sie beide übereinstimmend zu den ersten Bezweiflern der Beschlüsse der Potsdamer Konferenz, vor allem derjenigen, welche die gewaltsame Aussiedlung von Millionen Menschen betreffen. (»Wir sind vor eine fertige Tatsache gestellt worden und aufgrund der Umstände dazu genötigt zuzustimmen. Dies war ein Akt eigenwilliger Gewalt.« (...) Wir könnten aus diesem fünfundvierziger Jahr gegebenenfalls auch einen Abgeordneten des Britischen Unterhauses, den Korrespondenten der Agentur Reuter, den Papst usw. zitieren: Sie alle haben auf die eine oder die andere Weise die tschechischen Bestialitäten an deutschen Zivilisten schon damals verurteilt, als diese gerade geschahen, und nicht erst im nachhinein. Potsdam (Artikel 13) war lediglich ein verzweifelter Versuch, der bereits im Gang befindlichen ethnischen Säuberung mit Hunderten erschossener Kinder und Frauen, mit Tausenden Zivilopfern einen halbwegs konstruierten Rechtsrahmen zu geben. (2) Es ist unwahr, daß zwischen den »räubernden Garden« und dem »Eigentum« sich nichts befunden hätte: Zwischen ihnen stand das Recht, welches selbst in der für sich betrachtet nichtigsten Lage zumindest wörtlich hätte gelten müssen. Statt dessen hören wir im Mai P. Drtina[138], wie er die Gardisten zur Säuberung anstachelt: »Wir müssen unverzüglich mit der Austreibung der Deutschen beginnen, augenblicklich, auf jegliche Art und Weise, vor nichts dürfen wir Halt machen und zögern. Jeder von uns muß bei der Säuberung unseres Vaterlandes mithelfen!« Welcher Räuber würde da noch widerstehen, wenn ihm bereits von vorneherein Absolution erteilt wird? (...) (3) Schade, daß M. Červenka die Tschechen so sehr unterschätzt, daß er nicht an ihre Fähigkeit zur individuellen und keineswegs kollektiven Unterscheidung glaubt. (...) Der übliche Einwand sieht stets so aus, daß seinerzeit keine Zeit gewesen sei. Meine obligate Antwort lautet hingegen: Und wohin seid Ihr in so großer Eile davongeeilt? Etwa in Richtung Februar?

Literární noviny – 14/1996

*Vladimír Just gehört zu jenen konsequenten Vertretern einer Haltung, für welche wir der Bündigkeit halber die Bezeichnung »MORALISTISCH« gewählt haben. In der Literární noviny 25/1996 reagierte er kritisch auf den bereits weiter vorne abgedruckten Artikel des Akademiemitgliedes Zahradník. Er hat insbesondere darauf hingewiesen, daß Zahradník, obgleich ansonsten ein Verfechter der Wissenschaftlichkeit, »in der Diskussion über ein grundlegendes moralisches Problem seine eigene, individuelle und daher aus der Sicht eines ganzheitlichen Bildes zufällige Erfahrung eines Sechzehnjährigen überordnet (...) gegenüber den Erfahrungen einer verallgemeinerten, kritisch bewerteten und heute bereits glücklicherweise sorgsam dokumentierten Erfahrung in einer ganzen Reihe **wissenschaftlicher** Arbeiten«. – Er analysiert die Argumente Zahradníks, deren Naivität und Voreingenommenheit und schließt mit folgender Feststellung: »Die Geschichte fängt natürlich nicht mit dem Jahr 1945 an, mit Ausnahme einer grundlegenden Präzisierung: **Damals beginnt die Geschichte strafloser Verbrechen.** Das ist, so glaube ich jedenfalls, ein guter Anlaß, auch nach einem halben Jahrhundert, zumindest darüber zu schreiben«.*

Im Verlauf der sich lange hinziehenden Verhandlungen nehmen die redaktionellen Bedenklichkeiten und strittigen Texte ab. Die Richtung der öffentlichen Meinung zwingt ganz offenkundig dazu, einen eindeutigen Standpunkt einzunehmen.

9. Kapitel

Rechtfertigungen oder zumindest Alibis

Die überwiegende Mehrheit der tschechischen Öffentlichkeit wünscht keinerlei Rekonstruktion eines wirklichkeitsorientierten Bildes vom »Abschub«, das heißt also einzelner Ereignisse und ihres Niederschlags auf Einzelschicksale, insbesondere desjenigen ihrer Typen, für den die euphemistische Bezeichnung »EXZESSE« festgesetzt wurde, umso weniger noch ihre Quantifizierung. So ein Vorgehen ruft bei vielen unserer Mitbürger den massivsten Widerstand hervor, dessen wörtliche Artikulierung der Imperativ – und dieser wiederum euphemistisch – ist: »KEINE ALTEN WUNDEN AUFREISSEN!«. Diese Ablehnungshaltung kann man als eine Art Versicherung gegen die riskante Möglichkeit erklären, welche die Erschütterung einer eingebürgerten Betrachtung eines wichtigen Zeitabschnitts unserer allerneuesten Geschichte darstellte, aus der sich die Unfähigkeit zur Revision unserer Stereotypen »WIR« und die »ANDEREN« ergeben könnte. Diese könnte ja »DENEN« Trümpfe in die Hände gegen »UNS« spielen, doch noch mehr, in »UNS« das Gefühl eines schlechten Gewissens hervorrufen, welches einen deprimiert, demobilisiert, lähmt. Da muß also aus den Quellen der Begriff »Abschub« auf die Ebene individueller Akte verschoben, über ihn lieber in Begriffen nachgedacht werden, welche das Ergebnis einer Generalisierung darstellen, und insbesondere die rationalen Motive des Abschubs« müssen hervorgehoben werden, dann der Anteil anderer Akteure an den Entscheidungen, welche dazu führten, das heißt also eine Suche nach Rechtfertigung oder wenigstens ein Alibi!

9.1 Petr Pavlovský
Der Masochismus eines Petr Pithart

(...) und sehr unpräzise ist dieses »UNS BESCHULDIGEN« in demjenigen Sinne, daß wir auch nach einem halben Jahrhundert dazu unfähig waren, eine Übereinstimmung darin zu finden, daß wir die Deutschen von uns weggejagt haben. Sicherlich, die Deutschen wurden vertrieben, aber:

1. Es hat sich hierbei um einen Akt gehandelt, welcher durch diejenigen Mächte abgesegnet wurde, ohne deren Entscheidungen zur damaligen Zeit in Europa nichts geschehen konnte. Hier geht es also, von seiten der Tschechoslowakei, maximal um eine Mitschuld. Dabei lege ich Wert auf die Bezeichnung tschechoslowakisch, weil wir damals ein Staat waren, und von slowakischer Seite keinerlei Einwand vorgebracht wurde, die slowakischen Abgeordneten vielmehr zustimmten. Andererseits gibt es niemanden, der sich darüber aufregen würde, daß aus der Republik auch die Rusinen[139] vertrieben worden sind, damals ohne jegliche Übersiedlungsaktion; sie wurden ganz unschuldig in wesentlich fürchterlichere Umstände als irgendein Sudetendeutscher in der Bundesrepublik Deutschland gestürzt, nämlich in den Totalitarismus.

2. Ein beträchtlicher Teil der Vertriebenen hat sicherlich – als Bürger der ČSR – Vaterlandsverrat begangen, weil sie einer fremden Macht bei der Zerschlagung und Besetzung der Republik behilflich gewesen waren. Von ihnen läßt sich wohl sagen, daß sie durch die Vertreibung einer wesentlich schärferen Strafe entgangen sind. Der grundlegende Fehler und die Ungerechtigkeit, die damals geschehen sind, nennt sich jedoch nicht »VERTREIBUNG DER DEUTSCHEN«, sondern Geltendmachung der Prinzipien einer Kollektivschuld. (Nochmals betone ich: unter Mitbeteiligung aller Siegermächte, welche heute die Hände in Unschuld waschen).

Literární noviny – 45/1992

9.2 Vojtěch Mencl
Es ist unmöglich, die Geschichte zu schulmeistern

(...) Havels Äußerungen ist zu entnehmen, daß der Abschub das Ergebnis vor allem unserer, also einer tschechoslowakischen Entscheidung war, welche »die Siegermächte nachträglich sanktionierten«. War dies denn wirklich so der Fall? Es ist sicher, daß dieser Gedanke innerhalb unserer Widerstandsbewegung kurz nach der Heydrichiade entstanden war, und daß Benesch sie nach entsprechender Abwägung akzeptierte und durchsetzte. Er konnte aber erst nach der Potsdamer Zustimmung seitens der drei Siegermächte verwirklicht werden. Der Grund war ganz einfach. Ohne ihre Zustimmung war es ja nicht möglich, die abgeschobenen Deutschen selbst nur über die Grenze zu transferieren, schon gar nicht, sie zufriedenstellend in den verschiedenen Zonen, welche sie voll beherrschten, unterzubringen. Die Frage nach dem Grund der Zustimmung seitens der westlichen Staatsmänner hat folglich eine Schlüsselbedeutung, sie bildet somit den Kern des Problems. (…)

Rudé právo – 3.4.1993

9.3   Ivan Sviták
Die Verantwortlichkeit für den Abschub

(…) Der Plan für den Abschub war unerläßlicher Bestandteil der Erneuerung des tschechoslowakischen Staates als einer einheitlichen Republik – was auch seitens der Nation als positives Element verstanden wurde. Es war dies aber auch eine strategische Reorientierung des tschechoslowakischen Staates, dessen erschreckende Bindung an die sowjetische bürokratische Diktatur sich allerdings weder die Nation noch ihre Staatsmänner vergegenwärtigten. (…) Sofern selbst kleine Völker für ihre Geschichte verantwortlich sind, müssen wir erkennen, daß wir als Nation aktive Gestalter dieses Geschehens waren, und daher dürfen wir nicht die Ergebnisse auf den damaligen Präsidenten oder auf die Großmächte abwälzen. Es ist gegenstandslos, den Unterlegenen für tatsächliche oder fiktive Unrechtsgeschehnisse der Geschichte eine moralische Wiedergutmachung anzubieten, denn die Änderung unserer Ansichten bezüglich der Vergangenheit ändert die Vergangenheit als solche nicht. Die Reue der Sünder und Opfer gehört in die Beichtstühle.

Daher sind vor allem wir alleine für den Abschub verantwortlich, nicht die Großmächte, und falls wir einmal selbst damit beginnen sollten, moralisch uns selbst zu rechtfertigen oder am Ende gar zu verurteilen, wann kommt dann die moralische Verurteilung des antifaschistischen Widerstands an die Reihe? Und wer sind denn diese moralischen Giganten, welche über Leute aus einer Zeit urteilen, deren mörderische Brutalität die nachfolgenden Generationen sich nicht einmal vorstellen können? (…)

Rudé právo – 17.4.1993

9.4 Ivan Klíma
Die Tschechen und ethnische Säuberungen

Haben sich die Tschechen ethnischer Säuberungen schuldig gemacht? Entsprechend der Meinung des Herrn Petráček (...) in der Nummer 16 des RESPEKT offenkundig ja (...) Der Autor meint, daß die tschechische Politik sowie die tschechischen Intellektuellen damit zögern, eine eindeutige Haltung demgegenüber einzunehmen, was im heutigen Bosnien geschieht. (...) Herr Petráček (...) schlägt einen prinzipiellen Grund für diese Zögerlichkeit vor: »Je mehr die Wahrheit über die ethnischen Säuberungen in Bosnien ans Tageslicht kam, umso mehr wiesen diese gemeinsame Züge mit dem Abschub unserer Deutschen auf ... Es ist dann also schwer, von Politikern zu verlangen, daß sie in einem Atemzug die Vorstellungen Karadzics bezüglich der ethnischen Säuberungen des Landes verurteilen und gleichzeitig die Benesch-Dekrete verteidigen«. (...)

Ich zweifle nicht daran, daß es notwendig ist, aus dem Abstand heraus all das abzuwägen, was alles nach dem Zweiten Weltkrieg bei uns, in Polen und überall in Europa geschehen ist (...).

Welcher Unterschied besteht also zwischen der Situation im heutigen Bosnien und im Nachkriegseuropa? Es war Hitler-Deutschland, welches den Zweiten Weltkrieg entfesselt hat. Doch nicht nur dies: Hitler erreichte viel (im Gegensatz etwa zu Lenin) ganz legitim (...) und dies gerade wegen seines Programms, in dem die Ideen von einer Auserwähltheit der Germanischen Rasse und des Deutschen Volkes vorherrschten (...). Die Sudetendeutschen wählten – mit Ausnahme einer vernachlässigbaren Minderheit – gleichzeitig ganz freiwillig die Sudetendeutsche Partei Henleins. (...)

Falls wir demnach von ethnischen Säuberungen sprechen, ist es notwendig, damit zu beginnen, daß die Deutschen Abertausende Tschechen aus dem Gebiet vertrieben, welches ihnen nach München zugefallen war. (...) Deutschland entfesselte den Krieg, dessen Ziel ungeheure ethnische Säuberungen darstellten, und zum Opfer fielen ihnen nicht nur 6 Millionen Juden, sondern auch Millionen Polen, Russen, Ukrainer, Tschechen, Serben wie Slowenen. Deutschland hat diesen Krieg verloren (...). In der Geschichte wird nach solch einer Niederlage mehrheitlich wesentlich härter heimgezahlt (...). Den Anteil der bosnischen Muslime in einer Zeit tiefen Friedens mit dem Los

der Deutschen nach dem verlorenen Krieg, in dem gerade sie Bestialisches begangen hatten, zu vergleichen, (...) dies ist ungeschichtlich (...).
Lidové noviny – 10.5.1993

9.5 Der Abschub war ein Bestandteil einer Apokalypse
Der Historiker Václav Kural äußert sich zur sudetendeutschen Frage

(...) Wer entstellt Ihrer Meinung nach und aus welchem wohl die Wirklichkeit?
Vor allem die Landsmannschaft zusammen mit der Bayerischen Regierung. Auch tschechische Journalisten tragen dazu bei, ebenso Politiker und Intellektuelle, welche die Frage der Aussiedlung der Sudetendeutschen aus dem Kontext der historischen Geschehnisse herausreißen und sich ihr lediglich vom moralischen Gesichtspunkt aus annähern. Damit übernehmen sie letztendlich die Argumentation der Landsmannschaft, deren grundlegende These folgendermaßen lautet: Das Problem beginnt mit einem tschechischen Verbrechen! (...)
Läßt man nicht auch dabei in Vergessenheit geraten, daß der Abschub mit dem Willen der Siegermächte verwirklicht worden ist?
Es sollte hauptsächlich die Tatsache vergessen werden, daß der Abschub Bestandteil der furchtbarsten Apokalypse der Menschheit gewesen ist – nämlich des Zweiten Weltkriegs, auf dessen Konto die Umwertung aller moralischen Werte ging, wie dies weder vorher noch nachher je der Fall war. Zum Verständnis (nicht als Ausrede) der Verbrechen an den ausgesiedelten Deutschen muß man auch wissen, daß die Nazis bis in die letzten Kriegstage hinein entsetzliche Bestialitäten begangen hatten. (...) Wir sollten demnach die seinerzeitige gesellschaftliche Atmosphäre nicht vom grünen Tisch aus und darüber hinaus nicht ohne die notwendigen Kenntnisse der Geschichte beurteilen.
Lidové noviny – 1.6.1993

9.6 Václav Bělohradský
Der sudetendeutsche Revisionismus

Der sudetendeutsche Druck enthält in sich zwei Drohungen. Einerseits versucht er, unsere Regierung zu Verhandlungen mit irgendeinem Regionalverein zu bringen – so als ob unser Staat nichts anderes wäre als eine bloße Region. Diese Verhandlungen werden zudem zur politischen Bedingung einer vollrechtlichen »Zulassung« des Tschechischen Staates in den Kreis der westlichen Staaten erhoben, dies ist ja schon ganz und gar unannehmbar. Denn die Tschechoslowakei gehörte stets dem Westen an, auch wenn sie sich vorübergehend hinter dem Eisernen Vorhang befand. Entscheidung war in jedem Fall im Jahre 1945 folglich unsere für die Beendigung des Zusammenlebens mit den Deutschen in einem gemeinsamen Staat nicht etwas »Antiwestliches«.

Zum anderen versucht sie uns dazu zu zwingen, über den Zweiten Weltkrieg auf eine Art und Weise zu reden, die jeweils folgendermaßen beginnt: Beide Seiten haben sich schuldig gemacht. Die Beiderseitigkeit des Verschuldens ist Teil dessen, was in der deutschen Historiographie etwa seit dem Jahre 1986 als »Revisionismus« bezeichnet wird. Es geht hier darum zu zeigen, daß der Nazismus nicht irgendetwas Einmaliges war, sondern daß er eine Antwort auf die Verhandlungen der übrigen Staaten darstellte, und daß sich daher alle gleichermaßen schuldig gemacht hätten. »Beide Seiten haben sich schuldig gemacht« – dies ist die sudetendeutsche Annäherung an die Frage der sudetendeutschen Schuld an den nazistischen Verbrechen. (...) Die administrativ-industrielle Vernichtung »rassisch Fremder«, welche durch eine ungeheure Mehrheit der Nation toleriert wurde, ist mit keiner anderen Grausamkeit der modernen Geschichte vergleichbar. Gerade in diesem Zusammenhang müssen wir die Frage sehen, vor der Benesch im Jahre 1945 gestanden hatte: Wollen wir mit Deutschen in einem gemeinsamen Staat leben? Dazu »NEIN« zu sagen, hatte seine historische Begründung auf dem Hintergrund der Einmaligkeit des nazistischen Übels (...).

Durch den Zerfall der Tschechoslowakei verschwand der Staat aus Europa, in dessen Basis eine grundlegende politische Sendung mit eingeschrieben war: in Mitteleuropa eine Art Felsvorsprung westlichen Verständnisses von Staat zu sein. Deutschland wurde nämlich in moderner Zeit nicht dem Westen zugerechnet. So wurde beispielsweise der Erste Weltkrieg von seiten der Deutschen ausdrücklich als ein Krieg der deutschen Kultur gegen die westliche Zivilisation verstanden, welche etwas Nichtauthentisches, Oberflächliches darstelle. Den Unterschied zwischen dem westlichen und dem deutschen Verständnis von Staatlichkeit können wir folgendermaßen zusammenfassen: Aus einem Fremden schafft die französische Kultur einen Franzosen (…), während ein Deutscher aus dem Recht des Blutes zum Deutschen wird (…).

Die Tschechische Republik muß Erbe der tschechoslowakischen Staatlichkeit bleiben, sie muß folglich ein Beispiel für die westliche Auffassung von Staat sein, in dem nicht das gemeinsame Blut, sondern eine aufgefächerte Kultur aus Menschen Bürger macht. Wir müssen für Deutschland ein gutes Beispiel sein, was im übrigen auch ein Auftrag ist, welcher in die Struktur unseres Staates bereits seit dem Jahre 1918 eingraviert ist.

Lidové noviny – 3.6.1993

9.7 Jiří Hanák
Proselyten[140]

(…) Also nun: Mit der Idee der Ausweisung der böhmischen Deutschen kam nicht Benesch daher. Es war der tschechische Widerstand, der mit ihr ankam, er, der daheim kämpfte und blutete. Praktisch führungslos geworden nach zwei entsetzlichen Heydrichiaden, aufs Äußerste aufgebracht durch eine durch die einheimischen Deutschen persönlich an K. H. Frank gerichtete Petition, daß die Repressalien gering und schwach seien, gelangte die Widerstandsbewegung zu folgender Ansicht: Schluß, nie wieder gemeinsam in einem Staat.

Es ist nicht wahr, daß die Mächte erst in Potsdam die Ausweisungen als fertiges Faktum billigten, dem gegenüber man bereits nichts mehr unternehmen konnte. Die Vorstellung von der Ausweisung hatten sie bereits während des Krieges angenommen.

Frischen wir doch einmal unser Gedächtnis mittels der Worte des amerikanischen Präsidenten Roosevelt aus dem Jahre 1943 auf, welche für den tschechoslowakischen Exil-Präsidenten bestimmt waren: »Das, was eine derartige Katastrophe hervorgerufen hat, welche München der Welt bescherte, muß definitiv und ein für allemal beseitigt werden«[141].

Es ist nicht wahr, daß sich die Sudetendeutsche Landsmannschaft irgendwann für die Zerschlagung des Staates der Tschechen und Slowaken entschuldigt hätte. Die Entschuldigung des noblen J. W. Brügel oder von R. Hilf waren jeweils Entschuldigungen zweier einzelner Persönlichkeiten, nichts mehr. Kein offizieller Vertreter des Bundes der Vertriebenen hat jemals solches getan, hingegen der Tschechoslowakische Präsident: ja.

Es ist ungut und ein Einführungsbeispiel in das Gitterwerk einer heutigen Sicht auf die Ereignisse vor fünfzig Jahren. Ein derartiges Verhalten ist ungeschichtlich, und üblicherweise nennt man so etwas Demagogie. Die Ausweisung der früheren tschechoslowakischen Bürger deutscher Nationalität ist nämlich nicht vom Himmel gefallen, etwas ist schon in den Jahren 1938–1945 passiert. (...)

Literární noviny – 31/1993

9.8 Aus der Rede Václav Havels im Prager Karolinum am 17.2.1995
Deutsche und Tschechen auf dem Weg zu einer guten Nachbarschaft[142]

(...) Das tragische Ende eines tausendjährigen Zusammenlebens von Deutschen und Tschechen allein in der Aussiedlung der Deutschen nach dem Krieg zu erblicken, das bedeutet, sich auf eine gefährliche Vereinfachung einzulassen. Unzweifelhaft war der Abschub das physische Ende dieses Zusammenlebens, damit ist damals wirklich dieses Zusammenleben erstorben. Doch die tödliche Verletzung, welches dies verursacht hatte, war etwas ganz anderes: das fatale Versagen eines großen Teils unserer Bürger deutscher Nationalität, welche gegenüber Demokratie, Dialog und Toleranz einer Diktatur, der Konfrontation und Gewalt den Vorzug gaben, welche durch den Nationalsozialismus Hitlers verkörpert wurden (...). Sie verneinten damit unter anderem auch die herausragende Tätigkeit zahlreicher deutscher Demokraten, welche die Tschechoslowakei als ihr Vaterland mitgestaltet hatten. Ob nun die Lösung der nationalen Frage in der Vorkriegs-Tschechoslowakei wie auch immer unvollkommen war, so kann doch niemand dieses Versagen rechtfertigen. Denn diejenigen, welche dies begangen haben, haben sich damit nicht nur gegen ihre Mitbürger gestellt (...), sondern auch gegen die Grundlagen der Humanität als solcher. (...) Über den Abschub nach dem Kriege können wir unterschiedliche Ansichten haben – und meine kritische Meinung ist allgemein bekannt –, doch niemals können wir ihn aus den geschichtlichen Zusammenhängen herauspräparieren und ihn von allen Schrecken ablösen, welche ihm vorausgegangen waren und die zu ihm hingeführt hatten. (...) Übrigens habe ich in der Vergangenheit nicht nur einmal gesagt, daß Übel Infektionscharakter besitzt, und daß das Übel des Abschubs nur die traurige Ausmündung des Übels war, welches diesem vorausgegangen war. Es muß doch unstrittig sein, wer als erster aus der Flasche den Geist wirklichen nationalen Hasses herausgelassen hat. Und falls wir uns – als Tschechen – zu unserem Teil der Verantwortung für das Ende des deutsch-tschechischen Zusammenlebens in den böhmischen Ländern bekennen müssen, so müssen wir dann im Interesse der Wahrheit auch sagen, daß wir uns zwar vom tückischen Virus eines ethnischen Verständnisses von Schuld und Strafe haben anstecken lassen, daß wir jedoch diesen Virus – zumindest aber in seiner modernen zerstörerischen Art – in unser eigenes Land nicht eingeführt haben. (...) Die Mitbeteiligung sovieler unserer ehemaligen deutschen Mitbürger an der Vorbereitung und an den Folgen von München kann man somit nicht allein auf den Kampf um ihre Minderheitenrechte reduzieren. (...)

(...) In erster Linie sollten wir den Versuch unternehmen, uns darüber zu verständigen, welche Rolle wir eigentlich der Vergangenheit beimessen. Auf gar keinen Fall können wir sie der Vergessenheit anheimgeben. (...) Dies bedeutet jedoch nicht, daß wir in unsere eigene Geschichte rücksiedeln müssen, daß wir versuchen, uns in unsere Vorfahren zu verwandeln, immer wieder von neuen Situationen zu rekonstruieren, in die sie geraten waren (...). Die Vergangenheit kann nicht unser Programm sein. (...) Bis wohin solch eine Auffassung führen kann, das wissen wir allerdings nur allzu gut: zum Prinzip des nie endenwollenden Kreislaufs der Blutrache, wo immer neue Generationen von Enkeln andere Enkel für die Verbrechen ihrer Vorfahren an den eigenen Vorfahren bestrafen.

Eine Übereinkunft in dieser Sache hätte eine Menge bedeutsamer Konsequenzen. In erster Linie würde dies bedeuten, daß die Zeit der Entschuldigungen endigt und eine Zeit sachbezogenen Suchens nach der Wahrheit anhebt (...). Kurz gesagt: Es ist einfach notwendig, einmal ganz klar zu sagen, was alles der Geschichte zugehörig ist und worüber man wie über Geschichte verfügen sollte.

Unsere Zukunft liegt wirklich nicht in der Vergangenheit. Sie wiederzubeleben bedeutet dann, auch alle ihre Dämonen zum Leben zu erwecken, welche in ihr schlummern. (...) Aus tschechischer Sicht besteht eines der (...) Ergebnisse darin, eindeutig alle Versuche zurückzuweisen, aus urdenklichen historischen Begebenheiten oder Ungerechtigkeiten eine ganze Sammlung aktueller politischer oder rechtlicher Forderungen und Ansprüche auszugraben, welche ihrerseits den gesamten Boden, auf dem die europäische Nachkriegsordnung errichtet wurde, in Frage stellt. (...) Und wir sind nicht so töricht, daß wir heutigen Generationen des demokratischen Deutschland Rechnungen für alle uralten Unrechtstaten zustellen würden, welche ein Teil ihrer Väter, Großväter und Urgroßväter begangen hatten, genausowenig wie wir den Völkern der ehemaligen Sowjetunion Rechnungen für alle die Schäden übersenden, welche Jahrzehnte des Kommunismus über unser Land und in unsere Seelen gebracht haben. Daher halten wir alle Versuche für noch törichter, von uns materielle oder andere Formen einer Entschädigung für den Nachkriegsabschub einzufordern. (...)

Diejenigen, welche einst von uns vertrieben oder ausgesiedelt worden sind, desgleichen ihre Nachkommen, sind bei uns gleicherweise wie alle Deutschen willkommen. Sie sind wie Gäste willkommen (...).

So also, wie die Zeit der Entschuldigungen und der Rechnungsstellungen für die Vergangenheit endigen und eine Zeit sachbezogener Debatten über sie einsetzen sollte, hätte auch die Zeit der Monologe und einsamen Äußerungen ein Ende zu haben und es hätte eine Zeit des Dialogs einzusetzen (...), ohne daß wir uns hierbei auch nur andeutungsweise so fühlen würden, als ob wir gegenseitig nur Geiseln wären oder Geiseln unserer unglückseligen Geschichte. (...)

Lidové noviny – 18.2.1995

9.9 Dušan Třeštík
Deutsche, Tschechen und Europa

Die Freitagsrede des Präsidenten der Republik im Karolinum wird aus dem Zeitabstand heraus zweifellos für seine zweite höchst grundlegende Staatsrede nach seiner Ansprache vor dem Kongreß der Vereinigten Staaten gehalten werden. Insofern er in Washington der zivilisierten Welt in Erinnerung gebracht hat, daß die Tschechoslowakei im Geiste ihrer eigenen demokratischen Traditionen zu ihr zurückkehre, machte er es nunmehr die Situation der neu entstandenen Tschechischen Republik als eines souveränen, selbstbewußten Staates klar, der nicht allein nur Nachbar Deutschlands ist (...).

Die Frage, welche der vor uns liegende Gedenktag des Endes des Zweiten Weltkriegs an Europa stellt (...), ist evident: Sind wir diesmal in der Lage, wirklich definitiv, fest und sicher zu zeigen, ohne gescheittuerische Kalkulationen und kurzatmige Improvisationen (...), dasjenige Kapitel abzuschließen, welches in der Menschheitsgeschichte die massenhaftesten Leiden und Schrecken gebracht hat? Errichten wir eine derartige Ordnung in Europa und in der Welt, welche bereits endgültig Frieden und Stabilität zumindest für irgendeine historisch überblickbare Zeit garantiert? Dies sind in der Tat Zeitfragen gerade jetzt, weil – darin werden wir sicherlich alle einig gehen – der Zweite Weltkrieg eigentlich nicht vor fünfzig Jahren, sondern vor sechs Jahren zu Ende gegangen ist, nämlich im Jahre 1989. Der Fall des Kommunismus und seines sowjetischen Imperiums beendete den Kalten Krieg, und für den Westen bedeutete dies vor allem zweierlei: die Vereinigung Deutschlands und die »Rückkehr« der mitteleuropäischen Staaten nach Europa. Beide bildeten eine Schlußbilanz des Zweiten Weltkriegs, doch keine hat bislang eine definitive Gestalt erhalten. Deutschland ist mit dem Antlitz einer verantwortlichen neuen Großmacht weiterhin auf der Suche, wie auch ähnlicherweise die Staaten Mitteleuropas ihren Platz, und ihre Gestalt suchen. (...)

An dieser (selbstverständlich ja relativ) definitiven Lösung müssen wir alle gemeinsam arbeiten, wir dürfen nicht nur auf sie warten. Unsere legitimen Interessen müssen wir formulieren und sie umsetzen. Der Präsident der Republik hat dies in der Beziehung zu Deutschland bereits getan, (...) und zwar auf eine Art und Weise, welche schwerlich eine Unklarheit oder doppelzüngige Interpretationen zuläßt. Vor allem konstatierte er das, was heute offenkundig alle vernünftigen Menschen in Europa verspüren: Geschichte ist deshalb Geschichte, weil sie verhallt, und es ist daher unerläßlich, sie wie auch immer zu erkennen und sich mit ihr zu beschäftigen, und so könnten daher Versuche zu ihrer Berichtigung sehr töricht und letztendlich auch gefährlich sein. Der Zweite Weltkrieg sollte ja nichts anderes sein als die »Berichtigung« der Ergebnisse des Ersten Weltkriegs. Obzwar es kaum gelten kann, nunmehr die Sünden beider Seiten jeweils noch zu addieren, (...) und darüber zu vergessen, daß es keineswegs die Tschechoslowakei war, welche den Geist von Schrecken und Unrecht aus der Flasche gelassen hatte. Daß wir uns aber knapp nach dem Krieg mit diesem Virus ebenfalls angesteckt haben, insbesondere im Zusammenhang mit dem Abschub der deutschen Bürger eben dieses Staates, welche ihn auf eine Art und Weise zerschlugen, die in gar keinem Verhältnis zu den nationalen Problemen, welche sie in diesem hatten, standen, ist ein mutiges Konstatieren einer augenscheinlichen Wirklichkeit (...). Auch dies – nämlich der Abschub und seine insbesondere in der Anfangsphase beschämende sowie stellenweise auch verbrecherische Art – ist Geschichte, die wir, ganz klar vor allem im eigenen Interesse, erkennen und reflektieren müssen. Allerdings können wir nichts an ihr ändern, und wir werden es daher überhaupt nicht mehr zulassen, daß jemand anderer sie verändern wollte. (...) Dies sollten sowohl (...) ein Herr Neubauer als auch die offizielle Bonner Politik zur Kenntnis nehmen, welche zeitweilig der Versuchung erliegen, mit diesem Druckmittel zu spielen. Das alles mußte einmal schon wegen uns selbst gesagt werden, damit wir uns bewußt machen, wer wir denn eigentlich sind, und wegen unseres deutschen Nachbarn, damit er sich dessen bewußt werde, was denn die Tschechische Republik ist (...) Das deutsch-tschechische Bezugsfeld war eines der chronischen Geschwüre am Körper des alten Europa. Sollte unser Standpunkt akzeptiert werden, könnte es auf solch eine Weise herausoperiert werden, daß es nicht einmal erkennbare Narben hinterläßt.

Wir haben doch offenkundig alle Voraussetzungen dafür, daß wir in dieser neuen europäischen Ordnung einen würdigen Platz erhalten. Nur sollten wir niemals vergessen, auch nicht eine Weile, daß wir aufhören würden vertrauenswürdig zu sein – auch uns selbst gegenüber –, sobald wir es zulassen würden, daß eine ruhige und ungestörte Darstellung angeborener, gegen niemand gerichteter nationaler Interessen zu blindem nationalistischen Geschrei würde (...) Wir müssen bewußt und nach Kräften an der Umwandlung der Nation aus einem kollektivistischen »Rudel, welches alles ankläfft, was ihm nicht angehört«, arbeiten (...), zu einer Nation autonomer Individuen, welche sich ihrer gemeinsamen Interessen in der Verkörperung des Staates (oder einer Verfassung) bewußt und daher auch bereit sind, folglich für ihn etwas, im alleräußersten Falle auch das Leben, zu opfern. Aus den »hineingeborenen« Tschechen des Blutes und der Sprache müssen wir Tschechen werden – Bürger dieser Tschechischen Republik, nicht zufällig durch die Tatsache, daß wir als Tschechen geboren wurden, sondern durch die eigene verantwortliche Entscheidung. Das ist fürwahr nichts Leichtes, und da stehen uns schlimmere Seiten unserer Tradition und unserer Nationalkultur entgegen. Sofern das nicht gelingt, hat der Präsident im altehrwürdigen Karolinum vergeblich zu uns gesprochen.

Lidové noviny – 20.2.1995

9.10 Lubomír Brokl
Die neuentdeckte Identität

Die ausgewogene, treffende und integrierende Ansprache Präsident Havels (...) hat zweifellos das Vertrauen der Bürger in die tschechische Staatlichkeit und in ihr eigenes Selbstvertrauen bestärkt. (...) Nach fünf Jahren einer Defensivhaltung, welche die Erneuerung des tschechischen Bewußtseins und der staatlichen Identität gestört hat, war dies nun wirklich an der Zeit.

Welche Art einer Bewertung aber eine richtige Proportion erhält, das machen wir uns möglicherweise erst angesichts unserer Unvorbereitetheit auf eigene Souveränität, Freiheit und deren Klippen bewußt. »Es ist unsinnig annehmen zu wollen, daß Freiheit und das Nichtvorhandensein von Beschränkungen unsere Vernunft beflügeln. Der Zustand der Schwerelosigkeit beschert den Kosmonauten nur scheinbar Bewegungsfreiheit. In Wirklichkeit beseitigt er ihre Orientierung und wandelt sie in zappelnde Kleinstkinder. Ebenso schätzt der befreite Verstand ohne Stütze auf bestimmte Muster nicht alle traditionellen Werte und Erfahrungen vorangegangener Generationen«, schrieb einmal Stanisław Lem.

Das befreite Denken ohne Bezugsmuster, insbesondere das Denken der Intellektuellen in der Politik, hat uns gerade etwas davon in den vergangenen Jahren vorgeführt. (...) Durch die Freitagsrede Präsident Havels wird dieser Zeitabschnitt der Freiheit des Verstandes ohne Stütze oder mit Hilfe fremden Haltes offenkundig wirklich beendet, und traditionelle wie neue Werte erhalten diejenigen Plätze zugewiesen, welche ihnen auch zukommen.

Der Kontext der tschechischen Gesellschaft und ihrer Möglichkeiten in ihrem Bezug zu den großen Nachbarn und zur Welt hat seit jeher in jeder Generation einen Teil der tschechischen Intellektuellen frustriert. Diese Frustration fand bei ihnen in Gefühlen des Geringseins, der Nichtidentität, Ohnmacht und fehlenden Selbstverständlichkeit nationaler und staatlicher Existenz ihren Ausdruck. Die Projektion dieser Frustration in die tschechische Gesellschaft hinein unter Betonung ihrer negativen Charakteristika und Komplexe, welche eben diese Gesellschaft in ihrer selbstverständlichen Existenz nicht empfindet, ermöglichte etlichen Intellektuellen offenkundig, das Erlebnis von eigener Unterschiedlichkeit, Größe und Weltgesinnung einzuführen. (...)

Ein Teil der neuen politischen Elite sowie der Intellektuellen, von denen zu erwarten wäre, daß sie die Werte und Interessen ihrer Gemeinschaft vertreten, scheint in den vergangenen fünf Jahren weiterhin umso mehr woanders gestanden zu haben. Die Freitagsrede Präsident Havels beendet offensichtlich diesen Zeitabschnitt. Der Ruf des Präsidenten nach einer »sachgerechten, unvoreingenommenen Analyse und der sich daraus ergebenden Fähigkeit, aus ihr eine anwendungsfähige Erkenntnis zu schöpfen«, kündigt auch die Rehabilitierung wissenschaftlicher Erkenntnis an sowie ihre gesellschaftliche Notwendigkeit und auch das Ende einer Zeit des Verstandes im Zustand der Schwerelosigkeit, eines zwar freien Verstandes, jedoch »ohne Halt« (...).
21.2.1995

9.11 Petr Placák
Havels Krieg zwischen Deutschen und Tschechen

(...) so hat also Präsident Havel im Karolinum eine Rede zum Thema der deutsch-tschechischen Beziehungen vorgetragen. (...) und so hat Václav Havel anstelle eines Geschichtsverständnisses in dessen Ganzheit von neuem im Blick auf die Vergangenheit nationale und politische Betrachtungsweisen hervorgehoben. Vom Charakter der Rede Havels spricht allein bereits die Tatsache, daß unser gesamtes politisches Spektrum eine innige Übereinstimmung mit ihr zum Ausdruck brachte – von der äußersten Linken über unsere »bürgerlichen« Demokraten bis zur äußersten Rechten. (Dr. Sládek hat sich schließlich in seiner Reaktion auf die Rede des Präsidenten darüber beschwert, daß Havel im Rahmen des Wahlkampfes auf pharisäerhafte Weise dem tschechischen Nationalismus ins Handwerk pfusche und somit den Republikanern den Wind aus den Segeln nehme!).
(...) Havel spricht hier als derjenige, welcher fähig ist, die nackte Wahrheit dem Nächsten direkt Aug' in Auge zu sagen. Tatsächlich aber benutzt er in seinem Bemühen, dem nationalen Gefühlsschwang entgegenzukommen, eine fehlerhafte Geschichtskonstruktion«, welche als solche nicht allein im Widerstreit zur Geschichte steht, sondern auch zu den grundlegenden ethischen Prinzipien und Werten einer bürgerlichen Gesellschaft.
Wenn Havel vom »ABSCHUB« spricht, dann weist er darauf hin, daß ihm der »VERRAT« der Sudetendeutschen vor-

angegangen sei (…). Aber wie kann denn solch eine Behauptung zusammenhängen mit der flächendeckenden Vertreibung von Millionen Einwohnern aus ihren jahrhundertalten Heimstätten? (…)

(…) Beim »Abschub« in der Nachkriegszeit handelte es sich folglich nicht um einen Verrat an der Demokratie, um die Bestrafung von Schuldigen und letztendlich nicht einmal um Rache! Der »Abschub« war eine im voraus vorbereitete, kühl kalkulierte »ENDLÖSUNG«[143] der deutschen Frage in den böhmischen Ländern.

Die tschechische Öffentlichkeit und vor allem ihre Vertreter sind weiterhin nicht bereit (oder fähig) zuzugeben, welch ungeheure Bedeutung für unsere demokratische Entwicklung ein ehrlicher Umgang mit dem »Abschub« hat. Der war nämlich nicht nur eine Tragödie der deutschen Mitbürger – er bedeutete auch ein fatales Versagen der tschechoslowakischen Demokratie, was wir auch bald am eigenen Leib verspüren sollten. Er bedeutete (…) das Niedertreten aller grundlegenden Bürgerrechte unter Einschluß des Rechtes auf eine ordnungsgemäße Anklage und auf ein ordentliches Gerichtsverfahren. (…) Dies aber war nicht die Absicht der damaligen tschechoslowakischen politischen Repräsentanz. Zu Wort kam eine ethnische Säuberung entsprechend der Balkan-Typologie mit dem erklärten Ziel, ein für allemal das Kapitel der jahrhundertelangen Geschichte der Deutschen in den böhmischen Ländern abzuschließen; dies geschah bei den Hauptakteuren dieser Barbarei offenbar auch im klaren Wissen um die baldige Vernichtung der Demokratie in der Tschechoslowakei.

Václav Havel hat sich leider in seinem Vortrag um etliche Jahrzehnte rückwärts gewandt.

Český týdeník – 22/1993 vom 17.3.1993

9.12 Petr Pavlovský
Keineswegs nur ein Schönheitspflaster
(Über das »sudetendeutsche Problem« in einem in Vergessenheit geratenen Kontext)

(…) Alle Gesetze galten für sämtliche Bürger unserer Ersten Republik gleicherweise. Im Zusammenhang mit München machten sich zahlreiche Deutsche gegenüber diesen Gesetzen schuldig. Nach dem Jahre 1939 gesellten sich auch etliche Tschechen dazu. Sie alle hätten nach dem Krieg als Kollaborateure vor Gericht gehört. Es passierte nichts. Tschechen wurden abgeurteilt, während die Deutschen

ohne irgendein Gerichtsverfahren vertrieben oder hinaus-
gefahren wurden, ob sie nun schuldig oder unschuldig waren, ob sie aus Eger oder aus den Weinbergen stammten.
Das ist jener tragische Augenblick in der modernen tschechischen Geschichte, daß unser Staat auf Unrecht mit
ebensolchem Unrecht antwortete. Doch bleibt hier immer
noch eine grundlegende Frage weiter bestehen: Herrschte
zu jener Zeit bereits tatsächlicher Frieden, oder wurde der
Krieg in anderer Form mit anderen Gegnern fortgesetzt?
War folglich die »Dritte Republik« 1945–1948 wirklich ein
uneingeschränkt demokratischer Rechts- und vor allem
souveräner Staat, zu dem wir uns heute bekennen und für
den wir auch Verantwortung mitübernehmen können? (...)
Literární noviny – 24/1995

9.13 Ludvík Vaculík
Wiederholung aus dem Deutschen

Fassen wir also, liebe Mitschüler, einen durchgenomme-
nenStoff zusammen: Vom Anbeginn des Erwachens der
österreichischen Nationen im Jahre 1848 haben wir versucht, mit den Deutschen eine Übereinkunft zu treffen,
doch sie haben siebzig Jahre lang alle auf eine Autonomie
oder Föderation hinzielenden Versuche vereitelt. Erst nach
1918 haben sie ihre Ansichten geändert. Unter den Umständen allerdings, welche eine Reaktion auf die vorausge-
gangene Bedrückung und den Krieg darstellten, schaffte
es die tschechische Politik nicht, eine Ordnung zu schaffen,
gegen die sich die Deutschen ihrerseits davor gewehrt hatten; darauf haben sie uns nun ebenfalls lediglich zwanzig
Friedensjahre zugemessen. In Deutschland kam der Nazismus an die Macht, der auch die Mehrzahl unserer Deutschen irreführte. Zwar waren wir darauf vorbereitet, uns zu
wehren, doch unsere deutschen Bürger haben uns verraten
(...). Im Oktober 1939 hielt Hitler im Reichstag die nachfolgende Rede: Wenn Deutschland gesiegt haben werde,
werde er die Karte Europas dergestalt verändern, daß es
seine Interessen absichern und seinen Lebensraum abrun-
den könne.
Es werde erforderlich sein, die Bevölkerung etlicher Länder
umzusiedeln. Beim Blick auf die Karte war uns klar, daß er
von uns redet (...). Die Austreibung[144] aus den Böhmischen
Ländern ist somit ein deutscher Einfall. Daß er dann aber
umgekehrt funktionierte, daraufhin wirkte außer den großen Umständen wohl auch eine kleine Angelegenheit: Eine

Kulturnation von achtzig Millionen war nicht in der Lage gewesen, einen Verrückten loszuwerden. So haben wir uns wenigstens eines Verbrechers, Heydrichs, entledigt. Die Ergebisse: Terror, Opfer, Verluste ... Sieg! (...)
Literární noviny – 17/1995

Lieber Petr, (...)
mit vielem, was Du heute treibst und schreibst, kann ich nicht übereinstimmen. Die nationale Frage ist denjenigen gesellschaftlichen Phänomenen zuzurechnen, deren Lösung nicht immer versüßt werden kann durch die Grundsätze der Demokratie, ohne daß damit die Grundsätze der Demokratie selbst litten. Dies gilt insbesondere für eine Situation, in der sich der nationale Konflikt mit dem Konflikt um demokratische und totalitäre Macht und vice versa durchdringt und wo nationale Fragen für die Ziele totalitärer Macht mißbracht werden. Gerade solch eine Form hatte im vergangenen Krieg der deutsch-tschechische Konflikt, welcher nun Teil eines Weltkonfliktes war (...) Die Entscheidung bezüglich des Abschubs der Deutschen fiel daher nicht allein aus dem Wunsch nach Revanche, sondern aus der Überlegung hinsichtlich der Bedingungen einer weiteren ungestörten Existenz der Tschechoslowakei (...).
Michal Reiman: *Offener Brief an Petr Pithart*
Literární noviny – 18/1995

9.14 Josef Harna
... und da ist nochmals der 28. Oktober[145]

Sicherlich werden sich viele finden, welche despektierlich fragen, warum denn wieder an irgendeinen Jahrestag erinnert wird. Denn das Jahr ist ja so kurz, und (...) heuer ist ja gar kein rundes Datum zu verzeichnen. Doch ja, von demjenigen Tag an, als die tschechische politische Repräsentanz verkündete, daß der tschechoslowakische Staat ins Leben getreten sei, sind 77 Jahre vergangen, jedoch die Aufmerksamkeit, welche diesem Moment gewidmet wird, verstummt auch heutzutage nicht. Dies alles könnte möglicherweise begrüßt werden, wenn sich um ein eindeutiges historisches Faktum der Entstehung und Existenz der Tschechoslowakischen Republik nicht unaufhörlich ein Ideenchaos bilden würde, welches seinerseits die Ursachen und die Grundlage verschweigt und die Ergebnisse nur problematisiert. Daher ist es keineswegs nutzlos, zu einer sachlichen Analyse der damaligen Situation zurückzukehren und auf ihrer Basis die Motivation der tschechischen Politik jener Zeit in Erinnerung zu bringen und auf die tatsächliche Rangstelle der Ersten Republik bezüglich der Entwicklung des Tschechischen Volkes und seiner Staatlichkeit hinzuweisen.

Nach dem Niedergang des kommunistischen Regimes verschwanden zwar die äußeren ideologischen Limitierungen, welche in die Interpretation historischer Erscheinungen und Prozesse apriorische Gesichtspunkte hineingetragen hatten, die ihrerseits häufig einen einseitigen und damit auch deformierten Blick auf eine ganze Reihe von Fragen bezüglich unserer Vergangenheit verursachten. Allerdings wäre es naiv zu meinen, daß die Freiheit historischer Forschung automatisch zur Herausbildung eines historischen Bewußtseins führt, welches vornehmlich aus den objektiven Erkenntnissen der Wissenschaft hervorgehen würde und nicht wiederum Deformationen unterläge, diesmal allerdings anderen. Umso schlimmer, daß es sich hierbei oftmals nicht um Faktenunkenntnis handelt, sondern um eine gezielte Zweckmanipulierung mit denselben sowie mit dem Denken der Menschen. Über den Sinn und die Ziele eines derartigen Handelns kann man lediglich spekulieren. Dabei muß man aber doch hoffen, daß diese defätistischen Stimmen in der tschechischen Öffentlichkeit keine bedeutsamere Resonanz erzielen.

Die Despektierlichkeit eines Teils der Politiker und vor allem der Publizisten gegenüber der Ersten Republik entspringt wesentlich zwei Thesen: Erstens, es habe sich hier um eine künstliche Konstruktion gehandelt, welche von vorneherein zum Untergang verurteilt war, und seht mal an – es ist tatsächlich auch so geschehen. Zum zweiten, die Erste Republik erwies sich als unfähig, die Beziehungen zwischen Tschechen und Deutschen und umgekehrt zu lösen – und seht doch, welche Komplikationen wir bis heute davon haben. Immerzu die gleiche primitive Argumentation, als ob wir nur deswegen den Sinn der Geburt des Menschen bezweifeln würden, da er ja ohnehin sterben muß, ohne daß wir dabei in Betracht ziehen würden, was er war und was er im Leben bewirkt hatte. Die apriori eingebrachte Geringschätzung der Ersten Republik verwischt nicht allein auf grobe Weise die Umstände ihrer Entstehung und ihres Untergangs, sondern sie ignoriert vor allem ganz und gar den Beitrag dieses Gebildes und dieser Epoche für die Volksgemeinschaft, den Beitrag für die weiteren, auf seinem Gebiet lebenden Ethnien und letztendlich auch seinen Beitrag zur Entwicklung der europäischen Demokratie. Die Erste Republik war entsprechend diesen Richtern ein bloßer Irrtumsfall. Und selbst diejenigen sehen sich dazu imstande, darauf hinzuweisen, welche sich selbst so peinlich geirrt hatten: Es waren freilich T. G. Masaryk und seine Mitarbeiter in den Jahren während des Ersten Weltkriegs. Die Analyse der historischen Umstände des Entstehens der Tschechoslowakei belegen etwas ganz und gar anderes. Ja, Masaryk hat sich um den Staat verdient gemacht, aber allein deswegen, daß er aus den sich seinerzeit anbietenden Alternativen die einzig mögliche auswählte, welche unter den damaligen Bedingungen die alleinige realistische Chance für eine Verwirklichung hatte und gleichzeitig hierbei eine grundlegende Bedeutung für eine weitere Perspektive der Entwicklung des Tschechischen Volkes besaß. Die tschechische Gesellschaft war nämlich zu jener Zeit ein voll entwickelter und lebensfähiger Organismus, und die Situation, welche sich in den böhmischen Ländern und allgemein im gesamten Habsburgischen Machtbereich nach dem Ausbruch des Ersten Weltkriegs herauskristallisierte, ließ ihr keine andere Möglichkeit als den Kampf für die Herausbildung eines eigenen Staates.

Hierbei muß wohl noch festgestellt werden, daß dieser Staat, zum Unterschied vom militanten Nationalismus der Habsburgischen Monarchie während der Kriegsjahre, in seinem Konzept weder die Liquidierung, Assimilierung noch die Unterwerfung anderer Ethnien enthalten hatte. Eine nüchterne Betrachtung der Ersten Republik muß natürlicherweise auch sämtliche ihrer Unzulänglichkeiten in Betracht ziehen, desgleichen ihre Fehler, obwohl doch Breite und Ausmaß ihrer bürgerlichen Freiheiten, die demokratische Beschaffenheit ihres politischen Systems eine Perspektive für das innere Reifen des Staates und die Beseitigung seiner Kinderkrankheiten vermittelte. Diese Tatsachen kommen den Kritikern der Ersten Republik überhaupt nicht in den Sinn, und schon gar nicht wollen sie in Betracht ziehen, welchen Stellenwert dieser Staat in der Geschichte der europäischen Demokratie der Zwischenkriegszeit einnahm. Denn er blieb auch in den Jahren ein Bollwerk der Demokratie in Europa, als sich sowohl in der näheren als auch weiter entfernten Umgebung eine Welle des Totalitarismus erhob, die die menschliche Zivilisation in ihren Grundlagen als solchen bedrohte. Der Anlaß zur Zerstörung des demokratischen Systems der Ersten Republik und zum Untergang dieses Staates entstammte nicht dem tschechischen Milieu. Im gleichen Atemzug mit der Verurteilung der Ersten Republik ertönt auch das Jammern über das Schicksal der tschechoslowakischen Deutschen, und dies steht stets in Verbindung mit ihrer Aussiedlung aus diesem Land. Alles habe angeblich die Erste Republik und die Abneigung der tschechischen Politik bezüglich einer gerechten Lösung für die Stellung der Deutschen in der Tschechoslowakei verschuldet.

Für den Historiker, welcher wirklich seriös diesen Problembereich überdenken will, lautet die Fragestellung völlig anders. Waren denn wirklich die Bedingungen, welche die Erste Republik den böhmischen Deutschen anbot, so ganz und gar unerträglich, daß es denn notwendig wurde, die jahrhundertealten Bindungen von Land und Leuten zu zerreißen, daß es unumgänglich wurde, eine funktionierende Demokratie einzutauschen gegen die Hinneigung zum nazistischen Regime, welches eine der allerhärtesten terroristischen Diktaturen in der Menschheitsgeschichte repräsentierte? Die Deutschen waren doch vollrechtliche Bürger der Tschechoslowakischen Republik, sie hatten alle Voraussetzungen für eine politische und kulturelle Entwicklung, und es war offenkundig, daß dauerhafte Hemmnisse gegen eine Lösung etlicher noch bestehender Ungleichheiten nicht existierten. Dabei meldete sich die Mehrheit zur sudetendeutschen Bewegung, verwarf den Staat, dessen vollrechtliche Bürger sie waren, und half aktiv mit, daß er vom Dritten Reich absorbiert wurde. Diese Benennung ihrer Schuld sagt jedoch noch nichts implicit darüber aus, daß sie (deswegen – O. P.) ausgewiesen werden sollten. Dies wurde konkret und offensichtlich auch pragmatisch erst am Kriegsende entschieden, und dies überstieg wiederum die Kompetenz sowie die Kräfte der tschechischen politischen Repräsentanz.

Möglicherweise wurde bereits alles Grundsätzliche zur Geschichte der Ersten Republik in der Fachliteratur gesagt, doch ruft das Nachdenken über den 28. Oktober noch weitere Assoziationen hervor. Seine Kritiker nagen nämlich, aus weiß Gott welchen Gründen auch immer, durch ihre Angriffe unentwegt am Unterbewußtsein der tschechischen Öffentlichkeit und an den unbezweifelbaren Werten, welche das damalige Regime anerkannte und die es in das Leben zu transferieren sich bemühte. Darin aber steckt die Hauptgefahr. Damit wir uns heute effektiv am Werk eines integrierten demokratischen Europas beteiligen können, ist es dann auch unerläßlich, zuallererst eine anerkannte souveräne Individualität zu werden, keineswegs aber eine quattschige Masse, welche sich ihrer Vergangenheit schämt und jedem gegenüber, welcher selbst die besten Ergebnisse, welche unsere Vorfahren erzielten, in Zweifel zieht, beipflichtet.

Allein zu einem solchen Ziel können all diejenigen Tendenzen hinführen, welche die positive Botschaft des 28. Oktober nicht zu würdigen wissen. Wenn aber dieses Bestreben dahin führt, dem tschechischen Ethnikum das Gefühl einer Kollektivschuld aufzuzwingen, daß es überhaupt existiert, von außen her, dann kann man dies noch verstehen, doch wenn dies aus heimischem Umfeld kommt, dann kann es sich nur um einen gefährlichen Virus im Körper der Gesellschaft handeln, dem man dann nachdrücklich begegnen muß. Und insbesondere deswegen ist es am Platze, selbst ein ungerades Gedenkjahr des 28. Oktober entsprechend zu nutzen.

(Der Autor ist Historiker und Mitarbeiter des Historischen Instituts der Akademie der Wissenschaften der Tschechischen Republik)

Lidové noviny – 26.10.1995

9.15 Ivan Fišera
Deutsche und Tschechen benötigen Aufrichtigkeit und Abstand

Eigentlich hatte ich nicht mehr vorgehabt, mich nochmals dem Problem der Vergangenheit der deutsch-tschechischen Beziehungen zuzuwenden. (...) Stattdessen kehren zahlreiche tschechische Publizisten zu diesem Problem immer wieder zurück. (...) Jeder Tscheche, welcher sich zur Frage des Abschubs der Deutschen heute äußert (...), beantwortet gleichzeitig die Frage, wie er selbst sich denn knapp nach der nazistischen Okkupation gerade wie ein Erwachsener entschieden haben würde. Und wenn er nicht so verfährt (...), dann bedeutet seine Kritik (...) nicht mehr als ein leichtfertiges Moralisieren.

Jeder einzelne von uns hat seine persönlichen Begrenzungen. Im Jahre 1945 war ich gerade erst vier Jahre alt. Kein einziger von den mir am nächsten stehenden Menschen (...) wurde durch Deutsche erschlagen. Meine Kindheitserfahrungen vom Kriegsende sind aber gekennzeichnet nicht nur von einem allgemeinen Abneigungsgefühl gegenüber den Deutschen jener Zeit, sondern auch vom Entsetzen über die Ausbrüche an Brutalitäten gegenüber ihnen. (...)

Wie hätte ich also damals, nach dem Kriege, etwa die Dinge bedacht? Sicherlich wäre ich durch die unmittelbare Erfahrung mit der Brutalität des Krieges beeinflußt worden. Ich hätte das bevorzugt, was am meisten die Ausschaltung jeglichen Risikos zu seinem neuerlichen Aufflammen bewirkt hätte. Das mißglückte Zusammenleben von Tschechen und Deutschen hätte ich als ein solches Risiko betrachtet. (...) Der unauslöschliche Konflikt zwischen Deutschen und Tschechen nach dem Entstehen der Tschechoslowakei, welcher nach München und der März-Besetzung einen Gipfelpunkt erreichte, (...) hätte solch einen grundsätzlichen Anlaß gebildet. Weiter hätte ich die Unfähigkeit einer absoluten Mehrheit der Deutschen unter Einschluß der Sudetendeutschen, das Risiko des Faschismus und des deutschen Nationalismus zu unterscheiden, ebenfalls bedacht. Ebenso abgewogen hätte ich auch die nationalistischen Neigungen eines großen Teils der Tschechen, welche stets als die berechtigte Abwehrhaltung des Schwächeren gegenüber dem Stärkeren wahrgenommen und die durch den Krieg zum Extrem verstärkt wurden. In Erwägung gezogen hätte ich die möglichen Zukunftsrisiken für den Fall, daß Deutschland erneut erstarken würde, und die Deutschen in Böhmen wieder vor dem Versuch stünden, mit Hilfe des Rechtes auf Selbstbestimmung erneut eine Veränderung der Grenzen durchzusetzen.
Ich hoffe nur, daß ich damals genügend innere Bedachtsamkeit besessen hätte, diesem Gewicht der Argumente gegenüber (...) meinen Widerstand gegen jegliche Form von Rache überhaupt zu richten und mir auch das Ausmaß des Leidens derjenigen vor Augen zu führen, welche ihre Heimat verlassen mußten. Ich hätte wissen müssen, daß durch diesen Abschub zahlreiche unschuldige Menschen betroffen würden (...), und daß eine ähnliche Tat ein sehr risikoreiches Beispiel für die Zukunft darstellen würde.
Mit damaligem Blick betrachtet, hätte ich nach Abwägung aller mir zugänglichen bekannten Faktoren den Abschub als rechtmäßig betrachtet. Auch aus heutiger Sicht, das heißt also mit merklich größerer Ruhe, betrachte ich ihn als eine moralisch verständliche Erscheinung. (...)
Ich verstehe, daß zahlreiche Deutsche das Kriegsende ganz anders wahrgenommen haben. Insbesondere diejenigen Siegermächte, welche durch Deutschland besetzt gewesen waren, begingen Grausamkeiten. (...) In Böhmen wurde während der Besatzungszeit ein namhafter Teil der moralischen Elite der Nation ermordet, welche diese Grau-

samkeit fester im Zaum hätte halten können. Unter solchen Umständen sind Entschuldigungen unsererseits lediglich eine Geste. Nicht einmal deutsche Entschuldigungen haben heute noch einen Sinn. (…) Was wir benötigen, das ist die Vergebung. Die von innen stammende Vergebung, welche versteht und lieber vergißt, weil sie sehr gut weiß, daß Menschen in Ausnahmesituationen ohne Rücksicht auf ihre Nationalität gegenüber Gut und Böse wankelmütig sind. Seien wir daher alle lieber realistischer (…).

Der Autor ist Berater der ČMKOS[146].

Mladá fronta Dnes – 22.2.1996

9.16 Oldřich Uličný
Möglichkeiten und Grenzen für eine deutsch-tschechische Verständigung

Auf beiden Seiten der deutsch-tschechischen Staatsgrenze wird über eine nationale Verständigung im Zusammenhang mit dem Zweiten Weltkrieg diskutiert. Bei uns herrscht insgesamt eine einheitliche Ansicht: Der Abschub der Sudetendeutschen war entsprechend einer überwältigenden Mehrheit aller Tschechen rechtens. Andererseits druckte eine der verbreitetsten deutschen Tageszeitungen, die Frankfurter Allgemeine Zeitung, während des gesamten diesjährigen Januars nahezu täglich zumindest einen scharf antitschechisch eingestellten Artikel ab (…). Doch nirgends (…) auch nur eine einzige Stimme der anderen, tschechischen oder protschechischen Seite; mein eigener Artikel, der versuchte, die Dinge auf das rechte Maß zu bringen, wurde mir wegen »Platzmangels« wieder zurückgeschickt (…).

Der bekannte Bohemist Frank Hadler verblüfft in der Einführung zu seiner Auswahl aus der Kriegskorrespondenz zwischen T. G. Masaryk und E. Benesch direkt den tschechischen Leser mit der Behauptung, daß die Gründe für den Zerfall der Tschechoslowakei möglicherweise »in den Geburtsfehlern« der Tschechoslowakei, in den Fehlern ihrer Gründer zu suchen seien. Hitler, München, der Zweite Weltkrieg und die weiteren historischen Geschehnisse scheinen nicht zu existieren. Herr Hadler kehrt fürwahr nicht vor seiner eigenen Türe, ähnlich wie auch sein Rezensent Friedrich Prinz (FAZ – 22.1.1996). Auch sein Text ist stark antitschechoslowakisch und antitschechisch. Den Gipfel aber (…) stellt dann der Vergleich des Exils beider Gründer des tschechoslowakischen Staates mit dem Schweizer

Exil Lenins dar. Entsprechend der Darstellung des Autors war die ČSR 1918–1938 lediglich ein »spektakuläres Ergebnis einer kläglichen Vorgeschichte« (Rückübers. aus dem Tschech. – O. P.) (...) Daß dieses Land zu seiner Zeit der einzige demokratische Staat Mitteleuropas war, interessiert Prinz nicht. (...) Was wollen also die Herren Historiker Prinz und Hadler vom Tschechischen Volk, noch dazu mit rückwirkender Geltung? Sollten sich denn die Tschechen nicht darum bemühen, die Freiheit in ihrem eigenen Land wiederzuerringen? Sollten sie sich eindeutschen lassen oder letztendlich sogar ausrotten, wie dies die Deutschen mit den Elb- und Baltischen Slaven gemacht haben? In Deutschland rufen viele nach Entschuldigungen, jedoch: Haben sich denn die Deutschen wirklich bei denjenigen entschuldigt, welche sie geschädigt haben? Und sofern dies Willy Brandt für sie getan hat, hat er da für das ganze Volk gesprochen? Nach der Lektüre etlicher Artikel aus der FAZ kann man mit Fug und Recht daran zweifeln. Ich würde sagen, daß den eben zitierten und ihnen vergleichbaren Autoren eine grundlegende moralische Eigenschaft fehlt: die Scham. Man schämt sich nicht, am Ende sogar den Beitritt der Tschechischen Republik zur EU und zur NATO mit der Anerkennung »tschechischer Verbrechen« aus den Jahren 1945–1946 zu koppeln. (P. Lass und K. H. Haupts, in: FAZ – 23.1.1996). Sie sind unfähig sich zu vergegenwärtigen, daß entsprechend solch einer Logik Deutschland wegen der deutschen Verbrechen von 1933–1945 augenblicklich aus der EU und aus der NATO ausgeschlossen werden müßte. Ich bin vor allem deshalb ein Vertreter des Gedankens eines dicken Schlußstrichs unter die Vergangenheit, weil die Geschehnisse um den Zweiten Weltkrieg, als es um einen Kampf mit dem deutschen nazistischen Übel um Tod oder Leben ging, nicht mit den heutigen Maßstäben einer liberalistischen Moral bewertet werden können. Die damalige Moral besaß den Charakter des alttestamentlichen »Auge um Auge, Zahn um Zahn« (...), doch ist es nicht möglich, lediglich die Verbrechen der einen Seite festzustellen. Von grundlegender Bedeutung ist, wer mit dem Übel begann und dieses über einen langen Zeitraum hinweg betrieben hat. (...) Leider Gottes verbleiben auch bei etlichen heutigen Deutschen, älteren sowie ganz jungen, eine relativ starke altgewohnte großdeutsche Arroganz, irrationale antitschechische (antislavische?) Gehässigkeit und Großmachtgelüste. Damit müssen wir als ihre Nachbarn rechnen, aber auch um einen Dialog bemüht sein, selbst mit dieser kleinen Gruppe unserer ehemaligen Mitbürger. Wir sollten daher beginnen zu sagen: Ja, der Abschub (Vertreibung) der Deutschen war eine furchtbare Sache, dabei haben Unschuldige gelitten, aber anders konnte dies zur damaligen Zeit nicht gelöst werden. Es tut uns leid, daß tschechisches Pack dabei soviele unbewaffnete Menschen umgebracht hat. Allerdings sollten die Deutschen beim Dialog die ersten sein; ihre Rede sollte etwa so klingen: Wir haben mit diesen Greueln begonnen und wir haben passiv, viele aber auch aktiv, das deutsche Pack bei seinen Greueltaten unterstützt. Vergeben wir uns daher als Menschen am Ende des 20. Jahrhunderts, denn letzten Endes bleibt uns nichts anderes übrig.

Der Autor ist Bohemist und wirkt an der Philosophischen Fakultät der Prager Karls-Universität.

Mladá fronta Dnes – 28.3.1996

9.17 Jindřich Beránek
Und fortwährend dieselbe Stimme aus Bayern

Über historische Wahrheiten Lügen zu verbreiten oder sie gar zu unterdrücken, hilft keineswegs weiter auf dem Weg zu einer positiven Nachbarschaft zwischen Deutschen und Tschechen, schreibt Franz Neubauer (...) in seiner Antwort vom 12. Juni d. J. (1996: O. P.) an Jakub Čermín, den Vorsitzenden des Tschechischen Verbandes der Kämpfer für die Freiheit, auf dessen Offenen Brief hin, den er nach dem 47. Kongreß der SDL[147] nach München gesandt hatte. Was nennt nun Herr Neubauer eine Lüge?

Auf die Vorhaltung, welche in Nürnberg erhoben wurde, daß nämlich tschechische Politiker bereits während des Krieges die Abschiebung betrieben hätten und keineswegs erst nach seiner Beendigung, machte Dr. Čermin den Vorsitzenden der SL darauf aufmerksam, daß die tschechische Politik sich gegenüber der deutschen Minderheit durch den Einfluß der Okkupation verändert habe; unsere ehemaligen Mitbürger deutscher Nationalität hätten sich äußerst aktiv an dieser Besatzungspolitik beteiligt. Damals sei die Idee vom Abschub sowohl in der tschechoslowakischen heimischen als auch in der Exilpolitik entstanden. Es war dies eben eine Folge des Handelns der Okkupanten mit aktiver Unterstützung der ehemaligen Angehörigen der deutschen Minderheit (...).

Noch im Frühjahr 1941 suchte das Programm des Heimatwiderstandes FÜR DIE FREIHEIT DER ČSR nach Garantien dafür, daß die Gründe für den Fall der ČSR sich nicht wiederholten (...). In einer August-Depesche des ÚVOD[148] an General S. Ingr lesen wir folgendes: Die Deutsche betreffenden Maßnahmen werden im Rahmen der Bestrafung von Schuldigen und Verrätern, der Wiedergutmachung von Unrecht, dem Ersatz für angerichtete Schäden und für sozialwirtschaftliche Reformen umgesetzt, keineswegs jedoch als nationale Repressalien. Die Verringerung der Zahl der Deutschen bei uns ist notwendig, ein Bevölkerungsaustausch wünschenswert, doch ohne Gebietsverluste.

Was hat die Veränderung der Standpunkte beeinflußt? Vor 55 Jahren hat Reinhard Heydrich (...) von Neurath abgelöst. Mit Heydrich kommt eine neue Politik. (...)»Die Tschechen wollen nicht und sind zudem einfach unfähig, unsere Kraft zu erkennen, und damit verbleiben sie auch in Zukunft unbelehrbar«, schreibt Henlein am 22.11.1941 an Bormann (Rückübersetzung aus dem Tschechischen – O. P.). Ein Jahr vor den Ankunft Heydrichs schrieb der Vertreter der Sudetendeutschen Karl Hermann Frank in einem Memorandum folgendes: Ziel der Reichspolitik in Böhmen und Mähren müsse die vollständige Germanisierung von Raum und Leuten sein. 7,2 Millionen Tschechen auszusiedeln ginge nicht, es gäbe keinen Raum, wo sie angesiedelt werden könnten, und es gäbe zuwenig Deutsche, welche an ihrer Stelle augenblicklich kommen würden. Das Tschechische Volk lebe nicht nur im deutschen politischen, sondern auch im deutschen völkischen Lebensraum. Diese Position schließe die Möglichkeit politischer Selbständigkeit aus. Die Unfähigkeit der Tschechen, sich auf Dauer ihren eigenen Staat zu schaffen, sei schicksalsmäßig durch diesen Raum vorgegeben. Die reichliche Zugabe deutschen Blutes, so behauptet der Sudetenpolitiker, erlaube aufgrund des rassischen Profils der Tschechen eine Assimilierung der Tschechen, gegebenenfalls auch eine Politik der Umvolkung des größeren Teils des Tschechischen Volkes.

Die Germanisierung hatte auch noch einen weiteren Grund entsprechend einem Bericht, welchen Parteigenosse Künzeli (seit 1935 Abgeordneter für die Sudetendeutsche Partei) erstattete: Da als Folge einer geringeren Geburtenrate sich der Anteil begabter Menschen im Deutschen Volk verringere, müssen wir Methoden finden, wie das Talent aus fremden Völkern gewonnen werden kann. Daher müssen für das Tschechische Volk die Möglichkeiten für einen sozialen Aufstieg eingeschränkt werden. Der erste Schritt hierfür würde die Schließung der tschechischen Hochschulen sein, so daß rassisch fähige und geeignete Kräfte deutsche Schulen passieren müßten. Ein Rechtsstudium fällt völlig außer Betracht, da ja dieser Bereich zu führenden Verwaltungs- und politischen Stellen hinführt – dies sind also die Standpunkte K. H. Franks bezüglich des Studiums der Tschechen an deutschen Schulen. (...) Franz Neubauer drückt sich so aus, als ob nur er allein und sein landsmannschaftlicher Verband das Recht hätten, die Vergangenheit zu beurteilen und daraus entsprechende Schlüsse für die Gegenwart zu ziehen. (...)

(Der Autor ist Mitglied der Informations- und Historischen Kommission des Tschechischen Verbandes der Freiheitskämpfer)[149]

Lidové noviny – 12.8.1996

10. Kapitel

Verhandeln? Oder Nichtverhandeln?
Das ist hier die Frage

Die Frage ist nicht gerade grundlos, ob es denn überhaupt einen Sinn habe, daß die tschechische Regierung mit Vertretern einer Organisation ohne Regierungslegitimierung eines fremden Staates (dem Sudetendeutschen landsmannschaftlichen Verband) Verhandlungen führt, denn es handelt sich hier nicht um eine Frage der protokollarischen Etikette. Man kann sich schwerlich Verhandlungen von Partnern vorstellen, deren Bestrebungen gegensätzlicher Natur sind und deren Ausgangspositionen sich in nichts überlappen und wo darüber hinaus der eine mit besser vorbereiteten, ganz und gar schlagfertigen und äußerst durchdachten Argumenten ficht, während der andere nicht nur unvorbereitet erscheint, sondern dazu auch noch leider unzureichend informiert ist.

Hinter diesem Dilemma verbirgt sich jedoch noch etwas anderes, bedeutenderes: Ob denn die Tschechen überhaupt mit den Sudetendeutschen über ein Sachproblem verhandeln sollten (das heißt keineswegs über wirtschaftliche, ökologische, kulturhistorische usw. Angelegenheiten usw.). – Doch dessen nicht genug, es gibt hier noch ein ganz und gar grundlegendes Dilemma: Ob denn die tschechische Gesellschaft allein das sudetendeutsche Thema öffnen solle und sei dies nur »für den inneren Gebrauch«. Etliche Autoren, welche diese tiefere Dimension des Problems zu bemerken fähig sind, formulieren es folgendermaßen: Noch vor einer tschechisch-deutschen Debatte sollte dieser eine »tschechisch-tschechische« Diskussion vorausgehen ...

10.1 Jiří Hanák:
Mit ihnen verhandeln

Man kann sich recht gut Verhandlungen mit den Sudetendeutschen auf hoher Ebene unter der Voraussetzung vorstellen, daß sie sich für die Zerschlagung der Tschechoslowakei entschuldigen. Man kann sich ganz und gar gut vorstellen, Verhandlungen mit den Sudetendeutschen unter den Gegebenheiten der heutigen Situation zu führen, da wir keine Entschuldigung bezüglich der Zerschlagung unseres Staates vernommen haben. Die Verhandlungen mit ihnen sollten dann allerdings durch den VERBAND DER AUS DEN SUDETENGEBIETEN VERTRIEBENEN TSCHECHEN geführt werden. (…) Falls die Sudetendeutschen jedoch mit der Prager Regierung verhandeln wollen, so ist dies im Grundsatz möglich. Allerdings unter der Voraussetzung, daß sie aus dem Schatten Henleins heraustreten, ferner unter der Voraussetzung, daß sie sich für die Zerschlagung der Tschechoslowakei im Jahre 1938 entschuldigen. Bisher haben sie nichts dergleichen unternommen. Daher halten wir die Bildung einer Arbeitsgruppe für die Dialoggestaltung mit den Sudetendeutschen durch die tschechische Regierungskoalition für eine mißglückte, undurchdachte und potentiell gefährliche Angelegenheit.

Lidové noviny – 2.6.1993

10.2 Pavel Tigrid:
Ein sudetendeutsches Eigentor

(…) Der Vorschlag der tschechischen Seite zur Bildung einer Koalitions-Arbeitsgruppe, welche mit den aus den Sudetengebieten abgeschobenen Deutschen »einen Dialog zu führen« hätte, bedeutet in der Praxis nichts anderes, als daß dies mit den Sudetendeutschen Landsmannschaften[150] geschähe. Und gerade nur diese Gruppierungen, ja eigentlich lediglich eine einzige, fordern nachdrücklich und wiederholt diesen Dialog.

Schon allein deswegen konnte und mußte die Regierungskoalition der Tschechischen Republik diese umstrittene Stimme guten Gewissens ignorieren und eine günstigere Gelegenheit abwarten, zu der sie von sich aus initiativ und unter den erforderlichen historischen Zusammenhängen die Rahmenbedingungen eines derartigen Dialogs abstecken würde. Dieser aber, für sich betrachtet, ist aus einer ganzen Reihe von Gründen erforderlich und, sagen wir's gleich, diejenigen, welche auf tschechischer Seite dieses Diskussionstisches Platz nehmen, müssen sich nicht fürchten. (…)

(…) Wäre Hitler nicht gewesen, hätte es gar keine Sudetenfrage gegeben (…), so wäre es auch nicht in den dreißiger Jahren zu Radikalisierung der böhmischen Deutschen gekommen, es hätte auch keine nazistische Henlein-Partei gegeben (…). Wäre Hitler nicht gewesen, so hätte es auch kein München gegeben, es hätte keinen Zweiten Weltkrieg gegen ihn gegeben, ja es hätte auch keinen Abschub gegeben (...). Alles Übel (...) hat mit Hitler und dem Nazismus begonnen.

Dies muß eben der erste Satz sein in jeglichem Dialog über die deutsch-tschechischen Beziehungen während der vergangenen 60 Jahre, ausdrücklich aber im Dialog auf welcher Ebene auch immer mit den Sprechern der sudetendeutschen Landsmannschaften. Es wäre nur gerechtfertigt, zivilisiert und ganz einfach anständig, daß dieser Satz von den Lippen gerade dieser Sprecher käme und zwar ohne tschechische Aufforderung oder Bitten.

Punkt Nummer 2: Die Aussiedlung der Deutschen aus der Nachkriegs-Tschechoslowakei kann nicht aus dem Kontext der historischen Geschehnisse und ihrer zeitlichen Folge herausgelöst werden. **ZUALLERERST** geschah die Zerschlagung der Tschechoslowakei (...). **DANN,** erst dann (...) kam es (...) zur Aussiedlung der böhmischen Deutschen. Die wurde so auf der inakzeptablen Basis der Kollektivschuld durchgeführt (...). Es wird kaum Schwierigkeiten damit geben, daß fünf Jahrzehnte später eine freie und demokratische tschechische Gesellschaft sich von diesen Gewalttaten distanzieren, sie verwerfen würde und sich für sie entschuldigte. Das Staatsoberhaupt hat bereits so gehandelt (...), der Ball ist nunmehr zweifellos im sudetendeutschen Teil des Spielfeldes (...).

Lidové noviny – 14.6.1993

10.3 Martin Daneš:
Warten auf ein Entgegenkommen

(...) Havel hat folglich durch seine präsidiale Streckenvorgabe praktisch die Entschuldigung gegenüber den Sudetendeutschen für den Abschub eröffnet, und er hat sie mit dem Wort Vertreibung bezeichnet. Seine Geste hat eine Polemik hervorgerufen (...). Am stürmischsten reagierte die linke Presse, welche die Entschuldigung als außerordentliche Chance dafür verstand, in den Menschen das Schreckgespenst einer deutschen Gefahr, welches insbesondere bei der älteren Generation bis heute immer noch lebendig ist, zu wecken. Auf der anderen Seite der Grenze belobigte insbesondere die Sudetendeutsche Landsmannschaft mit Franz Neubauer an der Spitze diese Geste des Präsidenten, und sie betonte die Forderung, daß die Tschechen daraus »eine logische Folgerung« ziehen sollten: eine Entschädigung der Sudetendeutschen. In die Rathäuser der

Grenzgemeinden begannen deutsche Forderungen bezüglich der Rückgabe des beim Abschub beschlagnahmten Eigentums hineinzuflattern. Sie intensivierten das Gejammere über das Unrecht von seiten der Tschechen (...). Es besteht kein Zweifel daran, daß die Sudetendeutschen wirklich zahlreiche Unrechtstaten, einschließlich von Greueltaten im Namen der Vergeltung (...) erleiden mußten. Doch in der Reaktion der Neubauerschen Organisation auf die Initiative Havels verblüfft die überhebliche Haltung, welche jegliches Anzeichen von Selbstreflexion vermissen läßt: Die zum Händedruck ausgestreckte Rechte des Tschechoslowakischen Präsidenten drücke ich fest mit der einen Hand, um ihm mit der anderen ins Gesicht zu ohrfeigen. (...)
Český deník – 19.6.1993

10.4 Pavel Dostál:
Deutscher ist nicht gleich Deutscher

(...) Sudetendeutsche sind bei weitem nicht nur die ehemaligen Mitglieder der Sudetendeutschen Partei Henleins, sondern auch beispielsweise sudetendeutsche Sozialdemokraten, Verfechter der tschechischen Staatlichkeit, welche nach München (...) unter den ersten waren, die in die nazistischen Konzentrationslager wanderten. Mit diesen Leuten a priori gleichwelchen Dialog über ein beide Seiten wesensmäßig betreffendes Problem nicht führen zu wollen, das ist schon, anständig gesagt, unanständig. Und natürlich auch kurzsichtig (...)
Rudé právo – 15.6.1993

10.5 Jiří Holub:
Mit der Landsmannschaft kann man gar keine Verhandlungen führen

(...) Meiner Überzeugung nach ist es ausgeschlossen, mit der sogenannten Sudetendeutschen Landsmannschaft irgendwelche Verhandlungen zu führen. Dieses Problem wird nicht demokratisch durchdiskutiert – vor allem bezüglich derjenigen Subjekte, welche ungeheure Forderungen betreffen (...). Nach meiner Überlegung sollten dies die Vertretungen der Städte im Grenzgebiet sein, ferner Industrie- und Landwirtschaftsbetriebe und letztendlich auch die Bürger. Die Rechtmäßigkeit des Abschubs muß darüber hinaus gestützt werden auf die Entscheidungen der Alliierten, welche sich im Jahre 1945 in unmittelbarer Übereinstimmung mit der Forderung des Heimatwiderstandes befanden. Notwendig ist ebenfalls die Information unserer Bürger und recht häufig auch die der neuen jungen Politiker über die feindlichen Haltungen der böhmischen Deutschen nach dem Jahre 1918 (...).

Rudé právo – 22.6.1993

10.6 František Kostlán
Über den Dialog

(...) Mit Ausnahme der Kommunisten, Sozialisten und Populisten beginnt heute die Mehrzahl der politischen Repräsentanten sowie auch der Bürger zu verstehen, daß durch Verschweigen und Ignorieren des sudetendeutschen Problems nichts gelöst wird, im Gegenteil, es kann sogar zu einer Zuspitzung der Lage kommen. Daher ist es notwendig, einen Dialog zu führen und zu versuchen, zeitweilig sich bietende Gelegenheiten zumindest zu nutzen (...) Das Auseinanderklauben der Haltung der deutschen Minderheit während der Ersten Republik, in welchem sich zwei grundsätzlich unterschiedliche Betrachtungsweisen zeigen, könnte allerdings aus einem derartigen Dialog aber einen beiderseitigen Monolog machen. Die Sudetendeutschen sollten sich zu Bewußtsein führen, daß sie sich durch die Vernebelung ihrer Forderungen (so wissen wir beispielsweise bis heute nicht, was sie sich **GENAU HEUTE** unter dem Begriff vom **RECHT AUF HEIMAT** vorstellen) mittels irgendwelcher militanter Verlautbarungen und der Nichtrespektierung der realen Situation vom gemeinsamen Dialog entfernen.

Denní Telegraf – 23.6.1993

10.7 Interview mit dem Vorsitzenden des ČSBS[151], Jakub Čermín:
Es ist in erster Linie erforderlich, einen gesamtnationalen Konsens zu erreichen

(...) Wir sind nämlich durchaus für einen Dialog mit den Sudetendeutschen, und dieser ist, meiner Meinung nach, für das Tschechische Volk sehr wichtig. Doch ist dieses auf ihn nicht vorbereitet.

Warum?

Für ein derartiges Vorgehen muß man zuallererst einen gesamtnationalen Konsens im Denken der Menschen herbeiführen. Und dieser existiert bis heute eben nicht. Gesellschaft und Einzelpersonen sind gespalten. Sie wollen sich nicht auf eine umfassende historische Erklärung einlassen, doch ist es ja eine bekannte Tatsache, daß wir seit dem Jahre 1938 (...) mit den Deutschen in großer Feindschaft gelebt haben. Nach dem Jahre 1948 fiel der Eiserne Vorhang. Der herrschenden kommunistischen Garnitur gelang es in den folgenden Jahren, den Menschen Angst vor den Deutschen und vor einer erneuten Konfrontation mit ihnen einzujagen. In diesem Zusammenhang führe ich stets die Vorgehensweise de Gaulles an, welcher im Jahre 1946 Adenauer gegenüber sagte: »Wir, Franzosen und Deutsche, müssen in Zukunft Freunde werden und wir müssen zusammen in Frieden leben«[152]. Ganz sicher war dies nicht leicht, und es dauerte lange, bis die Franzosen verstanden hatten, daß dies der einzig mögliche Weg sei. Und wo befinden sich die deutsch-französischen Beziehungen heute? Bei uns hat keinerlei Staatsmann etwas ähnliches weder gesagt noch getan.

Bis Václav Havel dies vor drei Jahren versucht hat.

Ja doch, aber er hat in das Plenum einer unvorbereiteten Nation hineingesprochen. Während bei uns seine Entschuldigung für die Ungebührlichkeiten, zu denen es im Verlauf des nach dem Sieg erfolgten Abschubs der Deutschen gekommen war, weder verstanden noch entsprechend gewürdigt wurde, war dagegen die Wertschätzung seines Tuns in den Kreisen der europäischen Intelligenz hoch.

Sicher. Nur daß Václav Havel nun einmal A gesagt hatte und vergaß, auch B zu sagen – scheint dies Ihnen nicht auch? (...) Haben Sie darüber mit dem Präsidenten bei Ihren Zusammenkünften auch gesprochen?

Ich habe ihm gesagt, daß es am Platze war, wie er sich zum Abschub der Deutschen geäußert hat, doch gleichzeitig habe ich auch hinzugefügt, daß es gut wäre, sich stets auch im voraus ebenfalls zu den Leiden unserer Nation zu äußern. (...)

Rudé právo – 29.6.1993

10.8 Sind die Sudetendeutschen eine aggressive Gruppe?

Aus einem Interview mit Jaroslav Boček, dem ehemaligen Chefredakteur der Zeitung Svobodné slovo

Wie betrachten Sie die Frage von Verhandlungen mit den Sudetendeutschen? Sollten derartige Verhandlungen stattfinden und wenn ja, auf welcher Ebene?

Ich betrachte bereits dies als eine verunglückte Angelegenheit, daß sich Diskussionen darüber, ob man nun verhandeln oder nicht verhandeln solle, aufwirbeln. Hierbei ist in gar keiner Weise die Grundsatzfrage berührt – worüber soll denn verhandelt werden? Über die Forderung der Landsmannschaft auf das Recht auf Heimat? Denn das ist ja überhaupt kein völkerrechtlicher Begriff. Aus einer ganzen Reihe von Ländern wurden in den vergangenen 60 Jahren Minderheiten ausgewiesen. Die Franzosen aus Algerien – es hat sich hier um eine nahezu gleich große Minderheit gehandelt wie im Falle der Sudetendeutschen. Weiter die holländische Minderheit aus Indonesien, die portugiesische aus Angola usw. Ich kann mir überhaupt nicht vorstellen, daß alle diese Minderheiten beginnen würden, nach dem Recht auf Heimat zu rufen. (...) Die Grundsatzfrage lautet daher, worüber also mit den Sudetendeutschen zu verhandeln wäre? Und es ist somit nicht möglich, über die Frage des Rechtes auf Heimat zu verhandeln.

Špígl – 14.9.1993

(...) Die Verletzbarkeit der Böhmischen Länder (...) erhöhte sich auf heftige Weise im Zusammenhang mit der Aufteilung der Tschechoslowakei und dem Prozeß des Aufbaus eines neuen Staates. Die Sudetendeutschen sind jedenfalls, aus ihrer Sicht durchaus verständlich, zu dem Gefühl gelangt, daß die Zeit zum Verhandeln gekommen sei. Die Taktik, welche sie dabei gewählt haben, (...) feierte Erfolge. (...) Die tschechische Politik hingegen, sowohl von Regierungs- als auch von Oppositionsseite, sollte alle Anstrengungen unternehmen, damit nicht die Unzufriedenheit und stets weiterwachsende Widerstände, zu denen es in unserer Öffentlichkeit kommt, dazu benutzt würden, antideutsche Stimmungen hervorzurufen. (...) Mit den Sudetendeutschen gibt es nichts zu verhandeln. Der Abschub ist ein bereits jahrzehntelang politisch abgeschlossenes Kapitel, welches seitens der Siegermächte in Potsdam geschrieben wurde. Die Sudetendeutschen haben nach dem Jahre 1945 aufgehört, als Volksgruppe zu existieren. (...)

Libor Rouček: Wie soll man weiterhin mit Deutschland verfahren? Rudé právo – 23.9.1993

10.9 (...) Die grundsätzliche Schwierigkeit einer Diskussion

Die tschechische Regierung befindet sich in einer keineswegs beneidenswerten Lage. Die Ablehnung von Verhandlungen wird wer auch immer als Schwäche und Furcht vor der Anerkennung von Fehlern aus der Vorkriegszeit erklären. Verhandlungen welcher Art auch immer auf Regierungsebene stoßen nicht nur auf den Widerstand auf Seiten der Opposition. Ein neues Verständnis der Menschenrechte wird schnell mit all dem Schrecklichen konfrontiert werden, so als ob sich dieses nicht in der gar nicht so lange zurückliegenden Jugendzeit der heutigen Rentner zugetragen hätte, vielmehr irgendwo in urzeitlicher Welthöllenzeit (...).

Die Tschechoslowakei war nicht und konnte auch gar keine Schweiz sein, schon deswegen, weil zwanzig Jahre nicht den ausreichenden Raum vermittelten, bessere Beziehungen zwischen den Völkern unserer Republik zu entwickeln (...). Zahlreiche Unzulänglichkeiten der tschechoslowakischen Politik waren ja die Ergebnisse ungelöster Probleme der Österreichischen Monarchie, in der das Tschechische Volk nach den Deutschen und Ungarn lediglich die dritte Geige spielte. Im Jahre 1918 haben wir es uns als unser Recht vorgestellt, einmal die erste Geige zu spielen. Die Sudetendeutschen lehnten es ab, die Aufgabe der dritten Geige (nach den Slowaken) zu übernehmen. (...)

10.9.1 Überraschende Schlußfolgerungen der Deutschen

Etliche Sudetendeutsche bezeichnen die Vertreibung aus der Heimat als Widerrechtlichkeit, welche auch die Potsdamer Konferenz nicht in Recht umwandelte. Wir hingegen stützen uns auf Potsdam als eine Entscheidung bezüglich der Annahme von Staatsgrenzenveränderungen oder auch der Verschiebung ethnischer Grenzen – als ein Ergebnis des Krieges. Etliche Deutsche leiten aus dem tragischen Verlauf der Nachkriegsmonate und -jahre für uns schockierende Schlußfolgerungen ab. Die Verbrechen der Deutschen wurden durch das Nürnberger Tribunal abgeurteilt (...), somit müßten auch die Nachkriegsverbrechen anderer Völker an den Deutschen abgeurteilt werden. (...)

10.9.2 Wie soll es zwischen Deutschen und Tschechen weitergehen?

Wie unter Nachbarn. (...) Sicherlich ist es möglich, ein gewisses kühles protokollarisches Bezugssystem zwischen uns und Deutschland selbst unter der gegebenen Ungelöstheit der Beziehungen zu den Sudetendeutschen zu erreichen. Aber wir sollten uns schon in unserem ureigensten Interesse mit den Beziehungen zwischen uns und unseren ehemaligen Mitbürgern beschäftigen. (...) So äußert beispielsweise die Ackermann-Gemeinde großes Verständnis für unsere Probleme. (...) Auf uns wartet noch ein wechselseitiges geduldiges Zuhören. (...)

10.9–10.9.2 Josef Škrábek: Wie soll es zwischen Deutschen und Tschechen weitergehen?
Lidová demokracie – 6.4.1994

10.10 Václav Zák:
Fehlt uns für Verhandlungen mit der deutschen Seite das Selbstbewußtsein?

(...) Nach den Wahlen im Jahre 1992 kam die Entwicklung der deutsch-tschechischen Beziehungen praktisch zum Stillstand. Die Regierungskoalition schob lange Zeit die Frage einer Entschädigung auf, und im allerungünstigsten Moment erteilte sie der Einrichtung einer Kommission für Verhandlungen mit den Sudetendeutschen ihre Zustimmung – einen Tag nach dem Sudetendeutschen Tag, wo seitens der Landsmannschaft an die Adresse der Tschechischen Republik harsche Worte gerichtet worden waren. Die Regierungskoalition änderte daraufhin ihren Kurs recht schnell – sie »verhärtete« ihre Politik gegenüber Deutschland.

Der Besuch einer tschechischen Delegation in Bonn (im November 1993) verlief dann in dieser veränderten Atmosphäre. Auf die Aufforderung von Frau Rita Süssmuth, die tschechischen Politiker »sollten doch mehr Vertrauen in das demokratische Nachkriegsdeutschland setzen«, reagierte M. Uhde mit der Feststellung, daß die »tschechische Seite schmerzlich das Faktum durchlebt, daß die Bundesrepublik Deutschland weiterhin immer noch nicht die tschechischen Opfer des Nazismus entschädigt hat.« Damit führte er die Verhandlungen auf die ungelösten Vermögensfragen hin. R. Süssmuth bot dann unserer Delegation Verhandlungen über Entschädigungsprobleme an (…) und zwar auf parlamentarischer Ebene. Es handelte sich folglich nicht (mehr) um Verhandlungen mit den Sudetendeutschen. Dies war also eine Chance für den Durchbruch.

Die tschechische Delegation entschied sich dafür, daß die Entschädigung der Opfer des Nazismus ein Problem der deutschen Seite sei(!), in welches aber die tschechische Seite eingreifen könne. Diesen Standpunkt teilte der Vorsitzende Uhde am darauffolgenden Tag anläßlich einer Pressekonferenz mit, ohne daß er dies bei den offiziellen Verhandlungen mit R. Süssmuth erwähnt hätte. So etwas tut man nicht. Uhde lehnte somit Verhandlungen auf Parlamentsebene ab. Süssmuth verwahrte sich sogleich ganz entschieden gegen Uhdes Interpretation. Es handelte sich ja nicht um einen Vorschlag, Unrecht gegen Unrecht aufzuwiegen, wie dies unsere Delegation zu interpretieren versuchte, sondern vielmehr um den Versuch, über offene Probleme zu verhandeln, welche der Vertrag nicht gelöst hatte (…). Der November-Besuch der Parlamentsdelegation in Bonn war ein Fiasko. (…) Die im Parlament vertretenen Parteien spielen mit der Öffentlichkeit ein abgeschmacktes Spiel. Schon wieder zogen somit die Verfechter tschechischer Interessen in den Kampf, an der Spitze mit der ODA[153]. Sie lehnen es ab, mit dem Sudetendeutschen Rat zu verhandeln, weil er kein Partner sei, und statt dessen wünschen sie einen Partner auf offizieller Ebene. Und wenn dann die Vorsitzende des Bundestages Verhandlungen anbietet, lehnen sie wiederum ab (…) Der Vorsitzende Uhde lehnte in Bonn den Vorschlag zur Einrichtung einer deutsch-tschechischen Parlamentskommission ab, weil die Abgeordneten »an der deutschen Frage vor der Öffentlichkeit keine positiven Kapitel Punkte ansammeln können. Eine Politik des Punktesammelns erweckt aber wieder den Nationalismus. Wenn dem die tschechischen Intellektuellen nicht von Anbeginn die Stirne bieten, kehren die Geister der Vergangenheit wieder zurück.

Lidové noviny – 2.6.1994

10.11 Dušan Třeštík:
Versöhnung mit den Deutschen

Als tschechischer Historiker erhielt ich vom Kollegen Ferdinand Seibt aus Bochum (ansonsten eines Landsmanns aus Leitmeritz) folgende Aufgabe: Ich solle mich mit »den Deutschen« aussöhnen (...) Diese Aufgabe kann ich nicht persönlich verstehen. Meine Rechnung mit den Bengeln der Fliegerschule der Hitlerjugend, welche mich – den rotzigen Untermenschen[154] – im Herbst des Jahres 1944 in Beneschau vom Bürgersteig herunterstießen, weil ich vor ihrer Fahne meinen Kopf nicht entblößt hatte – wurde bereits etliche Monate später beglichen, als ihnen irgendeiner ihrer verbrecherischen Sturmführer befahl, mit ihren Fieseler Störchen und Segelflugzeugen gegen amerikanische Jagdflugzeuge loszustarten. Lediglich ein wenig unidentifizierbaren Abfalls blieb von ihnen übrig. Damals kam mir dies wie eine ziemlich harte Strafe für die Dummheit vor, doch dann wurde ich erwachsen, und heute weiß ich, daß dies alles nicht so einfach ist. Zweifelsohne wissen dies auch alle diejenigen, welche damals diese Schule auf dem Übungsgelände der SS in Neveklov überlebt haben. Doch wenn wir nun gemeinsam »einen Dialog führen« sollten, wie dies etliche Leute aus München von uns unaufhörlich, aufdringlich und für meinen tschechischen Parterregeschmack irgendwie auch bombastisch einfordern, wären wir mit dieser Erinnerung an alte vergangene Zeiten sicher bald fertig und uns bliebe dann wohl nichts anderes übrig, als auf die Qualitätsebene eines tschechischen, gegebenenfalls auch bayerischen Biers überzugehen. Und es würde mir überhaupt gar nicht einfallen, daß ich mich mit jemandem aussöhnen sollte. Sodaß ich dies also nicht persönlich verstehe. (...)

Lidové noviny – 23.6.1994

10.12. Luboš Palata:
Eine günstige Zeit zur Lösung der sudetendeutschen Frage

(...) Danach aber, sobald unsere Kommunalwahlen vorüber sind, welche ziemlich offenkundig die Positionen der dominierenden Regierungsparteien nicht schwächen werden, hat Bonn die ideale Gelegenheit, mit Prag selbst über die allerbrenzligsten Dinge zu verhandeln. Dies des, daß sich das Kabinett Klaus dafür entscheidet, bei den Verhandlungen mit der Regierung Kohl für die Mehrheit der Öffentlichkeit unpopuläre Probleme zu eröffnen, ihm bis zu den Parlamentswahlen noch beinahe zwei Jahre verbleiben. Im Verlauf dieser Zeitspanne wird die tschechische Regierungskoalition ausreichend Zeit haben, das vorausgesagte Absinken in der Wählergunst durch Erfolge auf anderen Gebieten wettzumachen.

Für die tschechische Seite gibt es wirklich wahr keine erfolgreiche und populäre Lösung der sudetendeutschen Frage. Die Verhandlungsposition Prags ist sehr schwach. In dieser Lage können wir uns auf keinen bedeutenderen akzeptablen Verbündeten verlassen. (...) Warschau und Budapest haben das Problem ihrer abgeschobenen Deutschen bereits gelöst, und Preßburg ist auf diesem Gebiet grundsätzlich entgegenkommender.

(...) In dieser Zwischenphase der Ruhe (...) unternahm das Ministerium von Zieleniec den einzig möglichen Zug zur Verbesserung seiner Verhandlungsposition. Es setzte die Entschädigung tschechischer Opfer mit tschechischem Geld durch. Damit setzte es die deutsche Seite in eine Schachposition, auf welche die Regierung Kohl reagieren muß.

Sie kann zweierlei Formen wählen. Die Sudetendeutschen wurden nach dem Krieg (...) durch die deutsche Regierung entschädigt. Dieser Betrag war ähnlich symbolisch zu betrachten wie derjenige, welchen nunmehr unsere Bürger erhielten (...), so sind also die Rechnungen im Prinzip beglichen, und das einzige, was noch gelöst werden muß, ist das Problem einer Erklärungsform gegenseitiger Entschuldigung.

Die zweite noch weit weniger annehmbare Variante ist, daß Bonn eine weitere Runde der Einbringung von Forderungen eröffnet. In dieser Lage verbleiben der tschechischen Seite nurmehr Ansprüche auf Ersatz von Schäden, welche durch die deutsche Okkupation verursacht worden waren; dies ist wiederum ein Thema, welches keine der beiden Seiten zu behandeln wünscht. Als einen ein wenig korrekteren Trumpf könnte man in der Not die Möglichkeit (...) nutzen, eine etwas vorteilhaftere Erlangung der Staatsbürgerschaft für diejenigen Sudetendeutschen einzuführen, welche sich bei uns erneut niederzulassen wünschten. Dies würde offenkundig die Einführung der Einrichtung der doppelten Staatsbürgerschaft notwendig machen, was wiederum vor allem der deutschen Seite Probleme brächte, und für Prag günstige Verzögerungsmöglichkeiten hinsichtlich einer praktischen Realisierung begründen würde.

Das Kabinett Klaus muß erwarten, das eine solche Vorgehensweise, eventuell auch weitere entgegenkommende Gesten (…) ihm vor allem bei älteren Wählern Popularitätseinbußen einbringen würden. Die Prager Regierung, sollte sich, gleich wie das Bonner Kabinett, vergegenwärtigen, daß die Zeit zur Problemlösung im Jetzt liegt. (…)

Mladá fronta Dnes – 21.10.1994

10.13 Eva Broklová
Ein Dialog mit einer Karnevalsgesellschaft?

Entsprechend einem Bericht in der Süddeutschen Zeitung sagte Präsident Havel in seinem kürzlich gehaltenen Vortrag, daß »die Zeit der Monologe und einsamen Ausrufe endigen und ein wirklicher Dialog eröffnet werden sollte«. Wer würde da mit ihm – entsprechend der Meinung eines der Vertreter der Sudetendeutschen, Rudolf Hilfs – wohl nicht übereinstimmen? Im Gegenzug aber stellt Hilf eine Frage, auf die er – dadurch, daß das Zitat aus dem Kontext gerissen wurde – in der Rede Václav Havels keine Antwort findet: »Mit wem denn sollte ein Dialog geführt werden?« Wie klingt die entsprechende Stelle in der Präsidentenrede? »So, wie also die Zeit der Entschuldigungen und Rechnungsstellungen für die Vergangenheit enden sollte und eine Zeit sachlicher Auseinandersetzung mit dieser zu beginnen hätte, so sollte auch die Zeit der Monologe und einsamen Ausrufe enden und eine Zeit des Dialogs beginnen. Der Dialog hat im übrigen längst zwischen den Bürgern begonnen, auch zwischen örtlichen Selbstverwaltungen, den Historikern, selbst zwischen Politikern. Ich befürworte seine ständige Erweiterung und Vertiefung. Doch muß es sich wirklich um einen Dialog handeln.«

In der Aufzählung wollte Hilf die Sudetendeutschen nicht gefunden haben, und daher entwickelt er die Frage »Mit wem soll denn der Dialog geführt werden?« entsprechend eigenen Vorstellungen: »Mit der Kölner Karnevalsgesellschaft – diese spöttische Anmerkung sei mir bitte vergeben, dieser Ausdruck gilt für alle diejenigen (und dies ist hier nun ernst gemeint) Deutschen, welche mit den Tschechen überhaupt kein Problem haben, denn sie haben mit ihnen in den vergangenen Jahrhunderten keinerlei Beziehungen gehabt – oder aber mit denjenigen, welche dies auf deutscher Seite direkt betrifft, und das sind eben die Sudetendeutschen, die Nachkommen derjenigen Deutschen aus den Ländern der Heiligen Wenzelskrone, welche 800 Jahre lang mit den Tschechen zusammengelebt hatten«[155]. Um seinen Worten Nachdruck zu verleihen, zitiert er dann Masaryks Worte aus der Weltrevolution: »Es handelt sich nämlich ... um die Bereinigung unserer Beziehung zwischen unserem Volk und einem großen Teil und mit diesem ganzen Deutschen Volk«; damit bezieht er sich jedoch auf eine gänzlich anders gelagerte historische Situation.

Das Zitat aus der angeführten Stelle in der WELTREVOLUTION lautet im Tschechischen wie folgt: »Sich eilends daranmachen ... das Verhältnis zwischen unserem Volk und einem beträchtlichen Teil und somit auch mit dem gesamten Deutschen Volk in Ordnung zu bringen«. Den Rest des Absatzes ließ Hilf wegen der Steigerung der »Überzeugungsfähigkeit« seines Zitats einfach aus: »Unsere Deutschen müssen sich hierbei ihres Österreichertum entledigen, sie müssen die alte Gewohnheit der Vorherrschaft und Vorrechte aufgeben« (Světová revoluce – Die Weltrevolution, Prag 1925, tschechische Ausgabe Seite 527)[156].

Die Tschechen und ihre Politiker haben auch entsprechend der Meinung deutscher Historiker eine Staatskonstruktion bewerkstelligt, welche eine zivilisierte Auseinandersetzung in gleichberechtigter Zusammenarbeit ermöglichte. Gleich in der zweiten Hälfte der 20er Jahre beteiligten sich slowakische und deutsche Parteien an der Regierung. Beide Staatsgründer, Masaryk und Benesch, besaßen den Willen zur Zusammenarbeit mit den Deutschen (Ernst Nolte, einer der Initiatoren des Historikerstreits[157]). Ähnlich erkennt der bekannte österreichische Rechtstheoretiker Felix Ermacora an, daß die Tschechoslowakei ein verfassungsrechtliches System des Minderheitenschutzes konstituiert habe.« Die Respektierung der politischen Rechte, auch der Rechte der Sudetendeutschen, war dem demokratischen Staatsaufbau angemessen« (Rückübers. aus dem Tschechischen – O.P.).

Von ihrer Seite aus erfüllten also die Tschechen das, was Masaryk postuliert hatte (...) Was aber haben dann »unsere Deutschen« gemacht? Mit Hilfe des nazistischen Deutschlands, welches für uns keineswegs stets Hilfs »Karnevalsgesellschaft« war, verbanden sie sich auch zusammen mit dem Gebiet, welches sie bewohnten, mit dem Deutschen Reich. Um nach der Sprache von Hilfs Vortrag zu urteilen, nahmen sie also die Tschechische Republik nicht zur Kenntnis. (Václav Havel ist in dieser Rede der »Präsident des Tschechischen Volkes«), und ihre Heimat ist entsprechend einer großen Anzahl von Publikationen das SUDETENLAND[158] welches Teil der »Länder der Heiligen Wenzelkrone« gewesen sei (und keineswegs der Böhmischen Krone!). Ich will keineswegs den Eindruck erwecken, daß alle Sudetendeutschen so seien: Hier und jetzt ist die Rede von denjenigen Vertretern der Sudetendeutschen, welche mit der Verurteilung des Abschubs auch die Verdammung der Ersten Tschechoslowakischen Republik verlangen, um so ihr Vorgehen und ihren Verrat zu rehabilitieren.

Mit einem entstellten Zitat Präsident Havels gegen Präsident Masaryk argumentieren zu wollen, bedeutet doch, eine ganze historische Epoche verschwinden zu lassen. Nach mehr als einem halben Jahrhundert seit München führt kein Weg zur Aussöhnung mit den deutschen Nachbarn auf solche Art, wie ihn andere europäische Staaten im vergangenen Zeitraum erlebt haben (und da wurde erst noch im vergangenen Jahr Klaus Kinkel durch das Bild Deutschlands in Europa erschüttert), über die Lösung alter Probleme mit den Sudetendeutschen, welche Deutschland gegen die Tschechoslowakei mißbraucht hatte. Daher müssen die Tschechen die Möglichkeit und die Zeit erhalten, das demokratische Deutschland zu erleben, sich von seinem guten Willen überzeugen zu lassen, mit Nachbarn auszukommen, so wie dies eben auch die anderen Nationen gehabt hatten (...).

Der Weg, welcher zur Zusammenarbeit und zur Lösung aller Fragen führt, sollte uns nicht vorgeschrieben werden. Die Forderung nach bedingungsloser Erfüllung der sudetendeutschen Forderungen könnte das Tschechische Volk nur in einem bestärken: daß nämlich die Vertreter des totalitären Regimes damit Recht gehabt hatten, als sie uns mit den Sudetendeutschen schreckten und als einzig mögliche Garantie gegen sie uns an die Sowjetunion auslieferten. (...)

Ist es demnach eine Lösung, eine gewaltsame Maßnahme durch eine andere Gewalttätigkeit abzulösen? Der gute Wille, im Entgegenkommen der Rede von Präsident Havel merkbar, und das wirkliche Bemühen um neue Beziehungen, sollten am Beginn zumindest darin sichtbar werden, daß Zitierungen nicht aus dem Zusammenhang gerissen werden und der Mißinterpretation unterliegen (...).

Lidové noviny – 8.3.1995

10.14 Dušan Třeštík
Fußangel '95

Vor genau 39 Tagen hat Präsident Havel im Prager Karolinum eine Grundsatzrede zu den deutsch-tschechischen Beziehungen gehalten. Darin konstatierte er, daß »unsere Zukunft nicht in der Vergangenheit liegt. Diese zu beleben würde bedeuten, auch alle Dämonen wiederzubeleben, welche vor sich hinschlummern. Dies ist jedoch nicht der Weg.« (...)

Die Rede erweckte ein beträchtliches Echo und rief im Bundestag eine Debatte hervor, welche dann die deutsche Regierung dazu veranlaßte, durch den Mund ihres Ministers für Auswärtige Angelegenheiten eine Erklärung zu den deutsch-tschechischen Beziehungen abzugeben. Diese Erklärung respektierte voll und ganz den Standpunkt unseres Präsidenten, daß die Tschechische Republik über die Ansprüche der Sudetendeutschen nicht verhandeln werde, und damit wurde ein deutliches Abrücken von denjenigen Positionen deutlich, auf welchen die deutsche Regierung bislang beharrt hatte.

Präsident Havel hatte also einen insgesamt klaren Erfolg. Doch es vergingen nicht einmal vierzehn Tage nach der Erklärung Kinkels, und es geschah, daß der ehemalige Premier der Tschechischen Regierung, Petr Pithart, gemeinsam mit einer Gruppe seiner Freunde ihm ein Bein stellte. Die Erklärung, welche sie gestern unter dem Titel »VERSÖHNUNG 95« veröffentlichten, fordert den unverzüglichen Beginn von Gesprächen zwischen der Tschechischen Regierung und der politischen Repräsentanz der Sudetendeutschen über sämtliche Fragen, welche mindestens eine Seite als offen einschätzt. So sollte demnach über die Rückgabe des Eigentums der Sudetendeutschen verhandelt werden, desgleichen über ihre Rückkehr in die Tschechische Republik bis hin zum Recht auf Selbstbestimmung – das heißt also auch die Lostrennung. All dies bewertet der Sudetendeutsche landsmannschaftliche Verband als offene Fragen.

Diese Forderung kann demnach in gar keinem Falle ernst gedacht sein. Petr Pithart weiß nur zu gut, daß sich kein einziger tschechischer Politiker finden wird, der dazu fähig wäre, auf solch eine Art und Weise den Lebensinteressen der Republik Schaden zuzufügen und somit unsinnigerweise Harakiri zu begehen. Die politische Idee der »VERSÖHNUNG 95« kann nur in folgendem liegen: die Position

172

des Tschechischen Präsidenten sowie der Regierung zu schwächen.

Möglich ist aber auch, daß die Verfasser der »VERSÖHNUNG« überhaupt kein klares politisches Ziel vor Augen gehabt haben. Möglicherweise wollten sie sich lediglich tapfer selbst an den Pranger stellen und würdig für die Wahrheit leiden, deren die Nation nicht würdig sei. Ein erstaunlich merkwürdiges Ende des PODIVEN[159].

Lidové noviny – 29.3.1995

(Diese Tageszeitung veröffentlichte als erste diese Spalte von Třeštík und erst am darauffolgenden Tag den Text der Erklärung VERSÖHNUNG 95.)

10.15 Erklärung
Versöhnung 95 zwischen Sudetendeutschen und Tschechen

Im Jahre 1995 begehen wir die 50. Wiederkehr des Endes des Zweiten Weltkriegs. Dieses Jahr wurde gleichzeitig durch die Vereinten Nationen zum »Jahr der Toleranz« deklariert, zu einem Jahr des Kampfes gegen Haß, Intoleranz und gewalttätige Gruppenkonflikte. Wir möchten zur Erfüllung dieser besonderen Zielsetzung mit der nachfolgenden Initiative beitragen.

Vor einem halben Jahrhundert veranlaßte die seinerzeitige Tschechoslowakische Regierung die Vertreibung von mehr als drei Millionen Deutschen aus den böhmischen Ländern und aus der Slowakei. Dies geschah in Übereinstimmung mit der Mehrheit der tschechischen Bevölkerung und mit Billigung der Siegermächte. Sieben Jahre zuvor war die Tschechoslowakische Republik durch das oktroyierte Münchner Diktat der Großmächte zusammengestutzt worden; dies hatte ihre Wehrlosigkeit und letztendlich auch den Verlust der Freiheit zur Folge. Die Mehrzahl der Sudetendeutschen begrüßte und unterstützte diese Politik der Aufteilung. Nochmals zwanzig Jahre zuvor waren dieselben Sudetendeutschen gleicherweise gezwungenermaßen dem tschechoslowakischen Nationalstaat einverleibt worden. Und nochmals lange Zeit davor, während der Österreichisch-Ungarischen Monarchie, gingen alle Versuche bezüglich eines deutsch-tschechischen Ausgleichs im Rahmen der böhmischen Länder in die Brüche.

Dies alles ist zwar Geschichte, doch eben nicht nur Geschichte: Bloße Geschichte werden solche Ereignisse nämlich erst dann, sobald beide Seiten, die Tschechen und die Sudetendeutschen, in gegenseitigem Einvernehmen einen definitiven Strich unter sie ziehen.

Im Verlauf der vergangenen einhundertfünfzig Jahre haben sich Deutsche und Tschechen in den böhmischen Ländern wechselseitig einander so sehr entfremdet, daß es schließlich zu einer doppelten Trennung im Bösen kam – im Jahre 1938 und 1945. Die offenen Ergebnisse der vergangenen Entscheidungen vergiften die Atmosphäre in Mitteleuropa und wirken sich ungünstig auf die deutsch-tschechischen Beziehungen aus. Es ist daher erforderlich, daß Tschechen sowie Sudetendeutsche gemeinsam guten Willen aufbringen und sich die Hände zum Zeichen der Versöhnung und der Bereitschaft zur Zusammenarbeit im Geiste des deutsch-tschechischen VERTRAGS ÜBER GUTE NACHBARSCHAFT UND FREUNDSCHAFTLICHE ZUSAMMENARBEIT reichen.

Daher schlagen wir vor, unverzüglich Verhandlungen zwischen der tschechischen Regierung und der politischen Vertretung der Sudetendeutschen einzuleiten. Alle diejenigen Fragen sollten Gegenstand dieser Verhandlungen sein, welche zumindest eine der beiden Seiten für offen hält. Wir halten es ferner für unerläßlich, daß eine Formulierung eines gemeinsamen Standpunktes bezüglich der problematischen Entscheidungen der Vergangenheit gefunden wird; diese sollte sich auf die allgemein anerkannten Normen der Menschen- und Bürgerrechte stützen. Weiter schlagen wir vor, daß sich die Verhandlungen beider politischer Vertretungen auf ein gemeinsames Programm einer Zusammenarbeit zwischen Tschechen und Sudetendeutschen konzentrieren sollten. Dieses Programm sollte die Möglichkeit der Rückkehr für diejenigen Vertriebenen miteinschließen, welche dies wünschen, und zwar unter der Bedingung, daß sie dieselben Rechte erhalten wie auch alle übrigen Bürger der Tschechischen Republik.

Weiter schlagen wir vor die Bildung einer gemeinsamen deutsch-tschechischen Stiftung mit staatlicher Beteiligung vor mit dem Ziel der Unterstützung konkreter Projekte im tschechischen Grenzgebiet. Und schließlich schlagen wir vor, daß Sudetendeutsche und Tschechen gemeinsam die bereits bestehende grenzüberschreitende Zusammenarbeit zwischen Nachbarregionen der Tschechischen Republik und der Bundesrepublik Deutschland unterstützen, welche stufenweise dieselbe Gestalt erhalten sollten, wie sie bereits eine ganze Reihe von Jahren funktionierende Euroregionen im westlichen Teil Europas besitzen – unter

Respektierung des Gesetzesrahmens, welcher im jeweiligen Staat gilt. (Diesen Aufruf haben 105 tschechische und sudetendeutsche Intellektuelle, Journalisten und Studenten der tschechischen Regierung sowie der politischen Vertretung der Sudetendeutschen übermittelt.).

Lidové noviny – 30.3.1995

10.16 Jiří Hanák:
Ein ungelegener Tag für einen ungelegenen Aufruf

Ein peinlicheres Datum hätten sich die Unterzeichner des Dokuments VERSÖHNUNG 95, in dem sie nach einem Dialog zwischen der tschechischen Regierung und den ehemaligen böhmischen Deutschen aufrufen, wohl nicht auswählen können. Auf den Tag genau vor 57 Jahren begann nämlich auch der Dialog zwischen den Repräsentanten der Sudetendeutschen und der Regierung der seinerzeitigen Tschechoslowakei. Zumindest mit der sudetendeutschen Entscheidung, die einer Empfehlung Hitlers folgte, solche Forderungen zu erheben, welche Prag nie erfüllen könnte. (…)

Selbstverständlich haben wir heute eine andere Zeit, ein anderes Deutschland, andere Akteure. Unter dem Text des Dokuments finden wir zahlreiche respektable Namen, so daß wir die Angelegenheit keineswegs mit billigen historischen Spielchen abtun könnten. Allerdings erweckt es schon einiges Erstaunen, daß solch ehrenwerte Leute ihre Unterschrift unter ein derartiges merkwürdig Dokument setzen konnten.

Mit leichter Hand nämlich und irgendwie nebenbei wird die Legitimität der Entstehung der Tschechoslowakei im Jahre 1918 in Frage gestellt. Dies geschieht mittels des Satzes, daß die Sudetendeutschen gezwungenermaßen dem Tschechoslowakischen Staat einverleibt worden waren. (…) Die Frage besteht aber, warum denn dieses Argument, welches eines Lodgman von Auen[160] und eines Konrad Henleins[161] würdig ist, erneut auftaucht? Was hätte denn die Regierung der Ersten Republik tun sollen? Die Sudetengebiete abtrennen und sie dem Reich als Geschenk überlassen? Sollte etwa diese »Fehlleistung« durch die nunmehrige tschechische Regierung bereinigt werden? VERSÖHNUNG 95 spricht von nichts dergleichen. Das Dokument fordert lediglich ein direktes Gespräch zwischen der Regierung und der »politischen Vertretung der Sudetendeutschen«. Doch wer aus diesem Verein bildet sie? Welcher Politiker der über alle deutschen politischen Parteien verteilten Vertreter ist es dann? Ist es etwa die tolerante Ackermann-Gemeinde? Oder die unergründliche Seliger-Gemeinde oder letzten Endes gar der sich stramm national gebende Witikobund? Und warum bei Prag Ja und bei Warschau Nein? Nun eben deshalb, daß Warschau im Preis gestiegen und Prag mit dem Untergang der Tschechoslowakei gefallen ist. Und überdies gab es stets bei uns genügend dieser nützlichen Gimpel. Deshalb. Und auch deshalb löst die VERSÖHNUNG 95 überhaupt nichts. Sie ist lediglich hinderlich.

Práce – 30.3.1995

10.17 Jiří Leschtina
Ein Aufruf zur Aussöhnung ist keine Falle

Etliche Dutzend tschechischer Intellektueller haben gemeinsam mit sudetendeutschen Kollegen eine Erklärung unterschrieben, welche die Regierung dazu auffordert, unverzüglich einen Dialog mit den Sudetendeutschen in die Wege zu leiten. Die Unterzeichner der Petition VERSÖHNUNG 95 haben somit die weiterhin immer mehr um Ausreden bemühte Einheit in der Ablehnung jeglicher offizieller Kontakte aufgestört.

Den Autoren der Erklärung wird jedoch nicht nur so einfach vergessen werden, daß sie ganz öffentlich eine so sehr idyllische Übereinstimmung torpediert haben (…). Denn es hat ja auch bereits eine Tageszeitung von Prestigegehalt die Signatare des »Verrates« bezichtigt (…).

Es ist ein Kennzeichen einer zutiefst verblendeten Begrenztheit, den Autoren der Erklärung das Bestreben zu unterstellen, politische Sabotage zu betreiben. (…) Auf ihr gemeinsames Wort sollten wir daher wie auf eine Meinung von Leuten blicken, welche darum wissen, worüber sie auch reden. Wie auf einen Standpunkt, über den man wohl gut nachdenken sollte, auch wenn wir mit ihm keineswegs übereinstimmen müssen. (…) Es geht doch darum, daß die tschechische Öffentlichkeit auf einen derartigen Schritt nicht vorbereitet ist, und die Regierungsparteien sich heute durch einen Kontakt zu den Sudetendeutschen sich in die tödliche Gefahr einer Niederlage bei den herannahenden Wahlen begeben würden.

Vor allem deshalb fordert die Petition zum gegenwärtigen

176

Zeitpunkt Unmögliches von der Regierung. Was jedoch nun wieder nicht bedeutet, daß wir nach den Wahlen den Sudetendeutschen nicht doch von Angesicht zu Angesicht bei der Europäischen Einigung gegenüberstehen werden. Wir sollten also nicht diejenigen Intellektuellen steinigen, die getreu ihrer Sendung offen und kritisch artikulieren, wenn eben Politiker aus taktischen Gründen schweigen.
Mladá fronta Dnes – 30.3.1995

10.18 Eva Hahnová
Sudetendeutsche Mißverständnisse

Von Historikern wird eigentlich erwartet, daß sie in Vergessenheit geratene Aspekte häufig vereinfachter historischer Zusammenhänge in Erinnerung rufen. Dušan Třeštík gehört zu den bedeutenden tschechischen Historikern, doch bezüglich der die Sudetendeutschen berührenden Problematik verheimlicht er seinen Lesern eine ganze Reihe grundlegender Informationen.

Das sudetendeutsche Problem ist keineswegs darin begründet, daß »sympathische ältere Herren, die sich in angenehm ausgestatteten Kanzleien in München niedergelassen haben, eine insgesamt gut organisierte Wählergruppe bilden«, welche »die Bayerische Landesregierung und die bayerische CSU« keineswegs »übersehen« können. Es ist keineswegs wahr, daß im Zusammenhang mit dem »ungeheuren Nachkriegstransfer des deutschen Ethnikums aus Schlesien, Großpolen, Pommern und aus Ostpreußen die Forderung nach irgendeiner Art Dialog über Schuld und Ansprüche überhaupt nicht in Erscheinung tritt«, und es ist keineswegs weise, durch den Hinweis auf ein verzerrtes Bild der deutsch-polnischen Beziehungen der tschechischen Öffentlichkeit den Rat zu erteilen, »die Versuche um einen offensichtlich nur einseitig vorteilhaft angelegten Dialog nicht zur Kenntnis zu nehmen«. Ein kluger Publizist und Politiker interessiert sich gewöhnlicherweise sehr sorgfältig dafür, was wer und warum von ihm fordert, und darüber hinaus sollte auch die Öffentlichkeit darüber in Kenntnis gesetzt werden, was wer und warum von ihrem Staat einfordert. In diesem Sinne sind Třeštíks Beiträge zum sudetendeutschen Problem keineswegs weise.

Allein der Vergleich mit Polen hinkt ja schon. Die aus den heute zu Polen gehörenden Gebieten abgeschobenen Deutschen waren im Unterschied zu den Sudetendeutschen bereits vor dem Krieg zu einem Großteil deutsche

Staatsbürger. Durch die Verschiebung des polnischen Staatsgebietes nach Westen war die Ausgangssituation des Transfers der deutschen Bevölkerung völlig anders gelagert. Die Sudetendeutschen kamen keineswegs als deutsche Staatsbürger in das Nachkriegsdeutschland hinein, vielmehr als sogenannte Heimatlose.

Die Frage der Nachkriegsgrenzen zwischen Deutschland und der Tschechoslowakei war, im Unterschied zur deutsch-polnischen Grenze, unstrittig. Nicht nur Westdeutschland, sondern auch seine Verbündeten erkannten in den ersten zehn Nachkriegsjahren die Oder-Neiße-Grenze nicht an. Auch schon deshalb blieben die Fragen der ausgesiedelten deutschen Bevölkerung Gegenstand gesamtdeutscher und internationaler Politik. D. Třeštík verschweigt auch, daß die Organisationen der Vertriebenen aus den polnischen Gebieten seit jeher ähnliche Forderungen wie die Organisationen der Sudetendeutschen erhoben und erheben, daß alle diese Organisationen stets eng zusammengearbeitet haben und im gemeinsamen Bund der Vertriebenen vereinigt sind. Den Vertriebenenorganisationen aus den polnischen Gebieten wurde größere Aufmerksamkeit zuteil, weil sich ihre Positionen weit mehr mit den Haltungen der verbündeten Regierungen deckten als im Falle der Sudetendeutschen.

Wenn D. Třeštík das sudetendeutschen Problem wie eine »historische Angelegenheit« betrachtet und nicht wie eine »Frage« unserer Gegenwart, positioniert er den Leser vor falsche Alternativen: Die Aussiedlung der Sudetendeutschen gehört unstrittig der Vergangenheit an, doch ihre Ergebnisse gehören unstrittig der Gegenwart an. Zur Vertreibung der deutschen Bevölkerung aus der Tschechoslowakei kam es im Zusammenhang mit dem Zweiten Weltkrieg, für den die deutsche Gesellschaft die historische Verantwortung genauso wie für die nazistischen Verbrechen zu tragen hat. Historisch mitverantwortlich sind selbstverständlich auch die Sudetendeutschen. Betrachten wir aber ihren Abschub als Teil des Zweiten Weltkriegs, so müssen wir folglich auch jegliches Verbrechen als Verbrechen erkennen, wer auch immer und unter welchen Umständen auch immer dieses begangen hat. Es geht daher nicht an, vor der Anerkennung des Abschubs der Sudetendeutschen als eines Unrechtsaktes auszuweichen.

Dies bedeutet selbstverständlich nicht die Revision der Ergebnisse des Zweiten Weltkriegs, wie denn so viele tschechische Kommentatoren behaupten. Dies bedeutet lediglich die Artikulierung unserer gegenwärtigen Ansicht bezüglich der Entscheidung der Politiker in der Vergangenheit, somit ist dies nur der Ausdruck des gegenwärtigen Rechtsbewußtseins. Der Hinweis auf historische Umstände bietet eine Erhellung der Gründe und Ursachen an. Doch hat er nichts Gemeinsames mit der Frage nach seiner Bewertung. Gleicherweise bedeutungslos ist der Hinweis darauf, daß auch die führenden Vertreter der Siegermächte diese Entscheidung in Potsdam billigten; so als ob sie etwa nicht auch beispielsweise das Münchner Abkommen gebilligt hätten. Das sudetendeutsche Problem ist heute nicht die Frage nach dem »Abschieben oder Nichtabschieben«, sondern die Gewinnung eines Bildes vom Abschub in unserem historischen Bewußtsein und in der Suche nach Formen, wie man seine Ergebnisse in der tschechischen und deutschen Gesellschaft fünfzig Jahre danach bereinigen könnte. Als Historiker ist sich D. Třeštík sicher dessen bewußt, daß die Umsiedlung von drei Millionen Menschen aus einem in einen anderen Staat eine Erscheinung ist, welche für beide Seiten Ergebnisse mit Langzeitwirkung hat. Die Sudetendeutschen als »alte Herren« zu bezeichnen, die »sich in angenehm ausgestatteten Kanzleien eingenistet haben«, und sie neben die tschechischen Skinheads zu stellen, ist nicht allein geschmacklos, sondern auch eine unangemessene Vereinfachung. Verschiedene sudetendeutsche Politiker haben unterschiedliche Vorstellungen darüber, welche Folgen die Anerkennung des Abschubs als eines Unrechtaktes mit sich bringen würde, und ähnlich heterogen sind auch die Vorstellungen in der tschechischen Öffentlichkeit. Was sich aber einer wirklich vorstellt, darüber kann man sich aber allein in Verhandlungen ein genaues Bild machen.

Der Historiker D. Třeštík kennt sicherlich die Entwicklung innerhalb der sudetendeutschen Organisationen und die Heterogenität ihrer politischen Ziele, und daher ist es unerklärlich, warum er die Öffentlichkeit darüber nicht informiert. Es handelt sich hier um ein breites Spektrum von Ansichten und Standpunkten, und wir wissen aus den Erfahrungen gerade der letzten fünf Jahre, daß jeglicher tschechische Beitrag zur Diskussion bezüglich dieser Konzeptionen und politischen Alternativen in die Reihen der sudetendeutschen Organisationen Dynamik bringt und durch den öffentlichen Druck eine Verteidigungslinie gegen den politischen Radikalismus aufbaut. Die Sudetendeutschen nach »guten« (das heißt diejenigen, welche gar nichts wollen) und »schlechten« (das heißt diejenigen, welche etwas wollen) zu unterscheiden, ist ein Kennzeichen für einen politischen Primitivismus, und einen Dialog mit »unseren ehemaligen Mitbürgern, welche dies doch häufig gut meinen« nur deswegen abzulehnen, weil »sie uns nur wenig wert sind, weil sie ja in der deutschen Öffentlichkeit nicht genügend Gewicht (oder – häufiger – nahezu keines) haben«, dies stellt eher eine Krämerseele als eine historische Überlegung dar.

Gerade durch einen Dialog würde vieles klargemacht werden, was bis heute ein propagandistisches Instrument der politischen Verstocktheit geblieben ist. So werden beispielsweise in der tschechischen Öffentlichkeit Befürchtungen geweckt, so als ob Deutschland heute die Rückgabe des Eigentums der ehemaligen tschechoslowakischen Bürger deutscher Nationalität einfordern würde. Zahlreiche Sudetendeutsche stellen sich aber die Frage, warum denn die tschechischen Opfer des Nazismus nicht aus dem Eigentum der ausgesiedelten Sudetendeutschen entschädigt worden sind.

In rechtlicher Hinsicht bietet dieses Thema auch problematische Zusammenhänge dar: Die persönlichen Eigentumsrechte beim konfiszierten Eigentum der Deutschen blieben formal ungeklärt, denn in den ersten Nachkriegsjahren bestand die Tschechoslowakische Regierung darauf, diese Frage aus den Reparationsverhandlungen und den Verhandlungen über deutsches Eigentum im Grenzgebiet auszuschließen.

Die Ergebnisse ähnlicher historischer Ereignisse beschäftigen die beteiligten Gesellschaften gewöhnlich länger als ein halbes Jahrhundert, und die Form, wie sie hervortreten, hängt vom gemeinsamen Bemühen der Beteiligten ab. Auch die Ergebnisse des Abschub haben bereits ihre eigene Geschichte, und selbst diese dürfte ein Historiker vom Format Třeštíks nicht verschweigen. Auf die Frage Třeštíks, warum denn – nach den Vorstellungen Bonns – die Tschechen einen Dialog führen sollten und nicht die Polen, gibt es eine ganz einfache Antwort: Weil nämlich der deutsch-polnische Dialog bereits seit Jahren intensiv geführt wird. Die tschechische Strategie, diejenigen Verhandlungen darüber abzulehnen, worüber zu verhandeln gerade die Politiker keine Lust verspüren, ist ein Überbleibsel der vergangenen Jahrzehnte, als nicht nur die Kommunisten gemeint hatten, daß Probleme dann aufhören Probleme zu sein, sofern man sie öffentlich nicht anspricht.

Es geht ja nicht darum, Vergangenheit zu rekonstruieren. Die Ergebnisse der tschechoslowakischen Nachkriegsgesetzgebung betreffen darüber hinaus nicht nur die ausgewiesenen Deutschen, sondern auch die Bürger der ČR. Es geht doch darum, ob kollektive Außerrechtstellung und Aussiedlung von Millionen Menschen unseren gegenwärtigen Rechtsnormen entsprechen, und ferner darum, wie man in beiden freien demokratischen Gesellschaften mit ihren Ergebnissen einen Ausgleich schaffen kann. In diesem Sinne geht es um ein gemeinsames Problem liberal gesinnter Tschechen und Deutscher, keineswegs aber um einen deutsch-tschechischen Antagonismus, wie ihn D. Třeštík und zahlreiche tschechische Kommentatoren aus dem sudetendeutschen Problem heraus im Geiste tradierter nationalistischer Stereotypen bilden.

Lidové noviny – 31.3.1995

10.19 Jindřich Marek:
Schluß mit dem Spaß, ihr Pragováci

Man kann immer irgend etwas mißbrauchen – die allgemein richtige Forderung nach einer Verständigung zwischen den Völkern, eine Aktion der UNO mit dem Titel »Jahr der Toleranz« und naive Humanisten, welche bezüglich der Ergebnisse ihrer Taten gar nicht nachdenken und bis zum Tod ganz gerne lebensunfähige Projekte von Doppelhäusern ohne Klosetts entwerfen und in der praktischen Politik dann ganz und gar unfähig sind, überhaupt etwas Vernünftiges für ganz konkret lebende Menschen zu bewerkstelligen (...)
Ausnützen kann man wen auch immer – durch ihren Lehrer manipulierte unreife Grünschnäbel, unterbezahlte Journalisten, eitle doch erfolglose Wissenschaftler, Weltanschauungssklaven und arrogante Snobs, welche ihre Größe im pathologischen Haß auf das eigene Volk sehen (...).
All dies fällt mir nach der Erklärung einer deutsch-tschechischen Gruppe von Intellektuellen vom vergangenen Dienstag ein; diese haben die Thesen eines professionellen Sudetenländlers[162] mit unterschrieben; dieser Rudolf Hilf, welcher durch seine beleidigenden Äußerungen an die Adresse des tschechischen antinazistischen Widerstands berühmt geworden ist – und diese Unterzeichner haben der Erklärung ganz und gar unangemessen die Bezeichnung »Versöhnung 95« verliehen. Am Mittwoch bezeichnete Dušan Třeštík im Leitartikel der Lidové noviny diese Erklärung ganz zutreffend als FUSSFALLE 95.

(…) beim tschechischen Teil der Unterzeichner der Thesen Hilfs verfolgt mich bereits vier Tage lang die eher obsessive Erinnerung an das Jahr 1968 und an den hierbei unliebsam bekannten »Brief von 99 Pragern an die sowjetischen Genossen«. Unsere neuzeitlichen PRAGováci (…) sehnen sich selbstverständlich nicht nach Panzeraufmärschen, und ihr Ziel ist folglich um vieles bescheidener. Möglicherweise genügt es ihnen, wenn Praha eines Tages einmal als europäische Großstadt sich wieder amtlich als PRAG bezeichnen wird …

(…) Und gerade deshalb ist es erforderlich, an die Adresse ihrer merkwürdigen Ideenschritte und Visionen deutlich folgendes zu sagen: »Der Spaß hat aufgehört, Ihr PRAGováci … Durch Euren politischen Akt habt Ihr nach fünf Jahren individueller Dienste für Herrn Neubauer letztendlich den Rubikon als ganzen überschritten und habt Euch offenen Blicks an den im wörtlichen Sinne existentiellen Interessen des eigenen Landes und Volkes vergangen. Die Naivität der einen ist keine Entschuldigung, und die Vorstellung vom Heldentum bei den anderen – in einem Lande, wo das Strafgesetzbuch praktisch Landesverrat nicht mit einbezieht – stellt eine falsche Vorstellung dar.« (…)

Svobodné slovo – 1.4.1995

10.20 Václav Klaus
Bezeichnen wir doch die Dinge mit den richtigen Namen

(…) In letzter Zeit gelangte bei uns von neuem – und entsprechend meiner Meinung keineswegs auf die glücklichste Art und Weise – wiederum das sogenannte deutsch-tschechische Problem in die Titel der Nachrichtenmedien. Ich sage das sogenannte, weil ich nämlich nicht denke, daß es sich hier um ein wirkliches Problem handelt, daß es hier um etwas anderes geht als um den standardgemäßen »nachbarschaftlichen« Bezug, noch dazu dadurch potenziert, daß das eine Land größer, das andere hingegen kleiner ist. Sicherlich war die Vergangenheit nicht stets idyllisch, nicht immer hat die Liebe obsiegt, desgleichen nicht das Gute und die Gerechtigkeit, doch mit der Vergangenheit kann man – wie unser Herr Präsident in seiner vor kurzem gehaltenen Ansprache gesagt hat – bereits nichts mehr machen. Daraus kann man einzig und allein folgendes lernen, daß wir nie wieder gleiche Fehler wiederholen. Leider Gottes ist es unmöglich, die Vergangenheit nochmals abspielen zu lassen und sie somit besser zu machen.

Ich beginne Angst zu bekommen, daß wir dazu neigen, neue und weitere Fehler zu begehen, möglicherweise in guter, möglicherweise in schlechter Absicht, möglicherweise auch vorsätzlich, möglicherweise unbewußt. Lange habe ich über die deutsch-tschechischen Beziehungen nachgedacht, daß es einfach genüge, sich um die positiven Dinge vom praktischen Typ in der Gegenwart zu bemühen, sich mehr und mehr kennen zu lernen, sich mehr gegenseitig zuzuhören, und dies würde dann schon ausreichen. Heute beginne ich das Gefühl zu haben, daß dies nicht ausreicht, und daß es möglicherweise notwendig ist, manche Dinge klarer und lautstark zu sagen.

Mich beunruhigt nicht so sehr diese oder jene Verlautbarung von Herrn Neubauer, mich beunruhigen weit mehr die Erklärungen derjenigen, welche dies gewiß gut meinen und welche trotzdem einen falschen Ton in unsere Diskussionen hineintragen.

Unlängst erhielt ich die Gemeinsame Erklärung der tschechischen und deutschen Bischöfe (vom 9. März dieses Jahres 1995), und weil es sich hier um eine außerordentlich angesehene und respektable Versammlung handelt, welcher eine nicht geringe Autorität zukommt, möchte ich gerne gerade dazu einige Anmerkungen hinzufügen.

Erstens – im Text wird von Versöhnung gesprochen, doch ich weiß wirklich nicht, wer denn mit wem. Wer sich denn unversöhnt fühlt, der möge sich aussöhnen. Es ist schon möglich, daß es eine Generation (oder einen Teil von ihr) von Unversöhnten gibt, doch ich selbst fühle mich keineswegs nicht ausgesöhnt (und mit mir gemeinsam fühlen sich ebenso ganze Mengen weiterer Tschechen und auch Deutscher keineswegs unausgesöhnt; mit etlichen von ihnen habe ich darüber gesprochen). Deshalb muß ich mich nicht aussöhnen. Doch die Herren Bischöfe fordern uns dazu auf, wir sollten uns »von der alten nationalen Feindschaft« abwenden und uns vom »Geist des Egoismus und des Hasses zwischen den Menschen und Völkern« lossagen. Ich weiß nicht, ob denn die Herren Bischöfe in sich selbst oder um sich herum eine nationale Feindschaft verspüren? Fühlen sie gar Haß? Sind dies adäquate Worte für unsere Zeit und für unsere geographischen Breiten? Geht es denn bei uns nicht eher um die bloße Befürchtung etlicher unserer Mitbürger und deshalb auch um ihre Vorsicht in bezug auf etliche Dinge?

Zweitens – die Herren Bischöfe wollen sich »zu Lüge und Schuld, mit denen sich die Angehörigen beider Völker beladen haben«, bekennen. Ich würde sie aber schon sehr bitten, daß sie zumindest ein wenig zu unterscheiden versuchten, damit sie bei den Überlegungen zur Schuld unserer Völker nicht die Existenz irgendeiner Symmetrie bezeichneten und daß sie in ihre Überlegungen zumindest ein wenig die Elemente zeitlicher Abhängigkeit verschiedener Phänomene und vor allem Kausalitätselemente mit einbeziehen. Wir haben nichts zu schaffen mit voneinander unabhängigen, autonomen Fällen von Lüge oder auch Verschulden. Ich stimme nicht zu, daß es um Dinge gegangen ist, welche »ihre Wurzeln in diesen Netzen des nationalistischen und totalitären Geistes des Bösen haben«, und die man deshalb »nicht voneinander trennen kann«. So kann man mit der Vergangenheit nicht umspringen, denn ansonsten haben wir rein gar nichts aus ihr gelernt.

Drittens – der Abschub der Deutschen aus unserem Land nach dem durch Deutschland verursachten Weltkrieg und menschlichem Leid von bis dahin unbekanntem Ausmaß hat die Atmosphäre der damaligen Zeit widergespiegelt; so ist also jeglicher Abschub keine Angelegenheit, welche wir – als ganzes und insbesondere in der Konkretheit in dessen Rahmen – den hellen Seiten unserer Geschichte zuordnen sollten, und so ist es mir durchaus nicht klar, gegen wen denn der Satz eigentlich gerichtet ist, daß »selbst heute niemand ein derartiges Gewaltmittel als Recht bezeichnen darf«. Ich bin mir dessen nicht bewußt, daß heute irgendjemand dies tun würde (zumindest in unserem Lande).

Viertens – ich wünsche mir hervorragende nachbarschaftliche Beziehungen zwischen Tschechen und Deutschen, zwischen der Tschechischen Republik und Deutschland, doch bestehe ich auf wirklich nachbarschaftlichen Beziehungen. Daher verstehe ich es nicht, wenn die Herren Bischöfe vom »gemeinsamen Weg der Deutschen und Tschechen« sprechen. Es kann schon möglich sein, daß es sich hierbei um eine banale, unbewußte oder einfach anders gedachte Formulierung handelt, doch ist sie eben unpräzise. Auch mit den Slowaken, den Polen und Österreichern wünschen wir uns die produktivsten und freundschaftlichsten Nachbarschaftsbeziehungen, doch habe ich trotzdem nicht das Gefühl, daß wir hier über einen gemeinsamen Weg sprechen sollten. Eine Nachbarschaft in einem Mietshaus bedeutet die freundliche morgendliche Anrede, Zusammenarbeit in Sachen gemeinsamen Interesses, Hilfe in der Not, gegenseitige Einladung zum Kaffee in der Abenddämmerung, doch sie bedeutet nicht die Beseitigung der Türen, Klinken und Schlösser und somit ein Zusammenleben auf gemeinschaftlicher Grundlage.

Fünftens – eine Nachbarschaft kann allerhand Probleme zur Lösung bringen, doch weiß ich nicht, warum denn die Herren Bischöfe betonen, daß »die Nachbarschaft in den Grenzbereichen eine ganze Reihe konkreter Schwierigkeiten mit sich bringt«, und warum sie nicht auch in einem Atemzug sagen, welche Nachbarschaft auch die nicht geringen Vorteile zum beiderseitigen Wohl beibringt. Es ist ganz sicher, daß es wesentlich mehr dieser Vorteile gibt als Nachteile – wie Tschechen und Deutsche gut wissen.

Gehen wir doch davon aus, daß wir – zumindest eine erdrückende Mehrzahl von uns – längst miteinander ausgesöhnt sind, daß es zwischen uns nicht um Feindschaft geht (und umso weniger um Haß), daß wir uns auf keiner Seite der Grenze mit jeder Angelegenheit brüsten, welche sich in der Vergangenheit ereignet hat, und daß wir hauptsächlich die besten und produktivsten gegenseitigen Beziehungen wollen. Die tschechisch-deutschen Beziehungen sind keineswegs schlecht. Es ist nur Mode geworden, dies so hinzusagen.

Lidové noviny – 1.4.1995

10.21 Milan Uhde verspürt die Notwendigkeit eines tschechisch-tschechischen Dialogs

Prag – Auf die Notwendigkeit eines tschechisch-tschechischen Dialogs im Zusammenhang mit dem Aufruf VERSÖHNUNG 95 hat in einem Gespräch mit Radio Echo der Vorsitzende der Abgeordnetenkammer Milan Uhde hingewiesen.

Als strittigste Stelle im Text des Aufrufs hat er die Anregung bezeichnet, die tschechische Regierung möge mit den Vertretern der Sudetendeutschen verhandeln. »In diesem Moment wird doch offenbar, wie eben Intellektuelle etliche Umstände nicht bedenken, welche für einen durchschnittlichen Politiker, ganz zu schweigen vom überdurchschnittlichen – vielleicht sind hier gerade solche anwesend – ganz und gar klar sind,« sagte er.

»In der Tschechischen Republik befinden wir uns noch immer von der Idee gefangen, daß, wer auch immer gelitten hat – und die Tschechen haben zweifellos unter den Nazis gelitten, sie haben unter den Kommunisten gelitten –, in al-

lem recht habe«, sagte Uhde. »Es herrscht die Vorstellung, nach der Leiden adelt und das innere Recht verleiht, was auch immer zu machen«, fügte er dann hinzu. Ein Dialog werde, nach Uhde, in der breiten Öffentlichkeit geführt, jedoch nicht insgesamt befriedigend. »Bei uns gibt es Leute, welche im Jahr 1945 leben und gegen die deutschen Besatzer kämpfen. Die Gründe sind klar. Vierzig Jahre lang hat sich hier Geschichte nicht ereignet, 40 Jahre gab es hier keine Gelegenheit, systematisch zu erkennen, wie das demokratische Deutschland mit den Verbrechen des Nazismus verfahren gekommen ist«, gab Uhde zu bedenken.
Lidové noviny – 3.4.1995

10.22 Dušan Třeštík
Versöhnung, Fußangeln und die Intellektuellen

In bezug auf das Erfordernis eines Gesprächs mit den Deutschen und darin auch mit den Sudetendeutschen sind wir uns alle einig, die wir hier in den böhmischen Ländern zumindest etwas Verstand besitzen.

Wie auch immer, entsprechend der Möglichkeit eines definitiven und wirklich bindenden Punktes können lediglich Regierungen real in zweiseitigen Verhandlungen tätig werden und in gar keinem Falle nicht irgendwelche, stets anzweifelbare Bürgerinitiativen.

Damit es klar wird: Diese VOLKSZEITUNG (Lidové noviny) ist nicht auf Regierungskurs, sie ist auch keine Zeitung der Burg[163], auch nicht der Straka-Akademie[164], sondern schützt entsprechend ihrem Gewissen und ihren Kenntnissen die Interessen dieses Staates und dieses Volkes, jedoch nicht von Politikern und Parteien. Doch ist sie – in der Tradition der Volkszeitung – staatsbildend und regimefreundlich und somit auch – wiederum in der Tradition der Volkszeitung – unaufhörlichen Angriffen von Links und Rechts ausgesetzt und gleicherweise von denjenigen, welche meinen, daß ein »richtig unabhängiger Intellektueller« daran erkannt wird, daß er stets und in allem gegen die »Macht« eingestellt ist. Diese Zeitung hat die nationalen Interessen im Sinne, wozu man in der angelsächsischen Welt »national interests« sagt. Täglich beweist sie auf jeder ihrer Seiten, daß ihr nicht allein nichts ferner liegt als der Nationalismus, auf dem sich nunmehr die Nationalisten von gestern bedeckterweise zu tummeln versuchen, sondern daß sie sich selbst vom überlebten tschechischen Vaterlandsgehabe des traditionellen hurrapatriotischen Typs distanziert, welcher unserer Linken so teuer ist, und daß sie versucht, einen neuen, zivilen und unpretentiösen Patriotismus mit europäischer Ausrichtung mitzuentwickeln. (...) Gerade deshalb, weil diese Zeitung sich der grundlegenden tschechischen nationalen Interessen bewußt ist, tritt sie für einen fortwährenden, vielseitigen und selbstverständlich auch bedachtsamen sowie (beiderseits) kritischen Dialog mit den Deutschen und mit Deutschland ein. Niemals war das Blatt auch gegen einen von den Bürgern geführten, freiwilligen und durch niemand aufgenötigten Dialog mit den Sudetendeutschen. Diese Zeitung schätzte es entsprechend hoch, was insbesondere die Katholischen Christen um Jan Sokol, Petr Příhoda und weitere getan haben. Wir bewerteten gerade die »Versöhnung« nicht als so drängend und unerläßlich wie die Christen und meinen eher, daß das Leben als solches dies effektiver besorgt als irgendwelche Erklärungen. Doch dies bedeutet keineswegs, daß wir auf irgendeine Art und Weise die Berechtigung ihrer Bemühungen bestreiten würden. Wir waren wahrscheinlich lediglich etwas mehr als sie dessen eingedenk, daß in dieser realen Welt auch ethische Haltungen und Taten äußerst selten zu politischen Taten werden und daß diese Verantwortlichkeit für politische Ergebnisse in ihnen mitenthalten ist.

Diese Leute haben nunmehr einen fremden Aufruf für einen Dialog mit den Sudetendeutschen unterschrieben, in welchem vor allem die Forderung nach direkten Verhandlungen der Regierung und des Präsidenten mit einer nicht näher bestimmten politischen Vertretung der Sudetendeutschen enthalten ist bezüglich »aller Fragen, welche jede der beiden Seiten für offen hält«. Diese Zeitung und namentlich der Unterfertigte bezeichneten diese (und lediglich diese) Forderung als schädlich und als einen unzweckmäßigen Eingriff in die gerade vor sich gehenden Verhandlungen des Präsidenten und der gesamten, seltenerweise einheitlichen tschechischen politischen Repräsentanz mit der einzig realerweise möglichen Repräsentanz auf deutscher Seite, mit der deutschen Regierung. Mit der Unangemessenheit eines derartigen Interventionsversuchs stimmen offenkundig auch die namentlich genannten Unterzeichner überein, weil sie nunmehr die beanstandeten Sätze als »unumkehrbar« verkünden. (Petr Příhoda im Radiojournal 1. IV.).

Sollen doch daher Petr Příhoda und andere einen eigenen Aufruf zum Gespräch verfassen, welches denn auf der

Ebene von Bürgerinitiativen geführt würde. Es sollte ein Aufruf sein, welcher die politischen Verhandlungen des Präsidenten und der Regierung im voraus weder wissentlich noch unwissentlich torpedieren würde und sie zumindest nicht daran hindern wird, falls es sich um »wirklich unabhängige Intellektuelle« handelt, kühl jegliches mögliche, möglicherweise auch richtige Unterfangen des Präsidenten zu unterstützen. Ganz entschieden sind nämlich einige eilige Papierchen, »Doppelhäuschen« und »Zitierungen« in einer anderen, doch genauso unglückseligen Ausgabe kein gangbarer Weg. Dies alles haben wir bereits einmal, im Falle der Verhandlungen mit der Slowakei, zur Genüge erlebt. Irgendeinen, entsprechend den Möglichkeiten definitiven und wirklich verbindlichen Strich können realerweise allein die Regierungen ziehen. (…).

Mit anderen Worten: Wenn sie solch einen Aufruf publizieren, werden die Autoren des gegenwärtigen VERSÖHNUNG 95-Textes, ein Häuflein politischer Fantasten, welche unter einer fixen Idee leiden, nicht mehr unterschreiben können, daß die Tschechoslowakei eine »Fehlkonstruktion[165]«, ein Irrtum der Geschichte gewesen sei. Nicht nur vom Präsidenten und der Regierung, aber auch von den Bürgern einzufordern, daß sie auf eine so hübsch moralisch herausgeputzte Geschichte (…) hereinfallen wie auf einen Ausgangspunkt für die Verhandlungen, dies ist doch – im besseren Fall – eine Dummheit. Jegliche sinnvolle Aufforderung zum Dialog muß sich davon deutlich distanzieren (…). Einen solchen Aufruf bezeichnet diese Zeitung als einen nützlichen Schritt in Richtung auf einen Ausgleich mit unseren ehemaligen Landsleuten.

Braucht man dazu wirklich einen Aufruf? Da wir doch alle bezüglich der Notwendigkeit eines Gesprächs mit den Deutschen und darin auch mit den Sudetendeutschen, dahingehend einig sind, jedenfalls diejenigen, die wie wir hier in den böhmischen Ländern zumindest etwas bei Verstand sind. Diejenigen, welche meinen, daß es notwendig sei, Fragen von Schuld und Vergebung zu lösen, sollen dies tun. Diejenigen, welche meinen, daß sie das ihrige in den tagtäglichen Kontakten vollbringen, benehmen sich so ganz natürlich, und diejenigen, welche denken, daß sie uns durch ein Untergangsszenario schrecken, sollte der Präsident nicht mit Neubauer verhandeln, die also erschrecken uns. Wirklich. Diejenigen, welche entsprechende Schritte beider Regierungen kommentieren und diskutieren, handeln somit besser oder auch schlechter. Jegliches noch so gute

Manifest würde so ausfallen, wie die VERSÖHNUNG 95 ausfällt. Nach einer Woche-zweier aufgebrachter Streitereien »wirklich unabhängiger Intellektueller« darüber, wer von ihnen denn moralischer sei, nach der Vergeudung einer erträglichen Menge überflüssigerweise bedruckten Zeitungspapiers, sollte dies alles dem Vergessen anheimfallen. Zu Recht.

Lidové noviny – 4.4.1995

10. 23 Versöhnung 95 ...

Augenscheinlich deswegen, weil ich aus einem tschechisch-deutschen Elternhaus stamme, habe ich mich zu keiner Zeit vor den »westdeutschen Revanchisten und Sudetendeutschen« gefürchtet. Die Bundesrepublik halte ich für einen demokratischen Staat, der es verstanden hat, sich mit seiner Vergangenheit auszugleichen.
Der Abschub war für mich stets eine Vertreibung, und 3 Millionen Mitbürger zu verjagen, das macht man einfach nicht. Nichtsdestoweniger halte ich den Aufruf der Intellektuellen – ich gebrauche nur ungern starke Worte – für unglücklich.

*Aus einem Leserbrief von **J. Střemchová**, Prag*
Lidové noviny – 5.4.1995

10.24 Dušan Šramék:
Die historische Beschränktheit der Petition VERSÖHNUNG 95

Der Aufruf einiger tschechischer Intellektueller zu einem direkten Dialog zwischen dem Sudetendeutschen landsmannschaftlichen Verband (...) und der Tschechischen Regierung kam wie ein Schlag aus heiterem Himmel. Es stellt sich die Frage, was persönliche Freunde des gegenwärtigen Präsidenten zu diesem Schritt veranlaßt hat, wo er doch eine ganz und gar grundsätzliche Rede zum Thema der deutsch-tschechischen Beziehungen gehalten hat, in der er durchaus eindeutig einen derartigen Dialog ablehnte. Die ganze Situation ist insofern noch kurioser, daß sich, im Unterschied zu etlichen anderen Äußerungen des Präsidenten, gerade diese Rede in voller Übereinstimmung sowohl mit dem Czernin-Palais[166] als auch mit der Straka-Akademie befand.[167] Eher zeigt sich hier neben bestimmten uneingelösten politischen Rechnungen aus der Vergangenheit (vergessen wir nicht, daß der überwiegende Teil der Unterzeichner von den Freien Demokraten kommt, der

ehemaligen Bürger-Bewegung OH) ein bestimmtes Unverständnis für solche Begriffe, durch die politische Realität und letztendlich auch historische Erfahrung bestimmt werden. Dieses Unverständnis muß bei weitem noch nicht bedeuten, daß die Unterzeichner etwa bei ihrem Versuch von der üblen Absicht bestimmt waren, dem eigenen Land Schaden zuzufügen (...) Auch wenn man aus der Sicht moralischer, historischer und humaner Bewertung diese oder jene Richtungen beurteilen will, welche sich in der Vergangenheit in den Beziehungen zwischen beiden Völkern abgespielt haben, so kann man nicht allein im Prinzip zulassen, daß sie zu einem Bestandteil der offiziellen Politik des Heute oder letztendlich etwa gar der Zukunft würden.
Denní Telegraf – 10.4.1995

10.25 Haben die denn irgendein Gewissen?

Der widerwärtige Entwurf des Herrn Dr. iur. Pithart und seiner Gönner zwingt mich dazu, auch meinen persönlichen Standpunkt und meine Ansicht zu äußern. Ich bin 72 Jahre alt und bin Träger der Auszeichnung Für die Befreiung Prags, welche mir persönlich durch General Kutlvašr[168] ausgehändigt wurde (...) Gegen die Vorschläge der Initiative VERSÖHNUNG protestiere ich entschieden und ich bewerte diese als Verrat am Tschechischen Volk. Die sudetendeutsche Frage ist ein für allemal im Jahre 1945 durch die Übereinkunft der Siegermächte gelöst worden (...) Ich füge noch hinzu, daß mir die Kommunisten ein ganzes Leben lang nicht gestattet haben diejenige Tätigkeit auszuüben, welche ich studiert hatte (...) Ich kann mich nicht damit aussöhnen, daß jemand tschechisches Land auf solch eine brutale Art und Weise vergewaltigt und verkauft, wie dies die Initiative tut, welche sich selbst VERSÖHNUNG 95 nennt. Haben diese Herren und Damen irgendein Gewissen?
Aus der Zuschrift eines Lesers, dessen Name nicht angegeben wurde.
Svobodné slovo – 14.4.1995

10.26 Äußerung eigener Meinung

(...) Das Geschrei rund um die »Versöhnung« erinnert mich sehr an den totalitären Feldzug gegen die Chartisten (...), als nämlich der jeweilige Text nicht veröffentlicht wurde, aber alle dagegen waren. Ich kenne auch nicht den genauen Text (...), und es ist höchstwahrscheinlich, daß ich dagegen wäre (...) Aber daß Václav Malý, Jan Sokol oder Petr Pithart solche (Kerle – O. P.) wären (...), das ist doch ein wenig starker Tobak. Der Herr Präsident und die Regierung haben den Sudetendeutschen eine klare Antwort gegeben. Daß dann jemand eine davon abweichende Ansicht hat? Das ist doch Demokratie. (...)

Aus einem Leserbrief von Václav Hahoda
Svobodné slovo – 14.4.1995

10.27 Jan Křen:
Nach fünfzig Jahren

(...) Die Erklärung »Versöhnung 95«, welche auch von Leuten unterzeichnet wurde, die ich schätze, erscheint sympathisch wegen ihres Bestrebens, das in Bewegung zu bringen, was bisher unsere Beziehungen gebremst hat. Doch bin ich mir nicht sicher, ob nicht damit das genaue Gegenteil erreicht wird, und ich kann mich auch nicht sachlicher Einwände enthalten. Ich lasse einmal die politischen Aspekte beiseite. (...) Ich halte mich lieber an meinen Leisten: Mein Beruf leitet mich hin zur Skepsis gegenüber der Vorstellung, daß irgendeine Übereinkunft, ob nun von Politikern oder Intellektuellen gemacht, unter Ereignisse der Vergangenheit einen definitiven Strich ziehen kann und aus diesen somit, wie dort dargestellt wird, bloße Geschichte macht. Dies ist eine ähnliche Vorstellung, wie man nämlich tschechischerseits vor etlichen Jahren bona fide nach dem dicken Strich unter der Vergangenheit gerufen hat – auch damals gelang es nicht, sie zu überpinseln (...) Ich weiß aus Erfahrung, daß es in der Geschichte eine ganze Reihe von Fragen gibt, über die man beinahe unmöglich zu einer Einigung gelangen kann, und falls man zu igrendeiner gescheiten Formulierung solch einer Übereinkunft gelangt, wird sie bald zur Quelle neuer Nichtübereinstimmungen (...) In einem bestimmten Maß an Nichtübereinstimmungen sehe ich nicht notwendigerweise ein fatales Malheur und so kann ich mir ein Leben mit ihnen durchaus vorstellen. Als Beispiel wage ich mich in das Gehege der Rechtsdoktrinen. Schwerlich wird sich etwa einmal die Mehrheit der Tschechen damit aussöhnen, daß im Unterschied zu Frankreich oder Italien die übrigen beiden Unterzeichnermächte von München zwar seine Unrechtmäßigkeit anerkennen, doch – jede aus anderen Beweggründen und Motiven – diesen als einen rechtsgültig abgeschlossenen Vertrag betrachten, der mindestens ein halbes Jahr lang galt, also bis zum 15. März 1939. Es steht nicht in unserer Macht, dies zu ändern, was bleibt also anderes übrig, dies also mit Nichtübereinstimmung zur Kenntnis zu nehmen, damit zu leben und damit leben zu lernen. Ebenso schwer tragen viele Deutsche daran, insbesondere diejenigen, welche direkt davon betroffen waren, was die Potsdamer Entscheidungen und etliche der sogenannten Benesch-Dekrete betrifft. (...)

Literární noviny – Nr. 17/1995

10.28 Heute denkt einmal Lubomír Brokl über das Leserecho in bezug auf das Thema der deutsch-tschechischen Beziehungen und den Aufruf Versöhnung 95 nach

Soziologe, Mitglied des Herausgeberrates der LN

Liebe Leser, über 80 Ihrer Beiträge (...) sprechen grundlegende Dinge über Probleme und desgleichen über uns aus. (...) Allesamt verdienten sie Publizierung, doch ist dies nicht möglich. Durch ihre Veröffentlichung würden wir eines der Ziele der Landsmannschaft erfüllen: Das sudetendeutsche Problem, welches in Deutschland unwichtig ist, würde uns andere Probleme ganz und gar verdunkeln.

Das Spektrum der Sachargumentation in Ihren Beiträgen überlappt sich verständlicherweise vielfach. Daher versuche ich, sie zusammenfassend darzustellen.

Zunächst bereinigen wir einige kleinere Irrtümer. Beim Text Versöhnung 95 handelt es sich nicht um 105 tschechische Intellektuelle. Es sind genau 67 tschechische Unterzeichner, davon wiederum beispielsweise 23 Publizisten, 6 Historiker (von den bekannteren M. Otáhal, E. Mandler und A. Klímek), ein Gemeinderat und weitere. Insgesamt sind es 60 Männer und 7 Frauen. P. Pithart ist Jurist, B. Doležal ist Philologe und Germanist, P. Příhoda Psychiater. Von deutscher Seite sind es insgesamt 38 Unterzeichner, davon beispielsweise wiederum 11 Funktionäre sudetendeutscher Vereinigungen, 5 Funktionäre sudetendeutscher Stiftungen, 3 Abgeordnete des Bundestags und 3 Abgeordnete aus Länderparlamenten und weitere. Insgesamt sind es 37 Männer und 1 Frau. (...)

Sie haben gleichmäßig aus Prag, dem Grenzgebiet, aus Böhmen und Mähren, aber auch aus Deutschland, aus Wien und London geschrieben. Außer sieben erheben alle Reaktionen gegenüber VERSÖHNUNG Widerspruch. Sie artikulieren Ihre Befriedigung bezüglich der Haltung von V. Havel und V. Klaus. Diesmal bewerten Sie auch die Beiträge von D. Třeštík recht hoch. Unter den Reaktionen befindet sich auch eine Erklärung von Studenten der Politischen Wissenschaft der Philosophischen Fakultät, welche die ablehnende Haltung des Rektors der Karls-Universität und Vorsitzenden der Akademie der Wissenschaften der Tschechischen Republik, die Demokratische Masaryk-Bewegung unterstützt, ferner eine Erklärung des Republik. Kongresses der Tschechischen Legionärs-Gemeinschaft. Die Reaktionen zeugen von Textvertrautheit, sie sind ganz emotional. Etwa ein Viertel von ihnen ist Augenzeugen oder Opfern des Nazismus zuzuordnen, vier haben Erinnerungscharakter.

Mehr als ein Drittel der Beiträge äußert sich enttäuscht und ablehnend gegenüber P. Pithart. Der Enttäuschung schließen sich auch die schärfsten Formulierungen an, welche in den Beiträgen auftauchten: »P. P. hat eine weitere Katastrophe zustande gebracht – einen Vorschlag, auf eine deutsche Entschädigung zu verzichten. P. P. ist der Verteidiger der frechen und bereits abgewiesenen Lügen der Landsmannschaft« (L. Culka, Prag); »P. P. ist ein famoser Kolporteur von Fragezeichen« (M. Petru, Zirovnice); »ein Kollaborateur, Lügner, verdienter Zerstörer der Tschechoslowakischen Republik« (P. Kocáb, Königgrätz). J. Macháček aus Tachau fragt an, »ob P. Pithart das Recht hat, als Träger moralischer Kriterien zu gelten? In der Funktion eines Ministerpräsidenten hat er gefährlich gehandelt und heute hat er erneut seine Unterschrift unter Worte gesetzt, welche gefährlich werden könnten«.

Zweimal wird im Zusammenhang mit Pithart der Fall Emanuel Moravec erwähnt. V. Kučera aus Pisek legt einen Brief eines deutschen Freundes bei: »Es geht gar nicht um eine Aussöhnung, vielmehr um Eigentum und um Geld«. Wie »eitle tschechische Schwätzer sind die Pithartovcen unfähig, die slowakische Realität von 1992 zu verstehen«, so sieht M. Grossmann zusammen mit anderen Rentnern-Lesern aus dem Zeitschriftenleseraum in Ostrau die Unterzeichner. »Um einfache beschädigte Sudet'aky geht es ihnen ja gar nicht, weil sie da auf konkrete tschechische Kampfgruppenmitglieder hinweisen müßten, oder auf Verbrechen oder Mord«. Eine ganze Reihe von Lesern ist von der Unterschrift Pitharts nicht überrascht, »denn wir haben im Jahre 1992 seine Verhandlungsfähigkeiten kennengelernt«, doch »sind sie von Jan Sokol und Václav Malý überrascht«. Eine »primitive Unfähigkeit, Zusammenhänge nicht zu erkennen, dann Rückgratlosigkeit, ein Ungenügen an Stolz« hält J. Franěk aus Prag P. Pithart vor und setzt dann fort: »Die Schuld der Sudetendeutschen war kollektiv. So sprechen auch deutsche Politiker in Auschwitz über sie. Die Reichsdeutschen haben die abgeschobenen Deutschen als Schuldige am Krieg aufgenommen. Der Krieg und die Zeit danach bedeuten doch lauter Kollektivismen: Hiroshima und Nagasaki. Eine Kollektivschuld kann man als Norm für die Zukunft ablehnen, doch ist es nicht möglich, sie auch für die Vergangenheit anzunehmen. P. Pithart lehnt eine sudetendeutsche Kollektivschuld ab, und im gleichen Satz spricht er von einer tschechischen Kollektivschuld im Hinblick auf den Abschub.«

Einige Leser analysieren auch Zusammenhänge: Der Aufruf Versöhnung 95 »ist in seinen Ergebnissen gegen die tschechischen Interessen gerichtet. Die Sicht Prager intellektueller Aktivisten unterscheidet sich von der Sicht der Bürger im Grenzgebiet. Den Abgeordneten und Angestellten der Landsmannschaft geht es gar nicht um Aussöhnung, weil sie damit um ihren Lohn und ihre Stelle als Abgeordnete kämen«. Die Leser betonen weiterhin die guten Beziehungen mit Menschen über die Grenzen hinweg und meinen, daß administrative Regionen verfrüht seien (M. Režník, Marienbad). Ein weiterer Leser analysiert die Ergebnisse der Empfehlungen P. Pitharts, daß »eine offizielle politische Vertretung der Sudetendeutschen für Verhandlungen mit der Regierung der Tschechischen Republik geschaffen werden sollte. Damit würde die Tschechische Regierung diese Vertretung anerkennen, und alles würde auf eine den israelisch-palästinensischen Verhandlungen vergleichbare Ebene gehoben werden. Die Tschechische Republik würde damit politisch die Existenz der sudetendeutsche Frage und ihre Vertreter als eine offizielle Vertretung anerkennen, die Landsmannschaft würde damit in die große Politik einsteigen. Herr Neubauer würde zum neuen Jassir Arafat, und möglicherweise würden wir auch noch seinen Auftritt in der UNO als Vertreter eines Dreimillionenvolkes erleben, welches aus seiner Heimat vertrieben wurde. Die deutsche Politik wird sich hierbei als unbeteiligt darstellen können, denn sie hat ja keinerlei Gebietsansprüche. P. Pithart hat durch sein Entgegenkommen den tschechisch-slowakischen Dialog mit V. Mečiar begonnen, und wie hat der geendigt! Dies ist auch eine Vorstellung, welche er bei der Lösung der staatsrechtlichen Ordnung der ČSFR durchgesetzt hat, als er behauptete, daß direkte tschechische und slowakische Verhandlungen ohne die Bundesebene erfolgreicher sein würden. Dieses im Prinzip verfassungsfeindliche Vorgehen führte zum Herausdrängen der Bundesorgane und kam so den Separatisten entgegen. Bonn würde sich so in der Stellung eines Kurators oder gar Schiedsrichters fühlen« (Vlastimil Kraus, Frauenberg). Ähnlich schreibt auch S. Technik aus Reichenberg: »Helft doch nicht mit bei der Herausbildung irgendeines ethnischen eigenständigen Gebildes aus den abgeschobenen Deutschen«, und er macht auf die unterbewertete ehrliche Arbeit der Menschen im Grenzgebiet aufmerksam. »Sie sollen doch zusammenkommen und diskutieren, doch ohne rechtliche Ergebnisse« (R. Hovorka, Göding). »Einen Dialog mit der Landsmannschaft führen, das ist unmöglich, es geht ihnen doch nur um die Durchsetzung eigener Interessen« (D. Lubig, Plösberg). Z. Pechan aus Brünn fordert die Volkszeitung (LN) auf, »am Beginn des Wahlkampfes 1996 die Namen und die Parteizugehörigkeit der Unterzeichner des Aufrufs zu veröffentlichen. Jeder muß die Folgen seines Tuns tragen«.

(...) »Die unergründliche Tiefe eigentlicher Barbarei offenbart der Historiker Hilf, wenn er die Benesch-Dekrete mit dem Etikett der Barbarei versieht, die Dekrete also, welche in genau derselben Zeit erlassen wurden, als britische und amerikanische Einheiten die goldenen Schlager deutscher Kultiviertheit und Schaffensfreude in den unendlichen Haufen von Skeletten von Belsen bis Auschwitz filmten, Monumente des deutschen Humanismus, eines natürlichen Hangs zur Demokratie und zum Recht auf Selbstbestimmung, welche damals drei Hundert ... aufgebaut haben ... In einer Zeit, da den heutigen Deutschen bereits längst niemand mehr eine Kollektivschuld zuschiebt, ist es doch nicht möglich, die Annahme einer Kollektivschuld seitens der heutigen Tschechen einzufordern. Die Tschechen haben nach Jahrhunderten die einmalige Chance, zu einem derjenigen zusammengefügten Völker zu werden, die, gleich den Holländern oder Dänen, fähig sind, deutschem Expansionsdrang zu widerstehen. Das sudetendeutsche Problem ist ein Versuch, welcher zeigen wird, ob sie den Willen dazu haben werden«. (B. Kuras, London).

Die Sammlung dieser Beiträge weist uns nicht als Einwohner der Nachmünchner »Zweiten Republik« aus, auch nicht als komplexgeladene aggressive Nationalisten und schon gar nicht als ein nicht selbstbewußtes, schlecht informier-

tes, inkompetentes, verängstigtes, posttotalitäres kleines Rudel, wie uns denn P. Pithart und seine Freunde in ihrer Publizistik porträtieren. (…)
Lidové noviny – 28.4.1995

10.29 Aus einem Interview mit Minister Igor Němec

Wir Widerstandskämpfer (…) kennen die Deutschen gut aus unseren nicht repräsentativen persönlichen Erfahrungen. Wir wissen, wie man mit ihnen verhandeln muß (…) Daher unterstützen wir auch voll die feste Haltung von Ministerpräsident Klaus, und umgekehrt weisen wir aufs schärfste derartige Stimmen zurück, welche sich beispielsweise in dem falschen Aufruf »Versöhnung 95« vernehmen ließen. Was würden denn Sie, Herr Minister, dem hinzufügen?

Der Aufruf »Versöhnung 95« ist ein typisches Beispiel für das Verrichten guter Taten auf fremde Rechnung. Eine ganze Reihe derjenigen, welche diesen Aufruf mitunterschrieben, haben mit der Zeit, um welche es hier geht, überhaupt nichts gemeinsam. Die Regierung hat sich dafür entschieden, mit niemandem anderen zu verhandeln als mit der deutschen Regierung, welche allein ihr Partner sein kann. Falls es bei uns Leute gibt, welche sich aussöhnen wollen und dies als ihr eigenes Bedürfnis betrachten, sollen dies eben für sich alleine tun.
Národní osvobození – 13.6.1995

10.30 Ivan Fenz:
Ich verstehe nicht, warum tschechische »Versöhnler« sudetendeutsche Standpunkte unterstützen

(…) Der zeitliche Abstand, die Demokratisierung der Bundesrepublik Deutschland und die deutschen Wirtschaftserfolge haben die Richtigkeit der Entscheidung der Verbündeten bekräftigt. Sich nach 50 Jahren auf die nationale Terminologie einer eigenen Gruppenzugehörigkeit zu berufen, halte ich für einen gefährlichen Irrtum. Begriffe wie »Vaterland«[169], »sudetendeutsche Versöhnung«, Vertreibung usw. kann selbst die heutige Tschechische Republlik nicht anerkennen. Dies sind keine tschechischen Begriffe, und selbst in der Politik wurde über sie niemals offiziell verhandelt – und laßt uns glauben, wird auch künftig nicht verhandelt werden.
Svobodné slovo – 5.10.1995

10.31 Die Stimme ehemaliger politischer Häftlinge aus der Zeit des Nazismus zur Diskussion über die deutsch-tschechischen Beziehungen

Gegenwärtig führen in unserer Republik die Diskussion zwischen Deutschen und Tschechen vor allem solche Leute, welche keine unmittelbar Beteiligten oder auch nur Augenzeugen jener dramatischen Geschichte gewesen sind (...) Von deutscher Seite mischen sich dann die sehr intensiven Stimmen ehemals abgeschobener Bürger mit Forderungen ein, welche die historischen Wirklichkeiten verändern sollten. Doch hören wir dabei nicht diejenigen, welche diese tragische Zeit am drückendsten erlebt haben (...) Es sind dies Tschechen, Juden und Deutsche, welche nach dem Münchner Abkommen aus den Sudetengebieten fliehen mußten, ehemalige Häftlinge der Konzentrationslager (...) und die deutschen Antifaschisten (...). Sie alle sollten zur Diskussion auch mit eingeladen werden.

Wir ehemalige Häftlinge haben die grausamsten nazistischen Repressionen durchlebt und daher meinen wir, daß wir die Verpflichtung und das Recht haben, unsere Meinung im Namen auch der überlebenden Opfer zu äußern. In diesem Augenblick ist es nicht notwendig, die Grausamkeiten beider Seiten gegenseitig aufzurechnen (...). Doch sollten wir uns gegenseitig anhören, damit wir einen Dialog auf gleicher Ebene führen können.

Uns scheint, daß die Menschheit nichts gelernt hat. Uns entsetzen ethnische Säuberungen (...). Unsere Aufgabe in demjenigen Lebensabschnitt, der uns noch übrigbleibt, ist, nicht zu vergessen und daher zu warnen (...) Man muß sich vergegenwärtigen, daß Haß und Rache nur wieder zu neuer Gewalt führen und daß neue Forderungen, von welcher Seite auch immer niemandem nützen. Die Toten werden nicht wieder ins Leben zurückgeführt. Aus diesen Gründen leitet uns der Verstand an, uns mit Deutschland auszusöhnen. Die Mehrheit von uns hat ein Interesse daran, nebeneinander in guter Nachbarschaft zu leben. Davon überzeugen uns die freundschaftlichen Beziehungen mit den politischen Häftlingen aus Deutschland und hauptsächlich mit jungen Menschen auf beiden Seiten. (...) Gerade diese wollen gemeinsam mit uns das Entstehen neuer Menschheits- und Welttragödien verhindern.

Dies alles ist unsere Stimme für eine Diskussion über die deutsch-tschechische Frage, und daher würden wir es sehr begrüßen, wenn sie auch von denjenigen gehört würde, welche heute die Erklärung über die beiderseitigen Beziehungen formen und damit das künftige Schicksal unserer Völker vorbereiten.

Prag, im Oktober 1995

Angenommen durch den Exekutivausschuß der Vereinigung der befreiten politischen Häftlinge des Tschechischen Verbandes der Freiheitskämpfer am 17.10.1995.

Národní osvobození – 8.1.1996

10.32 Erklärung:
Der Weg zur Versöhnung

Nach dem erfolglosen Treffen des tschechischen mit dem deutschen Minister für Auswärtiges ist es offenkundig, daß die Verhandlungen über eine gemeinsame deutsch-tschechische Erklärung an einem toten Punkt angelangt sind. Die tschechische Seite hat an diesem Stand Schuld vor allem durch ihre verhärtete Durchsetzung des sogenannten dicken Strichs unter die Vergangenheit, was ja bedeuten soll, daß die offenen Probleme zwischen Deutschen und Tschechen künftig beiderseits ignoriert werden. Einen dicken Strich unter die Vergangenheit kann man einzig und allein erst dann ziehen, sobald die offenen Fragen ehrenhaft und für beide Seiten akzeptabel gelöst sein werden. In erster Linie geht es um die Verurteilung der Vertreibung der Sudetendeutschen aus der Tschechoslowakei und alles dessen, was mit diesem Schicksalsakt zusammenhing. Es handelt sich nicht allein um ein moralisches Problem, sondern gleichzeitig auch um ein politisches Problem. Die tschechische politische Repräsentanz (einschließlich der demokratischen Opposition) kümmert sich nicht um eine ihrer grundlegenden Aufgaben – um die Sicherstellung der internationalen Stellung und Sicherheit des tschechischen Staates. Dazu gehört insbesondere die Pflege guter Beziehungen zu den Nachbarn, mit denen uns gleiche oder ähnliche Interessen verbinden. Das demokratische Deutschland befindet sich unter ihnen an herausragender Stelle. Falls die Auseinandersetzungen mit dem deutschen Nachbarn über ungelöste Fragen eskalieren werden, wird es je länger desto schwerer sein, eine wirkliche Aussöhnung zu erreichen. Die Zeit, während der die Verhandlungen sich am toten Punkt bewegen, gilt es zur Analyse all dessen, was in der Vergangenheit geschehen ist, zu nutzen und zu einer realistischen Auswahl der Partner. Die tschechische politische Repräsentanz wird gleicherweise früher oder später

ganz legitim feststellen, daß man ohne die Beteiligung der Repräsentanz der nach dem Zweiten Weltkrieg aus der Tschechoslowakei vertriebenen Sudetendeutschen zu keiner Übereinkunft gelangen kann.
(98 tschechische Intellektuelle haben ihre Unterschrift geleistet)
Lidové noviny – 20.2.1996

10.33 Martin C. Putna: Opferlämmlein

Eine tschechische Wochenzeitung hat am 15. Februar den Text einer Petition mit dem Titel WEG ZUR VERSÖHNUNG in Verbindung mit dem Verzeichnis ihrer Unterzeichner abgedruckt. Die Petition knüpft an den Vorjahrestext VERSÖHNUNG 95 an (...) – also an einen Text, welcher ausgiebig in der Lidové noviny (= Volkszeitung – O. P.) und anderswo kommentiert wurde und seitens der Mehrheit der Nation in einer breit angelegten Diskussion abgelehnt worden ist. Die Polemik gegen die Unterzeichner wurde voriges Jahr überwiegend von liberalen und pragmatischen Positionen aus geführt. Diejenigen, welche die Begriffe Versöhnung, wechselseitiges Entgegenkommen und die Befreiung aus einer angespannten Atmosphäre verwenden, welche unaufhörlich lediglich von der Schuld der tschechischen Seite reden, können sich daher als edelmütige, donquichotische Krieger fühlen, welche auf eine ganz nach dem Evangelium ausgerichtete Art und Weise zunächst den Balken aus dem eigenen Auge entfernen wollen. Insbesondere dann, wenn sie durch etliche Teilnehmer der vorjährigen Diskussionen, sowohl der öffentlichen als auch der privaten, weniger sachlich angegriffen würden (...).
Unter den Unterzeichnern der vorjährigen wie der diesjährigen Petition finden wir eine ganze Reihe von Künstlern und führenden Intellektuellen, zu einem bedeutenden Teil freilich Christen, ob nun von persönlichem Bekenntnis oder eher kultureller Affinität. Diejenigen, welche aus der Tiefe ihres Herzens, aus nationalem Gefühl und aus persönlichem Gewissen heraus sich danach sehnen, eine historische Schuld zu beseitigen. Den Dichtern Zbyněk Hejda und Bohdan Chlíbec, den Literaturkritikern Michael Spirit und Milan Jungmann, dem royalistischen tschechischen Patrioten Petr Placák und schließlich dem uralten katholischen Priester Jiří Reinsberger (um nur einige der Unterzeichner hier namentlich zu nennen, mit denen mich per-

sönliche Erfahrung verbindet) kann man schwerlich andere Gedanken als höchst idealistische unterstellen.

Aber – diese und weitere ehrenvolle Namen sind im Kontext erschienen, den sie nicht verdient haben. Ihre moralische Autorität und ihren uneigennützigen guten Willen kann man wohl zugunsten eines durch und durch pragmatischen Spiels ausnützen, in dem es um nichts geringeres als um das gigantische Eigentum der Sudetendeutschen und um den politischen Einfluß des Sudetendeutschen Landsmannschaftlichen Verbandes (= Sudetendeutsche Landsmannschaft. – O. P.)[170] in Deutschland geht und um deren professionelle Propagatoren, die Mitunterzeichner der Petition bei uns.

Wer etwa am ehesten Ambitionen entwickelt, Staatspräsident zu werden und wer etwa die Inspektion über den Drill von Kindern bereits ab dem Kindergarten in der Tschechischen Schuldfrage[171] haben möchte – dies kann jeder für sich in der Auflistung herauspicken.

Die Unterzeichner sprechen in der Versöhnung über die eigene Schuld – die andere Seite redet ausschließlich von fremder, nämlich von tschechischer Schuld. Innerhalb eines Jahres, welches seit der ersten Petition verflossen ist, hat sich das Selbstbewußtsein des Sudetendeutschen Landsmannschaftlichen Verbandes deutlich gehoben, und seine Forderungen haben kategorischen Charakter erhalten. In München wird mit Recht und Geschichte argumentiert, siehe auch den erbitterten Kampf um die Zahl der Deutschen, welche beim Abschub umkamen: Dabei geht es überhaupt nicht um die historische Wahrheit, sondern vielmehr um ein politisches Symbol, um einen wichtigen und beständigen Topos im Jargon der Münchner Politruks. (Einen Nachweis für ihre professionelle Massage tschechischer Gehirne habe ich bereits anläßlich einer Schulung tschechischer Studenten im Frühjahr 1990 erlebt). Im Untertext taucht stets das Wissen um die Stärke und das Gewicht Deutschlands auf – und die sich erhebende Bedrohung im Osten.

Die sudetendeutschen Politiker wissen nur zu gut, daß wir uns viel lieber in ein Bundesland Böhmen-Mähren[172] transformieren (wir könnten dies ja bis auf einen Freistaat wie Bayern oder Sachsen ausdehnen) als in ein Tschechen-Gubernium[173], daß wir uns in der Not zu ihrer Vermittlung wie auch auf den Weg des Schutzes ablenken. In der Petition wird das auch so gesagt: Die tschechische politische Repräsentanz wird geradezu legitimerweise früher oder spä-

ter feststellen, daß man ohne die Vertreterschaft der Sudetendeutschen nicht zu einem Übereinkommen gelangen kann. Doch stehen einstweilen keine russischen Panzer vor dem Dukla-Paß, und dieses fortwährende Entschuldigen des Schwächeren gegenüber dem Stärkeren, dieses unaufhörliche Bitten um Vergebung ohne das geringste Anzeichen guten Willens der anderen Seite (die sudetendeutsche Seite hat sich nie vom Münchner Abkommen losgesagt!), nützt weder dem tschechischen Selbstbewußtsein noch dem Bild von den Tschechen im Bewußtsein der normalen, an professionellen Interessen des Entfachen der Sudetenfrage uninteressierten Deutschen. Man kann nur denjenigen Nachbarn schätzen, welcher sich selbst schätzt. *(Der Autor ist Literaturkritiker, Russist und Leitender Chefredakter der Revue SOUVISLOST (= Kontinuität, Zusammenhang. – O. P.). Er hält an der Philosophischen Fakultät der Karls-Universität Prag Vorlesungen über das russische Mittelalter).*
Lidové noviny – 20.2.1996

10.34 Wie Jiří Hanák die Angelegenheit sieht

(...) In der Beziehung zu den ehemaligen böhmischen Deutschen hat sich die tschechische Gesellschaft in zwei ungleiche Teile auseinanderdividiert. Der Großteil hat aus dem jungtschechischen Naphtalin (...) die patriotische Chimäre hervorgeholt, der geringere wiederum geht in ausgeliehenen (manchmal deutlich dotierten) bayerischen Kniestrümpfen. Diese zwei Gesellschaften reden nicht miteinander, sie sprechen auch nicht für sich selbst, sie sprechen nebeneinander her. Indessen bestehen die Chimärenhaften darauf, daß der Abschub einfach ein Abschub war, und es darum nichts gäbe, warum man sich ihm wieder zuwenden sollte, die Kniestrümpfler wieder überzeugen uns, daß ohne direkte Verhandlungen unserer Regierung mit František (Vornamen tschechisiert. O. P.) Neubauer und ohne eine entsprechende Entschuldigung für den Abschub uns etliche Schläge treffen werden. Wenn schon nicht von der Pest, dann ganz sicher eben von Europa (...).
Svobodné slovo – 24.2.1996

10.35 Miloslav Bednář:
Die deutsch-tschechische Erklärung

Der unangenehme Nachgeschmack, welchen die aller-
neueste Form des deutsch-tschechischen Streits in der
tschechischen Öffentlichkeit hervorrief, hat in erster Linie
moralischen Charakter. Ein halbes Jahrhundert nach dem
Zweiten Weltkrieg hat Deutschland in der internationalen
Politik von neuem den Versuch unternommen, indirekt das
Recht des Stärkeren anstelle von Verhandlungen durchzusetzen, wo Sachlichkeit und moralische Stärke von Argumenten gelten. Es geschah so, offenkundig ganz und gar
nicht zufällig, in der Beziehung zur Tschechischen Republik. (…) Als grundlegend erweist sich die Tatsache, daß ein
moralischer Kompromiß tschechischerseits, welcher das
gesamte geschichtliche Übergewicht der deutschen und
sudetendeutschen Schuld am tragischen Ausgang der gegenseitigen Beziehungen infrage stellen würde, nicht trag-
fähig ist. Dies bedeutet konkret, daß eine tschechische Verurteilung des sogenannten Wilden Abschubs bis zum August 1945 und der Verbrechen an den ehemaligen böhmischen Deutschen in der gemeinsamen Erklärung lediglich
nur dann am Platze wäre, wenn ebenso ausdrücklich die
deutsche Seite die Zerschlagung der demokratischen
Tschechoslowakischen Republik verurteilen würde – einschließlich des terroristischen Verhaltens der Sudetendeutschen gegenüber ihren damaligen tschechischen Mitbürgern (…).
Lidové noviny – 11.4.1996

10.36 Jarmil Burghauser:
Bedauern und Entschuldigung

(…) Eine Entschuldigung seitens der Tschechen? Und wofür denn? Für die Entscheidung der Siegermächte in Sachen Abschub? Das wäre doch unsererseits gegenüber
den Verbündeten eine Frechheit, Undankbarkeit und Unan-
ständigkeit und darüber hinaus Großmannssucht. Auch
wenn wir uns in einem quantitativ unbedeutenden Maße
militärisch an ihren Siegen beteiligt haben, so sind wir dennoch nicht in der Position, daß wir die Entscheidung einer
so überwiegenden Mehrheit der Sieger zu korrigieren ver-
möchten.
Und überhaupt: Falls wir mit der Unannehmbarkeit des
Prinzips einer Kollektivschuld des Deutschen Volkes über-

einstimmen, müssen wir genau dieses Prinzip auch für das Tschechische Volk reklamieren ...). Entschuldigen könnten wir uns schon – als Christen – doch nur für die Methoden, wie denn Einzelne aus dem Abschaum des tschechischen Etnikums den durch die Verbündeten angeordneten Abschub in unserer Region realisiert haben, ggf. auch für den verbrecherischen Wilden Abschub (...). Aber selbst das Allerschlimmste, was wir darüber vernommen haben, ist eine kleine Geschichte für den Kindergarten im Vergleich zu dem, wie sadistisch, grausam und unmenschlich die Nazis, insbesondere SS-Leute und die Gestapo, sich aufgeführt haben.

Národní osvobození – 17.9.1996

10.37 Dušan Třeštík
Einen Dialog führen – mit wem und worüber denn?

(...) Die Aufforderung zum Dialog stellt den Hauptgedanken des Büchleins von Eva Hahn dar: »Das Sudetendeutsche Problem: die schwierige Verabschiedung von der Geschichte«, welches zwar in Prag erschienen ist, jedoch in München geschrieben wurde. Wir haben solche Aufforderungen aus München mehrfach vernommen. Alle haben auf die eine oder andere Weise die bekannte politische Forderung der sudetendeutsche Verbände artikuliert, mit ihnen offiziell oder zumindest halboffiziell zu verhandeln.

Doch die Hahn bewertet das sudetendeutsche Problem als eine politische Angelegenheit, welche prinzipiell abgeschlossen sei, und sie wendet sich nicht an die Politiker, sondern vielmehr an Intellektuelle, für die die Auseinandersetzung mit demjenigen, was sie als sudetendeutsches Problem bezeichnet, weiterhin eine offene und drängende Aufgabe bleiben sollte. Dieser Ausschluß des politischen Aspekts ist aber schwerlich möglich, denn das sudetendeutsche Problem spielt nämlich in diesem kalten politischen Frieden zwischen Prag und Bonn, welcher seit der Vereinigung Deutschlands bis heute andauert, eine wichtige Rolle. Aber sei's drum. Falls wir diese Abtrennung des Untrennbaren akzeptieren, werden wir ein ganz augenscheinlich bewußt nach allen Seiten hin provozierendes Büchlein mit Nutzen lesen. (...) Dies ist nämlich eigentlich die erste allseitige Analyse, welche nicht nur den Versuch unternimmt, einen ausgewogenen Blick von beiden Seiten aus zu unternehmen, sondern darum bemüht ist, diese ge-

gensätzliche Perspektive letztendlich auch zu überwinden. Dies gelingt ihr zwar nicht so ganz, doch ist der Versuch unstrittig und verdient als solcher Wertschätzung.

Hahn unterscheidet auf der deutschen Seite die gesamtdeutsche politisch aktive Öffentlichkeit, der das Problem eher gleichgültig ist und sie irgendwie irritiert, die Regierung dazu und überhaupt die Politik, welche am liebsten nichts von ihm vernähme, und dann die Sudetendeutschen, d. s. diejenigen Deutschen, welche sich als den Sudetengebieten zugehörig fühlen. Diese also haben nach ihrem Niederlassen in der Bundesrepublik versucht, sich als Volksgruppe zu konstituieren, und sie haben sich zu diesem Zweck eine eigene Ideologie geschaffen, welche vor allem antitschechisch ist und erst in zweiter Linie sudetendeutsch. Sudetendeutschtum wurde als Antitschechentum definiert, als Gefühl von Unrecht (...).

Tschechischerseits sieht diese Unterscheidung um einiges anders aus. Hier teilt sich diese politisch aktive Öffentlichkeit (nicht nur die Bevölkerung) in die tschechischen Altpatrioten, deren Ideologie eigentlich ein Spiegelbild des Sudetendeutschtums ist, die professionellen Versöhnler, die irgendwie moralische Spielchen ohne politischen Sinn und Bedeutung einführen, und sodann den kleinen Teil der kritisch Denkenden. Die tschechische Politik beschänkt sich angeblich lediglich auf die Ablehnung sudetendeutscher Forderungen. Mit wem also sollen dann die tschechischen Intellektuellen einen Dialog führen?

Ganz entschieden nicht mit denjenigen, welche sich als Sudetendeutsche Volksgruppe[174] fühlen. Hahn hat nachgewiesen, daß mit ihnen keinerlei Dialog möglich ist, weil sie nicht nur nicht eine klar definierte Gruppe deutscher Bürger bilden, sondern auch nicht einmal ordentlich wissen, wer sie sind und was sie wollen. Das, wovon sie reden, ändert sich nämlich unaufhörlich und widerspricht sich. Allein ihre Ressentiments sind klar und ein nirgendwo näher bestimmter Versuch, als Volk anerkannt zu werden mit dem Anspruch auf ein unbestimmt verstandenes Vaterland oder eine Heimat, folglich auf eine (wiederum völlig unbestimmte) Mitentscheidung oder gar Teilhabe an der gegenwärtigen Tschechischen Republik. Sie wollen ganz einfach eine offiziell anerkannte Minderheit in der Tschechischen Republik sein, welche jedoch jenseits ihrer Grenzen als Bürger eines fremden Staates lebt. Solchen Menschen, welche ihre Identität auf derartigen Absurditäten begründet haben (100–200 Tausend Bürger Deutschlands sollten irgendein kollektives Recht erhalten, auf die eine oder andere Weise in die Angelegenheiten eines Nachbarlandes hineinzureden!), kann man dann jedoch nicht ihre irrgläubigen Vorstellungen in einem vernünftigen Diskurs entkräften.

Sollen wir also überhaupt mit den Deutschen reden? Gerne täten wir's, aber bei Hahn haben wir nachgelesen und sehen dies auch täglich, daß sie sich nicht für uns, ja nicht einmal für die Sudetendeutschen, überhaupt besonders interessieren. Warum sollten sie auch ein derartiges Interesse haben? In jedem Falle ist hier für irgendeinen systematischeren Dialog weder die Gelegenheit noch befinden sich wirklich bedeutsame Themen auf dem Tisch, wenn es denn nicht allein die Vergangenheit betreffen würde. Dies bedeutet nicht, daß wir solche Themata nicht suchen sollten, doch werden sie mit dem sudetendeutschen Problem kaum etwas gemeinsam haben.

Mit den Versöhnlern kann auch – wie dies Hahn zeigt – kaum ein vernünftiges Gespräch geführt werden, falls wir nicht ohne Beeinträchtigung der seelischen Gesundheit ihrer These nähertreten können, daß die tschechische Seele durch die Schuld am Abschub krank geworden sei – vergleichbar mit der deutschen Schuld an Krieg und Holocaust. Nach Hahn sollten wir einen Dialog über das sudetendeutsche Problem hauptsächlich zwischen uns führen. Sollten wir etwa mit den Altpatrioten darüber diskutieren, daß der Germane keineswegs der Erbfeind der Slawen ist und da hauptsächlich der Tschechen, sowie über ähnliche Überbleibsel der Ideologien aus dem vorigen Jahrhundert? Möglicherweise ja, aber dies ist überhaupt eine Frage der Kultivierung des alttschechischen Nationalismus, nicht nur der deutsch-tschechischen Mythologie.

Zweifellos ist die Zeit für eine ernsthafte und vertiefte Diskussion über die tschechische nationale Identität reif geworden, doch kann das sudetendeutsche Problem darin nur eine marginale Rolle spielen, vor allem in dem Umstand, daß als Folge des Abschubs die traditionelle tschechische Selbstidentifizierung, welche sich in ihrem Bezug zum Deutschtum begrenzte, ihren Sinn verloren hat. Das sudetendeutsche Problem ist nicht und kann auch nicht für die tschechische Gesellschaft eines ihrer wirklich wesentlichen Probleme sein. Ihr Hauptproblem ist nämlich ihre kommunistische Vergangenheit. Niemand will jedoch in diese Diskussion darüber, warum wir im Jahre 1948 mit fliegenden nationalen Fahnen in den Kommunismus hineinmarschiert sind, einsteigen, und dies ist ganz verständlich. Die Deutschen haben auch eine lange Zeit benötigt, ehe sie wirklich ernsthaft damit begannen, sich mit der nazistischen Vergangenheit auseinanderzusetzen. Aber dennoch: In dieser Geschichte des Marsches des Tschechischen Volkes (es ist schon so, des Volkes, und nicht irgendwelcher kleiner Grüppchen) in den Kommunismus hinein spielt der Abschub eine nicht vernachlässigbare Rolle. Somit war er (unter vielen anderen Faktoren) der Ausdruck der Krise der tschechischen Demokratie, welche nach München ausbrach und ausgerichtet war auf eine fortlaufende Entfernung von den demokratischen Prinzipien auf direktem Weg über die Parolen von der nationalen Einheit bis zum Siegreichen Februar (…). Das ist es, worüber wir diskutieren sollten. Darin liegt nämlich eine ernsthafte Lehre für die Zukunft.

Lidové noviny – 7.11.1996.

11. Kapitel

Angstgefühle

Das am wenigsten erwünschte Ergebnis der Öffnung der sudetendeutschen Thematik ist die Wiedererweckung einer atavistischen Enge, welche die Psychologie als Vernichtungsangst bezeichnet. Sie wird in der Regel durch Befürchtungen über das nationale Sein als solches, eventuell auch bezüglich der Existenz des Tschechischen Staates formuliert. Sie wird durch die Vorstellung begründet, daß die Sudetendeutschen in einem langfristig angelegten Plan sich faktisch darum bemüht haben, die Wiederherstellung der Grenzen nach München zu bewirken, das heißt also der Verhältnisse, welche die tatsächliche Souveränität und Lebensfähigkeit des Tschechischen Staates ausschließen. Rationaler Kern dieser Ängste sind die Gefühle der Angehörigen eines Volkes von geringerem Zahlenumfang, das kulturell und wirtschaftlich weniger erfolgreich ist, in enger Nachbarschaft zu einem Volk lebt, welches nahezu zehnmal so zahlreich ist, dazu effektiver, und nach einer Großmachtstellung in Europa trachtet.
Eine irrationale, rational unreflektierte, hingegen rational verständliche Quelle dieser Enge ist die Tatsache, welche das Gewicht eines neurotischen Komplexes besitzt: Es ist das unterdrückte schlechte Gewissen für den »Abschub« und die Angst vor einer möglichen (sudeten)deutschen Rache. – Möglicherweise kann dies allein durch eine nahezu paranoide Konstruktion erklärt werden, welche eine irgendwie maligne Umkehrung der Entwicklung der deutschen Gesellschaft unterstellt, deren Expansivität sich im europäischen Umfeld die schwächste Stelle aussucht, und diese ist dann die Tschechische Republik.

11.1   Ladislav Mňačko:
Ich war für den Abschub

Ich muß ganz offen gestehen, daß ich irgendeine Angst habe. Kaum war die Vereinigung Deutschlands ermöglicht worden, kaum hatten sich die osteuropäischen Satellitenstaaten der Vormundschaft seitens der Sowjetunion und der Einschränkung ihrer Souveränität entledigt, zeigen sich neue Störfaktoren, welche Verwirrung und Unsicherheit stiften. Einer dieser Fakoren stellt die Wiederbelebung der sudetendeutschen Frage dar.

Die Prager Regierung täte gut daran, wenn sie so schnell wie möglich gegen diese sich neu entzündende Irredenta mit klaren Vereinbarungen mit der Bundesrepublik Deutschland auftreten würde – entsprechend polnischem Modell – und so verbindliche Garantien für die Unverletzlichkeit der tschechoslowakischen Grenzen erreichte.

(...) Ich erinnere mich an denjenigen Augenblick, als wir – durch ein Suchkommando gehetzte Partisanen – auf den noch glimmenden Trümmern des Bergdorfes Ploština in Ostmähren standen. Die SS hatte dort 27 Männer bei lebendigem Leib verbrannt.

Im April 1945!

Einer unserer Freunde brüllte damals los: »Geht nach Deutschland, machen wir dort mit irgendeinem deutschen Dorf dasselbe!« Wir hätten wohl gehen können, wird sind jedoch nicht gegangen. (...)

Ich war für die Austreibung der Sudetendeutschen.

Auch heute wäre ich unter vergleichbaren Umständen nicht dagegen.

Reportér – 31.1.1991

11.2 Miloslav Martínek
Zurück zu den Přemysliden?

(...) Setzen wir einmal voraus, daß zum gegenwärtigen Kurs der Krone gegenüber der Mark ein Hektar Grund im Grenzgebiet etwa 2000,– DM kosten kann. Unter Zugrundelegung eines Durchschnittsgehalts, welches in der Bundesrepublik Deutschland etwa 3000,– DM beträgt, könnte man für zwei Monatsgehälter 3 Hektar Grund erwerben. (...) Und so könnten also auch ärmere Deutsche nach und nach im Grenzgebiet den Boden aufkaufen und könnten somit auch tief jenen Strich überschreiten, welcher nach München unsere Staatsgrenze gebildet hat. Kehren somit die Přemyslidenzeiten wieder, die im 13. Jahrhundert deutsche Kolonisten ins Land riefen und ihnen den unbearbeiteten Boden überließen? Werden wir einen siebenhundertjährigen Geschichtszyklus wiederholen, welcher im Jahre 1945 entzweigehauen wurde? (...) Der Weg in die europäische Integration kann nicht über den Verlust des nationalen Bewußtsein derjenigen Völker führen, welcher nicht von

ausreichender Zahl sind oder keine so große Wirtschafts-
kraft besitzen wie andere. Das Europa der Zukunft sollte
nicht zum amerikanischen Kessel werden, in dem verschiedene Völker zu einem einzigen zusammengeschmolzen
werden. (...)

Rudé právo – 22.5.1991

11.3 Slavomír Klaban, Ehrenvorsitzender der Tschechoslowakischen Sozialdemokratischen Partei: Der deutsch-tschechoslowakische Vertrag nach deutschem Verständnis

Es gab Zeiten, zu denen der Herr Minister Dienstbier behauptet hat, daß ihm nichts bekannt sei über Forderungen
ehemaliger nazistischer Sudetendeutscher bezüglich der
Rückkehr in die Republik und im Hinblick auf konfisziertes
Vermögen. Ich glaube, daß es in der gegenwärtigen Zeit, da
unser Föderalparlament über den deutsch-tschechoslowakischen Vertrag abstimmen soll, zahlreiche Beweise ihrer Forderungen gibt und daß es immer mehr werden.

Es läßt sich auch nicht bestreiten, daß gerade der absolut
nicht entsprechende Text des deutsch-tschechoslowakischen Vertrags, welcher den so lange Zeit proklamierten
»dicken Strich unter die Vergangenheit« nicht mitenthält,
die Forderungen der Sudetendeutschen nicht nur nicht zu-
rückweist, sondern schließlich sogar wiedererweckt. Diese
Situation erzeugt Unruhe, insbesondere in unseren Grenzgebieten, und sagen wir es einmal ganz offen, ganz zu
Recht. (...)

Gestatten Sie mir, daß ich einmal aus Briefen zitiere, welche
an unser Finanzministerium zu kommen beginnen (...) :
*»Ich bin Eigentümerin des nachfolgenden Besitzes, wel-
cher sich im Wirkungsbereich der Gebietshoheit der Tschechischen und Slowakischen Föderativen Republik befindet,
und der im Zusammenhang mit der Vertreibung der Sudetendeutschen Volksgruppe aus ihrer Heimat konfiziert
wurde und dessen Rückgabe ich hiermit beanspruche (...):
1. Ein Mansarden-Wohnhaus mit Garten in Grottau. – 2. ein
Wohnhaus in Grottau, Ortsteil Donin (...) – Das hier näher
bezeichnete Eigentum (...) gehörte im Jahre 1945 meinen
Eltern. Ich bin rechtmäßige Erbin....« (...)*

Rudé právo – 13.2.1992

11.4 Dienstbier im Grenzgebiet

Trautenau (pra) – »Niemand im Grenzgebiet muß um sein Häuschen bangen«, sagte auf einer sonntäglichen Veranstaltung mit den Bürgern von Trautenau der Vorsitzender der Bürgerbewegung (OH), der Minister für Auswärtige Angelegenheiten, Jiří Dienstbier. »Wer das Gegenteil behauptet, trägt in die Grenzgebiete nur Unruhe hinein«. Die Forderung einer Nullösung des Münchner Abkommens vom Anbeginn an bezeichnete der Minister als widersinnig, weil damit den Sudetendeutschen die tschechoslowakische Staatsbürgerschaft bis zu den Benesch-Dekreten zuerkannt würde.« Damit hätten wir dann ja nach dem Krieg unsere eigenen Bewohner vertrieben«, fügte er hinzu. (…)
Rudé právo – 2.3.1992

11.5. Vernunft annehmen

(…) Nach dem Zweiten Weltkrieg nahm lediglich ein einziges Land Deutsche wieder zurück. Es waren verhältnismäßig wenige, und so schien es denn auch, daß keinerlei Gefahr drohen würde. Dies tat Italien in Südtirol. Das Ergebnis waren dann Hunderte Tote, zerstörte Talsperren, Hotels, Straßen – von deutschen Terroristen. (…) Viele Deutsche sind heute anders. Auch ich habe Freunde in Deutschland. Aber weiterhin finden sich dort starke nationalistische Tendenzen. Bei den Wahlen in Hessen erhielten die Nazis 8% der Wählerstimmen (…) Wer schützt das Tschechische Volk vor dem Verderben – vor den militanten Sudetenländlern, vor den falschen Propheten, vor den Krämerseelen, welche zweitausend Jahre nach ihrer Vertreibung aus dem Tempel einen Markt bilden, wo nicht die Wahrheit, Glaube und Moral das Allerwichtigste sind, sondern der »Mammon« – in Gestalt der allmächtigen Mark.
Aus einem Leserbrief von **Luděk Šimon**
Svobodné slovo – 8.4.1993

11.6 Jaroslav Valenta:
Keine Verschiebung, vielmehr sofort ein Sprung

(…) Ich weiß nicht, ob diejenigen, welche über eine Verleihung der Staatsbürgerschaft an diejenigen debattieren, welche rufen, daß sie in den böhmischen Ländern ebenfalls ein »Recht auf Heimat« und ein »Recht auf ein Vaterland« besitzen (HEIMAT kann auf die eine oder andere Weise übersetzt werden, und stets hat dies dann eine unterschiedliche Bedeutung und entsprechende Tragweite), auch wissen, daß wieder andere unserer ehemaligen Landsleute in diesen Kategorien weiter nachdenken, nämlich in den Kategorien des sogenannten Volksgruppenrechts[175], das heißt also im »Recht einer nationalen Gruppe«, was also eine qualitativ bereits erheblich weiterreichende Angelegenheit ist. Eine derartige nationale Gruppe, welche außerhalb der Grenzen des Mutter-Nationalstaates angesiedelt ist, hat neben anderen Rechten (mittlerweile sogenannte Minderheitenrechte, was ganz in Ordnung ist) auch das Recht auf Selbstbestimmung, und sie kann sich daher entscheiden, daß sie wünscht, daß das Gebiet auf dem sie (nunmehr) ansässig ist, als Teil jenes »größeren Vaterlands«, des Mutter-Nationalstaates erklärt würde usw. Und angesichts der Eventualität einer Zulässigkeit doppelter Staatsbürgerschaft könnte es vieler solcher »Zweckrückkehrer« geben; ich kann mir lebhaft vorstellen, daß sie dafür und zu diesem Zweck auch eine Unterstützung aus besonderen Fonds erhalten würden. Durch eine solche organisierte Verfrachtung von Menschen, die sich aus eigenem Willen umsiedeln, wurde vor Jahrzehnten eine Stimmenmehrheit für Deutschland im oberschlesischen Volksentscheid im Jahre 1921 erzielt. (…)

Lidové noviny – 1.7.1993

11.7 Stützen wir uns doch auf die Geschichte

Weisen wir doch überall und öffentlich umstürzlerische Launen zurück, welche hier die Sudetenländler (Tschech. sudetáci – O. P.) und diejenigen Deutschen verbreiten, aber auch etliche unserer servilen Politiker. Lassen wir uns doch jetzt nicht irreführen durch die sogenannte Heimatverbundenheit derer, welche die Germanisierung im Hinterkopf haben, welche das alles einmal begonnen haben und nunmehr manövrieren, weil sie sich vor der Kritik der Mehrheit der Gesellschaft fürchten. Entlarven wir doch die Provokateure, welche auf unsere Aktionen angesetzt werden, damit sie deren gesellschaftliche Bedeutung herabsetzen! Arbeiten wir doch ruhig, bewußt und zielgerichtet. Fügen wir doch unsere Reihen zusammen, vertiefen wir doch unseren Einfluß, erhöhen wir das Selbstbewußtsein aller Patrioten! Stützen wir uns doch auf unsere Geschichte. Arbeiten wir doch mit der Jugend, die vorsätzlich desorientiert worden ist. Überall sollen wir doch gemeinsam die partiotische

Front festigen als Alternative gegen die Experimente der Rechten, welche keine Chance hat, die Gesellschaft aus der Krise zu führen. Umgekehrt, sie wird sich dafür verantworten müssen, daß sie mit Vorbedacht die ganze Gesellschaft zersetzt. Viel wird daran liegen, wem wir in den kommenden Wahlen 1994 unsere Stimme geben werden. Behalten wir dies doch im Gedächtnis! – Gehen wir doch gemeinsam vor – in der Einheit liegt die Stärke! Unsere Sache ist gerecht, und sie wird folgerichtig siegen!

Prager Aktiv der Vertreter des Klubs des tschechischen Grenzgebietes.

Aus dem »Aufruf an die Bürger unseres Grenzgebietes, an die Patrioten, welche die Germanisierung zurückweisen« –
Špígl (Beilage Českomoravský hraničář = Böhmisch-mährischer Grenzwächter/) – 29.7.1993

11.8 Josef Groušl:
Wir wollen nicht, daß uns die Sudetenländler im Grenzgebiet Befehle erteilen!
Wer lädt denn die Ungebetenen ein?

Wenn sie denn nichts anderes vermögen, dann schaffen die Deutschen (...) irgendwelche Zentren für Verständigung, vor allem in unserem Grenzland. Sie finanzieren dies selbst, und so wirkt in ihnen auch deutsche Politik und Ideologie. (...) Und was tut unsere Regierung? Interessiert sie das überhaupt? Da doch die Mehrheit unserer Gesellschaft die Sudetenländler (sudetáky – O. P.) nicht will und sie überdies niemals zu uns eingeladen hat. Nichts hat zu geschehen. Wir brauchen sie nicht!

Mit der Politik der Konzessionen gegenüber den Sudetendeutschen kann man nicht übereinstimmen. Sie haben bei uns einfach nichts zu suchen. Sie haben uns gegenüber keinerlei »Rechte«. (...) Der Abschub der Deutschen aus unserem Vaterland verlief entsprechend dem Recht und auf der Grundlage historisch gerechtfertigter Entscheidungen der Sieger der antifaschistischen Koalition. Dies war demokratisch, höchst moralisch, patriotisch und im Interesse der Sicherheit unserer Republik.

Das Reden über »Versöhnung« halte ich persönlich für Propaganda. Der Sudetendeutschen Landsmannschaft geht es um etwas völlig anderes. Sie wollen sich hier niederlassen und dann von neuem Forderungen erheben (...) Sie sind unerwünscht! (...) Für mich, und ich glaube nicht nur für mich, ist eine wie auch immer geartete Rückkehr der

Sudetaken ganz und gar unannehmbar. Ich verstehe nicht, daß man sich nicht dementsprechend danach richtet. Darüber hinaus glaube ich, daß die Zeit kommen wird, daß auch in diesen Fragen alles ganz und gar klar werden wird.
Špígl – 13.9.1993

Kanzler Kohl erläuterte dem neuen, gerade neun Monate alten tschechischen Staat, wie seine tatsächliche Stellung an der Seite des ungeteilten Deutschlands sei. In einem Atemzug sprach er vom Interesse Deutschlands an unserer Integration in Europa und auch davon, daß wir aber mit den Sudetendeutschen verhandeln müssen. Sein Minister für Auswärtige Angelegenheiten bestätigte dies. Verhandeln müssen wir also – und dies auch über das Eigentum, sobald denn die Zeit gekommen ist. Klarer könnte dies nicht sein: Nach Europa freilich ja, natürlich, aber mittels Deutschland. (...)
Diesen Manövrierraum haben wir Deutschland dadurch verschafft, daß wir damit begonnen haben, moralische Aspekte der Sudetenfrage unausgewogen, mit politischen und rechtlichen Aspekten, vor allem des Abschubs, einzuengen (...) Deutschland war nämlich während der ganzen Dauer des Kalten Krieg unterlegen geblieben, nach dem Fall des Kommunismus und nach der Vereinigung ist es aber aus dieser Rolle definitiv herausgefallen. Nunmehr ist es auf der Suche nach einer neuen Rolle, welche seiner faktischen Situation als einer europäischen Macht entspricht (...). Der Druck auf die Tschechische Republik mit Hilfe der Sudetendeutschen ist ganz evident einer der Züge in seinem irgendwie chaotischen Spiel. (...) Sein Ziel muß noch nicht den Versuch bedeuten, die Tschechische Republik in die Rolle irgendeines Satelliten zu bringen. Es würde ja doch schon ausreichen, sie dazu zu zwingen, als Faktum zu akzeptieren, daß ein ganz kleiner Reststaat, der Deutschland sozusagen angeklebt ist, ohne dieses in nichts und niemals zurechtkommen kann.
Dušan Třeštík: *Blinde Kuh spielen*
Lidové noviny – 14.9.1993

11.9 Michal Musil
Kann man ein Trauma einlullen?

(...) Im tschechischen Bewußtsein verbirgt sich nämlich etwas, das man nicht so einfach aus dem Kopf entfernen und ignorieren kann. Ich wage zu behaupten, daß das Phänomen der Sudetendeutschen für die tschechische Öffentlichkeit ein nicht vernachlässigbares Trauma bedeutet. Bemerkungen welcher Art auch immer über Sudetendeutsche führen stets zu gereizten, häufig auch hysterischen Reaktionen eines Teils der Öffentlichkeit. Hart wird derjenige verurteilt, welcher über ihre krampfhaften Bemühungen, das ganze Problem doch zu vergessen, auf etliche etwa doch notwendige historische Fakten des sogenannten wilden Abschubs aufmerksam macht. Ein Teil der Presse bemerkt bereits nicht mehr den sachlichen Grund des Problems oder den Umfang von Äußerungen führender Vertreter, sondern reagiert ganz erregt nur allein auf das bloße Wort »Sudetendeutsche«. In dies alles hinein wird behauptet, daß kein einziger Tscheche in dieser Sache überhaupt ein schlechtes Gewissen zu haben brauche. Und falls hierbei die tschechische Öffentlichkeit wirklich diese ganze Angelegenheit nicht so dramatisch empfinden würde, müßte nicht in Franzensbad ein Referendum darüber veranstaltet werden, ob ein Kreuz für die durch »Revolutions-Garden« massakrierten Sudetendeutschen errichtet werden soll – und es gäbe auch keine Stimmen dagegen und auch keine anonymen Attentatsdrohungen.

Das tschechische Trauma an den Sudetendeutschen existiert und ist so groß, daß es bis zu einem gewissen Maß die tschechische Außenpolitik fortwährend determinieren kann; im übrigen zeigen sich auch in den Reden ziemlich bedeutender Politiker die Ergebnisse diese Traumas. Der Stellvertretende Vorsitzende der ODA, Daniel Kroupa, legt beispielsweise der Öffentlichkeit seine paranoiden Überlegungen darüber vor, daß auch die Sudetendeutschen einen gewissen Anteil am Zerfall seiner geliebten Tschechoslowakei hätten.

Der Transfer der Sudetendeutschen und ihre Beziehungen zu den Tschechen sind in Wirklichkeit ein ganz abgeschlossenes Kapitel des Zweiten Weltkriegs. Manch einer sagt sich, daß die ganze Sache sich lösen lassen werde, sobald nur die Zeugen gestorben seien (...) Aber im Hinblick auf die Häufigkeit der Anzeichen dieses Traumas kann man schon überlegen, daß es eine um vieles größere Tiefe hat und daß es im Volksbewußtsein doch stark verankert ist. Es ist schon möglich, daß das Problem der Sudetendeutschen etliche Jahre lang einschläft, möglicherweise wird nicht darüber geredet – aber in einer bestimmten Situation kann es erneut mit unerwarteter Intensität aufscheinen. (...)

Český deník – 7. 10. 1993

11.10 Die Sudetendeutschen haben die Tschechoslowakei verraten

Herr Kinkel behauptet, daß am Ende des Zweiten Weltkriegs die Sudetendeutschen Unrecht erlitten haben und daß wird uns dessentwegen bei ihnen entschuldigen und dazu das Unrecht in Ordnung bringen sollten.

Das ist so ähnlich, wie wenn bei Ihnen zu Hause eine Bande von Mördern einbrechen würde mit der festen Absicht, Sie alle zu ermorden und zu bestehlen, aber wenn sie überwältigt werden, beschweren sie sich dann vor Gericht frech darüber, daß angemessene Verteidigungsmaßnahmen ergriffen worden seien,und bei der Verhaftung sodann unangemessene Maßnahmen usw.

Die Sudetendeutschen haben die Tschechoslowakische Republik verraten, obwohl sie deren Bürger mit allen Rechten (und folglich auch Pflichten) waren. Bei der Einberufung zur Armee der ČSR gelobten sie wie alle übrigen Bürger auch die Treue, doch desertierten sie nicht nur, sondern sie kämpften auch gegen sie und die gesamte demokratische Welt. »Vaterlandsverrat« unserer Leute bestraften sie mitleidslos mit dem Tode, und wie die obengenannte Mördergruppe bereiteten sie die Liquidierung unseres Volkes vor – die Hälfte ermorden, den Rest irgendwohin nach Sibirien verfrachten oder nach Patagonien und selbstverständlich unser gesamtes Eigentum zusammenraffen und das gesamte historische Gebiet unserer Völker nutzen.

Daß es ihnen nicht glückte, war nicht ihr Verdienst, sondern Verdienst der Alliierten und der Lage an den Fronten. Sie wurden überwältigt. Und nun beschweren sie sich darüber, daß sie hierbei auch irgendwie erwischt worden sind. Die Mehrheit der Sudetendeutschen begrüßte fanatisch mit gerecktem Arm die Zerschlagung der ČSR und den Einfall der Wehrmacht in unsere Republik.

Warum also sollen wir uns bei ihnen entschuldigen? Wofür ihnen erneut die Staatsbürgerschaft verleihen und ihr Eigentum zurückgeben?

(…) Die ČSR war ein demokratisches, reiches Industrieland und nur dank ihres geliebten Hitler, dem sie sich so sehr begeistert hingaben, zog nach dem Krieg eine weitere Horde von Dieben und Mördern bei uns ein – nur diesmal aus dem Osten – und diese vollendete die Ausplünderung unserer Wirtschaft und auch Moral.

Ich stimme nicht damit überein, daß sich unsere politischen Vertreter wie einst vor München durch den stärkeren Nach-

barn (heute hauptsächlich wirtschaftlich) für ein Linsenge-
richt erpressen lassen.»Reich dem Teufel einen Finger...«.
*Aus einem Leserbrief von **Jan Racek,** Prag*
Lidové noviny- 6. 4. 1995

11.11 Dobromil Dvořák:
Provokateure

(...) Herr Neubauer ist ein Provokateur und im Interesse seiner Karriere und seiner Kollegen (...) hat er es nötig, sich ins
Rampenlicht zu stellen. (...) Der Abschub war das Ergebnis
des Krieges, den Deutschland verschuldet hat, und er war
eigentlich sein Itüpfelchen. Heute gehört dies in die Geschichtsschreibung (...).
Gleichwohl – entsprechend meinem Urteil – da dies nun
einmal so ausgefallen ist, können die Bürger der Tschechischen Republik darüber nur immer wieder froh sein. Ich
kann mir nicht vorstellen, welche Probleme wir heute lösen
müßten, wenn eine starke deutsche Minderheit diesen
Staat bewohnen würde. Ich kann mir nicht vorstellen, wie
es diese Minderheit fertigbringen würde, mit ihrem Minder-
heitsstatus zurechtzukommen. Sie hat dies nicht nach der
Entstehung der ČSR gezeigt und hat die Sache bis München vorangetrieben. Ich glaube nicht, daß unser Zusammenleben mit den Deutschen in einem Staat einfach wäre,
selbst nicht in einem modernen integrierten Europa. Im übrigen – ein dreiviertel Jahrhundert lang hatten wir mit den
Slowaken einen gemeinsamen Staat – mit Menschen praktisch gleicher Sprache und einem verwandten Schicksal,
und trotzdem mußten wir uns trennen. (...)
Rovnost – 19.5.1994

11.12 Der verschwiegene Widerstand gegen die
Unterjochung

(...) am Samstag, dem 21.5.1994 – genau 56 Jahre nach der
Ausrufung der militärischen Mobilmachung der tschechoslowakischen Armee gegen die Drohungen Hitlers bezüglich einer Besetzung des Grenzgebietes, welche durch
Henlein und Frank enthusiatisch vorbereitet worden war,
und beflissen von der absoluten Mehrheit der Sudetendeutschen unterstützt wurde, welche in unseren Grenzwäl-
dern angesiedelt waren – fand in Aussig an der Elbe der
historische I. Nationale Kongreß des Klubs des tschechischen Grenzgetes (KČP) statt. Also einer patriotischen Be-

wegung, wenn man so will auch einer Vereinigung der Bürger, welche vor 16 Monaten in Komotau zum Zwecke der Verteidigung des Grenzgebietes gegen eine Gemanisierung entstanden war. Der Klub des tschechischen Grenzlandes hat heute bereits über 6000 erklärte Mitglieder und Hunderttausende Sympathisanten. Er wirkt in allen Kreisen und in der Mehrzahl der durch Klaus parzellierten Tschechischen Republik. (...) Trotz der evidenten Bedeutung blieb dieser Kongreß vor der tschechoslowakischen Öffentlichkeit (...) de facto verborgen. Von Prag ist es nach Aussig näher als nach Nürnberg. Trotzdem habe ich dort keine neugierige Kamera entdecken können, welche etwa Zdeněk Zemličék[175] befragt hätte, einen Laienprediger der Evangelischen Kirche aus Gitschin, der mir für HALÓ NOVINY folgendes sagte:»In der Geschichte kenne ich mich verhältnismäßig gut aus. Aus der tausendjährigen Geschichte des Tschechischen Volkes ist mir kein Fall bekannt, daß es zu einer totalen Slawisierung der Germanen gekommen wäre. Stets geschah dies umgekehrt. (...) Das Bestreben uns zu germanisieren, schleppt sich unaufhörlich durch die tschechische Geschichte. (...) Herr Neubauer irrt sich aber im Grundsatz. In der Zukunft der Tschechischen Republik wird er nämlich nichts zu schaffen haben mit dieser heutigen, angepaßten Regierung ...«.

Karel Vališ in: *Haló noviny – 24.5.1994*

11.13 Aus der Redaktionspost:
Etwas gehört bereits nur noch der
Geschichtsschreibung an

(...) Es liegt an einigen Politikern der Nachnovemberzeit, zu verstehen, daß sie mit ihren Erklärungen aus der Wendezeit der Jahre 1989/90 überflüssigerweise Fragen öffneten, die im Bewußtsein der Mehrheit des Tschechischen Volkes längst vergessen waren, und sie damit neue Ängste vor einem deutschen Drang nach Osten[176] verursachten (...). Diese Politiker machten sich nicht bewußt, daß gerade diese Fragen nur noch für Geschichtslehrbücher tauglich waren und sind..

*Aus einem Brief von **Rostislav Hovorka**, Göding*
Právo – 30.5.1995

11.14 Gegen alle diejenigen, welche uns anschreien

»DORTHIN« rufen sie Heil und penzen
und wollen wiederum tschechische Grenzen.
Sie versprechen und bedrohen die Leute
Und sind auch bei uns vielfach begrüßt im Heute.

Damals war's ein Spiel mit Ironie,
doch wir verloren und wurden zur Kolonie.
Auch heute spielt man mit gleicher Karte.
Und so werden wir erneut zur neuen tschechischen Warte.

Dort, wo der Tscheche steht, mög' er ewig stehen,
bei uns gibt's keinen Raum für die, welche vor Angst
vergehen.
Gegen alles, was uns auch anbrüllt,
stehen Land und Grenzland ganz erfüllt.

Burg und Adel mit dem Klerus säumen ja,
denn tschechisches Land ist ihnen keineswegs nah.
Doch einfaches tschechisches Volk eben
Möchte hingegen im eigenen Lande leben.

Immerfort werden wir geringer an Zahl,
verschwindet tschechisches Geschlecht allzumal,
den Anstifter kennen wir nur zu gut,
unsere Rechnung mit ihm das begleichen tut.[177].

Karel Kouřil; Göding
Haló noviny – 8.6.1995

Der ästhetische Wert dieses Gedichtes ist nicht von Belang. Das Werkchen illustriert aber deutlich die Mobilisierung mehr als einhundert Jahre alter emotionaler und interpretativer Stereotypen der tschechischen Volkstümelei und belegt somit ihren ungebrochenes »abgetauchtes« Leben. Es ist kennzeichnend, daß sich dies gerade auf den Seiten des Publikationsorgans der Kommunistischen Partei der Tschechischen Republik vollzieht (KSČM).

11.15 Neubauer hält die tschechische Position für ungeheuerlich

Bonn (ČTK) – Das Beharren der tschechischen Seite auf dem skandalösen Unrecht der Vertreibung und der Benesch-Dekrete ist ungeheuerlich, was insbesondere im Lichte der gegenwärtigen ethnischen Säuberungen und Gewalt im ehemaligen Jugoslawien hervortrete, das ver-

lautbarte gestern der Vorsitzende des Sudetendeutschen
Verbandes Franz Neubauer. (…) und die fortdauernde Gültigkeit des Gesetzes über die Amnestie aus dem Jahre
1946 bezeichnet er als unerträglich für einen Staat, welcher
in die Europäische Union eintreten wolle. Dieses verhärtete
Ablehnen erinnere sehr stark an die tschechische Politik
der Jahre 1919 bis 1938, welche klar zur späteren Eskalierung beigetragen habe, führt Neubauer weiter an. (…) Entsprechend dem sudetendeutschen Anführer stelle die Ablehnung des Rechtes auf Rückkehr der Sudetendeutschen
einen Verstoß gegen die Resolution des UN-Ausschusses
für Menschenrechte vom 26.8.1994 dar. (…) Als ein ent-
setzliches Gemisch von Zynismus und Verlust von Reali-
tätssinn bezeichnet er (…) dann die Tatsache, daß die verantwortlichen Personen auf tschechischer Seite gleichzeitig davon sprechen, daß die deutsch-tschechischen Beziehungen nunmehr »die besten sind, die wir jemals mit
Deutschland gehabt haben«, und sie behaupten, daß zwischen beiden Ländern »keinerlei strittige Fragen im klassi-
schen Sinne bestehen« (…)
Mladá fronta Dnes – 25.8.1995

11.16 Přemysl Janýr:
Eine Beleidigung, eine Verletzung der
Rechtsordnung der EU

Auf den Vorschlag von Minister Lux, Staatsgrund im grenz-
nahen Gebiet zu verkaufen, ertönten altbekannte Stimmen
aus Deutschland. Der Sprecher der Sudetendeutschen
landsmannschaftlichen Vereinigung Neubauer bezeichnete ihn als eine Ungeheuerlichkeit gegenüber den Sudetendeutschen, als eine Beleidigung der Bundesregierung
und eine Verletzung der Rechtsordnung der Europäischen
Union. Der Vorsitzende der Vereinigung osteuropäischer
und mitteleuropäischer Deutscher bei den herrschenden
christlichen Parteien CDU/CSU Helmut Sauer [178] fügte dem
hinzu, daß alle Besitzansprüche der Sudetendeutschen erhalten blieben, auch wenn ihre Rücksiedlung bereits de
facto nicht mehr möglich sei. Václav Klaus hat diese Forderungen zurückgewiesen, und umgehend meldete sich der
Chef der Bayerischen Regierung, Edmund Stoiber, daß es
unter solchen Umständen folglich keinen Sinne habe, überhaupt mit Verhandlungen zu beginnen.
Die tschechische Presse und vor allem die Öffentlichkeit
waren von diesem resoluten Ton aufs neue überrascht. Es

ist schon möglich, daß in machen Kreisen dieser diesmal offen ausgedrückte Anspruch wiederum damit bagatellisiert wird, daß es sich im Falle von Neubauer um den Funktionär eines Verein handle und nicht um einen verantwortlichen Staatsvertreter, und daß seine Äußerung bezüglich der Beleidigung der Bundesregierung somit irrelevant sei. Sie ist es aber ganz und gar nicht. Zu Beginn der sechziger Jahre veröffentlichten die damaligen Parlamentsparteien eine Erklärung, welche eine Verpflichtung enthält, daß diese Parteien (und die Bundesregierung) die Rechte der Sudetendeutschen auf eine Rückkehr und ein nachfolgende Selbstbestimmung anerkennen, und dann das Versprechen, daß sie keiner Lösung zustimmen würden, welche nicht die Zustimmung der Sudetendeutschen Landsmannschaft hätte. Diese Erklärung wurde bei uns in keinem der fortlaufend zugänglichen Materialien publiziert. Doch viele erläutern, was uns bei der Bereinigung der Beziehungen zur Bundesrepublik stets aufs neue überrascht, und daher muß man sich diesbezüglich informieren.

Die Sozialdemokratische Partei Deutschlands (SPD) erklärte nach Verhandlungen mit dem Präsidium der Sudetendeutschen Landsmannschaft am 22. Januar 1961 folgendes:

1. Die Sudetendeutsche Frage ist durch die Vertreibung der Sudetendeutschen nicht erledigt. Die Vertreibung war ungesetzlich; sie muß auf friedlichem Weg beseitigt werden, ohne daß hierbei anderen Menschen Unrecht widerfahren würde.

2. Die Beseitigung der Vertreibung bedeutet: Rückkehr der Vertriebenen, Verwirklichung ihrer Rechte auf Heimat.

3. Das Recht auf Heimat kann erst dann umgesetzt werden, sobald in der Heimat die politischen und Menschenrechte verwirklicht sein werden.

4. Neben dem Recht auf Heimat wird der Grundsatz des Rechts auf Selbstbestimmung der Völker durchgesetzt.

5. Das Recht auf Selbstbestimmung ist ein umfangreiches Ideal: Es läßt im gegebenen Fall verschiedene staatliche und völkerrechtliche Rechtslösungen zu.

6. Die Feststellung, daß Deutschland rechtlich in den Grenzen des Jahres 1937 besteht, schließt das Recht der Sudetendeutschen auf Heimat und auf das Recht der Selbstbestimmung nicht aus.[179].

Die Erklärung der CSU vom 3. Juni 1961 unterscheidet sich bis zu einem gewissen Grad dadurch, daß sie den herausragenden Beitrag der Sudetendeutschen zum sozialen, wirtschaftlichen und kulturellen Leben des Freistaates Bayern und der Bunderepublik Deutschland betont und die Sudetendeutschen zum Vierten Stamm Bayerns erklärt. Und selbst Bayern deklariert ihr Recht auf Heimat und das Recht auf Selbstbestimmung und bezeichnet die Landsmannschaft als legitime Vertretung der Sudetendeutschen Volksgruppe in der Zeit ihrer Vertreibung und verspricht durchzusetzen, daß die Bundesrepublik bezüglich des Schicksals der Sudetendeutschen stets in Übereinstimmung mit ihnen handelt.

Mit einem gewissen Zeitabstand, am 15. Oktober 1964, gaben zu dieser Frage auch die deutschen Liberalen (FDP) eine ähnliche Erklärung heraus, desgleichen die Christlich-Demokratische Union. In der Erklärung der CDU vom 15. und 16. Oktober 1964 wird unter anderem folgendes gesagt:

2. Die CDU erkennt die Sudetendeutsche Landsmannschaft als die legitime heimatpolitische Vertretung der Sudetendeutschen Volksgruppe in der Vertreibung an ... und wird sich für die Anerkennung und Durchsetzung des Rechtes auf Heimat und Selbstbestimmung aller europäischen Völker und Volksgruppen, insbesondere aller deutschen Volksgruppen, einsetzen. Daher schützt die CDU entsprechend den Grundsätzen des Parteiprogramms das Recht der Sudetendeutschen auf ihre ursprüngliche Heimat und das Recht auf Selbstbestimmung in ihrer Heimat. Die CDU macht hierbei auf die Erklärung des Bundestags vom 14.7.1950 aufmerksam, derentsprechend die Sudetendeutschen in die Obhut der Bundesrepublik genommen worden sind. Die CDU ist der Ansicht, daß es die Pflicht jeder deutschen Regierung ist, das Recht der Sudetendeutschen auf Heimat und Recht auf Selbstbestimmung zu schützen, und sie wird durchsetzen, daß die Bundesrepublik Deutschland bezüglich des Schicksals der Sudetendeutschen und ihrer Heimat allein in Übereinstimmung mit den Sudetendeutschen verhandelt.

4. Die CDU stellt fest, daß durch die gesetzwidrige Vertreibung der Sudetendeutschen aus ihrer ursprünglichen[180] Heimat die Sudetendeutsche Frage nicht erledigt ist.

5. Die Auffassung von der völkerrechtlichen und staatsrechtlichen Kontinuität Deutschlands in den Grenzen des Jahres 1937 schließt eine völkerrechtliche und staatsrechtliche Lösung auf der Grundlage des Rechts auf Heimat und Selbstbestimmung nicht aus[181]. Wie diese Politik der Sudetendeutschen Landsmannschaft ausgesehen hat, illustriert ein Brief, in dem der damalige Sprecher Walter Becher dem

Präsidenten der ČSSR G. Husák die Erklärung der Sudetendeutschen Landsmannschaft aus dem Jahre 1979 übermittelt hat. Unter Berufung auf die Resolution der UNO, den Pakt über Bürger- und politische Rechte und die KSZE-Schlußakte schreibt er: Ich gestatte mir, Ihnen auf der Grundlage dieser Tatsachen auch auf diesem Wege anzuzeigen, daß die »ČSSR« keinerlei Anspruch auf diejenigen Gebiete Böhmens, Mährens und Schlesiens hat, welche zurecht jahrhundertelang von Deutschen bewohnt waren. Die Vertreibung der Deutschen aus diesen Gebieten mit den damit verbundenen verbrecherischen Taten waren ein Verbrechen gegen die Menschenrechte, für deren Durchführung Sie genauso mitverantwortlich sind wie Ihre Vorgänger im Amt und die Mitglieder der tschechoslowakischen Regierungen seit dem Jahre 1945. Wir geben Ihnen hiermit zur Kenntnis, daß wir bis auf den Heller eine Entschädigung für den verlorenengegangenen Ertrag, um welchen wir durch diesen Raub gekommen sind, bzw. dadurch, daß uns unser Volkseigentum vorenthalten wurde, dessen Geldwert über 130 Milliarden Mark übersteigt, einfordern werden. Wir werden dafür eine Wiedergutmachung fordern genauso wie für den Zwang gegenüber Hunderttausenden Sudetendeutscher zu Sklaven- und ähnlicher Arbeitsverrichtung oder für die Ausbeutung der Uranvorkommen im Kaiserwald und im Erzgebirge, mit der Sie sowjetrussische Okkupanten befriedigen.

Es ist verständlich, daß die heutige politischen Kräfte diese damaligen Verpflichtungen nicht einfach übergehen können. Die deutsche Politik achtet sehr genau auf die Einhaltung dessen, was einmal gesagt worden ist. Vor den konkreten Gesprächen über die Erklärung, welche beide Regierungen vorbereiten und die Parlamente verabschieden sollen, ist es unabdingbar, die Antwort auf die Frage zu kennen, ob ihre Unterzeichner sie noch heute für relevant halten. Falls ja, wird es offenkundig ziemlich schwierig werden, eine Formulierung zu finden, welche die *tschechische Öffentlichkeit dann akzeptieren könnte.*

(Der Autor ist Korrespondent der Lidové noviny aus Wien. In den 50er Jahren wurde er wegen Hochverrats verurteilt. Seit 1968 in Österreich. Im Jahre 1968 im Vorbereitenden Zentralausschuß der Tschechoslowakischen Sozialdemokratie, und nach 1989 Mitglied der Führung der Tschechoslowakischen Sozialdemokratischen Partei (ČSSD) sowie Chefredakteur von Právo lidu (= Volksrecht).

Lidové noviny – 5.10.1995

11.17 Otto von Habsburg[182] sagte in einem Interview für die Zeitung Právo:
Die Annulierung der Benesch-Dekrete ist die Bedingung für den Beitritt der Tschechischen Republik zur Europäischen Union

Sehen Sie in den deutsch-tschechischen Beziehungen größere Schwierigkeiten?
Die deutsch-tschechischen Beziehungen haben Probleme und die müssen beseitigt werden, daher wünschen wir, daß die Tschechen Mitglieder der Europäischen Union werden.
Welche Probleme haben Sie im Sinn?
Ein Problem ist der Umgang mit den Deutschen. Die Beseitigung der Benesch-Dekrete ist eine Bedingung für den Eintritt in die Union.
Und falls sie nicht beseitigt werden?
Dann kann eben die Tschechische Republik nicht in die Union aufgenommen werden. Sehen Sie sich doch Slowenien an, um Gottes Willen! Ich wünschte mir, daß die Tschechen auf dem allerschnellsten Weg in die Europäische Union gelangen, doch ...
... wie stellen Sie sich denn die Annullierung der Dekrete vor?
Wenn ich von der Annullierung der Dekrete spreche, meine ich damit die Beseitigung der Diskriminierung der Deutschen in der Tschechischen Republik.
Sollen wir denn etwa deklarieren, daß die Dekrete schon nicht mehr gültig sind?
So irgendwie. Aber dies müssen tschechische Juristen formulieren, und deutsche Kollegen können ihnen hierbei behilflich sein. Alles übrige würde dann ganz glatt vor sich gehen. Vergessen Sie die Slowenen nicht, *welche sich auf einem guten Weg befinden, doch aus diesem Grunde Probleme mit Italien haben.*
Können Sie präzisieren, was Sie unter Diskriminierung der Deutschen in der Tschechischen Republik verstehen?
Deutsche können bei Ihnen keinerlei Eigentum erwerben, und es existieren auch noch weitere Einschränkungen, welche aus einer Reihe von Benesch-Dekreten hervorgehen. Diese Dekrete stehen den Menschenrechten entgegen. WennSie diese nicht beseitigen, werden Sie Schwierigkeiten bekommen. Seien Sie doch gescheit, dies ist doch im Interesse der Tschechen.
Juristen urteilen, daß die Annullierung der Dekrete die gesamte Rechtsgrundlage des Staates stören würde.

Das ist nicht wahr, daß ist rechtlich falsch ausgedrückt. Und falls die Republik auf solch einer Grundlage stünde, dann ist das aber eine klägliche Republik, falls sie auf der Vergewaltigung der Menschenrechte begründet wäre.

Glauben Sie denn nicht, daß die Annulierung der Dekrete auch eine Welle von Besitzansprüchen der abgeschobenen Deutschen auslösen würde?

Nein, so würde ich das nicht sagen, man kann doch darin zu einem Übereinkommen gelangen. Man sollte nicht vergessen, daß bereits ein halbes Jahrhundert vergangen ist, und daß eine volle Restitution nicht möglich ist.

Aber etliche abgeschobene Deutsche legen doch tschechischen Gemeindeämtern Forderungen bezüglich der Eigentumsrückgabe vor.

Dies ist ein falsches Verständnis der ganzen Frage. Es geht hauptsächlich um das Recht, wiederum Grund und Boden in der Tschechischen Republik erwerben zu können. (...) Wenn wir als Europäer nicht wollen, daß es in Mittel- und Osteuropa zu einer gefährlichen Lage kommt, müssen wir dies lösen und beschleunigt die Europäische Union erweitern.

Geht es Ihnen also um eine Begünstigung Deutscher in der Tschechischen Republik?

Nicht um einen Vorteil, mir geht es um's Recht für die Deutschen bereits vor dem Beitritt der Tschechichen Republik zur Union.

Právo (früher Rudé právo) – 1.11.1995

11.18 Das Echo auf dieses Interview:
Ich danke Habsburg, daß er das alles rundheraus gesagt hat.
Karel Srp

Der Abgeordnete des Europäischen Parlaments für die bayerische CSU, also kein Unbedeutender, hat dies rundheraus gesagt: Die Tschechen müssen die Benesch-Dekrete annullieren, den Deutschen Grund und Boden verkaufen, mit ihnen den »Umgang« ändern und ihre Diskriminierung beseitigen. Widrigenfalls, so teilte der Herr Abgeordnete mit, würden wir nicht in die Europäische Union aufgenommen werden
(Es scheint so, als ob in dieser Organisation nicht abgestimmt würde, weil bereits entschieden wurde). Darüberhinaus behauptet der Sohn des letzten österreichischen Kaisers, stehe unser gegenwärtiges Rechtssystem für die

»Vergewaltigung der Menschenrechte«, und wir seien somit eine »jämmerliche Republik«. Aber wir sollen doch gescheit sein und seinem Rat folgen – dies sei im Interesse der Tschechen. Sonst »werden wir Schwierigkeiten bekommen« – dies stellt er aus der Position des sicheren Siegers fest.

Der Herr Abgeordnete (…) ist ein Augenzeuge der Hitlerzeit. Auch der Führer sprach von der Diskriminierung der Deutschen, welche in unserer Republik angeblich kein Selbstbestimmungsrecht besaßen – heute würden wir sagen: auf die Menschenrechte –, und als nach München der Boden überlassen und die Republik verkleinert wurde, verblieb nur noch die bekannte Forderung nach einer Bepflasterung des Wenzelsplatzes mit tschechischen Schädeln …

Obwohl wir uns der Germanisierung und Bolschewisierung erwehrt haben, können postfaschistische Ansprüche auch mit friedlichen Mitteln durchgesetzt werden (…). Der Schlagbaum an der Grenze kann zwar weiterhin an seinem Platze stehen, doch die faktische Souveränität eines so kleinen Staates wird futsch sein.

Die Bedingungen für einen Beitritt zur EU wurden ohne Ausflüchte vorgelegt. Dafür gebürt Otto von Habsburg Dank. Unsere Politiker können schon nicht mehr so viel zusammenlügen. Doch wird auf sie gleicherweise der Schatten des Hochverrats fallen, wenn weitere Verträge nicht eine Angelegenheit der öffentlichen Diskussion werden.

Der Abgeordnete für die bayerische CSU im Europäischen Parlament denkt mittels dieser Forderungen angeblich an die Tschechen. Folglich auch an mich. Auf seinen groben Klotz hin laß' ich nur eines wissen: D'rauf scheißen, Herr Habsburg. Scheiß d'rauf!

(Der Autor, Vorsitzender von Artfór – der Sektion Jazz, war wegen seines antikommunistischen Denkens in den 80er Jahren im Gefängnis) – Právo (früher Rudé právo) – 3.11.1995

11.19 Václav Bělohradský: Es hat sich aufgeklärt

Die sonntägliche Fernsehdebatte hat geklärt, um was es bei der merkwürdigen und archaischen deutsch-tschechischen Versöhnung geht. Jiří Dienstbier zitierte Kapitel 6, Artikel 3, Absatz 1,3 des Vertrags über die westdeutsche Souveränität, welcher am 23. Oktober 1954 in Paris unterzeichnet worden war[183]. Dieser internationale Vertrag stellt fest, daß die Bundesrepublik Deutschland keinerlei Besitzanspruch gegenüber Ländern der Siegerkoalition erheben dürfe; unter ihnen wird die Tschechoslowakei ausdrücklich genannt. Die Gültigkeit dieses Artikels wurde von neuem ausdrücklich im 2+4-Vertrag bestätigt. Jiří Dienstbier zitierte auch einen Gerichtsbeschluß, demzufolge ein deutsches Gericht bestimmte Restitutionsansprüche eines deutschen Bürgers unter Berufung auf die Rechtsgültigkeit dieses Vertrags abwies. Minister Zieleniec antwortete, daß »es wichtig sei, daß dies auch ein Vertreter der deutschen Regierung oder die deutsche Regierung als solche erklären würde, und dies haben wir bislang noch nicht vernommen«. Im General-Anzeiger erklärte K. Kinkel darüber hinaus, daß »Eigentumsfragen zwischen der Bundesrepublik Deutschland und der Tschechischen Republik weiterhin offen bleiben müssen« (Rückübersetzung aus dem Tschechischen. O. P.).

Der Kenner deutscher Kultur Eduard Goldstücker konstatiert in seiner Betrachtung »Europa und Politik« (Tvar – 18/1995), daß die Bundesregierung – mit Ausnahme der Tschechischen Republik – gegenüber keinem anderen Nachbarn irgendwelche Forderungen erhebt. Wenn eine derartige Großmacht etwas derartiges macht, gibt sie damit sicherlich zu erkennen, setzt damit Zeichen ihrer Politik. »Wollen sie denn auf Dauer einen Fuß in unserer Türe drin haben?« – fragt Goldstücker. Ganz und gar sinnlos ist das häufig wiederholte Argument, daß die Nachbarn Deutschlands zur Bereinigung ihrer wechselseitigen Beziehungen fünfzig Jahre Zeit gehabt haben, und wir hinten dran seien. Das Gefühl von Sicherheit in Westeuropa entsprang eindeutig der Tatsache, daß die Deutschen ihre Beziehungen zu den Nachbarn durch die zwischen der Bundesrepublik und den Mitgliedern der Siegerkoalition abgeschlossenen Nachkriegsverträgen als erledigt ansahen. In jedem Fall war dies stets der deutsche Staat, welcher darum bemüht sein mußte, bei seinen Nachbarn Vertrauen zu erwerben, und nicht umgekehrt.

Nichtsdestoweniger sind die Dinge klarer geworden. Einen völkerrechtlichen Vertrag nicht zu respektieren, dies ist nicht auf die leichte Schulter zu nehmen, daher versucht Deutschland auch, die ganze Angelegenheit von der zwischenstaatlichen auf die Ebene Tschechische Republik – Sudetendeutsche Landsmannschaft zu übertragen und somit das Gesetz zu umgehen, welches Deutschland verbietet, gegenüber unserem Staat Restitutionsforderungen zu erheben. Die Sudetendeutsche Lobby finanziert und organisiert in unserer Republik eine ganze Menge Initiativen, die allesamt darauf abzielen, uns in eine Lage hineinzumanövrieren, in welcher wir selbst »aus moralischen Beweggründen« uns von unserer Stellung als Mitgliedsstaat der Antinazi-Koalition distanzieren, deren Status durch Völkerrechtsvertrag definiert wird, und wir uns auf irgendeinen Typ von Restitutionsforderungen einlassen. »Eigentumsprobleme kann man einzig und allein auf der Grundlage eines Konsenses mit den Vertretern der Sudetendeutschen abschließen, schrieb der lautstärkste Verfechter direkter Verhandlungen zwischen unserem Staat und den sudetendeutschen Vereinigungen in der Tschechischen Republik, B. Doležal. (RESPEKT-5/1995). Eine weitere Steigerung stellt die Variante dar, uns dazuzubringen, die Legitimität der Londoner Regierung in Frage zu stellen, uns von den Benesch-Dekreten zu distanzieren, ferner von der Rechtskontinuität unserer Republik mit der Tschechoslowakei oder schließlich und endlich sogar den Kriegszustand zwischen der Tschechoslowakei und Deutschland zu bestreiten. Den Zweiten Weltkrieg vergessen und das Tschechische Volk neu definieren – das hat E. Mandler geschrieben. Spuckt denn auf eure Gefallenen und Umgebrachten – so könnte man dies wohl übersetzen. Erinnern wir uns doch in diesem Zusammenhang zumindest so nebenbei, daß sich etwa achtzig Prozent der tschechischen Presse in deutscher Hand befinden, und daß durch den Ankauf der Zeitschrift »Týden« (Die Woche – O. P.) auch der politisch profilierte Springer-Konzern in den tschechischen Medienmarkt eingetreten ist. Einst wollten die Kommunisten, daß wir in Gesetzesform die Liebe zur Sowjetunion verankerten, die Deutschen wollen nunmehr, daß wir gleicherweise das Bedauern über den Abschub festschreiben und gerührt durch ein vorwurfsvolles Gewissen, in Verhandlungen über Restitutionen eintreten – mit Ausnahme von Kapitel 6, Artikel 3 des Vertrags, welchen Jiří Dienstbier in der Sonntagsdebatte zitiert hat. Ich glaube, daß die Zeit reif dafür ist klar zu sagen, daß wir auf der Fortgeltung dieses Vertrags bestehen, und daß die Deutschen ausdrücklich erklären müssen, ob sie ihn respektieren oder nicht. Dies liegt auch im Interesse der Sicherheit anderer Nachbarn Deutschlands, vor allem Polens. Das gegenwärtige Europa ist darauf begründet, daß Deutschland bislang eindeutig seinen Status als Verliererstaat respektierte.

Rudolf Hilf hat (PROGLAS-8/1995) geschrieben, daß Deutschland seine Obhutspflicht gegenüber Millionen seiner Einwohner verletzte, würde es sich auf die Vertretung der Eigentumsrechte der Sudetendeutschen gegenüber der Tschechischen Republik verzichten, und er fragt dann: »Bis wohin denn muß diese Angelegenheit noch gejagt werden? Bis es völlig klar sein werde, daß die Deutschen nicht mehr den Status der Verlierer haben?« (Rückübersetzung aus dem Tschechischen – O. P.). Der Terminus »Westdeutschland« bezeichnete nahezu fünfzig Jahre lang das Faktum, daß Deutschland sich dafür entschieden hatte, seinen demokratischen Nachkriegsstaat folgerichtig auf der Grundlage seiner Niederlage in beiden Kriegen dieses Jahrhunderts aufzubauen. Kanzler Kohl verkündete schließlich, daß auch Deutschland durch die Alliierten befreit worden sei und so wollte auch er an den Feiern zum Jahrestag der Landung an der Küste der Normandie teilnehmen, was wiederum bei den britischen und amerikanischen Veteranen Bedenken hervorgerufen hat. Der Tag der Befreiung von Auschwitz durch die Sowjetarmee wurde zu einem Staatsfeiertag mit der Bezeichnung Gedenktag für die Opfer des Nazismus (hier als genaue Rückübersetzung aus dem Tschechischen – O. P.) gemacht.

Jedwede Einigung jeglichen Staates mit Deutschland worüber auch immer setzt voraus, daß bezüglich einer Angelegenheit Klarheit herrscht: Ist das gegenwärtige vereinigte Deutschland Erbe von Westdeutschland, welches seinerseits auf der Basis der Niederlage der Großmachtansprüche aller vorausgegangener deutschen Staaten errichtet wurde – oder ist es dies nicht? Will es mit der Tschechischen Republik aus anderen Positionen heraus verhandeln? Erkennt es Kapitel 6, Artikel 3 des Vertrags über die deutsche Souveränität nicht an? Dann aber geht es nicht mehr um ein Problem der deutsch-tschechischen Beziehungen, sondern vielmehr um den Status des vereinigten Deutschland und seine Rolle im postbipolaren Europa. Bis zu welchem Maße jedoch beinhaltet dieser neue Status, daß Vertragsverpflichtungen gegenüber den Staaten der Siegerkoalition, welche das besiegte Deutschland auf sich genommen hat, heute nur noch ein Fetzen Papier sind? Über alle diese Dinge müßte aber auf einer völlig anderen Ebene verhandelt werden, als die bilateralen Gespräche derzeit ablaufen. Sind folglich Vertragsverpflichtungen gegenüber den Staaten der Sieger-Koalition, welche das besiegte Deutschland auf sich genommen hat, heute wirklich nur ein Fetzen Papier?

Lidové noviny – 30.1.1996

11. 20 Was sagt die Tschechoslowakische Legionärs-Gemeinde zu den deutsch-tschechischen Beziehungen?

(...) Wir warnen vor jeglicher Art von Infragestellung der Alliierten Schlußbestimmungen und ebenso vor irgendwelchen Eingriffen in diese mittels Berichtigungen aus heutiger Sicht. Nicht daß dadurch unsere gesamte Rechtsordnung zerstört würde, welche ihrerseits ja auf den alliierten Beschlüssen basiert, aber es könnte dadurch auch ein Präzendenzfall geschaffen werden für die Übertragung und Steigerung weiterer Forderungen. Auf der Grundlage der Kenntnis der sogenannten »20 Punkte«[184], des programmatischen Dokuments der Sudetendeutschen Landsmannschaft aus den 60er Jahren, kann selbst dies nicht ausgeschlossen werden! (...)

Weisen wir doch die Tendenzen zur Begleichung von Schulden für die Geschichte oder von Versuchen ihrer Überarbeitung von uns! (...)

Es liegt an den demokratischen Kräften der Bundesrepublik Deutschland, dieses gefährliche Spiel zu durchschauen und derartig gezielten Vorgangsweisen Einhalt zu gebieten, welche wiederum zu einer Erneuerung eines explosiven Gemischs politischer Spannung in Mitteleuropa und zur Bedrohung der demokratischen Entwicklung auf dem gesamten Kontinent führen könnten. (...)

Ing. Tomás Sedláček, Generalmajor i. R., Vorsitzender
Jan Štursa, Oberst, i. R., Schriftführer
Slovo – 8.2.1996

11.21 Miloslav Bednář: Der europäische Sinn des deutsch-tschechischen Streits

Die deutsche Politik gegenüber den östlichen Nachbarn geriet erst durch das kürzlich publizierte Dokument des deutschen Minister für Auswärtiges, welches die Ergebnisse des Konferenz von Potsdam nicht anerkennt, in eine Lage gesamteuropäischer Konfrontation. Bereits im Herbst verlautbarte der Minister für Auswärtiges, daß sein Land die besitzrechtliche Ansprüche der Deutschen aus dem Gebiet des gegenwärtigen Polen als offen betrachtet. Als Erklärung für den vor kurzem erfolgten Versuch der deutschen Regierung, eine ähnliche Forderung in den Text der deutsch-tschechischen Erklärung miteinzufügen, berief sich der Chef der deutschen Diplomatie auch auf den polnischen Präzedenzfall ohne Berücksichtigung des entschiedenen Warschauer NEIN. Deutschland hat ganz offenkundig seine internationalen Verpflichtungen verletzt, die es im Vertrag über die westdeutsche Souveränität akzeptiert hatte.

Es geht hier um das gesamteuropäisch gefährliche, abenteuerliche Bemühen, die Grundlagen der politischen Eigenstaatlichkeit der osteuropäischen Staaten in Zweifel zu ziehen und zu stören. Es wäre geradezu töricht, sich ernsthaft mit den Äußerungen bezüglich der Lauterkeit der moralischen Beweggründe deutscher Ostpolitik zu befassen, wie diese seitens unseres westlichen Nachbarn mit regelmäßigem Echo von seiten etlicher tschechischer Vermittler und führender Journalisten verbreitet wird. Der gegenwärtige deutsche Versuch zur Annulierung der Ergebnisse des Zweiten Weltkriegs zuallererst mit östlicher Ausrichtung ist logischerweise der erste ausgesprochen politische Schritt hinein in die ausgefahrenen Gleise megalomanischer Vision von einem deutschen Europa.

Am Beginn stand die Frage, welche Stellung das vereinigte Deutschland sich in den Machtlinien der Europäischen Union aneignen werde. Als antieuropäische Bastion präsentiert sich insbesondere Bayern. Der dortige Ministerpräsident Stoiber erklärte Europa als eine Illusion. Überdies beabsichtigte die Bundesbank nicht, die Deutsche Mark der Europäischen Währung zu opfern. Aus dem Wörterbuch von Kanzler Kohl entschwand bezeichnenderweise Churchills Begriff Vereinigte Europäische Staaten, und an dessen Stelle trat dann die Europäische Föderation. Bei der Erweiterung der Europäischen Union konzentrierte sich Deutschland dann auf den europäischen Norden und Osten.

Die deutsche Wende beunruhigte Frankreich. Im März 1993 äußerte sich in Le Monde der vielgeachtete französische General Galois gegen das Anwachsen eines deutschen Europas. Er brachte die Worte des ehemaligen französischen Außenministers Roland Dumas in Erinnerung, daß Deutschland und der Vatikan die Balkankrise beschleunigt hätten, und er selbst gelangte zu dem Schluß, daß Deutschland sie auch losgetreten habe. Die Franzosen sollten entsprechend der Meinung des Generals eigentlich für die gegenwärtige deutsche Politik dankbar sein. Wie Bismarck einst den Eifer der militanten Pangermanen besänftigt habe, so bremse nunmehr Kohl eine vorzeitige deutsche Expansion nach Osten ab.

Doch hier muß wohl an die strikte deutsche Weigerung erinnert werden, den Begriff der Staatsgrenze im bilateralen Vertrag mit der Tschechoslowakei 1992 zu benutzen Man kann hier kaum dem Vergleich mit der Haltung des deutschen Kanzlers Stresemann ausweichen, der im Jahre 1925 bei den Endverhandlungen der Locarno-Verträge und im Verlauf der dann folgenden Bemühungen um eine Aussöhnung Deutschlands mit Frankreich ganz hart ablehnte, einen Garantiepakt mit seinen östlichen Nachbarn über die Staatsgrenzen Deutschlands abzuschließen.

Das Ersuchen des französischen Botschafters bezüglich einer Erläuterung der deutschen Außenpolitik rief eine zornige Reaktion Minister Kinkels hervor, die angeblich über diplomatische Gepflogenheiten weit hinausging. Der amerikanische Politologe Jacob Heilbrunn meint, daß die französischen Befürchtungen hinsichtlich Deutschlands durchaus am Platze seien. Deutschland sehe in einer erweiterten Europäischen Union ein Instrument zur Emanzipation gegenüber Frankreich zuallererst durch die Schaffung eines Nordblocks. Dessen neue Mitglieder würden sich der Verpflichtungen gegenüber Deutschland sehr klar im Gegensatz zu den Bindungen an Paris bewußt sein.

Im Unterschied zu den vorsichtigen Formulierungen Minister Kinkel schrieb das linke Wochenblatt SPIEGEL ganz offen, daß durch die Erweiterung der Europäischen Union in Europa ein neues Machtzentrum entstehen könnte. Der Nordblock und die österreichische Mitgliedschaft in der Europäischen Union zeichne die Eingliederung Osteuropas vor und belege die deutschen Bemühungen, das nach dem Zerfall der Sowjetunion eingetretene Machtvakuum aufzufüllen. Kohls Versuch, die deutsche Vereinigung organisch mit der europäischen Integration zu verknüpfen, ist mißglückt. Eine entscheidende Bedeutung haben an dieser Stelle die deutsch-russischen Beziehungen. Trotz des Widerstands Japans und der USA setzte Kanzler Kohl die russische Mitgliedschaft in der G-7-Gruppe durch. Bezeichnend ist die Verschiebung des deutschen Standpunkts zur NATO-Erweiterung und dem russischen Beitritt zum Europarat.

Der deutsche Minister für Auswärtiges Kinkel weckte am Beginn der Sitzung des Nordatlantikrates für Zusammenarbeit im Frühjahr 1994 den Eindruck, als ob er den besonderen Beziehungen der NATO und Rußlands Vorrang gegenüber solchen der Partnerschaft für den Frieden gäbe. Indirekt antwortete ihm der amerikanische Minister für

Auswärtiges[185] Warren Christopher, als er die Partnerschaft für den Frieden als wichtigste strategische Institution seit der Gründung der NATO bezeichnete. Heuer führte Kinkel vor den Januar-Verhandlungen der bisher zurückgestellten Mitgliedschaft Rußlands im Europarat an, daß auch aus der Sicht unserer polnischen und ungarischen Freunde der Beitritt zur Europäischen Union im Vordergrund stehen müsse und nicht der in die NATO. In ähnlichem Sinne bewertete auch der Vorsitzender der CDU-CSU-Fraktion im Bundestag, Schäuble, die Aufnahme der Länder Mittel- und Osteuropas in die Union als vorrangiges europäisches Projekt. Für die deutsche und ähnlich auch für die russische Politik einer Wiederbelebung einer deutsch-russischen Hegemonie in Europa erweist sich die NATO als unangenehmes Hindernis. Die Schlüsselbedeutung der Allianz als Sicherheitssäule der Europäischen Union wird ganz plötzlich zum Erschwernis, falls die NATO die osteuropäischen Länder aufnehmen sollte. Eine feste Garantie ihrer Sicherheit und demokratischen Staatlichkeit macht nämlich die Isolierung Europas gegenüber den USA unmöglich und gleicherweise ihre russisch-deutsche Beherrschung. Nach Kinkel müsse es Ziel der NATO-Erweiterung sein, zur Vereinigung zu führen und keineswegs zur Zersplitterung, die europäische Sicherheit können keineswegs gegen Rußland, sondern nur mit diesem organisiert werden.

Wie weit kann man aber von Rußland als einer Demokratie, die auf der Einhaltung der Menschenrechte begründet sei, nach Beseitigung der Demokraten aus der Regierung, den Wahlen in Tschetschenien und dem Vernichtungskrieg gegen das Tschetschenische Volk noch sprechen? Solch eine Frage und die ausdrücklich ablehnende Beziehung Rußlands zur NATO sind für die deutsche europäische Doktrin lediglich ein nachrangiges Thema. Erinnern wir uns doch der Erkenntnis Masaryks, daß ein demokratisches Rußland Voraussetzung eines demokratischen Europas sei. Die amerikanische Anwesenheit in Europa zeigt sich in der Balkankrise erneut angesichts des offenkundigen Hangs zum deutsch-russischen Großmachtspiel um Mittel- und Osteuropa als eine Voraussetzung einer demokratischen Zukunft unseres Kontinents.

Im Falle der Tschechischen Republik als des vermutlich schwächsten Ortes für den Versuch einer Revision der Ergebnisse des Zweiten Weltkriegs wurde vor kurzem in den deutschen Medien eine nationalistische Propaganda entfesselt, die sich nahe an Hysterie bewegte. Vor allem die

Frankfurter Allgemeine Zeitung nahm in einem redaktionellen Kommentar aus der Feder von J. G. Reissmüller vom 2. Januar Anstoß an der Verwendung des Wortes ODSUN und behauptete allen Ernstes, daß die wehrlosen Großmächte auf der Potsdamer Konferenz durch die Tschechoslowakei und Polen zum Abschub der deutschen Minderheiten genötigt worden seien. Angeblich handelte es sich hierbei um eine ethnische Säuberung als solche, welche im Widerspruch zu Moral, Recht und dem Geist der Aussöhnung stand (...).

Die gegenwärtige Welle deutschen Nationalismus' macht dort eine ruhiges Nachdenken in bezug auf Geschichte, Moral, Recht und Versöhnung unmöglich. Umso mehr ist es am Platze, nachdrücklich zu sagen, daß das Prinzip der Kollektivschuld in moralischer Hinsicht gilt, obwohl man sie in geregelten gesetzlichen Verhältnissen nicht akzeptieren kann. Die nach dem Krieg erfolgte Aussiedlung bedeutender Teile deutscher Minderheiten, welche seit der zweiten Hälfte des vergangenen Jahrhunderts den europäischen Frieden bedrohten und an der Wiege zweier Weltkriege standen, kann man nicht als absolutes moralisches Ideal bewerten, doch als eine geschichtliche Bestrafung. Ihre moralischen Beweggründe sind bei den demokratischen Verbündeten und beim tschechischen Widerstand außer jeglicher Diskussion. Falls eine derartig niveaubezogene Selbsterkenntnis die deutsche öffentliche Meinung und ihre politische Elite nicht erreicht, ist eine wirkliche Aussöhnung im Geiste des Europäertums gegenstandslos.

(Der Autor ist im Philosophischen Institut der Akademie der Wissenschaften der Tschechischen Republik tätig)
Lidové noviny – 12.2.1996

11.22 Michal Mocek:
Bedeutsam ist nicht Potsdam, vielmehr Deutschland

Drei siegreiche Großmächte (...) stellten sich hinter das Abkommen von Potsdam. (...) Ein sorgsameres Durchlesen der Erklärungen der Großmächte zeigt jedoch, daß für die Schöpfer tschechischer Politik nicht einmal die Stellungnahme »der Welt« ziemlich aufrüttelnd ist. In der amerikanischen wie auch in der britischen Erklärung wird lediglich von einer »Entscheidung« oder »Schlußfolgerungen« aus Potsdam gesprochen, jedoch keineswegs von einem Vertrag oder von einem Abkommen, wie dies bei uns Gewohnheit ist. Falls es sich jedoch nicht um einen Vertrag handelt, dann kann man auch die Potsdamer »Entscheidungen« leicht als einseitiges Diktat erklären oder in Zweifel ziehen. (…)

Auch die Verankerung Potsdams im Völkerrecht sieht in der britischen und in der amerikanischen Erklärung nicht gerade sehr fest aus. »Die in Potsdam getroffenen Entscheidungen entsprangen dem Völkerrecht« (Rückübersetzung aus dem Tschechischen – O. P.), konstatieren nämlich beide Erklärungen. Uns verbleibt lediglich übrig zu erraten, ob sie deshalb Teil dieses Rechts geworden ist und ob dies auch heute noch so der Fall ist. Am meisten kann jedoch das amerikanische Eingeständnis warnen, daß für Washington die Potsdamer Beschlüsse lediglich ein historisches Faktum seien. Wie bekannt ist, sind sie es für uns nicht. (…) Vom Gesichtspunkt der deutsch-tschechischen Beziehungen ist daher beim Streit bezüglich Potsdams nicht dies wichtig, daß sich in den vergangenen Tagen drei Großmächte zu ihren Entscheidungen aus der Vergangenheit bekannt haben. Wichtig ist hingegen dies, daß Deutschland die Potsdamer Entscheidungen nicht anerkennen will. (…)

Mladá fronta Dnes – 19.2.1996

11.23 Der Abschub der Deutschen war und ist rechtsgültig

Am 1. Februar veröffentlichte Mladá fronta Dnes die Stellungnahme der Bundestagsfraktion der CDU/CSU. (…) Die Ungeheuerlichkeit, daß die Tschechische Republik sich bei Deutschland für den Abschub der Sudetendeutschen entschuldigen und damit letztendlich den Abschub als Unrecht anerkennen sollte, hat mich sehr erregt. Der Abschub der Deutschen war und ist ein rechtsgültiger Akt. Es war nicht allein das Recht unserer Vorfahren, sondern auch ihre Pflicht, alle Deutschen, welche den Faschismus unterstützt hatten und mit diesem übereinstimmten, aber die ihn auch aktiv in unserem Lande mit aller Grausamkeit verwirklicht haben, hinauszujagen. Das haben unsere Altvorderen mit Ehre und noch sehr tolerant umgesetzt. Dieses Recht und diese Pflicht kann niemand und zu keiner Zeit in Zweifel ziehen. Und derjenige, welcher sich möglicherweise letzten Endes doch entschuldigen und vielleicht nur eine moralische Schuld für irgendetwas anerkennen wollte, was lediglich Folgeerscheinung des Kriegs war, den die Deutschen entfesselt hatten, mit dem Ergebnis von Unrecht an unseren Völkern, der ist demnach Verräter im Vermächtnis all derjenigen, welche durch die Deutschen nach dem Münchner Abkommen aus ihren Heimstätten verjagt wurden, welche erschossen, umgebracht wurden (...) Wo denn ihr Recht auf Heimat hinführen würde, das haben wir aus dem Verhalten des deutschen Dirigenten Albrecht erfahren. So würde sich die Mehrzahl der Sudetaken aufführen, wenn sie zurückkehrten. So würde denn das Bestreben des gegenwärtigen Deutschland, sich erneut die Tschechische Republik zu unterwerfen, diesmal vor allem mittels ökonomischer und politischer Waffen, zur realen Sache werden. Keine einzige politische Partei, keine Regierung, welche denn eine Entschuldigung und Verurteilung des Abschubs der Deutschen auch nur ankündigen würde, hat in den anstehenden Wahlen irgendeine Chance. Sie hätte auch in den kommenden hundert Jahren keinerlei Chance. Nichts gegen gute Nachbarschaftsbeziehungen, (...) doch die bußfertige Rückwendung zur Vergangenheit in der Frage der Sudetendeutschen ist von allen Gesichtspunkten her ganz und gar unannehmbar für alle ehrenhaften Bürger unseres endlich demokratisch gewordenen Staates.

Aus einem Leserbrief von **J. Šmarda,** *Prag*
Mladá fronta Dnes – 7.3.1996

11.24 Ein homosexueller Liebhaber

(...) Die Autoren, welche zum Thema der deutsch-tschechischen Beziehungen schreiben, lassen sich recht gut lesen mit dem Gefühl, daß die Devise bestätigt wird, die Geschichte wiederhole sich in etlichen Abschnitten oder zumindest in einigen Erscheinungsformen. Ich bin ein Jahrgang, welcher sich solcher Erscheinungen noch aus der 1. Republik erinnert. Daher erinnere ich mich auch an die Artikel eines sogenannten Herrn aus den Protektoratsdruckerzeugnissen aus der Vlajka-Bewegung[186]. Dieser damalige Abschaum der Gesellschaft, wie sie Herr Peroutka richtig bezeichnet hat, war verständlicherweise weit härter, ohne nennenswerte Intelligenz, allein behütet durch die reichliche Zuwendung seitens eines ordinären Speichelleckertums durch die damaligen Protektoren. Ihre heutigen Redakteure sind sicherlich wendiger, moderner, aber umso gefährlicher für die Herausbildung einer Meinung, daß wir Tschechen es sind, die sich bei den Sudetendeutschen entschuldigen sollen. Möglicherweise können die sich dann vorstellen, wie dies mit dem Tschechischen Staat ausgegangen wäre, wenn nicht die einzig mögliche Chance nach dem Krieg genutzt worden wäre, diese drei Millionen loszuwerden, welche sich hier auseinandergedehnt hätten sowohl einerseits mit der Unterstützung von Honeckers Agenten als auch andererseits seitens unserer heutigen prodeutschen Notabeln. Ich werde hier nicht eine Kaderbeurteilung versuchen, daß ich als studentischer Häftling in Theresienstadt und diskriminierter Bürger während der Genossenzeit zum Normalprofil eines tschechischen Bürgers ohne homosexuelle Haltungen gegenüber dem deutschen Liebhaber gehöre. Ich glaube, daß sich jene perverse tschechische Arschkriecherei zur Unbedeutsamkeit verlieren wird, ob sie nun prosowjetisch oder prodeutsch sein mag. Mit einer ganzen Reihe von Ansichten bezüglich innenpolitischer Probleme kann man übereinstimmen, doch für dieses Grenzproblem fehlt irgendwie das historische Gespür.

Aus einem Leserbrief von **Vratislav Vonka,** *Prag 10*
Český tydeník – 6.12.1996

12. Kapitel

Gewissenserforschung und Entgegenkommen – ein Versuch

Sich aus Enge und Vorurteilen zu lösen, Erkenntnissen und erneuten Erkenntnissen nicht wehren und den Versuch zu unternehmen, denen entgegenzugehen, in denen man bislang den Feind par excellence gesehen hatte, und ihnen damit einen ähnlichen entgegenkommenden Schritt zu ermöglichen – dies ist die allein mögliche rationale und moralisch akzeptable Vorgangsweise. Weil sie jedoch in Frage stellt, fallweise sogar die Abwehrmechanismen attackiert, deren Schaffung eine irrationale Engstirnigkeit motiviert hatte, sind ihre Chancen nur begrenzt.
Diese Vorgehensweise wird häufig als Ausdruck eines Masochismus erklärt, als Selbstgeißelung, eigene Nestbeschmutzung, eine Aktion der 5. Kolonne, die vom Feind unterstützt werde usw. So reden also diejenigen, welche bisher die befreiende Kraft der Selbstkritikfähigkeit nicht bemerkt haben und sie lediglich als eine Form der Selbstbeschädigung wahrnehmen. Noch sind sie in der Mehrzahl. Versuche eigener Gewissenserforschung und Begegnungshaltungen gegenüber den »Feinden seit jeher« stellen daher ein Minderheitsvotum dar.

12.1 Deutsche und Tschechen müssen einander beriechen:
Aus einem Gespräch mit dem Schriftsteller Ota Filip

(...) Sie haben sich in beiden Bereichen als ein Autor vorgestellt, dem die sudetendeutsche Problematik vertraut ist. Dies ist doch sicher kein Zufall.
Nein. Ich befinde mich in einer sehr verzwickten Lage. Selbstverständlich, der Mensch hat mit den Sudetendeutschen ein gewisses Mitleid. Ich glaube, daß man nicht schon deshalb 3,5 Millionen Menschen aus dem Lande jagen kann, nur weil sie deutsch gesprochen haben.
Aber dieser Anlaß war doch ausgeprägt.
Ich weiß das. Aber mein Mitgefühl war doch auf die ganz gewöhnlichen Bauern gerichtet. Ich sag' ihnen immer: Um

Gotteswillen, ihr habt das Recht gehabt, für eure Rechte in der Tschechoslowakei zu kämpfen. Aber wenn ich für meine eigenen Rechte kämpfe, verbünde ich mich doch nicht mit einem Gangster. (…) Ich bin auch mit dem Politologen der Würzburger Universität Blumenwitz in Streit geraten (…) – dieser Professor gebärdete sich so, als ob es den Zweiten Weltkrieg nicht gegeben hätte! Und für diesen Krieg trägt jeder erwachsene Sudetendeutsche, genauso wie jeder Deutsche, seinen Teil Verantwortung. Mein Vater mußte verständlicherweise auch zur Wehrmacht einrükken. 1944 dessertierte er von dort. Er befand sich dann bei den Partisanen in Hoštálkov bei Wsetin. Er war so ein bourgeoiser Herr, aber diesen Hitler ertrug er einfach nicht. (…) Somit bin ich also wirklich in einer ganz und gar widersprüchlichen Lage. Die Deutschen haben mich nicht gerne, weil ich ihnen dies alles ganz offen sage, was sie nicht ertragen. Andererseits glaube ich nicht – so wie ich sie kenne –, daß sie haufenweise zurückkehren wollten. (…)

(…) Aus Ihren Artikeln konnte ich auch entnehmen, daß es aus moralischen und historischen Gründen notwendig sei, sich mit dem auseinanderzusetzen, was ein Verbrechen gewesen war. Etwa der Brünner Todesmarsch.

Daran haben mich am meisten die Zahlen über die Todesfälle provoziert. Zu meinem eigenen Schaudern habe ich festgestellt, daß unter den 30 000 Fußmarschierern ganz offenkundig kein einziger aktiver Nazi gewesen war! Das waren lediglich Frauen, Kinder und alte Männer. Die Nazis waren nämlich schon zuvor aus Brünn abgehauen. (…)

Wie würden Sie denn in diesem Zusammenhang die Arbeiter aus der Waffenfabrik beurteilen, welche entsprechenden Anteil an diesem Marsch hatten?

Genau das ist doch die Katastrophe. Die Brünner Waffenfabrik produzierte doch noch drei Tage vor der Besetzung Brünns durch die Sowjetarmee für die Deutschen Waffen. Etliche Arbeiter wollten wohl damit ihre Komplexe heilen, weil sie gegen die Deutschen nicht gekämpft hatten, sie waren darum bemüht gewesen, nachträglich ihre Beständigkeit zu erweisen. (…) und so führten sie einen Monat nach Kriegsende einen Krieg gegen deutsche Frauen, Kinder, alte Leute, weil sie wohl in sich das Gefühl trugen, daß sie etwas wettzumachen hätten. (…)

Rudé právo – 14.11.1991

12.2 Vladimír Just:
Das sudetendeutsche Problem in uns selbst

(...) Solange die Orte unserer Schande in unserem allgemeinen Bewußtsein nicht so sein werden, wie in diesem mit Recht die »Denkmäler« der Nazigreuel eingegraben sind, solange müssen wir also über sie reden, wie auch immer und in welchem Maße wir daher eher Pfiffe als Beifallklatschen der einheimischen Bevölkerung ernten. Die Überlegung Masaryks, einen nichtpopulistischen Weg gegen die allgemeine Meinung zu beschreiten, ist genau das, was uns bei der Reflexion der Sudetendeutschen Frage in der Politik und in der Publizistik fehlt. Dieser unangenehme Weg hat, das meine ich, keinerlei Alternative.

Ich bin schließlich zutiefst überzeugt davon, daß der Streit um die Sudetendeutschen auch ein Streit zwischen mehr oder weniger informierten Publizisten und Politikern ist. Und zwischen einer mehr oder minder informierten Öffentlichkeit. Daß bei uns letztere sich in erdrückendem Übergewicht befindet, was wiederum ihre fortdauernden negativen Haltungen gegenüber den Sudetendeutschen vorausbestimmt, ist nicht gerade das allerbeste Zeugnis für unsere Publizistik und Geschichtsschreibung. Ich kann dies gedanklich am besten an mir selbst demonstrieren (...).

Literární noviny – 22.7.1993

12.3 Jaroslav Šonka:
Das Kind nicht mit dem Bade ausschütten
Die nicht endenwollende Annäherung der tschechischen Seite an die Sudetendeutschen

Die Reden etlicher sudetendeutscher Politiker rufen in Prag eine lebendige und nicht ebenbürtige Reaktion hervor. (...) Die vorwiegenden Eigenheiten dieser Reaktionen liegen in ihrer Unvorbereitetheit, im Ungenügen der historischen und politischen Erudition (...) Es existiert keinerlei öffentlich zugängliche Analyse der Ereignisse und schriftlichen Quellen der anderen Seite. (...) Die sudetendeutschen Partner haben einen strategischen Vorsprung aus ihrer langjährigen Existenz im deutschen demokratischen Umfeld. Möglich ist schon, daß sie nicht einmal eine um vieles bessere Argumentation besitzen. Aber sie haben vorbereitete Fragen, die die tschechische Seite keineswegs souverän und ohne Invektiven jederzeit zu beantworten fähig wäre. Sie wird ganz offenkundig in die Enge getrieben, weil sie einen

vergleichbaren Diskussionsbeitrag nicht liefern kann. (...)
Latente Minderwertigkeitsgefühle und die sprachliche Unfähigkeit erschweren die gesamte Atmosphäre für einen
möglichen Dialog. (...)
Die künftige Entwicklung wird davon abhängen (...), wie
beide Seiten im eigenen Sandkasten Ordnung schaffen
werden. Eine Argumentation vom Typ »wir haben doch
Zeit« sind nur hinderlich. Sicherlich können die Sudetendeutschen den zeitlichen Rahmen mit deutscher Hilfe
beherrschen (...) Doch ist es keineswegs im Interesse
Deutschlands, in der Nachbarschaft die Keime für einen
wirtschaftlichen Abfall zu belassen. Im Gegenteil: Die Pro-
sperität der Nachbarn ist eine Garantie für die eigene Entwicklung. Sicherlich können die Tschechen den Tod der
ausgesiedelten Landsleute abwarten. Doch ist das Gefühl
für die kulturelle Kontinuität in sudetendeutschen Kreisen
aber so beschaffen, daß das Problem keineswegs mit dem
Tod des letzten Augenzeugen beendet sein wird. Im übrigen kennt die Geschichte wohl ein so schnelles Vergessen
nicht. Ein dicker Strich – falls der überhaupt einen Sinn hat
– kann nur gemeinsam mit den Sudetendeutschen gezogen werden.
Lidové noviny – 3.8.1993

12.4 Jan Trefulka:
Erbe und Zukunft

Die Beziehungen zwischen Deutschen und Tschechen sind
eines jener Themen der tschechischen Presse, über die
man sicherlich viel schreibt, doch selten genug ganz offen
und ohne mehr oder weniger verstecktes Taktieren. Eine
noch so kleine Erwähnung wird nicht nur durch die Geschichte schwierig gemacht, sondern auch durch persönliche Tragödien, welche in den betroffenen Familien weiterhin ganz heftig lebendig sind. (...) So ist der entscheidene
Grund, warum ich mich seit dem Jahre 1990 bereits an etlichen gemeinsamen Reisen tschechischer Schriftsteller
und deutscher Autoren beteiligt habe, die einst mit ihren Eltern die Tschechoslowakei hatten verlassen müssen, in
meinem persönlichen Erleben zu suchen. Im Jahre fünfundvierzig war ich nicht ganz sechzehn Jahre alt, mit dem
Kamerad Krajíček mußten wir irgendein Jahr hinzufügen,
damit man uns unter die Freiwilligen aufnahm, doch dann
habe ich das Kriegsende in Brünn aus einer derartigen
Nähe mitangesehen, daß ich dies bis in meinen Tod hinein

nie mehr vergessen werde (...). Ich weiß, daß die Konzentrationslager für Deutsche (lies: Frauen, Kinder und alte Leute), welche dann bald in jenem sagenhaften Todesmarsch in Richtung auf die österreichische Grenze »abgeschoben« wurden, in nichts den Konzentrationslagern, welche durch nazistische Kreaturen organisiert worden waren, nachstanden. Eine gerechte Vergeltung? Rache? Bestialität? (...)

Literární noviny – 1/1994

12.5 Ondřej Neff:
Mut ja, aber nur in vergangenen Kämpfen

(...) Leider Gottes sieht es mit der politischen Courage immer schwächer aus, sofern es denn um die Gegenwart geht. (...) Die Öffentlichkeit ist zu einem bedeutenden Teil antideutsch und insbesondere dann antisudetendeutsch aufgeladen. Die Wurzeln dieser Sache reichen bis in die harten Erfahrungen aus München und aus dem Protektorat sowie das schlechte Gewissen aus der Zeit der ethnischen Säuberung nach dem Kriege zurück. Fünfzig Jahre lang haben wir diese Gefühle in uns gehegt. Doch ist es unverständlich, daß von den politischen Spitzen lediglich Václav Havel genügend Mut aufgebracht hat zu dem Versuch, gegen dieses Überbleibsel aus der Vergangenheit etwas Bedeutenderes zu unternehmen, und die übrigen beschränkten sich auf bloßes Wendewesen.

Stillschweigend beteiligen sie sich auch an dem allgemein geteilten Vorurteil, daß aus Deutschland uns wer weiß welche Gefahr auch immer drohe. Nur daß eben politischer Mut bedeutet, vor allem klar und im gegebenen Augenblick eine unpopuläre Haltung einzunehmen. Dies bedeutet eine Analyse, die Zielvorgabe und die geduldige Pflege der zielgerichteten Haltung. Eine vernünftige Überlegung muß zu der Schlußfolgerung führen, daß wir uns nicht bis in die Unendlichkeit hinein vor der »sudetendeutschen Frage« verstecken können. Daß wir nicht auf ewig mit der Behauptung auskommen, daß sie durch Potsdam gelöst worden sei. (...)

Eine offene Haltung gegenüber der sudetendeutschen Problematik ist für unsere Vordermänner einstweilen immer noch ein ziemlich heißer Kaffee. (...)

Mladá fronta – 20.5.1994

12.6 Bohumil Doležal:
Die Diktion der Dekrete über die Sudetendeutschen erinnert an die Nürnberger Rassengesetze

(...) In jedem Falle geht es um eine Gesamtheit sehr problematischer Rechtsakte, und so erlaube ich mir nunmehr zusammenzufassen, was ich davon für besonders strittig halte.

Die Verknüpfung »Deutsche, Magyaren, Verräter und Kollaborateure« sticht beim ersten Eindruck damit in die Augen, wie hier Dinge zusammengefügt werden, welche sich nicht auf gleicher Ebene befinden: Zu einem Verräter und Kollaborateur wird der Mensch, hingegen als Deutscher und Ungar wird er geboren. Für Deutsche und Magyaren werden entsprechend den Dekreten gehalten: »Personen, welche sich bei welcher Volkszählung auch immer bis zum Jahre 1929 zur deutschen oder magyarischen Volkszugehörigkeit bekannt hatten, oder Mitglieder von Volksgruppen oder deren Bestandteilen oder politischer Parteien, welche Personen deutscher oder magyarischer Volkszugehörigkeit vereinten, waren«. Die pauschale Zuordnung von Personen, welche verfolgt werden sollen, erinnert keineswegs zufällig an die Nürnberger Gesetze[187]; darüber hinaus wird zum Grund für die Verfolgung ein Tatbestand (...), welcher zu seiner Zeit nicht als Straftatbestand bewertet wurde.

Doch die Dekrete kennen eine Ausnahmeregelung: Deutsche und Magyaren, »die nachweisen, daß sie der Tschechoslowakischen Republik treu geblieben waren (...)«. Es ist wohl notwendig zu konstatieren, daß man hier von einer Lage ausgeht, in der eine bestimmte Gruppe im voraus für schuldig erklärt wird, und Einzelne dann aber gezwungen werden, ihre Unschuld zu beweisen. (...)

Die Grundsätze, von denen die Präsidialdekrete ausgehen (kollektive Verantwortung, Präsumption der Schuld, Retroaktivität, Antastbarkeit persönlichen Eigentums), muß man aber als ein Ganzes auffassen. Und als ein Ganzes sind sie nicht allein Ausdruck eines bestimmten Rechtsverständnisses, das mit demjenigen nicht konform geht, welches in Europa allgemein akzeptiert wurde. Sie stellen gleichzeitig eine bestimmte Auffassung von Gerechtigkeit, Lebenswerten, Gesellschaftsbeziehungen dar, welche sich ganz ausdrücklich vom europäischen Verständnis unterscheiden und sich bereits zu einer Zeit gegenüber diesem unter-

schieden, als sie in den genannten Präsidialdekreten realisiert wurden. (...).
Mitleidlose Härte, nebulöse Charakteristika des »Verschuldens«, Begünstigungen von Denunzianten aller Art, Gesetze, welche sich selbst als solche relativieren, dies alles materialisierte sich dann in der kommunistischen Gesetzgebung. Die Präsidialdekrete aus dem Jahre 1945 nehmen in vielem ihren Charakter vorweg.
Telegraf – 26.5.1994

12.7 Jiří Hanák:
Das Erfordernis eines tschechisch-tschechischen Dialogs

(...) es entspricht jedoch seine (das heißt von Klaus – redakt. tschech. Anm.) Behauptung nicht der Wahrheit, daß die »deutsch-tschechischen Probleme Ewigkeitsprobleme darstellen«. Die Fragen, welche sich aus der unveränderbaren geopolitischen Lage ergeben, sind keineswegs unlösbar. Zwischen Frankreich und Deutschland liegen Millionen Opfergräber (...) Und trotzdem kann man heute nicht mehr von einem deutsch-französischen »Ewigkeitsproblem« sprechen, selbst wenn die allumfassende Liebe sich noch bei weitem nicht über die zuwachsende Maginot- beziehungsweise Siegfriedlinie erhebt. Aber es gilt als sicher, daß beide Länder sich gegenseitig wie verläßliche Verbündete verhalten. (...)
Bevor aber die ehemaligen Erbfeinde zur heutigen Ebene wechselseitiger Beziehungen gelangten, mußte sowohl die deutsche als auch die französische Gesellschaft dazu heranreifen. (...) Worin also beruhen die deutsch-tschechischen Probleme und worin sind sie denn scheinbar ewig? Das Problem hängt an der Nichtexistenz eines tschechisch-tschechischen Dialogs über diese Angelegenheiten, und den Ewigkeitscharakter erzeugen wir durch ihre Verdrängung. Das Nichtvorhandensein eines tschechisch-tschechischen Dialogs verurteilt uns aber dann zur Rolle des outsiders. (...) Über vierzig Jahre lang haben wir in einer undurchlässigen kommunistischen Konserve gelebt, in der Zeit und Geschichte stehengeblieben sind. Von dieser Welt wissen wir also wenig, und von den deutsch-tschechischen Beziehungen wissen wir ganz bestimmt weniger als unsere Nachbarn. Deutsche Historiker der neuzeitlichen deutschen Geschichte haben genügend Bücher geschrieben, damit die Deutschen sich in ihr auszu-

kennen und aus ihr zu lernen vermögen. Ein tschechisch-tschechischer Dialog ist in dieser Situation unerläßliche Voraussetzung jeglicher Bewegung nach vorne. Unsere potentiellen Partner sollten uns daher dafür die erforderliche Zeit zubilligen. (…)

Selbstverständlich sind dies Themenbereiche, über die wir niemals mit irgendjemand diskutieren könnten, wenn wir uns nicht selbst wertschätzen und wenn wir nicht die Opfer des letzten Weltkrieges im Gedächtnis behalten wollten. Ein derartiges Thema muß wohl die Revision der Ergebnisse des Zweiten Weltkriegs sein. Es sei hier festgestellt, daß niemals irgendjemand aus Bonn etwas Entsprechendes von uns eingefordert hätte. Gleicherweise können wir uns mit niemandem über das Nachkriegssystem der Dekrete unterhalten, die durch Präsident Benesch erlassen wurden, und die durch die Vorläufige Nationalversammlung[188] ratifiziert worden sind. Dies wäre jedoch kein Weg zu einer Aussöhnung, dies wäre hingegen ein Weg in das Auseinanderschaukeln Mitteleuropas. Im Interesse Bonns liegt etwas derartiges jedoch nicht, ja es ist nicht einmal der Mittelpunkt des Interesses einer Mehrheit der Vereinigungen, welche den Sudetendeutsche landsmannschaftliche Verband bilden.

Häufig berauschen wir uns an Worten über die tiefgehenden und uralten demokratischen Traditionen des Tschechischen Volkes. Doch wie weit handelt es sich dabei um demokratische Traditionen und wie weit denn um Traditionen eher plebejischen Charakters? Das Tschechische Volk ist vor etwas mehr als einhundert Jahren in den Kreis der modernen europäischen Völker eingetreten. Dies ist keine lange Zeit. Naserümpfen, fehlender Überblick, ein Horizont, welcher maximal bis zur Kreisstadt reicht, Angst vor Fremden und daraus entspringendem Ungenügen im Selbstvertrauen, dies alles sind atavistische Reste der nationalen Wiedererweckungsbewegung[189]. Dieser böse Wachengel wacht bislang über unsere unfähige deutsche Politik. Es scheint so, daß es wirklich nur einen einzig möglichen Ausweg aus diesem Kreis gibt: Die Beziehung zu den ehemaligen böhmischen Deutschen muß wegen all dieser Dinge möglichst bald zum Gegenstand des tschechisch-tschechischen Dialogs werden. (…)

Lidové noviny – 8.8.1994

12.8 Dan Drápal:
Die süßeste Rache ist die Vergebung und jegliche andere ist bitter

(...) Auf dem Radobyl[190] kamen ohne größere Publizität etwa tausend Christen vor allem aus der Tschechischen Republik, aber auch aus Deutschland zusammen, um für eine abschließende Lösung der Beziehungen zwischen Deutschen und Tschechen, und zwar für eine positive Lösung, also für die Aussöhnung (...) gemeinsam zu beten.

Ich stimme mit Jiří Hanák darin überein, daß zunächst ein tschechisch-tschechischer Dialog geführt werden muß (...), doch versuche ich einmal zwei diametral verschiedene Ausgangspunkte solch eines Dialogs oder auch zwei diametral verschiedene Zugangsmöglichkeiten zur Frage der Aussöhnung zwischen Völkern zu skizzieren.

Ich werde nicht beschönigen, daß ich einen grundlegenden Unterschied zwischen gläubigen und ungläubigen Menschen sehe. Mit gläubigen Menschen meine ich allerdings nicht diejenigen, welche sich unter nicht immer völlig klaren Beweggründen bei irgendeinem Zensus als solche erklären, sondern vielmehr diejenigen, welche überzeugt sind, daß über uns allen ein transzendenter Gott ist, vor dem wir uns sowohl als Einzelne als auch als Völker werden verantworten müssen (...). Auf der anderen Seiten befinden sich diejenigen, welche keinerlei absolute Norm über sich anerkennen, sondern nur mit dieser Welt und mit diesem Leben rechnen. Der gläubige Mensch (...) weiß, daß sein ureigenstes Problem vor allem seine eigene Schuld darstellt, doch keineswegs die Schuld des anderen. Selbst unter der Annahme – wenn wir dies einmal hypothetisch unterstellen wollten –, daß sämtliche Geschichtsprobleme zwischen Deutschen und Tschechen die Deutschen zu 95 Prozent verschuldet hätten und die Tschechen lediglich zu fünf Prozent, so weiß doch der gläubige Tscheche, daß uns von Gott und Seinem Segen nicht diese 95 deutschen Prozentpunkte trennen, sondern gerade diese unsere eigenen fünf tschechischen Prozente. (...) Daher sucht der gläubige Mensch bei Gott Vergebung seiner Schuld und kümmert sich nicht so sehr darum, ob ihn auch dieser andere gebührlich sucht.

Für einen Menschen, der von der absoluten Norm über sich nichts weiß, ist diese Haltung unverständlich, naiv, gegebenenfalls auch verräterisch. Diese Gruppe von Menschen, welche bei uns sicherlich eine größere Zahl umfaßt, stellt sich eine Aussöhnung wie irgendeine Versteigerung vor, bei der man wohl unaufhörlich darauf achten müsse, ob denn dieser andere den genau gleich langen Schritt wie ich macht, damit ich nicht irgendwie ins Hintertreffen gerate. Daher fällt es auch überhaupt nicht in den Bereich des Erwägenswerten, sich ohne Ansprüche auf eine angemessene Reaktion von der anderen Seite zu entschuldigen, denn diesen Leuten geht es ja gar nicht darum, ob dies vor allem vor dem eigenen Gewissen besteht, von dem der Glaubende weiß, daß Gott ihm dies eingegeben hat.

Unglücklicherweise ist solch eine Zugangsweise ziemlich blind. Er sieht nur das ihm angetane eigene Unrecht und lehnt es ab, das vom eigenen Volk verübte Unrecht zu sehen. Einen Menschen mit einem sensiblen Gewissen hemmt es mehr, daß Tschechen Schandbarkeiten und Unrecht begangen haben als daß diese von Deutschen begangen worden seien. Bei einem ichbezogenen Menschen ist dies selbstverständlich umgekehrt der Fall.

Als ich irgendwann einmal in der ersten Häfte der achtziger Jahre mit Entsetzen festgestellt habe, daß innerhalb von zwei Jahren nach dem Zweiten Weltkrieg durch tschechische Hände ganz regulär eine gleiche Menge Deutscher umkam wie Tschechen während des Krieges, erschauerte ich. Von diesem Zeitpunkt an habe ich eine Unzahl von Möglichkeiten genutzt, mich bei Deutschen zu entschuldigen (…). Menschen, die sagen, daß sich die Deutschen nie entschuldigt hätten, sagen ganz einfach nicht die Wahrheit. Ich selbst habe gehört, wie sie sich bewegt entschuldigt haben, wann auch immer ich mich entschuldigte. Aber für einen Menschen, der sich vor der absoluten Norm seiner eigenen Lügengebäude nicht bewußt wird, gilt eine einfache Entschuldigung wenig. (…)

Jeder, der Eheprobleme durchlebt hat (…) weiß, daß am mutigsten – und langfristig bei Berücksichtigung allen miteingeschlossenen Risikos am wirkungsvollsten – derjenige ist, welcher den ersten Schritt zu tun wagt. Von denjenigen Menschen aber, welche Gott nicht miteinbeziehen, wird er für einen Schwächling und Verräter gehalten, doch in Wirklichkeit ist dies ein couragierter Mensch, welcher selbst die Geschichte verändern kann.

Die süßeste Rache ist folglich die Vergebung. Jegliche andere ist nur bitter.

(Der Autor ist Pastor der Christlichen Gemeinschaft und Mitglied des Ausschusses der Christlichen Missionsgesellschaft)

Lidové noviny – 12.8.1994

12.9 Emanuel Mandler:
Der Abschub der Deutschen und die Transformation der Nation

Die Tschechische Republik, sagte der Präsident in seinem Vortrag am 17. Februar 1995, wird niemals über die Revision der Ergebnisse beider Weltkriege verhandeln, also über die Störung der Kontinuität ihrer Rechtsordnung und ebenso nicht über irgendwelche Art und Weise der Berichtigung der Geschichte zu Lasten der Zeitgenossen. Wörtlich namens unserer gesamten Politik formulierte somit Václav Havel den grundlegenden Standpunkt gegenüber Deutschland, welches »unsere Inspiration und unser Schmerz ist«. Wir wollen mit Deutschland die bestmögliche Nachbarschaft haben, aber den Sudetendeutschen und ihren Forderungen werden wir uns nicht im geringsten annähern. Bis heute hatte eine so einheitliche Stellungnahme nicht existiert, und dies war einer der Gründe für die Neurose und Angst der Bevölkerung – nicht nur im Grenzgebiet. Die Bevölkerung hat auf die Regierungspolitik starken Druck ausgeübt, und diesen vervielfältigte noch ganz gehörig die linke Opposition.

Von den Sudetendeutschen kam und kommt natürlich der Druck aus der umgekehrten Richtung. Den Vertriebenen und ihren Nachkommen geht es um irgendeine Form von Wiedergutmachung: von der Entschädigung bis zur Annullierung der Präsidial-(»Benesch«-)Dekrete. Die sudetendeutschen Forderungen erhalten im Ausland Unterstützung, vor allem von seiten Bonns. (Fügen wir einmal hinzu, daß durch eine vollständige Annullierung der Präsidialdekrete die Rechtsgrundlage des Nachkriegs-Abschubs beseitigt würde, und somit auch bis zu einem gewissen Grad der innenpolitische status quo beeinträchtigt würde, so käme etwas derartiges für keine einzige tschechische Regierung überhaupt in Betracht.).

Die Neurose der tschechischen Bevölkerung hing mit der Abwägung der offiziellen Politik zusammen, welche sich vor einer gewissen Zeit offenkundig wirklich darauf vorbereitete, in irgendeine Art von Verhandlungen mit der Vertretung der Sudetendeutschen einzutreten. Doch sollen derartige Verhandlungen erfolgreich sein, münden sie in einen Kompromiß ein, und dies hätte im vorliegenden Fall ein Nachgeben in bezug auf die sudetendeutschen Forderungen bedeutet.

Die offizielle Politik, nämlich diejenige der Koalition, hatte folgende Wahlmöglichkeit: zumindest im 50. Jahre der

Wiederkehr des Endes des Zweiten Weltkriegs (und dies vor den Wahlen) der Organisierung solcher Verhandlungen zuzustimmen oder mit der Opposition »den Schritt bereinigen« und ihrem festen Standpunkt näherzutreten. Ersteres hätte zu einem scharfen Konflikt mit der Bevölkerung und höchstwahrscheinlich zu beträchtlichen Verlusten bei den Wahlen geführt. Das zweite aber zu irgendwelchen Schwierigkeiten im Bereich der außenpolitischen Beziehungen. Man kann sich schon wundern, daß die Regierungskoalition, deren führende Parteien entsprechend ihren Zielsetzungen populistisch bestimmt sind (wie dies ja ihrem Ursprung im Bürgerforum – OF – entspricht), einem innenpolitischen Ausgleich Vorrang einräumten?

Doch damit wird grundsätzlich der Weg zur Aussöhnung und zu Verhandlungen mit den Sudetendeutschen und deren Nachkommen versperrt. Die Rede des Präsidenten führt aber zur Abwägung weiterer Dinge. Es geht darum, wie in diesem grundlegenden Kapitel des außenpolitisches Gebietes die »rechte« Regierungspolitik ihre Schritte mit der Opposition abgleichen würde: der totalen Übernahme der Oppositions-Konzeption. Diese Konzeption befindet sich jedoch, wirklich wahr, in Übereinstimmung mit den Wünschen der Mehrheit des Volkes. Doch die Koalition hat sich hiermit so in die machtpolitische Abhängigkeit der sozialistisch-nationalen Opposition begeben, daß sie sich aus dieser Umklammerung nicht mehr zu lösen vermag. Und somit hat sie sich auf einen Weg nach rückwärts begeben. Der gewaltsame Abschub der Deutschen, dieser ganz ausdrücklich der menschlichen Freiheit und den Menschrechten widersprechende Akt, entspricht der Nachkriegszeit des volksdemokratischen Sozialismus. Mit diesem einen Vergleich zu finden, das bedeutet nicht allein eine Entschuldigung. Sofern die Tschechische Republik mit den Sudetendeutschen nicht ordentlich verhandeln wird, wird sich die Nation – bereitwillig – in Richtung auf das Zurück transformieren, auf den Februar 1948 und den volksdemokratischen Sozialismus hin, zu seinem Abschub, zu der revolutionären Gewaltanwendung und zur Verstaatlichung (siehe die Vorgehensweise um die Verstaatlichung der Kathedrale des Hl. Veit).

Der Präsident hat in seiner Rede eine neue ideologiebestimmte Terminologie benutzt. Es existierte, sagte er, eine Zeit der Entschuldigungen, diese sei aber bereits hinter uns. Nunmehr habe sich vor uns die Zeit sachbezogener Suche nach der Wahrheit eröffnet. Dem kann man jedoch nicht zustimmen. Selbst wenn eine Entschuldigung spät kommt, so verliert sie dennoch nicht den Charakter einer Versöhnungsgeste, und sachbezogen die Wahrheit zu suchen, das haben wir ja längst gehabt – warum erst jetzt? Gleicherweise ist es problematisch zu behaupten, daß wir ohne Besorgnisse die Zukunft entwickeln können, wenn wir nicht mit der Vergangenheit, welche uns nicht gefällt, zu einem Vergleich gelangen? Das aber zielt gerade nicht in Richtung eines sachbezogenen Suchens nach Wahrheit. Wenn wir aber weiterhin auf solche Art und Weise abwägen werden, bewegen wir uns recht bald in der Gefangenschaft jener Mythen, welche denen ähnlich sind, die unsere Vorfahren so gerne und ernsthaft aus den Handschriftenfälschungen herausgelesen haben[191]. Oder etwa? Im umgekehrten Fall erfordert dies alles natürlicherweise eine Abwägung seitens der Politiker.

Mladá fronta Dnes – 25.2.1995

12.10 Ich bin mit Mandlers Ansicht nicht einverstanden

Emanuel Mandler schreibt (...) ganz und gar einseitig über die Aussiedlung der Deutschen aus unserer Republik nach Beendigung des Zweiten Weltkriegs und er erwähnt überhaupt nicht die Tschechen aus unserem Grenzgebiet vor dem Kriegsbeginn. Und was ist mit der gewaltmäßigen Aussiedlung weiterer Gebiete im Binnenland, so beispielsweise des Sedlčaner Gebiets? Die Entscheidung über den Abschub der Deutschen war notwendig und richtig. (...) Man kann nicht eine andere Wahrheit suchen als diejenige, welche am 8. Mai 1945 gesiegt hat. Diejenige, welche uns die Freiheit und den Besiegten die entsprechende Strafe gebracht hat – einschließlich der Aussiedlung derjenigen, welche stets ins Reich gewollt hatten.

*Aus einem Leserbrief von **Pavel Ambler**, Prag*
Mladá fronta Dnes – 9.3.1995

12.11 Die abgeschobenen Deutschen

Es ist verwunderlich, daß der Historiker E. Mandler vom Abschub als einem Akt schreiben kann, der der menschlichen Freiheit und den Menschenrechten widerspreche, da er doch die Geschichte kennen und somit wissen sollte, daß es gerade ja diese abgeschobenen Sudetendeutschen gewesen waren, welche in ihrer absoluten Mehrheit sämtliche Menschenrechte mit Füßen traten, der verbrecherischen

Nazi-Diktatur den Vorzug gegenüber Demokratie und Toleranz gaben und die Tschechoslowakei zerschlugen. Deutsche Antifaschisten wurden nicht abgeschoben. (...)

*Aus einem Leserbrief von Dozent Dr. rer. nat. **Vladimír Vetterle**,*
Kandidat der Wissenschaften/CSc – O. P. I, Brünn
Mladá fronta Dnes – 4.4.1995

12.12 Bohumil Doležal:
Was in die Geschichte hineingehört –
Havels Rede und die sudetendeutsche Frage

Der Präsident der Republik ist vorvergangenen Freitag mit seiner seit langem erwarteten Grundsatzrede zu den deutsch-tschechischen Beziehungen aufgetreten. Die Diktion seines Vortrags erweckt stellenweise den Eindruck, als handle es sich hier um irgendeine Art abschließender Zusammenfassung vergangener Diskussionen und Streitigkeiten, welche durch der Autorität des Staatsoberhauptes grundgelegt wird. Falls dem wirklich so wäre, wäre dies sehr verfrüht: Zahlreiche Gedanken des Präsidenten können auch in Tschechien[192] Nichtübereinstimmung und Polemiken hervorrufen und nicht allein von seiten verbohrter Deutschenfresser.

(...) Die Behauptung, daß die Vorkriegstschechoslowakei zwar Fehler gehabt habe, diese Fehler aber keineswegs ihren Werten angelastet werden dürften, welche ihr in die Wiege gelegt worden waren, ist bereits auf den ersten Blick irgendwie verdächtig. Dies ähnelt nämlich frappant der grundlegenden ideologischen Pirouette der marxistischen Reformatoren aus den sechziger Jahren: der Gedanke als solcher war richtig, er wurde lediglich falsch realisiert.

Die Erste Tschechoslowakei war unstrittig eine bedeutende Etappe in den Bemühungen des Tschechischen Volkes um eine staatliche Realisierung (...) . Sicherlich kann man sagen, daß dies ein moderner, demokratischer, liberaler Staat war, der auf europäischen Wertvorstellungen beruhte – nur daß er diese seine freundlichere Gesichtshälfte am meisten den Tschechen zuwandte. (...) Es wäre daher präziser zu sagen, daß die Vorkriegs-Tschechoslowakei von allen mitteleuropäischen Ländern dem westlichen Staatsverständnis am nächsten kam (...), und wir müssen daher verstehen können, daß unsere ehemaligen slowakischen, deutschen oder magyarischen Mitbürger (...) die Erste Republik anders betrachten, und daß wir ihnen dies nicht verwehren können.

(...) Die Behauptung, daß unsere deutschen Mitbürger am Ende der dreißiger Jahre der Diktatur, Konfrontation und Gewalt vor der Demokratie, dem Dialog und der Toleranz den Vorzug gaben, muß von beiden Polen her abgeschwächt werden. Vor allem (...) war die Erste Republik für die Sudetendeutschen nicht die Verkörperung von Demokratie, Dialog und Toleranz, sondern ein Staat, wo sie mehr oder weniger als nichtstaatsbildende Minderheit geduldet waren. (Gestehen wir aber ein, daß dies unter relativ erträglichen Bedingungen der Fall war, wenn wir einen Vergleich mit der Umgebung anstellen). Der demokratische Charakter der Republik wurde damit zwar nicht in Frage gestellt, aber dennoch in ausreichendem Maße relativiert. Zweitens ging es den Sudetendeutschen nicht um eine Diktatur, eine Konfrontation oder um Gewalt, sondern um die Geltendmachung des Rechts auf eine nationale und politische Emanzipation – desselben Rechts, welches die Tschechen im Jahre 1918 genutzt hatten (...) . Das Problem liegt lediglich darin, daß sie sich auf dem Weg zur Verwirklichung dieses insgesamt legitimen Ziels schließlich und endlich mit dem verbrecherischen Hitler-Regime verbündet haben und damit die Mitverantwortung dafür auf sich genommen haben, was dieses Regime in den folgenden Jahren alles tat. Dies ist sicherlich eine Schuld – allerdings eine politische Schuld, welche man nicht in sich selbst kriminalisieren und schon gar nicht daraus Ergebnisse für sämtliche Angehörigen der deutschen Volksgruppe in der CSR ableiten darf. (...) Der Verurteilung Münchens durch den Präsidenten kann man nur zustimmen. (...)
Über den nach dem Krieg erfolgten Abschub kann es selbstverständlich ganz unterschiedliche Ansichten geben. So meinen beispielsweise etliche (einschließlich des Autors dieses Beitrags) im Unterschied zum Herrn Präsidenten, daß der Abschub eine Greueltat war, den man zwar aus der Vergangenheit irgendwie erklären kann (...), jedoch in gar keinem Fall rechtfertigen darf. Wir sollten aber sehen, daß diese Tat (...) gleichfalls eine tiefe Destruktion des demokratischen Systems bedeutete. Wenn es möglich ist, drei Millionen Bürgern auf der Grundlage ihrer ethnischen Zugehörigkeit sämliches Eigentum und alle Bürgerrechte und -freiheiten zu entziehen, warum denn wäre es nach einer gewissen Zeit nicht auch möglich, dies bei anderen Bürgern so zu machen, diesmal aber unter dem Schlüsselbegriff der »Klassenmäßigkeit«?

Sofern es sich hier um die Revision der Ergebnisse der Weltkriege handelt, wurden bereits bis zu einem gewissen Maße die Ergebnisse des Ersten Weltkriegs revidiert (Zerfall Der ČSFR und Jugoslaviens) und ebenso des Zweiten. (Die UdSSR war genötigt – zu unserem großen Glück –, sich aus denjenigen Gebieten zurückzuziehen, welche sie danach besetzt hatte). Das ist doch ganz natürlich: Zeiten, unmittelbar nach großen kriegerischen Kataklysmen, welche von einer Unmenge Grausamkeiten begleitet waren, sind nicht gerade gut zur Installierung von Gerechtigkeit geeignet. – Eine spätere Revision von Nachkriegsentscheidungen ist eine ganz natürliche Angelegenheit, sofern wir verhüten wollen, daß bestimmte Rechtlosigkeiten mit der Zeit nicht zu bombastisch werden und somit nicht zu weiteren blutigen Konflikten führten. (...) Für das Erbe des Zweiten Weltkriegs kann heute eine einzige Logik gelten, nämlich diejenige, welche unser Staat für den Ausgleich mit den Opfern des Kommunismus gewählt hat: nämlich den Weg der Milderung der Ergebnisse etlicher Unrechtstaten (ganz bewußt sage ich nicht von Besitzansprüchen, weil ich nämlich eine Restitution oder Entschädigung der Sudetendeutschen für unmöglich halte). Gerade diesen Weg müssen wir wählen. In diesem Sinne gehört die Erbschaft aus dem Zweiten Weltkrieg noch nicht in die Geschichte hinein.

Der Präsident erklärt, daß die *»Sudetendeutschen bei uns willkommen sind als Gäste, die die Gegenden ehren, wo Generationen ihrer Vorfahren gelebt hatten, welche Orte pflegen, mit denen sie sich verbunden fühlen, und die freundschaftlich mit unseren Bürgern zusammenarbeiten«.* Das reicht jedoch nicht aus. Wir müßten es zulassen, daß dieses Land – ob wir dies nun wollen oder nicht – ebenfalls ihre Heimat ist, und daß im Geiste dessen, was über die Abmilderung der Ergebnisse etlicher Unrechtstaten gesagt worden ist, wir weitergehen können respektive sogar müssen. Wir müßten es diesen unseren ehemaligen Landsleuten ermöglichen, welche bereit sein werden, sämtliche sich aus der Tschechischen Staatsbürgerschaft ergebenden Verpflichtungen auf sich zu nehmen, es ermöglichen, augenblicklich zurückzukehren. Dazu ist aber vonnöten, die hysterische Angst vor dem »Erbfeind« abzustreifen und mehr daran zu glauben, was Menschen zu Menschen macht. Auf die Fähigkeit, sich vernünftig miteinander zu verständigen.

Respekt – 9/1995

12.13 Zdeněk Šmíd:
Die Kriegspsychose ist immer noch tief in unseren Seelen verkapselt

(...) Unschwer ist heute festzustellen, daß der Abschub der Deutschen seine bestialischen Seiten gehabt hat, und wer sich dessen nicht vergewissern will, kann sich zumindest durch den bloßen Anblick von der tödlichen Wunde überzeugen, welche der Abschub den blühenden, in Ordnung befindlichen Gegenden an unseren Grenzen zugefügt hat, und die wir auch nach fünfzig Jahren nicht wieder zu heilen vermocht haben. Trotzdem billigten entsprechend verhältnißmäßig kurz zurückliegenden Enqueten über siebzig Prozent aller Tschechen den Abschub. Den Abschub selbst und seine Praktiken kann man keineswegs entsprechend heutigem Maßstab ziemlich gut beurteilen: Der Abschub war Ausdruck einer Kriegspsychose, der vom Krieg verletzten Seelen, eines Kriegs, den jedoch nicht die Tschechen verursacht hatten, sondern die anderen. (Auch schon deswegen gibt es nichts zu revidieren und somit von neuem dieses morbide Pingpongspiel von weiterer Ungerechtigten und weiterem Haß aufzumischen). Mit den unmenschlichen Praktiken des Abschubs, aber selbst mit dem Faktum als solchem kann ich nie übereinstimmen, doch vermag ich beides als Frucht einer Kriegszeit verstehen, einer aus den Fugen geratenen Zeit. Eine andere Sache ist es aber, was denn heuzutage einen jungen Tschechen dazu veranlaßt, der noch dazu lange nach dem Krieg geboren wurde, die Ansicht zu äußern, daß dieses Totschlagen, dieses Berauben alter Menschen und diese freiwillige Umwandlung der eigenen Landschaft in eine Wüste rechtens gewesen sei? Wo nimmt man denn dauernd diesen direkterweise bosnischen Haß her? Dieses Gift?

In einer seiner Betrachtungen schreibt Šalda[193], daß »der Krieg ein äußerliches und irgendwie verspätetes Anzeichen eines irgendwie gearteten inneren Geschehen ist, welches sich zuvor ereignet hat«. Das ist sicherlich wahr. Dann ist aber auch der Nachkriegsfrieden ein äußerliches und irgendwie verspätetes Zeichen für ein inneres Geschehen, welches während des Kriegs seinen Anfang genommen hat. Mit der Zeit sollten aber die Reste der Kriegsereignisse (...) sich auflösen in einer allmählichen Metamorphose des Kriegsgefühls zu einem Friedensgefühl. Bei uns ist dies nicht geschehen. In der hochbetagten Atmosphäre eines nicht verstummenden Hervorhebens des Feindes, in der konsequenten Hervorhebung einer unversöhnlichen Polarität, in der Abschließung unserer Welt (...), aus allen diesen Gründen hat sich bei uns die Kriegspsychose verkapselt. Es geht gar nicht darum, daß irgendein älterer Herr überlegt, ob es denn die heutigen demokratischen Deutschen »bereits« verdient haben, eine Einladung zu den Feiern der Niederlage des Faschismus zu erhalten. Wichtig hingegen ist es, wieviele junge Herren und Damen sich mit dieser Art von Denken identifizieren. Entsprechend dem, womit die Politiker den Wählerstimmungen nachkommen, scheinen dies wohl genügend zu sein. Der Krieg ist in unseren Seelen verkapselt. Wie er in den Seelen der Jugoslawen verkapselt war. Wir haben glücklicherweise nicht das gleiche Temperament und die entsprechende Tradition. Aber gleichartig ...

Lidové noviny – 22.3.1995

12.14 Verstehen wir denn überhaupt unseren Nachbarn?

(...) Die historischen Tatsachen, welche Sie anführen, kann ich nur bestätigen. (...) Zu diesen Fakten gehört beispielsweise, daß die kurzsichtige Politik der Regierung in der Zeit der Wirtschaftskrise als Ergebnis die Radikalisierung der Grenzgebiete nach sich zog (...) . Manchmal war auch die Regierungspolitik als solche ausgesprochen provozierend und gegenüber der deutschen Bevölkerung böswillig – die Gründung von »Minderheits«-Schulen (für ein paar Tschechen in überwiegend von Deutschen besiedelten Gegenden). So wurde beispielsweise auch das Tschechische Theater in Mährisch-Schönberg gegründet, also in einer ehemals rein deutschen Stadt. (...)
Eine weitere unstrittige Tatsache ist es, daß in der Zeit der allgemeinen Mobilmachung, kurz vor der Besetzung unseres Grenzgebietes durch Nazi-Deutschland, 50% unserer Deutschen sich bei ihren Einheiten meldeten. Wie ist es dann möglich, daß nach dem Krieg alle unsere Deutschen vertrieben worden sind?
(...) gerade deswegen, als ich mich tiefergehend mit Archivmaterialien beschäftigte und zur Überzeugung gelangte, daß es Benesch nie um irgendeine Art von Ausgleich in den Beziehungen mit den deutschen Mitbürgern ging, daß er in der Emigration nicht anderes mit dieser Problematik getan hatte, als daß er darüber nachdachte, wie diese »endgültig« durch einen Abschub zu lösen sei, habe

ich eine der traurigsten Nächte meines Lebens verbracht (...) Als Präsident Václav Havel anläßlich seines Besuchs in Deutschland um Vergebung bat (und ich habe geglaubt, daß er dies direkt so meint), hat er sich auch für mich entschuldigt. Leider Gottes würde ich seine kürzlich gehaltene Rede so charakterisieren, daß er »nicht weiß, was er sagt«. Warum denn ruft er erneut den Geist der Feindschaft hervor und bedeckt sich mit schönen, wenngleich verführerischen Vokabeln? (...)

*Aus einem Leserbrief von **Stanislav Snášel,** Prag*
Cesky tydeník – 24/1995 vom 24.3.1995

12.15 Pavel Švanda:
Wir brauchen eine einfache menschliche Anteilnahme

(...) Die tschechische Öffentlichkeit stellt sich unter dem Begriff Sudetendeutscher (...) häufig genug einen aggressiven, heilschreienden Unruhestifter vor (...). Nahrung für eine bestimmte Zahl eiliger Manager und Unterhändler (...) ist der bedeutsame Repräsentant des Sudetendeutschtums ein Mann oder eine Frau im Alter von 50 bis 60 Jahren, welche sich lautstark oder diskret zu den im Jahre 1945 erlittenen Traumata bekennen. Es handelt sich um intensive Erlebnisse aus der Kindheit, welche einen bedeutsamen Teil der psychischen Unterlage der sudetendeutschen Haltung bilden. Sie fühlen sich ähnlich ungut und rufen nach gleicher menschlicher Anteilnahme wie die Erzählungen von Häftlingen über deutsche Konzentrationslager. Vor dem Angesicht der Geschichte und vor Gottes Gerechtigkeit bezeuge ich, daß es nicht nur einen tschechischen Gestapismus gegeben hat[194], sondern auch ein ebenso grausames tschechisches SSler-tum (...)
Traurige Vorgänge werden eigentlich ohne Aggressivität erzählt. In der Mehrzahl enthalten sie auch das Anerkennen gegenüber anständigen Tschechen, denen die sich Erinnernden einst begegneten. Dieses Erfordernis, immer wieder aufs neue die erlittenen Traumata zu artikulieren, sollten wir doch verstehen können. (...) Aber wir haben mit dieser Art von Menschen, welche für uns heute Fremdlinge sind, und die oftmals sich nichts anderes wünschen als angehört zu werden, kaum Geduld, geschweige denn menschliche Anteilnahme. Wir unterbrechen sie und schreien sie an, daß sie selbst alles allein verschuldet hätten, weil sie ja doch Hitler zugestimmt hätten. Psychologisch wiegt allerdings

unsere Anwort nicht viel. Wir sprechen mit Menschen, welche in den allerschlimmsten Jahren der europäischen Geschichte Kinder waren. (…)

Rovnost – 11.4.1995

12.16 Lubor Kohout – Jan T. Vávra:
Der tschechische Nationalismus und das
sudetendeutsche Eigentum

(…) Wann auch immer jemand in der Tschechischen Republik die Stimme erhebt und danach ruft, daß das Recht auch für die Sudetendeutschen zu gelten habe, der erzeugt Hysterie. Von Links und Rechts. (…) Warum denn soviel Geschrei? Hinter allem stehen verständlicherweise Ängste vor möglichen Eigentumsansprüchen. (…)

Es ist aber notwendig, damit aufzuhören, dauernd um den heißen Brei herumzureden und sich statt dessen eines zu verdeutlichen: Das unrechtmäßig beschlagnahmte deutsche Eigentum sollte zurückgegeben werden. Sicherlich ist es unerwünscht und auch unmöglich, Bewohner aus ihren Hütten oder Häusern zu jagen, welche sie in gutem Glauben und ehrlich erworben haben. Dann würde nämlich ein Unrecht durch ein anderes abgelöst werden. Doch sollte der Rückgabe einstmaligen Eigentums, welches sich in der Hand des Staates oder einer Gemeinde befindet, an diejenigen Sudetendeutschen, welche sich nichts hatten zuschulden kommen lassen, nichts im Wege stehen. Aber es sollte auch dasjenige Eigentum rückerstattet werden, welche sich bislang in Händen tschechischer Bürger (oder ihrer Nachkommen) befindet, an das sie auf unsauberem Wege gelangt waren. Folglich also beispielsweise seinerzeitige Revolutions-Gardisten oder kommunistische Funktionäre, welche deutsche Villen mit den noch warmen Betten besetzten. (…)

Derjenige aber, welcher Unrecht gutheißt, unterscheidet sich kaum von demjenigen, der selbst Unrecht begeht. Gewiß, niemals wird es möglich sein, alle Unrechtstaten zu bereinigen. (…)

Český týdeník – 32/1995 vom 21.4.1995

12.17 Martin Komárek:
Die Vertreibung der Deutschen war Unrecht, bringen wir's in Ordnung

(...) Versuchen wir doch einmal, uns von Emotionen freizu-halten. Dann stellen wir fest, daß allein die Forderung einer gewissen Ersatzleistung oder der Möglichkeit einer Resti-tution für die Sudetendeutschen nicht irgendwie unlogisch ist (...). Vom Gesichtspunkt heutiger Moralanschauung und entsprechendem Rechtsbewußtsein – und wir haben nichts anderes – ist jegliche Art von Kollektivstrafe auszu-schließen. Und die böhmischen Deutschen sind kollektiv bestraft worden, und nicht einmal die Schuldigen wurden von den bloßen geduldigen Zeugen getrennt (...) Und da rede ich noch gar nicht von Frauen und Kindern, welche hingemordet worden sind beim sogenannten Wilden Ab-schub (...). Wir können nicht und dürfen uns auch nicht von moralischen Grundsätzen selbst entlasten, zu denen die Welt nach schweren Erfahrungen gelangt ist (...) Aus ihrer Sicht war die Vertreibung der Deutschen ein beispielloses Unrecht und ein Muster ethnischer Säuberung. (...) Die Tschechische Regierung sollte die vertriebenen Deutschen auf eine symbolische Art und Weise entschädigen (...)
Auch wenn wir nicht zulassen können, daß die damalige Haltung der Führer und der Öffentlichkeit gerechtfertigt war, so kann man sie doch nicht als eine bewußte Schuld bewerten, welche der Entfesselung des Aggressionskriegs vergleichbar wäre (...) Aber allein die Tatsache, daß die Tschechen im vollen Wortsinn nicht schuldig sind, bedeutet noch nicht, daß den Sudetendeutschen entsprechend heu-tigen Maßstäben nicht doch auch schweres Unrecht zuge-fügt worden ist (...).
Mladá fronta Dnes – 27.7.1995

12.18 Emanuel Mandler:
Ist der Abschub der Deutschen wirklich unser Problem?

Es ist nicht gerade Brauch, sich nach dem zu richten, was uns unsere sudetendeutschen Landsleute anraten. Und so hat bei uns bislang kaum jemand der unablässig wie-derholten Beteuerung eines von ihnen Aufmerksamkeit schenkt, nämlich von Dr. Rudolf Hilf, daß der Abschub der Sudetendeutschen ein tschechisches Problem sei. (...) Der Artikel von Martin Komárek »Die Vertreibung der Deutschen war Unrecht, bringen wir's in Ordnung« (Mladá fronta Dnes – 27.7.1995) ist in dieser Sache verhältnismäßig weit gegangen. Auch damit, daß er eine ganze Reihe grundsätzlicher Fragen aufgeworfen hat (...). Eine genauere Antwort ist eine Sache der Zeit. Denn wir wissen immer noch nicht zu gut, mit wem wir uns denn eigentlich ausgleichen sollen. (...) Einer überwiegenden Mehrheit von uns erschien jene besondere Zeit vom Mai 1945 bis zum Februar 1948 als ein Zeitabschnitt demokratischer Entwicklung, welche lediglich die Kommunisten und die Aggessivität der Sowjetunion ruiniert habt. Die hauptsächlichen Tatsachen waren jedoch bekannt und sind hart. Aus ihnen geht hervor, daß auf dem politischen Feld nach dem Kriege keineswegs die Demokratie errgerichtet wurde, sondern das autoritäre System der Nationalen Front (...), daß es auf wirtschaftlichem Gebiet zu Konfiskationen kam, welche aufgrund ihres ungeheuren Umfangs nichts Vergleichbares im gesamten damaligen Europa aufwiesen. Außerordentliches Gerichtswesen, welches zur Bestrafung von Delikten während der Besatzungszeit eingeführt worden war, wurde mißbraucht und verhalf dazu, Gewalt hervorzurufen und abzusichern. (...)

Der Abschub der Sudetendeutschen war dann die Grundlage dieses besonderen Prozesses, welcher (...) perfekt die Funktion der Nationalen und Sozialen Revolution erfüllte. Während man damals wirklich landläufig davon sprach, daß es sich um eine Revolution handle (und da um eine Nationale Revolution), herrscht heute im Hinblick auf die Revolutionsauffassung dieser Zeit eine irgendwie besondere Verlegenheit.

Unstrittig wollte die Revolution mit abschließender Geltung die Sicherheit der Republik absichern. Tragisch war dabei, daß die tschechische Exilvertretung aus Erfahrung lediglich eine Gefahr kannte, nämlich die deutsche Aggression, und eine andere vermochte sie sich nicht vorzustellen. Der Germanischen Gefahr sollte die Herausbildung eines ethnischen einheitlichen slavischen Staates begegnen. (Sich aber die Frage zu stellen, ob denn die Vertreibung der Deutschen eine ethnische Säuberung darstellte oder nicht darstellte, wie dies Herr Komárek unternimmt, ist offenkundig nutzlos – was konnte sie denn überhaupt anderes sein?). Gerade die Zielsetzung einer Absicherung der Sicherheitslage der ČSR endigte mit einem totalen Mißerfolg. Die slavische Großmacht, die Sowjetunion, in deren Abhängigkeit sich die erneuerte Republik mit einer derartigen Begeisterung hineinwarf, daß sie sie schütze, begann sich schon bald als künftiger Aggressor zu zeigen. Andererseits wurde aus dem gefürchteten Deutschland ein demokratischer Staat, dessen Aggressivität gleich Null ist – was wir bis heute nicht ausreichend zur Kenntnis zu nehmen vermögen. (…)

Nicht weniger verlogen war der soziale Aspekt der ethnischen Säuberung, weil das unermeßliche Eigentum, welches den Deutschen abgenommen worden war (sowie auch den »Verrätern und Kollaborateuren«) nicht nur von den neuen Ansiedlern verwirtschaft wurde, sondern auch vom Staat – siehe etliche Gegenden des tschechischen Grenzgebietes noch in heutiger Zeit. Selbstverständlich ist, daß die Verteilung einer so großen Eigentumsmenge in sich selbst die soziale Spannung im Lande herabsetzte, die Regierung der Bevölkerung näherbrachte und in den Wahlen wie auch im Februar 1948 am meisten den Kommunisten nützte. Ihnen nützte im übrigen auch die Selbstentzündung der Triebe, des Hasses, der Habgier und Rache, welche die Revolution ins Leben einführen halfen und damit ihre treibende Kraft waren.

(…) Als Antwort läßt sich wohl sagen, daß es sich um eine Zeit handelt, welche bis heute so sehr ausschließlich von Legenden und Mythen, jedoch keineswegs durch wirkliches Bemühen um Erkenntnis wiederbelebt wird. (…)

Nach fünfzig Jahren (!) den Versuch zu unternehmen, mit dieser unserer großen Revolution ins Reine zu kommen, würde auch den Versuch bedeuten, mit der tschechischen Frage der Vertreibung der Deutschen ins Reine zu gelangen. Kann man aber wirklich in Zweifel ziehen, daß dies unsere Angelegenheit ist?

Mladá fronta Dnes – 3.8.1995

12.19 Ein Interview mit Arnošt Lustig:
Ich kann keinem einzigen Menschen vergeben, der gemordet hat

(…) Was ich über den Abschub denke? Ich würde keinen einzigen Menschen verurteilen, der etwas getan hat. Aber ich würde das nicht vergessen, was Heydrich[195] mit seiner piepsigen Stimme über das tschechische Gesindel gesagt hat (…)

Dies war ein furchtbarer Krieg, den die Deutschen entfesselten. Er war schlimmer, als man mit Worten ausdrücken kann. (…) Es ist möglich, dies nachträglich zu erörtern. Sich

Fehler vorzuhalten. Aber wenn ich mir selbst allein schwören sollte, was ich wirklich denke, müßte ich ehrlicherweise sagen, daß ich dem Abschub zustimme – allerdings ohne Greueltaten und Habgier und Blutdürstigkeit, und nur die Schuldigen (...)

Der Mensch ist Mensch nur in demjenigen Augenblick, sobald er gut von böse, Recht von Unrecht und gerecht von ungerecht unterscheidet. (...) Die Vergebung ist eine Brücke, auf der auch frühere Todfeinde einander begegnen können. Eine andere Brücke gibt es nicht. Ohne diese Brücke sind wir auf ewige Zeit zur Feindschaft verurteilt. (...) Vielleicht muß jeder von uns in einem bestimmten Augenblick Staatsmann sein und nach vorne blicken, auch wenn ihn deswegen schwindelt. Wer sollte denn diesen ersten Schritt tun, wenn nicht der erste Mann im Staate.

Rudé právo – 9.9.1995

12.20 War dies wirklich kein Akt der Gewalt?

Gerne würde ich meine Meinung zum Todesmarsch der Brünner Deutschen im Mai 1945 äußern. Entsprechend einem Bericht in der Tagespresse hat der Ermittler eher abgewiesen als nachgewiesen, daß der Abschub elementar und unvorbereitet gewesen war. Entsprechend demselben Bericht kamen bei diesem Wilden Abschub etliche Hundert der 30000 Brünner Deutschen um, die in einem Massengrab bei Pohrlitz bestattet sind. Der Untersuchungsbeamte stellte fest, daß die hier bestatteten Deutschen nicht eines gewaltsamen Todes starben, und weiter fügte er hinzu, daß die Menschen überwiegend an Krankheiten gelitten hatten, sieben Selbstmord begangen hätten, und daß dort nahezu 460 Menschen begraben seien. Weiter führt der Bericht an, daß ein Deutscher bestohlen worden sei und eine Deutsche vergewaltigt wurde, die Täter dann ordnungsgemäß bestraft worden seien. Und wer waren denn die Teilnehmer dieses Marsches? Frauen, Kinder und alte Leute.

Die Beurteilung der Richtigkeit des Abschubs oder der Vertreibung unserer Deutschen überlassen wir doch besser anderen. Weil ich aber die Behandlung Deutscher unmittelbar nach dem Krieg selbst gesehen habe, kann ich dem nicht Glauben schenken, daß bei der Brünner Aktion lediglich ein einziger Deutscher bestohlen worden sein soll und nur eine einzige Frau vergewaltigt wurde. In der Fernsehaufzeichnung des Denkmals in Pohrlitz kann man deutsch und tschechisch lesen, daß dort zweimal soviele Opfer bestattet sind. Ist auch diese Zahl endgültig? Und daß diese Menschen nicht eines gewaltsamen Todes gestorben sind? Ist es möglich, daß niemand sie totgeschlagen hat, aber daß nicht die Erschöpfung durch den Marsch, Hunger, Durst, Aufenthalt im Sammellager ohne Verpflegung und Hilfe Gewaltakte sind, aufgrund derer ein Mensch an Erschöpfung sterben kann? Und dies ist wirklich kein Akt von Gewalt?

Ich glaube, daß zur Bereinigung derartiger Schatten der Vergangenheit das unmittelbare Streben nach selbstkritischer Erkenntnis der Wahrheit beiträgt. (...)

*Aus einem Leserbrief von **O. Moravec**, Prag-5*
Telegraf – 13.1.1996

12.21 Milan Znoj:
Was man rund um den Abschub in Frage und was nicht in Frage stellen kann

(...) Ich bin deshalb im Gegenteil für ein logisches und ehrenhaftes Abwägen, welches aus zwei Tatsachen hervorgeht: Der Abschub ist ein Bestandteil der Ergebnisse des Zweiten Weltkriegs und als solchen kann man ihn nicht bezweifeln. Die Benesch-Dekrete sind zum Bestandteil der Rechtsordnung der ČSR geworden (...). Der Abschub hatte seine hinreichenden Sicherheits- und politischen Gründe. Diese Gründe machen ihn zwar verständlich, keineswegs aber moralisch.

Man kann jedoch nicht beides gleichzeitig anerkennen. Der Abschub der Deutschen war die Durchsetzung des Grundsatzes einer Kollektivschuld, und daher ist er entsprechend den heutigen demokratischen Normen moralisch nicht zu rechtfertigen. Infolge seiner Durchsetzung haben wir in einer ganzen Reihe von Fällen Unrecht begangen. Und zweitens, diejenigen Dekrete, welche auf dem Prinzip der Kollektivschuld gründeten, befinden sich nun im Widerspruch zur Verfassungsurkunde über die Grundrechte und Freiheiten (...).

Der Begriff Ethnische Säuberung für den Abschub ist hier nicht am Platze. (...) er ist eher irreführend, weil er eine Parallele zwischen dem ethnischen Krieg auf dem Balkan und dem Zweiten Weltkrieg zieht (...), in dem die Tschechen eindeutig Opfer waren. Falsch ist es auch, sich selbst einzureden, daß ein Opfer niemals zum Schuldigen werden könne. Zumindest für die eigene moralische Gesundheit ist es gut, sich diese Möglichkeit und Wirklichkeit einzugestehen.

Právo (früher Rudé právo) – 7.3.1996

12.22 Václav Žák:
Ein schwieriger Weg zur Verständigung

Vor dem Ende des Zweiten Weltkriegs äußerte sich eine ganze Reihe von Politikern darüber, was denn alles nach dem Krieg geschehen werde. (...) Es war landläufige Meinung, daß die Schuld am Krieg dem ganzen Deutschen Volk angelastet wurde (...) Richter Jackson, der Hauptankläger im Nürnberger Prozeß, war glücklicherweise anderer Ansicht. Er wußte, daß die strafrechtliche Verantwortlichkeit eine individuelle Sache sei und lehnte daher eine Kollektivschuld ab. (...) Verbrechen wurden auf eine Art und Weise bestraft, daß sie alle, auch die Opfer, für gerecht halten konnten. (...) Es ist unschwer vorstellbar, um wieviel schwieriger das Zusammenwirken der früheren Sieger und Besiegten geworden wäre, hätten Richter Jackson und die übrigen Juristen nicht ihre Vorstellungen durchgesetzt.

Das Schicksal der deutschen Minderheiten in Polen, der Tschechoslowakei und Ungarn wurde entsprechend diesem Prinzip jedoch nicht gelöst. (...) Einem neuen München zuvorzukommen – dies war der Grund, warum die Großmächte in Potsdam dem Abschub zustimmten (...). Und so wurde denn zur gleichen Zeit, als in Nürnberg Todesurteile wegen der Deportation von Bevölkerungen verhängt wurden, in Potsdam die Deportation von Bevölkerungen zur Maßnahme der Sieger. Im Unterschied zum Nürnberger Prozeß entwickelten sie damit aber für die deutschen Regierungen eine schwierige Lage. Solche Maßnahmen kann man nicht verteidigen. Keine einzige deutsche demokratische politische Partei hat daher den Abschub als gerechtfertigte Maßnahme anerkannt. Achtung, denn hier muß man vielleicht doch sehr sorgsam lesen: Die deutschen politischen Parteien stellen den faktischen Zustand nicht infrage. Sie wissen, daß man die Vergangenheit nicht wiederherstellen kann. Sie wissen, daß das nazistische Deutschland den Krieg entfesselt hat. Doch sie denken, daß zum friedlichen Ausgleich auch die Verurteilung des Abschubs als eines Aktes erforderlich ist, welcher sich einer Art und Weise entzieht, wie nämlich Konflikte gelöst werden sollten.

Bei uns ist die Diskussion dadurch gekennzeichnet, daß die deutsche Unwilligkeit, die tschechische Argumentation anzuerkennen, das heißt also, daß der Abschub eine gerechtfertigte Strafe für das Verhalten der Sudetendeutschen vor dem Krieg und während seines Verlaufs gewesen sei, als

Versuch interpretiert wird, »die Ergebnisse des Zweiten Weltkriegs in Frage zu stellen«, als ersten Schritt innerhalb der Forderungen auf Rückgabe des konfiszierten Eigentums. Erinnerungen an die Kriegsschrecken werden politisch dazu benutzt, um Machtkämpfe auszutragen: Die Parteien überbieten sich in Härte gegenüber Deutschland, um so zu zeigen, wie patriotisch sie sind. Dies kompliziert aber einen Abschluß der bitteren Vergangenheit und den Aufbau wirklich guter nachbarschaftlicher Beziehungen zu Deutschland. (...)

Právo – (früher Rudé právo) – 16.7.1996

12.23 Vladimír Just:
Justament!

Weil zu den deutsch-tschechischen Beziehungen in unserer Presse (mit der ehrenvollen Ausnahme des Český týdeník) ein Meer von Unsinn publiziert worden ist, schadet es nicht, sich einmal der historischen Realien zu entsinnen. (...) Unsere postkommunistische Gesellschaft (...) manifestiert ihre unterdrückten kommunistischen Sehnsüchte durch einen irgendwie gemachten Umweg als ein Surrogat: durch die Rückwendung zum antideutschen Nationalismus und Chauvinismus. Unter ausgiebiger Hilfe seitens nichtinformierter (oder auch umgekehrt bis ziemlich gut informierter und bewußt manipulierender) Journalisten hat sich die tschechische Schizophrenie in drei Festungen eingeigelt: 1. die Festung Edvard Benesch und seine »unverletzlichen Dekrete«, 2. Festung die unzulässige »Revision der Ergebnisse des Zweiten Weltkriegs«, und die 3. Festung die bedingungslose Fortgeltung der »Potsdamer Vereinbarungen«.
(...) Wie einerseits die sogenannten Benesch-Dekrete, so haben auch die geopolitischen Ergebnisse des Zweiten Weltkriegs direkt die Sowjetisierung und Kommunisierung Mitteleuropas bewirkt, und dies sowohl im innenpolitischen Bereich (Nationalisierungsdekrete, Dekret über die Betriebsräte u. a.) als auch im außenpolitischen Bereich (zielbewußt von Ferne nicht nur Beneschs Bekenntnis zu J. V. Stalin als dem »mächtigen Beschützer der Interessen des Slaventums« (...) Und wie sieht dies mit (...) dem so oft deklinierten Potsdam aus? Es ist kein Zufall, daß beide direkt anwesenden westlichen Teilnehmer der Verhandlungen (W. Churchill und H. Truman) die ersten waren, welche die Beschlüsse der Konferenz in Frage stellten. Trumans

Äußerung vom Januar 1946, welche sich speziell mit dem Transfer der Deutschen befaßte (»In Potsdam wurden wir vor eine fertige Sache gestellt und durch die Umstände dazu genötigt, ihr zuzustimmen. Es handelte sich um einen Akt willkürlicher Gewalt...[196])«, ist mehr oder minder bekannt. In geringerem Maße wird die nicht minder grimmige Distanzierung W. Churchills zitiert:»Ich übernehme keinerlei Verantwortung für keinerlei Beschluß, zu welchem es in Potsdam gekommen ist ... Ich hatte die Absicht, mich mit der sowjetischen Regierung für den Fall in einen Ringkampf einzulassen, daß ich durch die Wähler erneut in meinem Amte bestätigt würde. Weder ich noch Herr Eden hätten zu irgendeinem Zeitpunkt zugestimmt, daß die Lausitzer Neiße zur Grenzlinie (der neuen Grenze Polens, Anmerkung V. Just) würde. Die Linie an Oder und Glatzer Neiße war bereits als Entschädigung dafür ausersehen, daß Polen hinter die Curzon-Linie zurückwich, aber die Besetzung von Gebieten bis zur Lausitzer Neiße und schließlich auch über diese hinaus wäre nicht und hätte auch zu keinem Zeitpunkt von irgendeiner Regierung gebilligt werden können, an deren Spitze ich gestanden hätte. Es handelte sich hierbei nicht nur um eine Angelegenheit der Grundsätze, sondern auch um die Tatsache, welche etwa weitere drei Millionen Menschen betraf, die aus ihrer Heimat vertrieben wurden... Ich hatte vorbereitete Pläne für eine entscheidende Konfrontation am Ende der Konferenz für den Fall der Notwendigkeit auch mit einem öffentlichen Bruch ... Die Russen, welche die Polen vor sich herschoben, drängten weiter, jagten die Deutschen vor sich her, entvölkerten ausgedehnte Gebiete Deutschlands, bemächtigten sich hierbei der Nahrungsmittel produzierenden Gebiete und jagten gleichzeitig eine Unmenge hungriger Hälser in die überfüllte Britische und Amerikanische Zone«. (Der Zweite Weltkrieg, Band VI, S. 641–642[197]).

Am 5. März sind es genau 50 Jahre her gewesen, daß es zu Ereignissen kam, welche den Rest des Jahrhunderts kennzeichneten: Churchills Rede (...) im amerikanischen Fulton, wo erstmals die Metapher vom »Eisernen Vorhang« benutzt wurde, die wiederum den Kalten Krieg durchstartete. Churchill wußte – zum allermindesten mit zweijährigem Vorsprung gegenüber E. Benesch und J. Masaryk –, was er sagte. Ich zitiere zum Schluß seine Worte nicht so sehr als historische Gedankenhilfe, sondern vielmehr als eine aktuelle Warnung für uns:»Von Stettin im Baltikum bis nach Triest an der Adria wurde quer durch den ganzen Kontinent der Eiserne Vorhang heruntergelassen. Hinter dieser Linie liegen alle Hauptstädte der alten Staaten Mittel- und Osteuropas: Warschau, Berlin, Prag, Wien, Budapest, Belgrad, Bukarest und Sofia, alle diese berühmten Hauptstädte auch mit der Bevölkerung ihrer Länder (...) sind in steigendem Maße der Beherrschung durch Moskau ausgesetzt ... Die durch Rußland beherrschte Polnische Regierung erhielt die Aufmunterung, sich unrechtmäßig ausgedehnter deutscher Gebiete zu bemächtigen, und gerade geht eine Massenvertreibung der Deutschen vor sich, deren schrecklichen Umfang sich niemand bislang hatte vorstellen können. Die Kommunistischen Parteien, die in diesen osteuropäischen Ländern von nur geringem Umfang gewesen waren, erhielten eine Stellung, die bei weitem die Anzahl ihrer Mitglieder überstieg, und alle trachten mit allen Kräften danach, eine totalitäre Regierung durchzusetzen«. [198]

Český týdeník – 31.12.1996

13. Kapitel

... und am Ende die Erklärung

Die deutsch-tschechische Erklärung sollte die Krönung des deutsch-tschechischen Dialogs über die Neugestaltung der Beziehungen zweier Nachbarvölker werden, deren Notwendigkeit sich durch den Novemberumsturz des Jahres 1989 ergeben hatte. Trotz Kompromißbereitschaft der Unterhändler war man jedoch nicht imstande, die Unvereinbarkeit mancher Standpunkte zu überwinden. Auf deutscher Seite wiesen die Wortführer der sudetendeutschen Kommunität auf diese Inkompatibilität hin (unterstützt von der bayerischen Regierung). Auf tschechischer Seite geschah dies nicht nur seitens der »Extremisten«, d. h. der Kommunisten und Republikaner (und der von ihnen sich ableitenden Gruppierungen), sondern auch eines beachtlichen Teils der tschechischen Öffentlichkeit und deren Intellektuellengemeinde. Obwohl die Erklärung etwas über die Beziehungen zwischen zwei Völkern aussagen sollte, der Stein des Anstoßes war denn doch – das sudetendeutsche Thema. Die Debatte resp. die Polemik über die Erklärung an der Wende der Jahre 1996 und 1997 zeigte, daß diese Angelegenheit die Quintessenz von allen Konflikten, Ambivalenzen, Ängsten und Befürchtungen der tschechischen Seite ist. Die deutsche Öffentlichkeit und die politische Repräsentanz zeigten sich deutlich weniger frustriert.

13.1 Vratislav Vaníček:
Die gemeinsame deutsch-tschechische Aufgabe

Der deutsch-tschechische Dialog erinnert mit seinen Windungen an die Bewegungen eines schwimmenden Reifens – er ist nicht fest zu greifen, ... Argumente und Emotionen wiederholen sich bis zum Überdruß. Wiederbelebt durch Havels Rede, scheinen jedoch manche Konturen des Problems klarer hervorzutreten.
Die Fernsehdebatte (19.2.95) deutete an, daß die traditionelle Vorstellung vom »Erlöschen« des sudetendeutschen Problems auf »biologischem Weg« nur ein naiver Wunsch ist. Leider ist diese Meinung bei uns vorherrschend und ge-

hört zu den irrigen tschechischen Ansichten über die uns umgebende Welt und über uns selbst. In Wirklichkeit kann man der Vergangenheit auch nicht mit der Begründung ausweichen, dies oder das sei vor langer Zeit geschehen. Der sudetendeutsch-tschechische Konflikt ist kein Aufeinanderprallen zweier verschiedener, sondern zweier naher Kulturen, die nicht dem balkanischen Lösungsweg huldigen, zu dem sie nur einmal in fünfhundert Jahren greifen. Die Schwierigkeiten sind nicht durch Haß bedingt, sondern durch Mangel an Elastizität und die Dickschädel auf beiden Seiten.

Auch wenn nach dem Jahr 1989 zwischen Tschechen und Sudetendeutschen das Kriegsbeil nicht ausgegraben wurde (wie auf dem Balkan), war es eine Illusion, anzunehmen, das sudetendeutsche Problem würde zusammen mit dem Eisernen Vorhang wegschmelzen. Jenes Problem ist nämlich viel älter, bestanden doch die »sudetendeutsch«-tschechischen Zwistigkeiten um die Hegemonie in den böhmischen Ländern schon bei der Geburt der modernen Nationen.

Gerade aus dem Begreifen der Geschichte kann die Inspiration zu ihrer Überwindung kommen. Im Mittelalter bildeten die Deutschen in den Ländern der böhmischen Krone keine Minderheit, sie waren ihr integraler und »nützlicher« Bestandteil. Das im 19. Jahrhundert neu entstehende Bürgertum definierte sich in politischer Hinsicht jedoch nach der Sprache und im Gegensatz zu »den Anderen« im Land, das jedoch alle liebten und das sie in einem deutschen oder aber in einem slawischen Reich eingebunden sehen wollten.

Das Jahr 1918 mit dem Jahr 1938, 1939 oder gar mit dem Jahr 1945 zu vergleichen, wie nun Franz Neubauer argumentiert, ist nicht möglich. Die Entstehung der Republik änderte nichts an der Landesstruktur von Böhmen, Mähren und Schlesien, an der zivilisierten Rechtsordnung, es änderte sich nur die Hauptstadt (ebenfalls mit einer Minderheit des anderen Volkes) und die psychische Selbsteinschätzung von Tschechen und Deutschen kehrte sich ins Gegenteil (»jetzt sind wir die Besseren«).

Die Sudetendeutschen wollen nicht hören, daß der reichsdeutsche Nazismus, den die Tschechen nicht provoziert und der ursprünglich mit den sudetendeutschen Interessen auch nichts zu tun hatte, den grundsätzlichen Bruch bedeutete. Was hatte sich qualitativ verändert? Verwendete man zuvor gelegentlich starke Worte, ging es nun um starke, extreme Taten. Natürlich wußten die Tschechen, daß sie im Falle eines siegreichen Deutschlands keinerlei

Hoffnung auf ein würdiges Überleben haben. Die Sudetendeutschen wiederum wußten, daß sie gegenüber den Tschechen ihre moralische Position in Frage gestellt hatten. Trotz diesen Tatsachen war ihr Abschub eine Vertreibung; seinem Prinzip nach gehörte er zu einer barbarischen Welt. Das wiederum wollen wir nicht hören. Selbst wenn die sudetendeutsche Seite in Deutschland die Zahl ihrer Opfer unverhältnismäßig und langfristig vergrößerte, so wirft gerade die Tatsache dieses »unnatürlichen«, asiatischen (Stalinschen, Hitlerschen) Vorgehens auch ohne diese Opfer einen Schatten auf ein Land, das ein vollwertiger Bestandteil Europas sein will. In diesem Zusammenhang muß Havels Geste der »Entschuldigung« aus dem Jahr 1990 als Ausdruck anständigen Europäertums gewertet werden.

Eine Überwindung der Vergangenheit können nicht Staatsoberhäupter herbeiführen, die eine Erklärung etwa über einen dicken roten Strich unterschreiben. Eine solche Vereinbarung bewirkt nur, daß verborgener Haß und auch Schuldgefühle weiterleben werden. Bei Tschechen und Deutschen geht es eigentlich um die gleiche Aufgabe: ihre originäre »Stammes«-Abgrenzung zu überschreiten. Dazu kann das Verstehen unserer Geschichte im Sinne europäischer, universalistischer Prinzipien verhelfen, wie z. B. Demokratie, Liberalismus, aber auch die gedanklichen Grundlagen der Antike und der christlichen Kirche, sowie kosmopolitischer Adel oder ein multinationales Europa.

Diesen Intentionen könnte die Struktur des Dialoges entsprechen. Ich stelle ihn mir weder als so etwas, wie ein sich ständig wiederholendes »Gottesgericht« vor, noch wie die Auswertung einer Statistik geschäftlicher Transaktionen, sondern als Arbeitstreffen und Aufgabenlösung. (…)

Lidové noviny, 24.2.1995

13.2 Pavel Šafr:
Bei den Beziehungen zu den Deutschen sollten wir uns nicht an die Erklärung klammern

(…) Nun erweist sich also die Idee der Erklärung als ungebührlich ambitiös. Die deutsche Seite hatte nämlich nie zu erkennen gegeben, daß sie ihre Schirmherrschaft über die Sudetendeutschen aufgeben möchte und beabsichtigte, die Beneš-Dekrete öffentlich anzuerkennen. (…) Aber gerade dies verlangt, leider, Außenminister Zieleniecs Diplomatie von ihr bei ihrem Streben nach Verabschiedung der Erklärung.

Ein weiteres Problem ist das sudetendeutsche Eigentum (...). In den tschechischen Medien wird die Sache so dargestellt, daß die Tschechen seitens Deutschlands, unerwartet, mit den sich steigernden Forderungen bezüglich Eigentumsrückgaben im Grenzgebiet konfrontiert werden. Das entspricht allerdings überhaupt nicht der Wahrheit. Die deutsche Regierung lehnte es ab, in der Erklärung auf das Eigentum Dritter zu verzichten, also eine Art vermittelte Enteignung durchzuführen. Nach einem schon älteren Beschluß des deutschen Verfassungsgerichts kann sie nämlich einen solchen Akt nur dann durchführen, wenn sie selbst jene entschädigt, denen das Eigentum gehörte oder gehört. Letztendlich kann sich keine Regierung, die das Eigentumsrecht achtet und verteidigt, für jemanden anderen dazu verpflichten, daß dieser auf den betreffenden Besitz verzichtet. (...) Unter so etwas würde in Deutschland nur die PDS ihre Unterschrift setzen. Aber gerade die Unterschrift unter so einer Klausel halten Koalitions- ebenso wie auch Oppositionspolitiker in Prag für etwas Grundsätzliches. Dies also ist das zweite Patt-Beispiel. (...) Die deutsch-tschechischen Beziehungen können nicht nur eine Frage der Taktik sein, die zudem falsch ist. Würde die tschechische Seite noch vor den taktischen Überlegungen die Werte an sich achten, die sie so oft verkündet, könnte ihre Politik viel bessere Ergebnissen vorweisen.

(Der Autor ist Publizist und Manager.)

Mladá fronta Dnes, 30.1.1996

13.3 Dušan Třeštík:
Verhandeln oder nicht verhandeln?

Als es Joschka Fischer am Mittwoch vormittag, zu Beginn der Debatte über die deutsch-tschechischen Beziehungen im Bundestag, nicht gelang, Kanzler Kohl zu einer Erklärung zu zwingen, wurde sichtbar, daß die Aktion der Grünen zu gar nichts führen würde. Jeder wiederholte die alte Leier, die Opposition feuerte aus leichten Kanonen mit konventioneller Munition (...) und Klaus Kinkel antwortete, indem er die vertraute Nebelwand verbreitete: alles ist in Ordnung, man führt Gespräche und wird auch weiterhin Gespräche führen, man muß sich nur noch über die Frage des sudetendeutschen Eigentums einig werden und über die Verurteilung des Abschubs (also über etwas, worüber man sich nicht einigen kann, wie Kinkel sehr gut weiß). Etwas Wesentliches äußerte nur Schäuble: am besten, man würde die Verhandlungen über die Erklärung vertagen. Übrigens empfahl das zuvor auch schon Peter Glotz, der SPD-Experte für die tschechische Problematik.

Als sich im Verlauf der Verhandlungen zeigte, daß es nicht gelingen würde, die tschechische Seite zu zwingen, den Abschub als Unrecht zu qualifizieren und damit einverstanden zu sein, daß die Eigentumsansprüche der Sudetendeutschen offen bleiben, löste sich auf deutscher Seite der politische Wille, die Erklärung abzuschließen, offensichtlich langsam in Luft auf. Die Einstellung der Bundesregierung verhärtete sich sogar noch, als sie nämlich (...) ausdrücklich ablehnte, diejenigen Artikel des Potsdamer Abkommens, die den Abschub der Deutschen nicht nur aus der Tschechoslowakei betreffen, als verbindlich anzuerkennen.

Das war zweifellos eine Antwort auf die juristische Argumentation, die der ehemalige tschechoslowakische Außenminister Jiří Dienstbier (...) in den Zwist eingebracht hatte. Die indirekte Antwort des Bonner Außenministeriums gibt aber klar zu verstehen, daß sich das heutige Deutschland erlauben kann, auch diese Verträge anzuzweifeln. Die Frage ist, ob sich auch das Verfassungsgericht in Karlsruhe dazu entschließen würde, wenn zum Beispiel die Problematik der Klagen gegen die Bundesregierung wegen Aufgabe der Eigentumsansprüche der Vertriebenen aus dem Osten zu lösen wären. Klaus Kinkel verweist auf die Gefahr solcher Klagen und führt damit den Beweis, daß er hinsichtlich der Frage nach Aufgabe der Eigentumsansprüche der Sudetendeutschen in der ehemaligen Tschechoslowakei nicht zurückweichen kann. Diese Frage müßte das Verfassungsgericht lösen, wobei diesem vermutlich nichts anderes übrig bliebe, als einen solchen Antrag abzulehnen, weil Verträge, die ein Bestandteil der Verfassungsordnung Deutschlands sind, zwar politisch in Frage gestellt werden können, jedoch nur unter ungleich größeren Schwierigkeiten auch in rechtlicher Hinsicht (auch wenn das natürlich nicht ausgeschlossen ist).

Das sind aber rein theoretische Erwägungen, im Falle der Vertriebenen aus dem heutigen Polen ist der Bundesregierung die Sache ohne irgendwelche ernsthaftere Schwierigkeiten gelungen. Man muß nur wollen, und hier will der Kanzler einfach nicht, und zweifellos will er nicht wegen der CSU. An dieser Belanglosigkeit, und an nichts anderem, scheitern die Verhandlungen über die Erklärung. Natürlich wächst auch die Nervosität auf tschechischer Seite, auch zwischen der Straka-Akademie[164] und dem Czernín-Palais[166], die sudetendeutsche Lobby sieht darin eine Chance und tritt wieder mit der absurden Forderung nach direkten Verhandlungen mit den Sudetendeutschen auf, die intellektuellen Versöhnler wollen sich versöhnen und wieder wiederversöhnen – das bekannte Karussell. Wie geht es also weiter?

Kinkel will auch weiterhin verhandeln und verhandeln will auch Zieleniec. Vermutlich bleibt wirklich nichts anderes übrig, auch wenn man schwerlich glauben kann, daß irgendwelche wesentlicheren Ergebnisse erzielt werden. Im Grunde gibt es nur drei Möglichkeiten: weiter über die Erklärung verhandeln, d. h. politisch in Bodennähe bleiben, damit nicht die guten Beziehungen zu Deutschland gestört werden; die tschechische Frage vor ein internationales Forum bringen und so versuchen, die Bundesregierung zur Nachgiebigkeit zu zwingen; überhaupt nicht verhandeln und das sudetendeutsche Problem auf Eis legen. Die dritte Möglichkeit ist die bequemste, aber auch die kurzsichtigste. Wir können uns einfach nicht erlauben, dem mächtigen Nachbarn das Trumpf-As, das er jederzeit aus dem Ärmel ziehen kann, weiter in der Hand zu lassen.

(...) für einen verantwortungsvollen Politiker (...) ist das jedoch eine unannehmbare Situation. Sich an die internationale Öffentlichkeit zu wenden, bedeutet, an die latenten Ängste vor Deutschland zu appellieren, die vermutlich in ganz Europa vorhanden sind, einschließlich Frankreich, seinem treuesten Verbündeten. Reichen würde das allerdings noch lange nicht, vor allem müßte das Interesse der USA geweckt werden. Die haben jedoch keinen Grund, sich gegen Deutschland zu engagieren. Die tschechische Frage bedeutete wohl oder übel Sand im Getriebe der Verhandlungen über eine europäische Integration und nur wir allein würden dabei draufzahlen.

Die größte Angst vor Deutschland hat aber Deutschland selbst (seine Angst ist viel größer als unsere oder wessen immer); die europäische Politik von Kanzler Kohl wird von den Befürchtungen diktiert, Deutschland könnte wieder zu einem Reich in Europas Mitte zwischen West und Ost werden, mit allen schrecklichen Folgen, die das in der Geschichte mit sich gebracht hat. Das unreife und unsichere (beide Worte sind keineswegs übertrieben, glauben wir nur den deutschen Historikern) deutsche Volk, so wie es in der modernen Geschichte entstanden ist, hat sich nach dem Krieg, in der Bundesrepublik, nicht zu einem aufgeklärten, politischen Volk, sondern zu einer Konsumentenmasse entwickelt, die ihre Identität in der deutschen Mark sah. Daran hat sich durch die Wiedervereinigung bisher nichts geändert, die Masse der zufriedenen Konsumenten im Westen hat die Masse der frustrierten Nichtbürger (...) im Osten noch nicht absorbiert. Deutschland steht vor einem Dilemma: wird es sich entschließen, ein modernes, demokratisches, politisches Volk verantwortungsvoller Bürger zu schaffen, oder versuchen, diese seine Identität in irgendeiner, wenn möglich unitaren, europäischen Identität aufgehen zu lassen.

Bisher stand das zweite Rezept, das bequeme, im Vordergrund, ein Erbstück aus den Zeiten des kalten Krieges; nun richtet sich aber das Augenmerk immer offenkundiger auf das erste Rezept, vor allem bei der SPD, aber auch in FDP-Kreisen. Je nachdem was obsiegt, wird auch die internationale Position Deutschlands und seine Politik aussehen. Einstweilen wissen wir nicht, mit wem wir eigentlich verhandeln. Ob mit jemandem, der klar und anständig, demokratisch, seine Interessen definiert, oder mit jemanden, der das ablehnt und sich hinter die universelle Idee eines bisher nicht verwirklichten Europas versteckt. In jedem Fall bleibt uns nichts anderes übrig als zu verhandeln und vor allem aufmerksam zu verfolgen, wohin das eigentlich immer noch unsichere und nicht klar definierte Deutschland geht.

Lidové noviny, 3.2.1996

13.4 Jiří Leschtina:
Bei den Verhandlungen mit Deutschland fehlt uns nicht der Mut

(...) kaum hatten sich die komplizierten Verhandlung um die deutsch-tschechische Erklärung auf der ersten Sandbank festgefahren, ergoß sich eine Sturzflut vernichtender Kritik über die Häupter der tschechischen Regierungsunterhändler. (...) ob nun die Vorwürfe von rechts oder von links kommen, dem Klaus-Kabinett wird vor allem mangelnder Mut vorgeworfen. Paradoxerweise will jede Seite die Schwäche der Regierung mit den genau entgegengesetzten Argumenten beweisen. (...)

Schon dieses Kreuzfeuer ist jedoch eher ein Beweis dafür, daß es der Regierung nicht an Mut mangelt. Sich ein Jahr vor den Wahlen auf die bisher grundsätzlichste Diskussion über die Traumata der Vergangenheit mit den Deutschen einzulassen – das erfordert eine beachtliche Portion Entschlossenheit und den Willen, die Folgen eines eventuellen Mißerfolgs auch auf sich zu nehmen.

Die Kampagne der Linken, die versucht, der Regierung Absichten wie Kollaboration und Zugeständnisse unterzujubeln (...), ist absolut unsinnig.

Wenn aber eines der Hauptprobleme gerade darin besteht, wie der Abschub der Deutschen zu betrachten ist, dann kann man den Ruf einiger Intellektuellen nach einer kritischen Betrachtung der Beneš-Dekrete nicht mit einer Handbewegung beiseite wischen. Um so weniger, als der sog. Abschub nach heutigen Maßstäben tatsächlich eine ethnische Säuberung war: Der Abschub verlief nach einem ethnischen Schlüssel und es kam zu Blutvergießen. Im Hinblick darauf bemühen sich z.B. die Signatare der Petition »Ein Weg zur Versöhnung« (...) nur, den richtigen Namen für die Dinge zu finden. (...) Die moralische Verurteilung des Abschubs muß jedoch von der Verpflichtung der deutschen Regierung begleitet sein, auf Eigentumsforderungen gegenüber der Tschechischen Republik zu verzichten. Und die Diskussion über die Moral darf für niemanden ein Grund sein, daraus rechtliche Konsequenzen abzuleiten.

(...) Wenn also manche unserer Intellektuellen die tschechische Regierung ermuntern, sich von der Vertreibung der Sudetendeutschen zu distanzierten und somit auch von den Beneš-Dekreten, so sollten wir mit dem gleichen Pathos und der gleichen Eindringlichkeit auch Kohls Kabinett darauf ansprechen, Garantien für den juristischen Abschluß der Vergangenheit auf den Tisch zu legen. Es ist jedoch eine für gebildete Menschen unzulässige Simplifizierung des Problems, wenn die Intellektuellen in ihren Petitionen kein einziges Wort über die Eigentumsansprüche der Landsmannschaft sagen, auf die unsere Bürger doch besonders empfindlich reagieren. (...)

Mladá fronta Dnes, 17.2.1996

13.5 Oldřich Stránský:
   Versöhnen ja, aber nicht vergessen

Am 7. Februar 1996 fand in Prag, im Liechtenstein-Palais[201], das regelmäßige Treffen ehemaliger Auschwitz-Häftlinge statt. Jahr für Jahr werden wir weniger, die wir uns da treffen. Im letzten Jahr starben 50 Kameraden. Unsere Vereinigung (...) gab im Oktober vergangenen Jahres ein Dokument mit folgendem Motto heraus: Versöhnung ja, aber vergessen kann man nicht ... Im November dann ein weiteres Dokument, die Entschädigung betreffend, in dem es heißt, daß für uns die Entschädigung von deutscher Seite keine finanzielle Frage ist, sondern hauptsächlich eine moralische Satisfaktion, die uns zusteht und auf die wir warten. Je später sie kommen wird, desto größer wird unsere Enttäuschung wegen unserer entgegenkommenden Geste zur Versöhnung sein, die im ersten Dokument ausgesprochen wurde.

Welche Gründe haben wir für unsere Haltung? Einer nach dem anderen, wie wir dort im Saal des Liechtenstein-Palais saßen, konnten wir aufzählen (und viele haben es dort auch öffentlich getan), wie viele Mitglieder unserer Familien in den nazistischen Gefängnissen und Konzentrationslagern umgekommen sind, daß wir, die wir zurückgekehrt waren, nicht einmal 6% ausmachten, und uns meistens, nach jahrelanger Einkerkerung, auch noch in einem beklagenswerten Zustand befanden. Und daß von deutscher Seite wegen all dem niemand von der Regierungsgarnitur sein Bedauern ausgedrückt hat.

Wir schätzen den entgegenkommenden Schritt Präsident Havels, der sich für die Opfer des Abschubs entschuldigt hat. Bei den Verhandlungen über die Erklärung werfen aber heute viele Politiker unser früheres Leid als Gegengewicht in die Waagschale. Damit sind wir nicht einverstanden und es beleidigt uns zutiefst. Die Opfer sind nicht dafür gestorben, daß mit ihnen jetzt Geschäfte gemacht werden. (…) Allerdings werden unsere Hoffnungen durch die Ereignisse der letzten Zeit, die im Zusammenhang mit der deutsch-tschechischen Erklärung und der Entschädigung stehen, immer vager. Dieses Spiel erinnert uns stark an den deutschen Nationalismus aus der Zeit vor dem Zweiten Weltkrieg. Weder für uns, noch für Europa wäre es gut, würde der Nationalismus wieder zum Leben erwachen. (…)

*Aus dem Brief von **Oldřich Stránský,** ehemaliger Auschwitz-Häftling, Prag – Lidové noviny, 21.2.1996*

13.6 Michal Mocek: Eine Entschuldigung für den wilden Abschub ist angebracht

Drohungen, die deutsch-tschechische Erklärung wegen einem moralischen Akt, wie der Entschuldigung für den wilden Abschub, zu torpedieren, zeugen von zweierlei. Von der Unfähigkeit, zwischen der Zeit vor Potsdam und danach zu unterscheiden, sowie auch von der Unkenntnis dessen, was der wilde Abschub eigentlich war.

Kann man die organisierte Aussiedlung der deutschen Bevölkerung aus der Tschechoslowakei nur mühsam verteidigen, so kann man den wilden Abschub überhaupt nicht verteidigen. Warum, das sagt schon das Attribut »wild«.

Es erinnert nicht nur an Exzesse, die die Aussiedlung der Deutschen vor allem im Sommer 1945 begleiteten. Es verweist auf etwas viel Wichtigeres – auf die Tatsache, daß in der Zeit zwischen Kriegsende und Potsdamer Konferenz die Durchführung des Abschubs aus der Tschechoslowakischen Republik jeglicher gesetzlichen Grundlage entbehrte. (…)

Die Entschuldigung für den wilden Abschub erinnert daran, letztendlich auch in unserem eigenen Interesse, daß die Aktivitäten des Staates ihre Grenzen haben und haben müssen. Das sind die Verfassung und das Gesetz. Die notwendige Ergänzung zur deutschen Anerkennung der eigenen Schuld ist ein klarer Standpunkt zum wilden Abschub unsererseits. Wir wollen doch nicht ein fremdes Schuldbekenntnis annehmen und bedenkenlos für die eigene Schuld eintreten!

Mladá fronta Dnes, 6.4.1996

13.7 Zbyněk Petráček:
Sorry, aber es ist eben passiert –
Was bedeutet für uns die deutsch-tschechische Erklärung

(…) Damit die Erklärung für Prag von Bedeutung ist, muß sie einen juristischen und einen politischen Schlußpunkt hinter der Vergangenheit enthalten. (…)

Damit die Erklärung für Bonn von Bedeutung ist, (…) muß sie eine gewisse Distanzierung Prags von dem Abschub der Deutschen nach dem Krieg enthalten.

(…) Damit sie vom tschechischen Parlament angenommen wird, darf diese Distanzierung nicht unsere Rechtsordnung und die Sicherheit unserer Bürger verletzen (…). In dieser obligatorischen, aber vieldeutigen Formulierung verbirgt sich das größte Hindernis auf tschechischer Seite – die sattsam bekannte »Entschuldigung für den Abschub«.

(…) Die von der Agentur Factum für die Zeitung Mladá fronta Dnes erstellte Studie behauptet folgendes: nur 7% unserer Bürger würden eine Partei wählen, die dieses Entschuldigung durchsetzen möchte, während 86% der

Befragten eine solche Partei nicht wählen würden. Die Ergebnisse des deutschen INFA-Instituts zeigen indes: 55% der BRD-Bürger sind der Meinung, daß sich die Tschechen bei den abgeschobenen Deutschen zu entschuldigen haben. (...)

Auf den genannten Zahlen (...) gründet sich der ganze bisherige tschechische Konsens, den wir ruhig als kommunistisch bezeichnen können (...). Kein anderes Problem schweißt nämlich die Gesellschaft und die politische Szene derart zusammen, wie das Verhältnis zur deutsch-tschechischen Vergangenheit. Als Kostprobe braucht man nur aus dem jetzigen kommunistischen Programm zu zitieren (...): »...eine eindeutige Zurückweisung der Forderungen der Sudetendeutschen Landsmannschaft sowie auch des ähnlich gearteten Druckes der Regierung der BRD, einschließlich aller Versuche einer Revision der Dekrete von Präsident Beneš, des Potsdamer Abkommens sowie weiterer Ergebnisse und Wertungen des Zweiten Weltkriegs.« Den zitierten Satz könnten alle tschechischen politischen Parteien in ihr Parteiprogramm aufnehmen. Über die oben genannten Punkten sind sie sich wirklich alle einig. (...)

Oft wird über die Entschuldigung gesprochen, ob sie grundsätzlich zulässig sei, oder nicht. Schon viel weniger spricht man allerdings über konkrete Formulierungen, darüber, wie man die erwähnte Distanzierung zum Ausdruck bringen sollte. Vielleicht wie ein ertappter Lausbub? (Entschuldigt, wir werden das nie wieder tun.) Mit moralischem Pathos, wie die polnischen Bischöfe in den sechziger Jahren? (Wir vergeben und bitten um Vergebung.) Oder lieber mit angelsächsischer Sachlichkeit? (Sorry, aber jetzt können wir daran nichts mehr ändern.)

Der Realität um uns herum sowie auch dem Naturell der tschechischen Regierung würde die dritte Form am besten entsprechen. Das Problem sind die Wähler: Die Mehrzahl der Population lehnt auch eine solche Distanzierung ab. Die sieht übrigens bis heute in Havels Bedauern aus dem Jahr 1989 eine unannehmbare »Entschuldigung« und den größten Schnitzer unseres Präsidenten (...) Folgendem »Abwägen« werden unsere Politiker gegenüberstehen, sollten sie dereinst die Erklärung unseren Bürgern »verkaufen« wollen. Was wiegt schwerer? Eine größere Sicherheit unserer Bürger vor dem größten und stärksten Nachbarn, oder die Relativierung unserer «absoluten Unschuld« im Jahr 1945? (...)

Respekt 16/1996 (15.4.1996)

13.8 Die Slawische Union lehnt die deutsch-tschechische Erklärung ab

Diesen Inhalt einer deutsch-tschechischen Erklärung, der den Grund für den Abschub der Deutschen aus der Tschechoslowakischen Republik nach der Niederlage des faschistischen Deutschlands vorsätzlich verzerrt wiedergibt, lehnen wir ab. Deutschland muß die Ergebnisse des Zweiten Weltkriegs, den es total verspielt hat, respektieren. Und auch unsere Rechtsordnung. Wir verlangen, daß sich die Regierung der Tschechischen Republik sofort zu dem unzulässigen Infragestellen des Abkommens von Potsdam seitens der deutschen Regierung äußert. Es ist notwendig, daß die Regierung der Tschechischen Republik mit der BRD Verhandlungen über den Abschluß eines Friedensvertrages aufnimmt. Dessen Nichtexistenz ist nach der Wiedervereinigung Deutschlands kein normaler Zustand. Unsere Regierung muß sofort erreichen, daß in dem Vertrag aus dem Jahr 1992 über eine gemeinsame Landesgrenze eine Änderung vorgenommen und diese in eine zwischenstaatlichen Grenze verwandelt wird.

Wir betonen, daß Deutschland an die Gesetze Nr. 5, Nr. 63 und weitere gesetzliche Bestimmungen des Rates der alliierten Hohen Kommission in Deutschland gebunden ist. Es hat keinerlei Ansprüche auf deutsches Eigentum und Werte zu erheben, die sich auf dem Gebiet fremder Staaten befinden und die Deutschland und die Deutschen infolge des Kriegszustandes in der Zeit des Zweiten Weltkriegs und bei Kriegsende verloren haben. Das gilt für jeden Bürger der BRD. Wir lehnen die Erwägung einer doppelten Staatsbürgerschaft ab. Spekulationen hinsichtlich der deutschen Minderheit in der Tschechischen Republik, die zu unerwünschten Erscheinungen und Situationen in unserer Gesellschaft führen könnten, dürfen nicht zugelassen werden. Wir verlangen eine sofortige Entschädigung unserer Opfer des deutschen Faschismus. Es ist skandalös, daß die Regierung der BRD in dieser Richtung bis heute nicht ihrer moralischen und ihrer Sachpflicht nachgekommen ist.

In diesem Zusammenhang lehnen wir die Absichten der EU hinsichtlich eines sogenannten freien Niederlassungsrechts für fremde Bürger bei uns ab. Gerade das würde ein Teil der Deutschen mißbrauchen. Sie verheimlichen heute diese Absicht gar nicht mehr. Eine solche Pflege der Minderheiten können wir nicht akzeptieren. Wir lehnen die NATO als Instrument der amerikanischen Außenpolitik entschieden ab. Diesen alt-neuen Block braucht Europa gar nicht. Der Helsinki-Prozeß ist mehr als die NATO. Wird die Tschechische Republik in die NATO eingegliedert, ist dies ein Signal für eine negative Entwicklung in Europa. Die Verantwortung fällt auf die Hauptakteure und ihre Helfershelfer zurück.

Europa muß die Zusammenarbeit in Wirtschaft und Handel auf gleichen Grundlagen erweitern. Bedingung für die unerläßliche Zusammenarbeit und Sicherheit ist die volle Souveränität eines jeden Staates. Wir brauchen nicht die Schaffung von Militärblöcken nach Plänen für eine amerikanisch-deutsche Weltherrschaft. Wir lehnen deshalb eine neue Teilung Europas ab und werden vor keiner Invasion eines neuzeitlichen »Drang nach Osten« weichen und dies immer bekämpfen.

Sprecher der Slawischen Union:
Alexej Pludek, Schriftsteller
Vladimír Soukup, Komponist
Dr. Josef Groušl, Historiker
Republika, 23.4.1996

13.9 Dušan Třešík:
Folklore und bayerisches Auftrumpfen

(...) Der vergangene Sonntag war ein Folkloresonntag. In Vlčnov fand der altertümliche Königsritt[200] statt und in Nürnberg der Sudetendeutsche Tag (...), die weitläufige Frankenhalle war schon am Samstag voll gähnender Leere und auch am Sonntag trafen sich nur noch etwa 11 000 der letzten Getreuen, um sich den bayerischen Ministerpräsidenten Edmund Stoiber und Franz Neubauer anzuhören. Beide sangen nach den gleichen Noten, aber die Musik bestimmte diesmal der Ministerpräsident. Er sagte nicht viel Neues, er sagte es aber gefühlvoll (...): der Abschub muß als Unrecht bezeichnet werden, die Beneš-Dekrete sind aufzuheben und auch das sog. Gesetz über die Nachkriegsamnestie; das Recht der Sudetendeutschen auf die Heimat ist anzuerkennen, man muß mit den direkten Verhandlungen mit den Sudetendeutschen beginnen ... und so weiter und so fort, alles wohlvertraut und altbekannt (...).

Das Neue in seiner Rede war ein direktes Drohen mit Obstruktionen beim Eintritt der Tschechischen Republik in die europäischen Strukturen. Bisher hörten wir so etwas nur von der Sudetendeutschen Landsmannschaft, jetzt hören wir es also auch vom bayerischen Ministerpräsidenten. Sollte uns das beunruhigen? Kaum. Stoiber weiß selbst sehr gut, daß er auf der deutschen politischen Szene nicht die geringste Unterstützung finden würde, und zu bezweifeln ist auch, ob er sie in seiner CSU bekäme. Ihr Vorsitzender Theo Weigel, der in Nürnberg am Samstag sprach, erwähnte nichts dergleichen, vermutlich aus guten Gründen (...). In Deutschland könnte keine Regierung existieren, die nicht als eine der dringendsten Prioritäten die Erweiterung der westlichen politischen und Verteidigungsstrukturen im Osten verfolgen würde, vor allem in Polen, der Tschechischen Republik und Ungarn, und zwar einfach deshalb, weil es ein geopolitisch bestimmtes, vitales Interesse Deutschlands ist, daß sich zwischen ihm und Rußland eine Zone stabiler Staaten erstreckt, die in jeder Hinsicht zu Europa gehören.

Die Vorstellung, eine so wichtige Priorität könnte unter Berufung auf die unversöhnliche Haltung von Funktionären eines der Aussiedlerverbände (...) blockiert werden, ist absurd. Zudem könnte Deutschland nur sehr schwer argumentieren, daß die Tschechen ablehnen, etwas als Unrecht anzuerkennen, was die siegreiche Koalition für Recht hielt und – wie sie nun ausdrücklich bestätigte – immer noch für Recht hält. Dies würde eine ganze Reihe von Fragen bezüglich Deutschlands Position mit sich bringen (...). Das müßte diesmal zu einer verbindlichen Bestätigung des ablehnenden deutschen Standpunktes hinsichtlich des Potsdamer Abkommens führen, und das wiederum würde zumindest bedeuten, daß auch Polen auf die Tagesordnung käme, das zu so einer Bedrohung seiner lebenswichtigen Interessen ganz bestimmt nicht schweigen würde. Die deutsche Außenpolitik würde nicht bewußt in eine solche Falle gehen, die ihr die Internationalisierung der deutsch-tschechischen strittigen Angelegenheiten notwendigerweise bereiten würde.

Stoibers mehr als laute Rede richtete sich übrigens nicht an Prag, sondern ganz eindeutig an Bonn. (...) Franz Neubauer weiß (...), daß nicht die geringste Hoffnung besteht, daß irgend jemand, welche tschechische Regierung oder andere politische Vertretung auch immer, auf irgendeine seiner Forderungen eingehen würde. Folglich weiß das auch Stoiber. (...)

Neu daran war, daß sich auch Theo Weigel, der Mitglied von Kohls Regierung ist, mehr als entschlossen hinter alle Forderungen von Stoiber und Neubauer stellte. Das muß nun die tschechische Seite wohl oder übel als Standpunkt der Regierung betrachten und sie muß darauf reagieren, wenn auch nur, indem sie ihre Verwunderung äußert – was vermutlich auch das Vernünftigste wäre. (...)

Daß diese krampfhafte Bemühung, die politische Existenz der sudetendeutschen Funktionäre um jeden Preis zu retten, kleinkariert und unvernünftig ist? Natürlich, aber so ist eben Bayern (...). In Deutschland sind sie an diese bayerische Folklore gewöhnt, nur wir sind da immer noch so empfindlich. Ganz bestimmt unnötig, aber dennoch: einst schrie in Nürnberg ein Bayer ins Mikrophon und die Wehrmacht des Reiches überschritt dann unsere Grenzen. Aber das waren andere Zeiten. In unserer Zeit ist es, glaube ich, bemerkenswerter, daß in Vlčnov der König in Frauenkleidern und mit einer Rose im Mund daherritt. Schon zum einhundertachtzigsten Mal, soweit sich die Leute erinnern können.

Lidové noviny, 28.5.1996

13.10 Viliam Buchert
In der Erklärung darf es nicht um Worte gehen

Wenn sich die deutschen Parteien und auch verschiedene Fraktionen der Sudetendeutschen in einem einig sind (...), dann darin, daß die Vertreibung von drei Millionen Menschen nach dem Krieg eben eine Vertreibung war. (...) Bei den Reaktionen der tschechischen Seite überwiegen jedoch Gummiformulierungen und Wortklauberei (...). Leider – unsere Repräsentanten haben sich bisher überhaupt nicht bemüht, der Öffentlichkeit die mit der Erklärung verbundenen Probleme zu erklären und sie davon zu überzeugen, daß z. B. manche Tschechen bei der wilden Vertreibung schwere Verbrechen begangen haben (...), die damals keine Amnestie, sondern eine harte Bestrafung verdient hätten. (...)

Mladá fronta Dnes, 1.6.1996

13.11 Radim Klekner
Ein Rätsel namens Erklärung

Der Text der deutsch-tschechischen Erklärung, an der Prag und Bonn seit Sommer vorigen Jahres arbeiten, ist der Inbegriff eines immer gleichen Mysteriums, das es von dem Moment an war, als die Idee, ein solches Dokument zu erstellen, das Licht der Welt erblickte. Und zwar trotz der

Tatsache, daß Bundeskanzler Helmut Kohl am Donnerstag, nach der Sitzung, der Bonner Regierungskoalition mitteilte, die Erklärung werde bis Ende dieses Jahres unterschrieben. Seine Worte verloren nämlich sofort wieder an Gewicht durch den bayerischen Ministerpräsidenten Edmund Stoiber, der präzisierte, daß der Text in drei Punkten von unterschiedlicher Wichtigkeit nochmals einer Korrektur bedarf.

(...) Nicht nur hinsichtlich ihres Inhaltes war die Erklärung von Anfang an von einer Aura des Geheimnisvollen umgeben. Man wußte lange nicht, wer die Gespräche eigentlich auf beiden Seiten leitete. Den Streit über die entsprechenden Kompetenzen, die in beiden Länder von der Regierungskoalition ebenso wie auch von den Oppositionsparteien beansprucht wurden, beendete man schließlich dadurch, daß der stellvertretende Außenminister der Tschechischen Republik Alexandr Vondra und der Staatssekretär des gleichen Amtes in Bonn Peter Hartmann sich der Sache annahmen.

Zu keinem Zeitpunkt der Verhandlungen war ersichtlich, wie weit schließlich Bonn in seiner Unterstützung der Forderungen der Sudetendeutschen gehen wird. Die begrüßten zwar die Rede von Václav Havel, die er im Februar 1995 im Prager Karolinum gehalten hatte, und in der der tschechische Präsident Worte des Bedauerns über das gewaltsame Ende des deutsch-tschechischen Zusammenlebens aussprach, auf der anderen Seite beharrten sie jedoch weiterhin auf Schritten, die für die tschechische Seite im Grunde inakzeptabel sind, vor allem auf der Aufhebung der Beneš-Dekrete und der Anerkennung von Eigentumsansprüchen der abgeschobenen Personen.

Die ersten ernsthaften Zweifel, daß die Erklärung in absehbarer Zeit verabschiedet wird, entstanden im Dezember vorigen Jahres, nachdem sich die Regierungskoalition in Bonn überhaupt nicht über die Grundthesen des Dokumentes einigen konnte. Die deutschen Liberalen in der FDP, die eine Entschädigung der tschechischen Naziopfer vermittels eines besonderen Zukunftsfonds verlangten, stießen nämlich erneut auf die grundsätzliche Ablehnung der bayerischen CSU, des traditionellen Schirmherrn des harten Kerns der Sudetendeutschen Landsmannschaft (...).

Eine weitere Erschütterung erlitt die Erklärung heuer im Januar, als, kurz nachdem die diplomatischen Chefs beider Länder selbst mit den Verhandlungen betraut wurden, der tschechische Außenminister Josef Zieleniec mitteilte, sein

Verhandlungspartner sei mit einer neuen, für Prag grundsätzlich unannehmbaren, jedoch in keiner Weise spezifzier-
ten Forderung gekommen. In den folgenden Wochen wäre
dann die Erklärung fast zu Grabe getragen worden, als
Klaus Kinkel anfing, das Potsdamer Abkommen, das seiner
Meinung nach nur eine politische Erklärung war, also die juristische Grundlage des Abschubs, in Frage zu stellen.

Nach dem Pfingsttreffen des Sudetendeutschen Verbandes, auf dem Neubauer die Forderungen der Landsmannschaft noch steigerte, indem er sagte, Prag müsse sich für
alle mit der Vertreibung verbundenen Ereignisse entschuldigen und unverzüglich einen direkten Dialog mit den Repräsentanten der Sudetendeutschen beginnen, schien
dann die Unterzeichnung des Dokuments für lange Jahre
ad acta gelegt zu sein. Nach mehr als zwölf Monaten ist so
der moralische Kredit der Erklärung – trotz des offenkundigen Fortschritts in den letzten Tagen und Wochen – im
Grunde der gleiche wie im Sommer 1995 – niemand weiß
etwas Greifbares und nur wenige setzen in die Erklärung irgendwelche besonderen Hoffnungen.

Lidové noviny, 14.9.1996

13.12 Jaroslav Pospíšil:
Der riskante Versuch einer Wortäquilibristik
in der deutsch-tschechischen Erklärung

(…) Wesentlich an der Sache ist, daß das Wort Vertreibung,
in der historischen Literatur für Ereignisse benutzt, wie der
Vertreibung der Hugenotten aus Frankreich, in der heutigen
deutschen Terminologie rein zweckmäßig für die gesamte
Aussiedlung der deutschen Bevölkerung aus den östlichen
Gebieten verwendet wird (…). Das soll mit seiner emotiven
Valenz die völkerrechtliche Gültigkeit der Bestimmung von
Artikel XIII. des Potsdamer Protokolls als juristischem Fun-
dament für den Transfer, in Frage stellen (…).

Wird in der deutschen Version (…) der Erklärung das Wort
Vertreibung als Pauschalbezeichnung für den Abschub
verwendet, also ohne genauere Definition z. B. nur für den
sog. wilden Abschub, und im Tschechischen als Äquivalent
die Bezeichnung *vyhánění* (Austreibung, Anm. Üb.), dann
handelt es sich hier um einen verbalen Taschenspielertrick,
der zweierlei Lesart ermöglichen soll. Dadurch sollen die
kritischen Passagen der Erklärung, die über den Abschub,
für die tschechische Öffentlichkeit sowie auch für die Abgeordneten leichter verdaulich werden (…).

Die Verwendung des Begriffes *Vertreibung* in öffentlichen Dokumenten von internationalem Charakter, ob er nun als vyhnání (= Vertreibung, Anm.Üb.) oder *vyhánění* (= Austreibung, Anm. Üb.) ins Tschechische übersetzt wird, begründet individuelle Rechtsansprüche der Betroffenen auf Entschädigung, und zwar auch dann, wenn beide Staaten miteinander vereinbaren, daß sie diese weder unterstützen, noch berücksichtigen werden. Die Entschuldigung für jene *Vertreibung*, die die Erklärung ebenfalls enthalten soll, könnte dann die Verpflichtung einer nachfolgenden Wiedergutmachung beinhalten. Das könnte die Rücksiedlung der ausgesiedelten Deutschen bedeuten (...).

(Der Autor ist Historiker und unabhängiger Publizist)
Právo, 4.12.1996

13.13 Josef Válka:
Die »Angst vor den Deutschen« und die Vorbereitung der Erklärung

Ehrlich gesagt, ist das größte Problem in unseren Beziehungen zu Deutschland »die Angst vor den Deutschen«. Das ist kein Ergebnis einer tausendjährigen Nachbarschaft und eines tausend Jahre währenden Zusammenlebens – das ist ein Produkt von Nationalismus, Chauvinismus und Rassismus des 19. und 20. Jahrhunderts, und zwar auf beiden Seiten, (...) und auch das Produkt einer nationalistischen Fehlinterpretation der Geschichte der deutschtschechischen Beziehungen und der antideutschen Propaganda der letzten fünfzig Jahre. Angst ist der schlechteste aller Ratgeber.
Im 18. und im 20. Jahrhundert bestand diese Angst vor den Deutschen auch bei anderen Völkern: bei den Franzosen, bei Engländern, Russen, Polen, die kleinen Völker gar nicht inbegriffen. Nach dem Zweiten Weltkrieg geschah jedoch in Westeuropa etwas sehr Wesentliches: die Angst vor den Deutschen wurde allmählich überwunden und durch einen Geist der Zusammenarbeit und Freundschaft ersetzt. Die Grundlage für diese Veränderung war die Demokratisierung Deutschlands und das zähe Bemühen von Politik und Kultur, die Reminiszenzen zu überwinden. Nicht nur bei den Nachbarn Deutschlands, sondern in Deutschland selbst. Nirgends wurde das nationale Gewissen so sehr erforscht, nirgends die Geschichte des eigenen Volkes einer so ehrlichen Analyse und Kritik unterworfen, wie in Deutschland. Alle Versuche, eine solche Tragödie, wie sie der Holocaust

darstellte, zu »entschuldigen« oder zu »erklären« stießen gerade in Deutschland auf Widerstand. Deutschland hat sich von seiner tragischen Geschichte nicht weggelogen, sondern übernahm für sie die moralische Verantwortung. Das Ergebnis der entsprechenden, fünfzigjährigen Bemühungen, zu dem auch Persönlichkeiten wie Churchill, de Gaulle, Kennedy, Adenauer, Brandt und Helmut Kohl beigetragen haben ist, daß Deutschland zur respektierten demokratischen Großmacht und zur Stütze der europäischen Integration wurde.

Ganz anders sah nach dem Krieg die »Angst vor den Deutschen« im sowjetischen Machtbereich und insbesondere bei uns aus. Hier wurde sie fünfzig Jahre lang (…) absichtlich gezüchtet. Als der hehre Mythos des Kommunismus unter dem Eindruck des realen Lebens und des Polizeistaats dahinschwand, diente der Mythos eines Schutzes vor Deutschland nur zur Legitimierung des Regimes sowie auch der neuen Okkupation im August 1968. Nur so nebenbei – ohne diese Angst und ohne Mythos ließe sich die Nachkriegsentwicklung der Tschechoslowakei nur schwer begreifen. Ohne diesen mentalen Urgrund ließe sich das Verhalten Beneš's nach dem Krieg und der schwache Widerstand gegen den Kommunismus im Februar 1948 kaum begreifen.

Die Ereignisse des Jahres 1989 legten auch in Mitteleuropa Grundlagen für eine ähnliche Überwindung der »Angst vor den Deutschen«, wie sie nach dem Krieg in Westeuropa stattgefunden hatte. Diese Chance wurde (…) nicht nur von unserer politischen Vertretung begriffen, sondern auch von der absoluten Mehrheit der Bevölkerung. Nur unverbesserliche Nostalgiker des Kommunismus und Sowjetismus mißbrauchen weiterhin das deutsche Schreckgespenst. Deutschland selbst half uns die kritischen Zeiten zu überwinden, als die östlichen Märkte zusammengebrochen waren (…). Es schien, als stünde nichts mehr im Weg, um eine »historische Versöhnung« einzuleiten (…), ähnlich wie bei seinen westlichen Nachbarn und in Polen, das die historische Chance vermutlich besser als wir begriffen hat. Leider ist gerade in dieser Zeit die Chance verpaßt worden, die unselige Vergangenheit formal mit einem ähnlichen Abkommen abzuschließen, wie dem, das die Deutschen mit Polen und Russen abgeschlossen haben. Erst dann entstand das sudetendeutsche Problem (…).

Ich weiß nicht, wie die Endfassung der deutsch-tschechischen Erklärung aussehen wird (…). Ich glaube aber, daß wir sie nicht mit dem Wörterbuch in der Hand lesen sollten, umgeben von Folianten juristischer Schriften, sondern (...) mit gutem Willen und vor sich die Perspektive, die sich dadurch bietet. Die Geschichte läßt sich nicht »vergessen«, aber man soll auch nicht dem momentanen Druck und irgendwelchen Launen unterliegen. (...) Wenn die Erklärung eine Chance für eine gute Nachbarschaft ohne Angst anbietet, können wir diese nicht ungenutzt vorübergehen lassen.

(Der Autor hält Vorlesungen am Lehrstuhl für Geschichte der Philosophischen Fakultät der Masaryk-Universität in Brünn)
Svobodné slovo, 10.12.1996

13.14 Jan Kovařík:
Die Heimlichkeiten sind zu Ende,
die Diskussion beginnt

Schon der erste flüchtige Blick auf den Text, der bis jetzt sorgfältig geheimgehaltenen deutsch-tschechischen Erklärung, der durch Zutun des deutschen Fernsehsenders ARD am Montag überraschend veröffentlicht wurde, beantwortet die Frage, warum Prag und Bonn Bedenken hatten, das geplante Dokument könnte in den tschechischen Wahlkampf hineingezogen werden. Das deutsche sowie auch tschechische Bedauern hinsichtlich des Leidens Unschuldiger (...) wird nämlich im Text praktisch auf die gleiche Ebene gestellt – ohne Rücksicht auf den Hinweis beider Seiten, man könne die geschichtliche Ursache und ihre Folgen nicht übersehen. Es gibt also etwas zu diskutieren. (...)
Den Abschub der Deutschen aus der Nachkriegstschechoslowakei so zu bezeichnen, daß damit beide Seiten einverstanden sind, war eine der härtesten Nüsse (...) – ohne Kompromiß nicht zu knacken. (...) Und besonders die Menschen, die die Vorkriegszeit, die Kriegszeit (...) und ihre Schrecken (...) erlebt haben, werden wohl schwer verstehen können – und selbst wenn dem so wäre, dann gewiß nicht ohne Schmerzen –, daß ihr berechtigter Zorn nach dem Krieg nun beinahe als Unrecht bezeichnet wird (...).
Wenn irgendwo ein tschechisches Zugeständnis auszumachen ist, dann, meiner Meinung nach, vor allem in dieser Passage. (...) Auf der anderen Seite gibt es bestimmt nicht wenige tschechische Zeitzeugen, die sich an die Exzesse beim Abschub erinnern, und schon damals mit ihnen nicht einverstanden waren, weil sie niemandem dienten und manchmal der Ausdruck einer Sehnsucht nach Vergeltung

sein konnten, das von den Deutschen verübte Böse mit ähnlicher Münze heimzuzahlen.

Nach dem Montag wird bestimmt öfter die Frage auftauchen, ob das tschechische Parlament seine Zustimmung zu so einer Erklärung aussprechen kann. Ich meine, die Antwort steckt in dem Satz, in dem beide Seiten erklären, daß sie ihre Beziehungen nicht mit den aus der Vergangenheit stammenden politischen und rechtlichen Problemen belasten werden. Bedeutet das, daß (...) die abgeschobenen Deutschen oder ihre Organisationen keine Ansprüche auf Rückkehr, auf Rückgabe des nach dem Krieg konfiszierten Eigentums oder zumindest eine teilweise Entschädigung erheben können? Das ist eine Frage für Juristen und Politiker. Sofern sie sie eindeutig bejahen, kann man die Erklärung wirklich als eine Art Schlußpunkt hinter der Vergangenheit auffassen. Aber nur unter dieser Bedingung. (...)

Právo, 10.12.1996

13.15 Václav Kvasnička: Eine Ohrfeige ins Gesicht des Volkes

Den Text der deutsch-tschechischen Erklärung kennen wir also schon. Dafür haben die deutschen Medien gesorgt. Allein diese Tatsache ist eine kräftige Ohrfeige ins Gesicht unseres Volkes, eine Bestätigung des falschen Spiels der tschechischen Regierung mit den Schicksalen unserer Menschen. Im Unterschied zum Verrat von München im Jahr 1938, als uns die westlichen Verbündeten verraten haben, übernahm diesmal die Rolle der »Münchner« die tschechische Regierung selbst. Sie ignorierte unzählige Initiativen, die eine Offenlegung der Erklärung verlangten, sie lehnte sogar ab, die Abgeordneten des Parlaments der Tschechischen Republik darüber zu informieren! Es ist zu erwarten, daß sie nun versuchen wird, ihr Kapitulantentum mit der Behauptung zu kaschieren, wir hätten die Vergangenheit geordnet, rechtlich würden sich aus ihr für uns keine Folgen ergeben und der Wert der Erklärung beruhe darin, daß sie die Aufmerksamkeit auf die Zukunft lenkt. Beim Studium der Erklärung stellen wir fest, daß die Erklärung keine dieser Voraussetzung erfüllt. Im Gegenteil, durch die verlogene Interpretation der Vergangenheit schwächt sie deutlich unsere Position. (...)

In der Erklärung wird (...) die Aussiedlung der Deutschen aus der ČSR als »Austreiben (= vyhánění, Anm. Üb.) und Zwangsaussiedlung« qualifiziert. Diese Formulierung (...)

ermöglicht vor allem den Parteiführern der Landsmann-schaft, gegenüber der Tschechischen Republik Ansprüche zu erheben (…).

Eine sehr ernste und äußerst beunruhigende Tatsache ist, daß die tschechische Seite in der Erklärung die Verbre-chen, die Nazi-Deutschland an unserem Volk begangen hat, auf die gleiche Ebene mit dem stellt, was nach Ende des verspielten Krieges im Zusammenhang mit dem Ab-schub der Deutschen geschehen ist. (…)

Diese schwerwiegenden Tatsachen berechtigen nieman-den zu behaupten, es ginge um ein ausgewogenes Doku-ment, das einen Schlußpunkt hinter der Vergangenheit be-deutet. Im Gegenteil! (…)

Haló noviny, 11.12.1996

13.16 Petr Uhl:
Tschechische und deutsche Nationalisten kommen einander näher

Fast alle können bei der Erklärung ein Gefühl der Befriedi-gung empfinden (…). Für unsere ehemaligen deutschen Mitbürger, die ihr Land als Kinder oder junge Menschen verlassen mußten, sollte es eine (…) Katharsis sein.

Wird diesen Deutschen eine gemeinsame Erklärung rei-chen? Aufgrund der Äußerungen der Sudetendeutschen Landsmannschaft (…) scheint dem keinesfalls so zu sein. Allerdings fällt auch die Reaktion zweier tschechischer Parteien negativ aus – der kommunistischen und der repu-blikanischen. Die Tschechische sozialdemokratische Partei (ČSSD) zögert noch (…) aus Rücksicht auf einige ältere, an-tideutsch eingestellte Mitglieder.

(…) Bedauern wegen dem ungerechten Schicksal der tschechoslowakischen Deutschen empfindet heute wohl (…) jeder anständige Bürger (…). Ich gehöre zu jenen, die sich in der Charta 77 zu der Ansicht durchgerungen haben, daß man nicht ewig den Grundsatz der Kollektivschuld rechtfertigen kann, den man nach dem Krieg gegenüber den tschechoslowakischen Deutschen für alle Verbrechen und Demütigungen der Naziära angewandt hatte. Daß man von deren Vertreibung – es macht keinen Unterschied, daß sie in Potsdam abgesegnet wurde – nicht euphemistisch als von einem Abschub sprechen kann. Daß man das Amnestiegesetz (…) für jene, die bis zum 28. Oktober 1945 an den Deutschen Verbrechen begangen haben, nicht als ein moralisches Gesetz betrachten darf.

Diese Schritte des tschechoslowakischen Staates, mit denen die Bürger einverstanden waren und die sie sich teilweise sogar erzwungen hatten, standen auch zu der damaligen Auffassung von Demokratie und Rechtsstaat im Widerspruch und trugen zur Barbarisierung der Gesellschaft bei und zu den terroristischen Zügen der Diktatur, die nach dem Februar 1948 an die Macht kam. Ich behaupte, daß sich die Geschichte der stalinistischen und auch späteren Tschechoslowakei mit drei Millionen Deutschen anders entwickelt hätte, nämlich zum Wohle des Landes sowie auch Europas.

Die an den Deutschen begangenen Verbrechen mit den nazistischen Verbrechen zu entschuldigen, zu betonen, »wer angefangen hat«, das ist eine Beleidigung des Rechts (...).

(...) Die Versöhnung abzulehnen, ist aber eher eine Domäne jener, die aus dem Unglück der Vergangenheit und der Unfähigkeit, dieses zu überwinden, politisches Kapital schlagen wollen. (...) Auf beiden Seiten geraten die Nationalisten in die Isolierung.

Právo, 12.12.1996

13.17 Pavel Macháček:
Eine solche Erklärung brauchen wir nicht

(...) Der Text der Erklärung bringt der deutschen Seite in Zukunft viele Vorteile, von deren Ausmaß wir uns gar keine Vorstellung machen. Dank dem kalten Krieg machten die Westmächte aus dem niedergeworfenen Deutschland eine Großmacht, und die diktiert heute der schwachen siegreichen Tschechoslowakischen Republik (ČSR), genauer gesagt ihrem Rest.

Und wie es aussieht, haben unsere Repräsentanten fast in allem Zugeständnisse gemacht. (...) Das alles weist auf unsere absolute Niederlage hin, beziehungsweise, genauer gesagt, auf ein Massaker! Hauptziel der Erklärung sollte doch der »dicke Strich« unter der Vergangenheit sein, damit die Vertreter der SL (Sudetendeutsche Landsmannschaft, Anm. Üb.) die internationale Atmosphäre nicht weitere 50 Jahre mit ihren unverschämten Forderungen gegenüber der Tschechischen Republik vergiften. (...)

Die Erklärung haben wir vermutlich vermasselt. Warum sollen wir sie also unterschreiben? Wir werden es schaffen, auch ohne sie ruhig zu leben.

Haló noviny, 12.12.1996

13.18 Kommt ein neues Protektorat?

Aus dem veröffentlichten Text der deutsch-tschechischen Erklärung grinst einem, ganz im Widerspruch zu den Tatsachen, der Sieg der Deutschen über die Tschechen entgegen. Als wäre es die Tschechoslowakei gewesen, die das Großdeutsche Reich überfallen und okkupiert, sowie ein Protektorat errichtet hat. Als wäre während der ganzen Protektoratszeit nicht das tschechische Volk hingemordet, vergewaltigt, erniedrigt und zur physischen Liquidierung bestimmt worden, sondern das deutsche Volk. Dies ist der eigentliche Inhalt der Erklärung. Das ist ein Protektorat unter anderen – nichtkriegerischen Bedingungen. (...)

Aus einem Leserbrief von **Prof. PhDr. Stanislav Adam, Dr.Sc.** *– Haló noviny, 13.12.1996*

13.19 Jan Hon:
Siegen können nur Versöhnung und Verständigung

Die ersten Reaktionen auf den Text der deutsch-tschechischen Erklärung waren überraschend. Aber nur dadurch, wie sich der jeweilige Kommentator in die»Skala von zufrieden bis unzufrieden« einordnen ließ (...). Der ursprüngliche Sinn der Erklärung, den ihr Václav Havel voriges Jahr im Februar in der Rede im Karolinum gegeben hatte war es, in puncto Beziehungen zu den Deutschen aus jenem »... *immerwährenden Kreislauf herauszukommen ...,* wo immer neue Generationen von Enkeln andere Enkel für die an den eigenen Großvätern durch deren Großväter begangenen Verbrechen bestrafen.« Daß Sládek-Anhänger und Kommunisten auf alles losgehen würden, was beitragen könnte, diesen Sinn zu erfüllen, lag auf der Hand. Nur für ihre Politik ist charakteristisch, nach ausdauernd in die Vergangenheit blickenden Wähler Ausschau zu halten, um diese einzufangen. Entweder unverbesserliche Trottel, oder, im besseren Falle, Menschen, die wegen ihrer bis heute nicht verheilten, durch nazistische Gewalt erlittene Traumata, zu mißbrauchen sind. Es wäre schade, würden sich auch Politiker demokratischer Parteien, egal ob linker oder rechter Couleur, in dieser Art stilisieren wollen.
Die Vorstellung, daß der Text eines Dokumentes, wie der deutsch-tschechischen Erklärung, nur von Tschechen diktiert werden könnte, ist unsinnig. Wenn sie zum Ziel hat, die gegenseitigen Beziehungen von der Altlast der Vergangen-

heit zu befreien, dann muß sie alles Wesentliche erwähnen, was diese Beziehungen belastet – natürlich auf beiden Seiten. (...) Vor allem aber so, daß es für beide Partner akzeptabel ist. (...)

Die Erklärung erfüllt zweifellos ihre Hauptbestimmung und ihr Ziel. Ihr liegt die Übereinkunft beider Seiten zugrunde, daß »... *begangenes Unrecht der Vergangenheit angehört, und daß sie deshalb ihre Beziehungen auf die Zukunft ausrichten wollen*«, und daß »*sie ihre Beziehungen nicht mit politischen und juristischen Fragen belasten werden, die aus der Vergangenheit herrühren*«. Das ist dieser dicke Strich unter der Vergangenheit – im politischen Sinne des Wortes – um den sich schon die ehemalige tschechoslowakische Regierung bei den Verhandlungen über den Vertrag von 1992 bemüht hatte. Die Erklärung anerkennt natürlich auch die Tatsache, daß man in der Geschichte keine dicken Striche ziehen kann – und das ist gut so. (...) Allerdings enthält die Erklärung auch einige Ungenauigkeiten, Einseitigkeiten und innere Widersprüche. Das betrifft z.B. die Passage über das Gesetz 115/46 Slg., das an sich eine Bestrafung der in der Nachkriegszeit an Deutschen begangenen Verbrechen nicht verhinderte. Eine Reihe dieser Straftaten wurde sogar ordentlich, gerichtlich verfolgt und die Schuldigen wurden bestraft. Einen kaum lösbaren Widerspruch enthält die Feststellung, daß beide Seiten »entschlossen sind, weiterhin ... der Verständigung und der gegenseitigen Übereinstimmung den Vorrang zu geben, wobei jede Seite ihrer eigenen Rechtsordnung verpflichtet bleibt und respektiert, daß die andere Seite andere Rechtsvorstellungen hat.« Wie bekannt, steckt ja der Teufel, im konkreten Detail. In lebhafter Erinnerung haben wir noch die Äußerung von Minister Kinkel über Deutschlands Rechtsauffassung bezüglich der Beschlüsse der Potsdamer Konferenz. (...) In diesem Zusammenhang ist auch nicht uninteressant, in welcher Weise das deutsche Außenministerium ablehnte, eine individuelle Forderung nach Sicherstellung von Eigentum zu erfüllen, das Polen nach dem Krieg auf ehemals deutschem Gebiet konfisziert hatte. Es teilte dem Antragsteller mit, daß »... *die Bundesregierung zur Zeit nicht beabsichtigt, die Ansprüche des Antragstellers auf diplomatischem Weg völkerrechtlich geltend zu machen.*« Wie ersichtlich, hat der politische Wille von Regierungen, gegenseitige Beziehungen zwischen Staaten zu schaffen, mindestens den gleichen Einfluß, wie rigorose internationale Verträge.

Die Erklärung selbst kann natürlich keinen deutsch-tsche-chischen Ausgleich einleiten. Sie kann nur die Bedingung für einen Prozeß schaffen, der dazu führen wird. Sie kann nicht die Niederlage der einen Seite und den Sieg der anderen Seite bedeuten. Siegen kann nur die Versöhnung und die Verständigung. (...)
(Der Autor ist ehemaliger tschechischer Konsul in Bonn und Mitarbeiter der Kanzlei des Präsidenten der Republik)
Svobodné slovo, 13.12.1996

13.20 Radomír Silber:
Die Erben Háchas, nicht die von Beneš

(...) Wer am Sonntag im tschechischen Fernsehsender ČT1 die Debatte zur deutsch-tschechischen Erklärung verfolgt hat, stellte mit Erstaunen fest, daß sich die Geschichte wiederholen kann. Der Außenminister der tschechischen Regierung Zieleniec (ODS) hat sich vollständig in die Protektoratsverhältnisse versetzt. (...) Das Vokabular ist zwar am Ende des 20. Jahrhunderts etwas moderner geworden, aber die Argumentation á la Hácha blieb erstaunlicherweise die gleiche. Eine im Geheimen vorbereitete und zweckdienlich veröffentlichte (...) Erklärung des Nationalverrates (da vertraut jemand darauf, daß die Menschen vor den Weihnachtsfeiertagen andere Sorgen haben) weist nach Meinung des tschechischen Außenministers keinen einzigen Fehler auf. (...)
Würde Hácha von den Toten auferstehen, hätte er an der heutige tschechische Regierung seine Freude. (...)
Haló noviny, 17.12.1996

13.21 Jiří Holub:
Die Erklärung gegen Potsdam

(...) Die Phrasen über ein demokratisches Deutschland können nicht Erfahrungen verdrängen, daß auch parlamentarische Demokratien sehr expansiv sein können. Nach 1989 lehnte es unsere Außenpolitik ab, zur Kenntnis zu nehmen, daß sich nach der Wiedervereinigung in der deutschen Politik die machtorientierte Variante der Außenpolitik immer stärker durchsetzte. Die Art der Wiedervereinigung ließ nämlich in der westdeutschen Gesellschaft, insbesondere in Wirtschaftskreisen, vor allem Expansionstendenzen frei werden und weckte bei politischen Gruppierungen, die sich dem traditionellen großdeutschen Konzept von Mittel- und

Osteuropa verbunden wissen, neue Erwartungen. – Würde die tschechische Diplomatie das Verhalten der deutschen Diplomatie im Balkankonflikt analysieren, müßte sie zu den gleichen Schlußfolgerungen wie viele europäischen Diplomaten gelangen, und zwar: einer der verborgenen Gründe für die überstürzte deutsche Anerkennung der neu entstehenden Staaten beruht auf der Philosophie, »wenn die Welt anderen Völkern das Recht auf Selbstbestimmung zuerkennt, kann sie es vorhandenen deutschen Minderheiten im Ausland nicht absprechen«. Diese Strategie ist einer der Gründe, warum die deutsche Politik an den Begriffen »Sudetenland« und »Sudetendeutscher« festhält, die in Zukunft den Anspruch auf wesentliche Teile souveränen tschechischen Staatsgebietes begründen sollen. Die Terminologie der Landsmannschaft ist aggressiv und hat eine weitreichende geopolitische und juristische Bedeutung. Die »Sudetendeutsche Landsmannschaft« ist kein landsmannschaftlicher Verein, sondern »eine Landesgefolgschaft, die für das Recht der Deutschen auf das Sudetenland eintritt«. Bei Gesprächen mit ausländischen Diplomaten betone ich: Die deutsche Außenpolitik strebt in Mitteleuropa eine privilegierte Position an und das auf Kosten nicht allein der tschechischen Bürger, sondern auch der übrigen ausländischen Konkurrenten und dazu soll das »Recht auf die Heimat« dienen.

Die Art der Verhandlungen rund um die Erklärung, ebenso wie der jetzt veröffentlichte Text sagen eines klar aus: der deutschen Seite geht es nicht um eine Versöhnung. Sie muß sich doch der Tatsache bewußt sein, daß der Text, den sie durchsetzen will, den Widerstand der Mehrheit des tschechischen Volkes wecken und auch die politischen Parteien spalten wird. Für uns stellt sich allerdings die Schlüsselfrage, warum sich die tschechische Regierung mit einem Text zufrieden gegeben hat, für den doch kein verantwortungsvoller tschechischer Verfassungs- oder Staatsdiener stimmen kann, verpflichtet ihn doch die Verfassung, mit keinem Wort Rechtsakte in Frage zu stellen – insbesondere nicht internationale – durch die der tschechoslowakische Staat nach 1945 konstituiert wurde. Charakterisiert er diese juristischen Tatsachen, z. B. den Transfer reichsdeutscher Bürger aus unserem Gebiet, mit dem Wort »vyhnání/vyhánění« (= »Vertreibung/Austreibung«, Anm. Üb.), dann sollte er sofort seiner Funktion enthoben und bestraft werden.

Der Text der Erklärung muß als ganzer aus vielerlei Gründen abgelehnt werden: u. a. installiert er eine deutsche Schutzmacht hinsichtlich der Beziehung der Tschechischen Republik zur EU und der NATO, er reduziert die expansive Ausrottungspolitik des deutschen Staates auf »nationalsozialistische Gewalt« und übergeht den Zweiten Weltkrieg. Die Deutschen in der Tschechischen Republik werden als Minderheit bezeichnet, Tschechen in der BRD als »Personen tschechischer Herkunft«, sogar den Terminus »die Sudetendeutschen« läßt er zu, der durch das tschechische Staatsrecht nicht gestützt wird, er sagt nichts über eine Entschädigung aus usw.

Während die deutsche Seite durch ihre Rechtsordnung gebunden bleibt, gibt die tschechische Seite in allen wesentlichen Fragen nach. Die Hauptkritik muß sich jedoch insbesondere auf den Charakter des Textes der Erklärung konzentrieren, der von dem revisionistischen Konzept der Nachkriegsregelung ausgeht und sich auf die zentrale These der »deutschen Rechtsdoktrin« stützt, daß nämlich die deutsche Regierung das Potsdamer Abkommen nicht als Bestandteil ihrer Rechtsordnung betrachtet. Auf die indirekte Verankerung dieser These (»jede Seite respektiert, daß die andere Seite eine andere rechtliche Auffassung hat«) kann kein tschechischer Politiker eingehen.

Der systematische deutsche Druck, in Kombination mit der Verpflichtung der tschechischen Diplomatie, Verlauf und Ergebnis der Verhandlungen bis zum letzten Moment vor der Unterschrift geheim zu halten, haben der tschechischen Regierung eine diplomatische Falle gestellt: unterschreibt sie nicht, stellt sie sich der legitimen Beschuldigung aus, zwei Jahre lang die außenpolitischen Interessen des Staates vernachlässigt zu haben, unterschreibt sie, wird die darauf folgende öffentliche und parlamentarische Diskussion den Text der Erklärung ablehnen.

Es gibt nur einen Ausweg: sich auf die Seite der nationalen und der Staatsinteressen der Tschechischen Republik zu stellen, den Text der Erklärung nicht zu unterschreiben, die Öffentlichkeit über die mit der Erklärung verbundenen Umstände zu informieren und die Außenpolitik neu zu konzipieren, insbesondere in Bezug auf die BRD, was die Nachbarn Deutschlands ebenso begrüßen würden, wie die Verbündeten aus dem Zweiten Weltkrieg.

(Der Autor, ehemaliger Botschafter der Tschechoslowakischen föderativen Republik in Italien, adressierte diesen Text an die Abgeordneten und die Regierung der Tschechischen Republik als offenen Brief.)
Právo, 19.12.1996

13.22 Václav Žák:
Die Politiker lassen die Masken fallen

Eine öffentliche Diskussion ist von verhältnismäßig geringem Wert, wenn sie nicht sachlich geführt wird. Natürlich kann auch eine unsachliche Diskussion nützlich sein. Zeigt sie auch nicht die Sache an sich, entblößt sie zumindest den Diskutierenden. Dafür ist die deutsch-tschechische Erklärung ein anschauliches Beispiel. Eine Reihe von Politikern legte ihre Masken ab, wie am Ende des Karnevals.

Sagen wir es kurz und bündig: Der Schlüssel zum Begreifen der Erklärung liegt in ihrem Namen – sie ist eine Erklärung. Sie ist kein internationaler Vertrag, sie ist kein Gesetz. Sie ist nur ein Leitfaden für die Politik der Regierungen. Sie ändert also die Rechtsverhältnisse weder in Deutschland, noch bei uns. (...)

Folgende Frage sei also erlaubt: hat die Erklärung überhaupt irgendeinen Wert? Die Antwort muß zurückhaltend bleiben: sie kann einen haben. Es kommt darauf an, wie sie angenommen wird. Im schlimmsten der möglichen Szenarien, lehnen die Parlamente die Erklärung ab. Das Aufreißen schmerzhafter Erinnerungen aus der Vergangenheit wird die deutsch-tschechischen Beziehungen noch mehr verschlechtern. Diese Variante ist zum Glück nicht sehr wahrscheinlich.

Im optimistischen Szenario gewinnt die Erklärung die Unterstützung jenes Teiles des politischen Spektrums, der an einer Entwicklung guter nachbarschaftlicher Beziehungen interessiert ist, und zeigt jene – auf beiden Seiten – die kein Interesse an einem Abkommen haben, das notwendigerweise ein Kompromiß sein muß. Und das ist sehr wichtig. Die deutschen politischen Parteien (einschließlich der CDU von Kanzler Kohl) werden sich so erstmals deutlich von den Forderungen der Vertreter der Sudetendeutschen auf ein »Recht auf Heimat« distanzieren, das zu verteidigen sie sich in den sechziger Jahren verpflichtet haben. Auf tschechischer Seite wiederum wird die Sozialdemokratie gezwungen, zu zeigen, ob sie eine verantwortungsbewußte Politik machen will, oder das nur vortäuscht. (...)

Právo, 19.12.1996

13.23 Viliam Buchert:
Die Öffentlichkeit ist gegenüber der Erklärung
gleichgültig

(...) Befremdlich ist allerdings schon, daß der Text der Erklärung zwar Politiker, Betroffene in der Tschechischen Republik wie auch in Deutschland, Historiker und Journalisten erregt und bei ihnen die verschiedensten Reaktionen hervorruft, aber die breite Öffentlichkeit bleibt völlig apathisch. (...) Warum?
Selbst der beste Text bedeutet keine Veränderung für Bürger, die vom Krieg nicht direkt betroffen waren, er kann sie also durch nichts fesseln. (...) Insbesondere junge Menschen sind schon lange nicht mehr gewillt, die Traumata ihrer Großeltern weiter »abzuhandeln«. (...)
Zudem fehlt den deutsch-tschechischen Beziehungen die langjährige Konfrontation und Konkurrenz, die durch ein gemeinsames, demokratisches, europäisches Schicksal begründet wäre. (...) Da war der jahrzehntelang durch den kalten Krieg geteilte Kontinent (...), und auch die kommunistische Propaganda hat dazu ihres beigetragen (...) dadurch wurden die deutsch-tschechischen Wunden immer nur weiter aufgerissen. Die Erklärung kann sie nicht heilen. Auch deshalb bleibt die Öffentlichkeit gleichgültig. (...)
Letztendlich ist es aber gut, daß die Erklärung den Großteil der Öffentlichkeit nicht anspricht. Das ist der beste Beweis dafür, daß die Beziehungen zu Deutschland relativ gut sind. Sie müssen nicht radikal umgestellt werden.
Mladá fronta Dnes, 21.12.1996

13.24 Jaroslav Valenta:
Die deutsch-tschechische Erklärung sagt nur
die halbe Wahrheit

Wir haben schon aus so manchem Mund von Offiziellen und Journalisten gehört, die Erklärung (...) sei angeblich ausgewogen. Man muß nur die Tagespresse lesen (...), um zu sehen, daß es genügend Autoren gibt, und es sind nicht gerade Laien, die das Gegenteil denken. Und sie habe dafür schon eine Menge von Argumenten zusammengetragen. Ernst zu nehmen sind vor allem die Anmerkungen und Hinweise auf unklare, unbestimmte und nicht zu Ende gesagte Formulierungen, gegebenenfalls terminologische Abweichungen in der tschechischen und deutschen Textfassung (z. B. ist das Äquivalent zu »Unrecht« nicht

»křivda«, sondern eher »bezpráví« resp. »stav bez práva« –
(Anm. Üb.: beide Begriffe werden mit *Unrecht* übersetzt,
wobei *Unrecht* = *bezpráví* als Lehnübertragung zu betrachten ist) und ihre möglichen Folgen für die Zukunft (...). Ich
möchte jedoch auf eine – meines Wissens – bisher unbemerkt gebliebene Tatsache hinweisen, wo man wirklich
nicht von Ausgeglichenheit sprechen kann. Wo im Gegenteil die absolut einseitige Auffassung wortwörtlich ins Auge
springt, wo alles dem widerspricht, was schon längst doku-
mentarisch bewiesen wurde (...). Dafür ähnelt es auffallend
den Formulierungen, die wir schon in den sog. 20 Punkten
aus dem Jahr 1961 finden können, und die seitdem von allen Medien der Sudetendeutschen Landsmannschaft und
den ihrer Denkweise nahestehenden Autoren unermüdlich
wiederholt werden.

In Punkt 2 wird gesagt, Deutschland anerkenne seine Verantwortung für das Münchner Diktat. (...) In diesem Satz
(Absatz) fehlt aber etwas sehr Wesentliches, nämlich jede
Erwähnung darüber, welche Rolle in der »historischen Entwicklung, die zum Münchner Abkommen geführt hat«, die
damalige deutsche Minderheit in der Tschechoslowakei,
insbesondere in den böhmischen Ländern, gespielt hat,
also die Sudetendeutschen (...), deren überwiegende
Mehrheit (90% bei den Gemeindewahlen im Juni 1938)
Konrad Henlein und seine SdP begeistert unterstützte.

Ferner existieren absolut unwiderlegbare (...) Beweise, daß
sich Konrad Henlein mit dem Brief vom November 1937
Hitler voll zur Verfügung stellte. Seine Taktik gegenüber der
Prager Regierung unterstellte er vollständig den Weisun-
gen aus Berlin. (...) Dadurch, daß all das in der Erklärung mit
Schweigen übergangen wird, konstruiert man ein einseitiges Bild von etwas, was nie existiert hat, statt die Geschichte mit ruhigem und sachlichem Blick so zu betrachten, wie sie wirklich gewesen ist (...).

Demjenigen, der die historischen Tatsachen nicht kennt,
und nur aus dem Text der Erklärung etwas über sie erfährt
(und das ist mehr oder weniger der Großteil der deutschen
Öffentlichkeit sowie die gesamte Weltöffentlichkeit), muß
es deshalb zumindest seltsam, ja unerhört vorkommen,
warum sich die Tschechen 1945 überhaupt gegen die Sudetendeutschen wandten und auf ihrem Abschub bestanden, wenn doch zuvor kein Wort über sie verloren wurde!
(...) Ich habe gehört, daß der Satz über die Sudetendeutschen und ihre Rolle bei der Zerschlagung der Republik angeblich im letzten Moment auf Drängen der bayerischen

Regierung gestrichen wurde usw. Das ist natürlich, gelinde gesagt, eine sehr selektive Geschichtsauslegung. (...)
(Der Autor ist wissenschaftlicher Mitarbeiter des Historischen Instituts der Akademie der Wissenschaften.)
Svobodné slovo, 27.12.1996

13.25 Miloš Hájek:
Die Erklärung ist im Interesse des tschechischen Volkes

Unsere politische Bühne bietet uns in den letzten Tagen ein merkwürdiges Bild. Gegen die Annahme der deutsch-tschechischen Erklärung stellt sich die extreme Linke und die extreme Rechte, die demokratische Rechte ist bereit, ihr zuzustimmen, der Hegemon auf der linken Hälfte des Spektrums – die Tschechische sozialdemokratische Partei (ČSSD) – überlegt es sich noch. Recht viele Menschen haben Angst: sie haben Angst, daß das Bekunden von Bedauern wegen der unschuldigen Opfer aus den Reihen der Sudetendeutschen der erste Schritt zur Rückgabe von deren Eigentum und zur Vertreibung der Tschechen aus der Grenzregion sein wird. Diese Angst ist die Folge der ein halbes Jahrhundert während Informationsblockade und wurde durch das alte Regime gezüchtet: Deutschland als Schreckgespenst war vermutlich das wirkungsvollste Argument der schalen kommunistischen Ideologie.

Die Erklärung stellt die Ergebnisse des Zweiten Weltkrieges nicht in Frage. Sie enthält begreiflicherweise eine Reihe von Stellen, die die tschechische Seite anders formulieren würde. Allerdings ist fast jede Übereinkunft zwischen zwei Staaten auch ein Kompromiß zwischen zwei nationalen Interessenslagen (...). Und weil die Erklärung bei der Entwicklung der deutsch-tschechischen Zusammenarbeit ein Schritt nach vorn bedeutet, liegt sie auch im Interesse des tschechischen Volkes.

Auch auf deutscher Seite hatte die Erklärung keine leichte Geburt. (...)

Mich überrascht das allzu große Zögern einer Reihe von Abgeordneten der Tschechischen sozialdemokratischen Partei (ČSSD) – der weiblichen Mitglieder der Sozialistischen Internationale. Ich verstehe, daß sie die Meinungen ihrer Wähler berücksichtigen. Aber der Grundsatz, daß friedliche Zusammenarbeit zwischen Nachbarn zu unterstützen ist, sollte schwerer wiegen als Präferenzen jeglicher Art. (...)

Ich verstehe die Ängste jener, die während der Verfolgungen nach dem Heydrichattentat mit Entsetzen die Namen der Erschossenen lasen. (...) Es existiert auch politischer Mut. (...) Ich wünsche allen Abgeordneten politischen Mut.

(Der Autor ist Mitglied der Tschechischen sozialdemokratischen Partei / ČSSD/, er war am 21.3.1945 im »Namen des deutschen Volkes« zum Tode verurteilt worden.)

Právo, 27.12.1996

13.26 Václav Pavlíček:
Juristische Betrachtungen bezüglich der deutsch-tschechischen Erklärung

(...) Die internationalen Zusammenhänge werden diplomatisch verborgen. Durch die Verurteilung der Akte des tschechoslowakischen Staates, die er in Übereinstimmung mit den anderen alliierten Staaten vollzogen hat, werden auch die Akte jener Staaten verurteilt. (...)

Laut Erklärung ist die nationalsozialistische Politik gar nicht die Ursache für die Nachkriegsereignisse, sondern hat nur »*dazu beigetragen, nach dem Krieg den Boden für Flucht, Austreibung und Zwangsaussiedlung zu schaffen*«. Was die Ursache dafür war, finden wir also nicht in dem Deutschland betreffenden Punkt. (...)

Die Erklärung bewertet die Ergebnisse des Krieges anders, als das Potsdam getan hat. (...) Keiner der Staaten der antinazistischen Koalition stellte damals (auch später nicht) die Potsdamer Beschlüsse in Frage oder bedauerte sie. Von all diesen Staaten tut das nun, in einer bilateralen Erklärung mit Deutschland, die Tschechische Republik.

Vermittels einer Verurteilung der Tschechoslowakei zielen so beide Regierungen auf die anderen Alliiertenstaaten. Es ist allerdings nicht wahr, daß der Abschub (...) nach dem Prinzip der Kollektivschuld erfolgte. Nicht nur deshalb, weil er sich nicht auf die Antifaschisten bezog, sondern auch deshalb, weil sich die deutschen Antifaschisten nach geltenden Vorschriften an der Feststellung des individuellen Verhaltens des Einzelnen beteiligen sollten. (...)

Bezeichnend für die Einseitigkeit dieser Erklärung ist, daß sie Hitlers Erlaß vom 9. Juni 1939 nicht verurteilt, der da besagt, daß Taten, die »*im Kampf für die Erhaltung des Deutschtums auf sudetendeutschem Gebiet, oder für die Rückkehr dieses Gebietes zum Reich, verübt worden sind*«, rechtens waren, also nicht nur straffrei blieben. Die deutsche Seite hat sich in der Erklärung von diesem Erlaß (...) nicht distanziert, die tschechische Seite bedauert jedoch ein Gesetz, das Handlungen, begangen im Zusammenhang mit dem Kampf für die Wiedererlangung der Freiheit, für rechtens erklärt worden sind (...).

Im Hinblick darauf, daß die Erklärung die bisherigen deutsch-tschechischen Beziehungen als »*eine lange Geschichte fruchtbaren und friedlichen Zusammenlebens (...)*« charakterisiert, gibt sie objektiven Historikerdiskussionen nicht allzu viele Chancen. Aus dieser Bewertung geht nicht hervor, daß im Verlauf des zitierten Zeitabschnitts, das tschechische Volk fast vernichtet wurde (...).

In dieser Form verbirgt die Erklärung, daß der vergangene Zeitabschnitt, zu dem sie sich äußert, kein Kampf verschiedener Nationalismen war, sondern ein Kampf zwischen Demokratie und Diktatur, zwischen Staaten, von denen einer die Gleichheit aller Menschen und den Humanismus verkündete und der andere seine Rassentheorie, die Theorie von der Herrenrasse und »reinem deutschen Blut«, der Millionen von Menschen zum Opfer gefallen sind, einschließlich der nahezu 400 000 Menschen aus der Tschechoslowakei. (...)

Die Erklärung wurde unter starkem Druck der Landsmannschaft vorbereitet (...) . Nicht auszuschließen ist aber, daß dieser Druck lediglich eine Unterstützung der tatsächlichen Absichten der deutschen Seite und ihrer Strategie war. Daher auch der Widerwille die Alliierten zu konsultieren, wie ihn Rudolf Hilf zum Ausdruck brachte. (...)

Während des Krieges, und auch danach, hat die Tschechoslowakei, aus Rücksicht auf gemeinsame Erlebnisse und Interessen, ihre Schritte mit den anderen Alliiertenstaaten konsultiert. Es gibt keinen Grund, in der heutigen Zeit anders vorzugehen, insbesondere wenn das möglicherweise derart ernste Folgen haben kann.

(Der Autor ist Professor für Verfassungsrecht an der Juristischen Fakultät der Karlsuniversität in Prag)
Právo, 27.12.1996

13.27 Rudolf Hilf:
Meinen Glückwunsch, Herr Minister

Dieser Glückwunsch gilt nicht dem deutschen Außenminister, sondern dem tschechischen (...). Weil er und sein Team (...) in zweijähriger Arbeit das erreicht haben, was sich die Tschechen nach der Rede von Präsident Havel vom 17.2.1995 vorgenommen hatten (...). Wen ich jedoch verachte, ist die Regierungskoalition, die den Sudetendeutschen zwei Jahre lang versicherte, man würde sie nicht »im Stich« lassen – und genau das ist jetzt geschehen. (...) Franz Josef Strauß (...) prägte für seine Partei als Maxime: »Rechts von der CSU darf keine bedeutende Partei entstehen.« Aber genau dazu wird es kommen (...).

Mladá fronta Dnes, 2.1.1997

13.28 Den sudetendeutschen Funktionären ist immer noch nicht bewußt geworden, daß ihre Zeit vorbei ist

(...) Herr Hilf prophezeit der bayerischen Regierung nicht nur den Verlust der absoluten Mehrheit, er schämt sich auch nicht, dem deutschen Staat mit einer neuen national gesinnten rechten Gruppierung zu drohen (...) Die düsteren Wolken, die er beschwört, entsprechen den Gedankengängen einer kleinen aussterbenden Gruppe von Hardlinern, die noch nicht erkannt haben, daß ihre Zeit längst vorbei ist. (...)

Ich bin überzeugt, daß schon bald offenkundig wird, daß sich der überwiegende Teil von uns Deutschen, die wir in Böhmen, Mähren und Schlesien geboren wurden, nicht mit der Landsmannschaft identifiziert (...).

Mladá fronta Dnes, 14.1.1997

13.29 Professor Zdeněk Mlynář sagte im Interview mit Právo: Das tschechische Parlament muß sich bei der Verabschiedung der Erklärung nicht beeilen (Martin Hekrdla)

Was kann das tschechische Parlament mit dem Text der Erklärung machen (...)?
(...) Für das Parlament gibt es einen Ausweg, es kann zur Kenntnis nehmen, daß sich beide Regierungen auf einem Dokument geeinigt haben, nach dem sie sich richten werden. Die Regierungserklärung ist jedoch eine Sache und eine andere ist das Recht des Parlaments (...). Man muß nichts übereilen. Das Parlament kann seine Entscheidung auch um ein halbes Jahr vertagen. Das ist ein Ausweg aus dem Dilemma: nicht alles Positive (...), das die Erklärung eröffnet, abzulehnen, und sie zugleich nur das bleiben lassen, was sie ist (...).

(...) Aber ihre Ansicht über die Erklärung selbst?
Ich bin der Meinung, daß der Text der Erklärung nicht als grundlegende politische Bewertung der deutsch-tschechischen Beziehungen gelten kann. Ich glaube z. B. nicht, daß man über Ursachen und Folgen des katastrophalen Endes des deutsch-tschechischen Zusammenlebens nach 1945 in der Weise sprechen kann, daß dabei der Kern der Sache verschwiegen wird. Die Tatsache, daß die deutsche Seite ihre Verantwortung für eine Entwicklung, die zu München und zur Zerschlagung der Tschechoslowakei geführt hat, anerkennt, berührt nur einen kleinen Teil dessen, was geschehen ist und was geplant war. (...)
Es gibt also nichts, das wir bedauern, für was wir uns entschuldigen müßten?
Wir müssen sagen, daß wir aus heutiger Sicht der Menschenrechte viele Dinge anders sehen. Wir sollen auch bedauern, was geschehen ist, aber weder mit Bedauern noch Entschuldigungen kann man in der Geschichte etwas ändern.
(...) Es wird viel darüber gesprochen, daß der Abschub der Deutschen unsere politische Kultur zerstört hat. Wie denken Sie darüber?
Der Abschub war damals die einzige politische Möglichkeit, die sowohl der Potsdamer Konferenz entsprach, als auch der Situation nach einem Krieg, in dem uns ein Genozid gedroht hatte. Aber richtig ist, daß die politische Kultur im Lande dadurch Schaden genommen hat. Was immer auch in den Gesetzen geschrieben stand – selbstverständlich ging es um einen Akt des Ausschlusses eines bestimmten Bevölkerungsteiles aus unserer Gesellschaft. Das bereitete hier den Boden vor, um das »Ausschließungsprinzip« auch bei uns heimisch zu machen, das die Angewohnheit angenommen hatte, sich flächendeckend der Träger von Zerwürfnissen zu entledigen und das bei stalinistischen Liquidierungen ganzer sozialer Gruppen Anwendung fand. (...).
Právo, 20.1.1997

13.30 Petition an das Abgeordnetenhaus und den Senat des Parlaments
überreicht von der Arbeitsgruppe für die parlamentarische Erörterung der deutsch-tschechischen Erklärung

Wir, die unterzeichneten Bürger, halten es im Hinblick auf die Gewichtigkeit der geplanten Parlamentsdebatte über die deutsch-tschechische Erklärung für unsere Pflicht, auf einige grundsätzliche Mängel dieses Dokuments und ihre möglichen Folgen für die Politik des tschechischen Volkes und Staates hinzuweisen (…), die dieses Dokument in der vorliegenden Form inakzeptabel machen. Aus einem ganzen Komplex von Problemen verweisen wir nur auf unsere politischen, historischen sowie juristischen Vorbehalte.

Auf politischer Ebene würde der Wortlaut der vorgeschlagenen Erklärung nämlich den Beginn einer völlig neuen politischen Orientierung bedeuten: die Abkehr von den mehr als hundertjährigen tschechischen Bestrebungen, sich aus der unseligen einseitigen Abhängigkeit zu lösen, die Abkehr vom Ringen um einen eigenen Staat. Außerdem würden wir mit einem solchen Wortlaut unsere Verbündeten aus dem Zweiten Weltkrieg verlassen (jene Verbündeten, die übrigens auch bei der Geburt unserer Selbständigkeit nach dem Ersten Weltkrieg dabei waren). Wir würden uns der Stütze begeben, die uns internationale Verträge bieten, wie vor allem des Potsdamer Abkommens und des Pariser Vertrages, über die sich der Entwurf der Erklärung ausschweigt. Wir würden uns der Möglichkeit begeben, uns auf die Solidarität der siegreichen Mächte zu stützen und würden zur deutschen Position überwechseln.

Ein solcher Schritt ist nicht im Interesse des tschechischen Staates und Volkes, im Gegenteil, er steht im krassen Widerspruch zu unserem Fühlen und unseren historischen Erfahrungen.

Die Erklärung schließt nicht, wie versprochen, die Vergangenheit ab. Im Gegenteil, sie bringt für die Zukunft Unsicherheit hinsichtlich politischer, eigentumsrechtlicher, sowie anderer Fragen.

Die historischen Ausgangspunkte des Entwurfs der Erklärung verzerren die deutsch-tschechischen Beziehungen aus der Vergangenheit. Der Entwurf der Erklärung geht von der wahrheitswidrigen Voraussetzung aus, daß der Abschub nur eine bilaterale Angelegenheit der Tschechoslowakei und Deutschlands war. Ferner wird darin fälschlich behauptet, der entscheidende Gesichtspunkt für den Abschub sei die Zugehörigkeit zu den Sudetendeutschen gewesen, während sich der Abschub in Wirklichkeit nur auf jene Deutschen bezog, die gegen die Tschechoslowakische Republik schuldig geworden sind.

Die juristische Form der paraphierten Fassung der Erklärung bestätigt diese unsere Schlußfolgerungen vollauf.

In der Erklärung wird weder die Ungültigkeit des Münchner Abkommens ausgesprochen, noch werden die Verpflichtungen, die die deutsche Seite nach dem Zweiten Weltkrieg eingegangen ist, vor allem im Potsdamer Abkommen und im Pariser Vertrag, bestätigt und bekräftigt.

Die Erklärung weicht einer eindeutigen Konstatierung der Verantwortung und Schuld Deutschlands und der tschechischen Deutschen hinsichtlich der Zerschlagung der Tschechoslowakei aus, und kommt sogar den wahrheitswidrigen Behauptungen der Funktionäre der ehemaligen tschechischen Deutschen entgegen, diese Deutschen wären nur die unschuldigen Opfer Hitlers gewesen.

Aufgrund dieses Standpunktes lehnt dann die Erklärung direkte Entschädigungen der heute noch lebenden tschechischen Opfer des Naziregimes ab, obwohl der deutsche Staat in allen anderen Ländern dessen Opfern eine Entschädigung gewährt hat.

Der Begriff »Sudetendeutsche«, der im Entwurf der Erklärung auftaucht, wird damit erstmals in das Völkerrecht eingeführt, und zwar mit allen möglichen Folgen.

Dadurch, daß die Erklärung neue Begriffe für die Bezeichnung bestimmter politisch und juristisch legitimer Tatsachen verwendet (z. B. für Abschub), ermöglicht sie ferner, daß bei diesen Tatsachen künftig befunden werden kann, sie stünden im Widerspruch zum Recht, um dann daraus politische und juristische Konsequenzen zu ziehen.

Allein diese Tatsachen, ohne Berücksichtigung weiterer falscher und problematischer Passagen der Erklärung, sind ein ausreichender Grund dafür, daß die Erklärung in ihrer paraphierten Fassung für nicht genügend befunden und als solche nicht angenommen werden kann.

Bei dieser Gelegenheit weisen wir die Behauptung zurück, daß nur sog. extremistische Kräfte Vorbehalte gegen die Erklärung hegen, denn dadurch wird eine verantwortungsvolle Analyse des vorliegenden Textes und dessen Diskussion als eines das ganze Volk und den Staat betreffenden Problems verhindert.

Zugleich äußern wir unsere Zweifel daran, ob die Regierung mit der Erklärung nicht ihre durch die Verfassung gegebenen Vollmachten überschreitet.

Dr. Lubomír Boháč, dr. Boris Čelovský, doc. ing. Miroslav Grégr, genmjr. Josef Hyhlík, dr. Miroslav Ivanov, ing. Slavomír Klaban, CSc., dr. Otta Klička, ing. Josef Lesák, univ. prof. dr. Radomír Luža, univ. prof. dr. Václav Pavlíček, ing. Dalibor Plichta, mgr. Jana Seifertová-Plichtová, Emil Šíp, doc. dr. Zdeněk Šolle, genmjr. Antonín Špaček, univ. prof. dr. Jaroslav Valenta, DrSc.

Právo, 20.1.1997

13.31 MEINUNGSUMFRAGE
Die Frage des Tages: Würden Sie die deutsch-tschechische Erklärung unterschreiben?

Jiří MORAVEC, 32 Jahre, Handelsvertreter, Tábor:
Warum nicht? Meiner Meinung nach ist es sinnlos, sich seine alten Wunden zu lecken und es kommt nur darauf an, daß das heutige Zusammenleben für beide Seiten gut ist. Mehr als die Verhandlungen der Politiker, von denen eine ganze Reihe noch zu einer anderen Generation gehört, interessieren mich Arbeitsgelegenheiten oder Angebote nach Deutschland zu reisen, oder wie der Kurs der Krone zur DM steht.

Miroslav TOŠER, 37 Jahre, Bürgermeister von Krawarn im Troppauer Bezirk:
Ich würde sie unterschreiben, weil es wirklich höchste Zeit ist, mit der Geschichte aufzuhören und sich mit den Bedürfnissen der Gegenwart und der Zukunft zu beschäftigen.

Richard SCHULZ, 23 Jahre, Hochschulstudent, Brünn:
Mit meinem Vater führe ich schon einige Wochen erbitterte Debatten über die Erklärung. Ich bin mit der Erklärung einverstanden, er keineswegs. Ein wenig kann ich ihn verstehen, aber nur ein wenig. Vergeblich versuche ich, ihn zu überzeugen, daß es sinnlos ist, sich ständig nur mit der Vergangenheit zu beschäftigen.

Jaromír POHAN, 48 Jahre, Techniker, Pardubitz:
Eigentlich habe ich sie nicht allzu gut studiert. Ich habe sie eher deshalb durchgelesen, weil ihr eine endlose Diskussion vorangegangen ist. Ich weiß nicht, ob ich sie unterschreiben würde oder nicht, ich habe nicht das Gefühl, ich

würde sie brauchen. Eher hoffe ich, daß wir jetzt aufhören, ständig nach rückwärts zu schauen und mehr in die Zukunft blicken werden. Aber ich weiß nicht, ob so etwas durch eine Unterschrift unter irgend etwas gelöst werden kann.

Petr NOVOTNÝ, 39 Jahre, Privatunternehmer, Eger:
Ich würde die Erklärung ohne irgendwelche Vorbehalte unterschreiben und ohne weitere Verzögerungen. Es gab schon genug Diskussionen; jetzt ist es notwendig, mit unserem größten und mächtigsten Nachbarn die Beziehungen zu verbessern, nicht zu verschlechtern. Aus der Vergangenheit gibt es genug, auf was weder wir noch die Deutschen stolz sein können, aber in der Zukunft, die nicht einfach sein wird, müssen wird aus dem Besten schöpfen, was wir zusammen erlebt haben.

Josef NÁHLÍK, 37 Jahre, Arbeiter, Prag:
Ich glaube, daß alles sehr dramatisiert wird. Der überwiegenden Mehrheit kann die Erklärung gestohlen bleiben. Das sind ein paar Worte auf Papier, um die sich alte Knakker und Intellektuelle streiten. Warum also nicht, wenn es allen Freude macht.
Svobodné slovo, 22.1.1997

13.32 Petr Robejšek:
Die Erklärung wird für die Opposition zur Qualitätsprüfung

(...) Es hat sich gezeigt, welch gravierender Unterschied zwischen einem politischen Gegner und einem Rivalen besteht. Der politische Gegner streitet über Probleme um ihrer selbst willen, der politische Rivale schiebt ein Thema vor und meint Personen. Beides ist in der Politik möglich und üblich. Es ist jedoch ein untrügliches Zeichen von Provinzialismus und intellektueller Schlichtheit, wenn wir nicht begreifen wollen, daß die Außenpolitik viel zu wichtig ist, als daß sie sich nach Regeln richten könnte, die auf dem Sandplatz herrschen. Im Bereich der Außenpolitik ist innerpolitischer Opportunismus nicht das erste Gebot des politischen Kampfes, hier kann man keine »witzige« Pointe riskieren, hier ist es nicht ratsam, die Kontrolle immer dann zu verlieren, wenn ein Mikrophon unseren Weg kreuzt. Selbstverständlich ist es legitim, gegen die Erklärung zu stimmen und bekommt sie im Parlament keine überzeugenden Mehrheit, wird die Welt auch nicht untergehen. Allerdings

wäre das kein Sieg der nationalen Interessen, sondern ein Triumph der von einer Trikolore nur ungenügend verhüllten Biertischpolitik.
(Der Autor vertritt den Direktor des Internationalen Instituts für Politik und Wirtschaft in Hamburg)
Svobodné slovo, 31.1.1997

Haló noviny, die Tageszeitung der kommunistischen Partei, widmete sich der Erklärung intensiver als die übrige Presse. Hier sind die Überschriften einiger Texte, die zwischen Dezember 1996 und Februar 1997 veröffentlicht wurden: Eine schmachvolle Erklärung des nationalen Verrats, Schleichender Verrat am Vaterland, Die Erklärung hat die »deutsche Demokratie« bloßgestellt, Der Inhalt der Erklärung beunruhigt uns zutiefst, Über was die Erklärung züchtig schweigt, Prag Zeuge eines erniedrigenden Aktes, Präsident Dr. Eduard Beneš hatte uns gewarnt ..., Für die Nation eine Schande, für die Regierung eine politische Notwendigkeit, Es gibt nichts zu verzeihen, usw. *Ein Kompendium aller dieser Einstellungen ist die Rede des Vorsitzenden der Kommunistischen Partei Böhmens und Mährens (KSČM) M. Grebeníček bei der Protestversammlung auf dem Hradschinplatz am 4. Februar 1997, aus der wir einige charakteristische Passagen bringen,*

13.33 Miroslav Grebeníček:
Die Wahrheit ist auf unserer Seite

Ich danke Euch, den Teilnehmern dieser Protestversammlung, dafür, daß ihr gekommen seid. In diesen schweren Zeiten weiß ich Zeichen von Mut und Tapferkeit zu würdigen. (...)
Sie behaupten, in der Gesellschaft würden sich bei der deutsch-tschechischen Erklärung die Geister scheiden. Das entspricht der Wahrheit, aber diese Wahrheit ist auf unserer Seite. Wir sind nicht so und werden auch nie so sein, wie diese Krämerseelen unserer staatlichen Repräsentanz. Nicht Zugeständnisse gegenüber dem Großmachtnachbarn (...), sondern die Entschädigung unserer Opfer des Faschismus – das ist das einzige aus der Vergangenheit, was noch nicht endgültig gelöst wurde.
(...) In Kohls Reden taucht in den letzten Jahren immer wieder der Satz auf: »Wir wissen, daß die Einheit Europas die sicherste Garantie für Frieden und Freiheit im 21. Jahrhun-

dert ist.« Das mag so sein, und man könnte dies als Zusicherung eines Willens zum Frieden verstehen. Nur müßten wir dann die Ansicht bzw. den Standpunkt der CDU-Führung ignorieren, der Bestandteil ihres sog. Dokumentes über den Kern Europas vom 1. September 1994 ist.

»Nach dem Ende des Konflikts zwischen Ost und West muß auch für den östlichen Teil des Kontinents eine stabile Ordnung gefunden werden … Die einzige Lösung für dieses Problem … ist die Eingliederung der ostmitteleuropäischen Nachbarn in das (west)europäische Nachkriegssystem …«

Ferner wird dann in diesem Dokument gesagt:»Ohne eine solche Entwicklung der (west)europäische Integration könnte sich Deutschland dazu aufgerufen oder durch das Bestreben nach eigener Sicherheit gezwungen sehen, die Stabilisierung Osteuropas selbst und in traditioneller Weise zu verwirklichen.« Ich weiß nicht, wie sie denken, aber ich persönlich sehe darin überhaupt keine Friedenserklärung. (…)

Wir protestieren gegen die deutsch-tschechische Erklärung. Wir lehnen Geschichtsauslegungen ab, die das Opfer des nazistischen Vernichtungskrieges – das tschechische Volk – mit den deutschen Vernichtern auf die gleiche Stufe stellen. Vor einem halben Jahrhundert gingen Bürger des Deutschen Reiches aus Böhmen, Mähren und Schlesien weg. Entsprechend dem Potsdamer Abkommen gingen Initiatoren einer Aggression fort, diejenigen, die die Republik zerschlagen haben, Helfer und Verkünder des Faschismus. Sie gingen fort, damit sie nie mehr zum Vorwand und zur fünften Kolonne eines Krieges werden konnten. Sie gingen heim ins Reich. So, wie sie das schon im Jahr 1938 verlangt hatten. Sie ließen ein ausgeplündertes und vom Krieg vernichtetes Land zurück, die ausgemerzten Orte Lidice und Ležáky. Hunderttausende tschechoslowakischer Opfer des großdeutschen Wütens. Niemand wird die endlosen Reihen unserer Toten ins Leben zurückrufen.

Wie hellsichtig war doch Edvard Beneš. Er warnte vor der Revanche in einer Zeit der absoluten Niederlage des nazistischen Deutschlands. Damals erschien es unvorstellbar, daß die Tschechen je auf die Schrecken der Okkupation und des Krieges vergessen könnten. Niemand von jenen, die überlebten, hätte geglaubt, es könnte eine Zeit kommen, wo sich die tschechische Regierung und der Präsident bei Deutschland entschuldigen werden. Diese Zeit ist da. (…) Die Erben des nazistischen Dritten Reiches erleben nun diese Zeit. Václav Havel und Václav Klaus haben den tschechoslowakischen Staat zerschlagen. Der Außenminister der Tschechischen Republik Josef Zieleniec läßt hinter dem Rücken der Bürger eine neue Protektoratserklärung vorbereiten. Was ist denn die deutsch-tschechische Erklärung anderes, als eine Erklärung der tschechischen Regierung über die Bereitschaft, das deutsche Protektorat anzunehmen!

Haló noviny, 6.2.1997

13.34 Josef Škrábek:
Die Wandlungen kommunistischer Standpunkte und Forderungen in den Beziehungen zu Deutschland

Um die derzeitige Einstellung der Kommunisten zur deutsch-tschechischen Erklärung beurteilen zu können, sollten wir uns auch die früheren Standpunkte der Kommunisten zu den deutsch-tschechischen Beziehungen in Erinnerung rufen. (…)

Der V. Kongreß der Komintern sprach sich im Juni 1923 mit Nachdruck für das Selbstbestimmungsrecht der Sudetendeutschen (…) aus: »Der tschechoslowakische Staat hat Industriegebiete mit 3,7 Millionen Deutschen annektiert (Anm. d. Autors: die Zahl der Deutschen wird noch mehr übertrieben als in sudetendeutschen Quellen) (…) und deshalb ist es Aufgabe der Kommunistischen Partei der Tschechoslowakei (KSČ) das Recht auf Selbstbestimmung, einschließlich des Rechts auf Abtrennung, zu proklamieren und zu verwirklichen«.

Der VI. Parteitag der Kommunistischen Partei der Tschechoslowakei (KSČ) verlangte am 10.3.1931 erneut das Recht auf Selbstbestimmung der Sudetendeutschen, und zwar bis zur Abtrennung vom tschechoslowakischen Staat. (…) Der tschechische Abgeordnete Václav Kopecký, Mitglied der KSČ, verlangte am 27. März 1931 im Parlament (…): »Wir, die tschechischen Kommunisten erklären, daß wir das Recht auf Selbstbestimmung der unterdrückten Teile des deutschen Volkes bis zu deren Abtrennung vom tschechischen Imperialismus anerkennen und durchsetzen wollen. Wir erklären, daß wir mit der gleichen Entschiedenheit das Recht aller Teile des deutschen Volkes auf Vereinigung in einem Staat schützen und durchsetzen werden.«

Nur zur Illustration der Dauerhaftigkeit der Generallinie der KSČ zitiere ich (…) den gleichen Václav Kopecký vom

29.5.1945: »Wir wollen unseren großen Sieg über die Deutschen zu einer mächtigen nationalen Offensive nutzen, um das Grenzgebiet unseres Landes von den Deutschen zu säubern.«
Diese mit Schweigen übergangene Vergangenheit ist ein Beweis für die Politik unserer Kommunisten, sowie auch des internationalen Kommunismus, von dem Moment an, als sie feststellten, daß sie die Sozialdemokratie nicht beherrschen können, daß sie sich von ihr trennen müssen. Im Rahmen des Exportierens von Revolutionen und des Strebens nach Weltherrschaft verstärkten sie ihren Kampf gegen die westlichen Demokratien. Keine Waffe war ihnen zu schlecht. (...)
In der politischen Schuld der Vorkriegskommunisten ist auch eine der Quellen für die Repressalien gegen die Deutschen nach dem Mai 1945 zu suchen. (...) Sie standen im Einklang mit der Strategie der Kommunisten, den Abschub mit solch einer Grausamkeit durchzuführen, daß wir für immer vor der deutschen Rache zittern sollten, vor der uns nur die Sowjetunion schützten konnte. (...)
Svobodné slovo, 13.2.1997

13.35 Ivana Štěpánková:
Die Annahme der Erklärung war nichts Großartiges

(...) da war vielleicht eher Erleichterung als aufrichtige Freude zu spüren, daß wir die zwei Jahre währenden Schererein endlich hinter uns haben. Man kann nicht sagen, daß sich die deutschen Zeitungen und Fernsehstationen über die Tschechen direkt lustig gemacht hätten, aber sie konstatierten mit Genugtuung, daß ähnlich beleidigende Äußerungen (wie die der tschechischen Republikaner) im deutschen Bundestag einfach nicht erklingen könnten, weil die politische Kultur der deutschen Wähler gar nicht erlauben würde, daß solche Extremisten in den Parlamentsbänke sitzen. Man kann, leider, der Bemerkung einer so gemäßigten und objektiven Politikerin, wie der »grünen« Antje Vollmer Glauben schenken, die »quälenden« Diskussionen im Prager Parlament hätten das deutsch-tschechische Verhältnis beschädigt. (...)
Allerdings haben sich nicht nur Republikaner und Kommunisten, sondern auch einige Sozialdemokraten dagegen gestellt (...). Alles deutet also darauf hin, daß sich die Tschechische sozialdemokratische Partei (ČSSD) noch vor

dem Parteitag im März in zwei Hauptrichtung aufteilen wird, und dann entweder in Richtung einer modernen europäischen Linkspartei vom Typ der deutschen SPD, oder in Richtung der östlichen postkommunistischen Formationen gelenkt wird.

Die Debatte im tschechischen Parlament hat den deutschen Nachbarn zugleich gezeigt, welch ein tief wurzelnder und heute möglicherweise eher unbewußter Widerwille gegen die Deutschen als solche in den Tschechen schlummert – und von Zeit zu Zeit steigt er an die Oberfläche. Daran muß ich immer denken, wenn jemand die Hoffnung äußert, zwischen uns und den Deutschen würde es bald so sein, wie zwischen Deutschen und Franzosen. Wohl kaum – weil uns unsere kleine Zahl immer zu größerer Vorsicht und zu größerem Argwohn zwingen wird. Daß das die heutigen Deutschen schwer verstehen können, zeigen z.B. Gespräche mit Journalisten, die schon lange Zeit in Prag leben. (...)

Svobodné slovo, 17.2.1997

14. Kapitel

Schlußfolgerungen

Schwer zu sagen, ob die acht Jahre, die seit dem Novemberumsturz vergangen sind, für die Änderung einer Grundeinstellung eine lange oder kurze Zeit sind. Es scheint, daß die »Vornovembermentalität«, also die eingeprägten Muster der Phänomene Erwartung, Verständnis und Reagieren, von einer viel größeren Beharrlichkeit sind, als viele von uns in den ersten Jahren nach dem November 1989 angenommen haben.

Zu diesen überdauernden Mustern gehört auch unsere mehrheitliche Rezeption des Phänomens Deutschland, dessen wesentlicher Bestandteil – wenngleich das viele bestreiten – das sudetendeutsche Thema ist. Wie lebendig das in unseren Gemütern ist, davon spricht die tschechische Presse sehr überzeugend.

Die meisten Texte vertreten folgende Auslegung (oder nähern sich ihr) : die Sudetendeutschen haben den tschechoslowakischen Staat verraten, ihre überwiegende Mehrheit tendierte zum Nazismus (als Beweis sollen die Kommunalwahlen vom Frühjahr 1938 dienen). Dadurch haben sie sich für den Zerfall des demokratischen Staates eingesetzt, indirekt auch für dessen Okkupation im März 1939. Nach der Besetzung der tschechoslowakischen Grenzgebiete durch Nazi-Deutschland hießen sie Hitler begeistert willkommen. Viele von ihnen stellten sich dann, während des sog. Protektorats, in den Dienst des repressiven Apparats der Okkupationsmacht. Nach Kriegsende unterstützten sie Sabotage- und Terrorakte versprengter Nazis, der sog. Wehrwölfe u. ä. Das Zusammenleben mit ihnen in einem Staat war nicht möglich. Ihr Abschub war völlig berechtigt, ob nun als gerechte Vergeltung, oder vernünftige Präventivmaßnahme, die von den siegreichen Großmächten durchgesetzt wurde. Eventuelle Grausamkeiten, zu denen es dabei von tschechischer Seite kam, waren bedauernswerte Begleiterscheinungen, die dubiose Elemente auf dem Gewissen hatten, die damit ihre Kollaboranten-Vergangenheit während des Protektorats wettmachen wollten, gegebenenfalls Menschen, die nach dem überstandenen deutschen Terror die Nerven verloren hatten. Wiewohl der Abschub eine harte Maßnahme war, entsprach er doch dem moralisch-psychologischen Zustand Nachkriegseuropas. Es ist ahistorisch, diese Härten an den humanen Normen späteren Datums zu messen. Es geht um eine unumkehrbare Tatsache, über die zu diskutieren sinnlos ist. Ein Bedauern kann man höchsten bezüglich einzelner Exzesse aussprechen. Es ist gegen die vitalen Interessen des tschechischen Staates dies heute mit den Sudetendeutschen zu erörtern, weil ihre Vertreter de facto die Intentionen von Henleins ehemaliger Sudetendeutschen Partei weiter verfolgen. Ihre Absichten bedeuten eine Revindikation: also die Wiedergewinnung der verlorenen Position; im Geiste des falschen Grundsatzes der Selbstbestimmung wollen sie die Abtrennung der tschechischen Grenzgebiete erreichen, gegebenenfalls sollen die böhmischen Länder wieder zum Vasallen des deutschen Reiches werden. Jeder entgegenkommende Schritt von tschechischer Seite bedeutet, die Tür einen Spalt weit für diese Bestrebungen, mit denen sich auch die Außenpolitik des heutigen Deutschlands insgeheim solidarisiert, zu öffnen. Einstweilen ist zwar Deutschland ein demokratisches Land, aber man muß mit der Möglichkeit rechnen, daß es Bestrebungen entwickeln könnte, in Europa eine hegemoniale Stellung zu erlangen.

Der mythologische Charakter dieser Auslegung ist nicht zu übersehen. Mit den »Sudetendeutschen« könne man angeblich nicht verhandeln, weil sie »verraten haben«, obwohl die heutigen, wenngleich Opfer, oder im günstigeren Falle Zeugen des Elends der »Abschubs«, weder an den Praktiken der Henlein- noch der Nazipolitik beteiligt sein konnten, weil sie damals Kinder waren, oder erst nach dem Krieg geboren wurden. Der Großteil der tschechischen öffentlichen Meinung hat einfach den ein halbes Jahrhundert langen Zeitabstand zu den Ereignissen von 1945–46 nicht zur Kenntnis genommen und sein Feindbild blieb unverändert. Man kann nicht übersehen, daß ein beachtlicher Teil der Texte, deren Auswahl diese kleine Schrift vorlegt, durch ihren Genrecharakter ein Glaubensbekenntnis ist, ein Credo, ein Ausdruck persönlicher Einstellung, manchmal sehr für die Sache eintretend, manchmal beschränkt, öfters unbelehrt, vielleicht auch zweckgebunden; die Meinungsträger haben aber nicht die Absicht, daran irgend etwas zu ändern. Obgleich der Raum, den unsere Presse diesen Äußerungen widmet, groß ist, findet auf ihren Seiten dennoch keine Debatte statt, höchstens einmalige polemische Begegnungen. Der Leser wird nicht zum Akteur oder wenigstens zum beteiligten Zeugen einer wachsenden Erkenntnis. Der Inhalt einzelner Texte erfährt keinerlei Veränderung. Deshalb begegnen wir hier im Jahr 1997 denselben Thesen, wie im Jahr 1990. Diese Stereotypie tritt bei den Leserbriefen besonders deutlich hervor (aber nicht nur dort).

Die Emotivität des Großteils der Texte kontrastiert mit dem Fehlen solcher Informationen, deren Kenntnis für eine qualifizierte Diskussion unerläßlich ist. Zum wiederholten Mal begegnen wir dem Klischee vom Typ »die meisten Sudetendeutschen haben sich für Hitler und den Nazismus entschieden«, aber wir erfahren z. B. nichts von den Gemeindewahlen im Frühjahr 1938 (die das ja belegen sollen), darüber in welcher Atmosphäre sie stattfanden, ob das freie Wahlen waren, oder ob die Wähler irgendeinem Druck ausgesetzt waren etc. – Ein anderes Klischee ist »Potsdam«. Wir erfahren nichts darüber, wie diese Konferenz der Vertreter der Siegermächte vorbereitet wurde, wie sie verlief, ob dort Unterschiede in den Ansichten zutage traten, oder gar Konflikte und welchen Status also ihre Beschlüsse haben konnten etc.

Was am erstaunlichsten ist: trotz der Eindringlichkeit der »Glaubensbekenntnisse«, die oftmals sehr haßerfüllt sind, wie dies einzelne Texte zum Ausdruck bringen, und trotz der Heftigkeit der polemischen Zusammenstöße, erfahren wir fast nichts über den eigentlichen Verlauf des »Abschubs«: über das Verhalten seiner Akteure und das Maß der Leiden ihrer Opfer. Als würde die tschechische Öffentlichkeit diese Realität nicht kennen wollen, als würde sie sich gegen die Informationen darüber wehren. Unsere Medien sind in dieser Hinsicht zurückhaltend, weil sie diese Unlust der Leser (Zuschauer) respektieren. Lehrreich ist das Beispiel des Fernsehfilms »Der Beichtspiegel – die Deutschen und wir« aus dem Jahr 1991, zu dessen Ausstrahlung sich die Leitung des Tschechoslowakischen Fernsehens lange nicht entschließen konnte. Sie entschloß sich dazu erst in den Sommermonaten und außerhalb der Hauptsendezeit. Es folgten Proteste aufgebrachter Zuschauer, die eine Wiederholung und andere ähnliche Zeugnisse unmöglich machten (der Film wurde jedoch mit Erfolg in die BRD verkauft). – Das sudetendeutsche Leid nach dem Krieg ist als Thema unannehmbar, und wenn, dann muß es umgehend mit dem unvergleichlichen tschechischen Leid »ausgewogen« werden, obwohl dieses Kapitel unserer Geschichte der Öffentlichkeit längst gut bekannt ist. Das Ritual dieses Bedarfs zeugt von tiefliegenden Wurzeln des tschechischen Traumas, das ein Amalgam von Existenbedrohung und schlechtem Gewissen ist.

Obwohl unsere Presse einheimischen Autoren, die sich zum sudetendeutschen Thema äußern, viel Raum gibt, wurden keine deutschen, resp. sudetendeutschen Autoren eingeladen, mit der sehr bescheidenen Ausnahme der Herren Rudolf Hilf, Peter Becher und dem katholischen Priester Anton Otte – und des gelegentlich vorbeihuschenden dämonisierten Franz Neubauer. Besonders bedauernswert ist, daß die Bereitschaft der Bundestagsvizepräsidentin Antje Vollmer nicht entsprechend genutzt wurde. Obwohl hier eine Gelegenheit gewesen wäre, entwickelte sich auf den Seiten der tschechischen Presse keine Diskussion.

Wie stürmisch die heimische Resonanz auf die deutschtschechische Erklärung auch immer gewesen ist, die tschechische Presse zeigte kein Interesse an den Ansichten ausländischer Beobachter, obwohl es von Nutzen gewesen wäre, deren Blick »up to date« 1996 oder 1997 mit der mehrheitlichen tschechischen Haltung zu konfrontieren, die auch heute noch eher der Atmosphäre der unmittelbaren Nachkriegszeit entspricht.

Nicht zu übersehen ist, daß die tschechische Presse (genauer gesagt: die Chefredakteure von Tageszeitungen und Zeitschriften, die sich kräftig an der Ausformung der öffentlichen Meinung beteiligen) in ihrer Funktion als Vermittler und Multiplikator versagt hat.

Damit vergleichbar ist auch das Versagen der Historiker-Gemeinde. Sicherlich hat die Arbeit eines Berufshistorikers nicht zum Inhalt, die sachliche Richtigkeit von Texten in der Tagespresse zu überwachen. Bei der außerordentlichen Wichtigkeit dieser öffentlichen Debatte, die eher ein Streit als eine Diskussion ist, und bei ihrer Bedeutung für die Zukunft ist jedoch durchaus erlaubt, von ihm diese zusätzliche Arbeit zu verlangen. Wer sonst soll denn ungenaue oder falsche Angaben, von denen die Leserbriefe strotzen und die auch in Texten eigener Zeitungs-Autoren auftreten, korrigieren?

Dabei haben viele Historiker öffentlich die Ehre ihrer Wissenschaft und ihres Standes dadurch verteidigt, daß sie die Privilegiertheit ihrer Fachkompetenz gegenüber dem Dilettantismus der Laien, die in die Debatte einstiegen, herausstrichen, insbesondere wenn sich diese kritisch über den »Abschub« und die tschechische antideutsche Politik äußerten. Diese Historiker haben dabei nicht selten selbst die

Grenzen ihrer Fachkompetenz überschritten und sich laienhaft über nicht so sehr historische, wie vielmehr soziopsychologische und insbesondere philosophische Probleme geäußert (z. B. über die Art der Gültigkeit, nicht der Wirksamkeit, von sittlichen Normen). Es zeigte sich, daß – bis auf Ausnahmen – unsere Historiker in Bezug auf die Einstellung zum sudetendeutschen Thema in gleicher Weise und im gleichen Verhältnis differierten, wie die breite Öffentlichkeit. Bei dieser überwogen schließlich auch Elemente psychologischer, ideologischer, politischer Art.

Sehen wir in jener achtjährigen öffentlichen Debatte ein Verhaltensmuster, das in irgendeiner Weise etwas über den Zustand der Gesellschaft und ihren Geist aussagt, dann haben wir Grund zur Beunruhigung. Dieses Verhaltensmuster zeugt nämlich nicht nur von unreifen, sondern auch ungesunden Verhältnissen.

Der vorherrschende Charakter dieser Debatte ist populistisch. Die Emotivität überwiegt über die Rationalität, die pauschalisierende Konstatierung (ggf. Verurteilung) über die Analyse. Das subjektive Erleben (Verabsolutisierung persönlicher Entbehrungen, emotionelle Stereotypien werden durchaus auch in erpresserischer Weise angewandt, man ist tradierten Klischees verhaftet) macht Distanz, Überblick und Verallgemeinerung unmöglich. Die Gefühllosigkeit gegenüber dem Leid »der Anderen« ist geradezu verblüffend. Auch das Stereotype der Antworten, die als Argumente ausgegeben werden, fällt auf.

Der überwiegend populistische Zugang zu dem Problem hat Konsequenzen. Vor allem in besonders neurotisierenden Sitationen (in der Debatte über den zwischenstaatlichen Vertrag, über die Erklärung) kommt es zur Vereinheitlichung der öffentlichen Meinung, es entsteht ein situationsbedingter Mehrheitskonsens, d. h. es kommt zur Annäherung von Gruppen, die ansonsten nicht auf einer Linie liegen. Da sind sich dann Špígl, Haló noviny, Právo, Svobodné slovo, Lidové noviny (u. a.) einig, ihre Stimmen sind nur in verschiedenem Grade »sophisticated« und auch die Eleganz der Wendungen differiert.

Diese Charakteristiken der verfolgten Debatte zeugen von einer beträchtlichen Frustration der tschechischen Öffentlichkeit. Vielleicht am beunruhigendsten sind zwei ihrer Manifestationen. Die Erste ist die weitverbreitete Angst vor den Deutschen und Deutschland. Diese Nachbarschaft ist für uns gewiß kein leichtes Los und sie bürdet uns Sorgen und Pflichten auf, die eine Konstante unserer Geschichte

bilden, ohne die wir allerdings – wären wir z. B. ein Insel-
reich – gut und gerne leben könnten. Die tschechischen Erfahrungen mit den Deutschen und Deutschland während
des rund einen Jahrhunderts, das nach dem Jahr 1848
folgte, und insbesondere die Erfahrungen mit dem Nazismus, haben diese Sorgen bestimmt noch vertieft. Der
tschechische »horror Teutoniae«, wie er in unserer Debatte
nach dem November 1989 zutage trat, trägt jedoch oft geradezu paranoide Züge.

Diese irrationale Disposition in Deutschland vor allem eine
Quelle unserer Bedrohung zu sehen, kann zum bösen Geist
nicht nur der tschechischen Außenpolitik werden (die dann
ihre Hauptaufgabe in einer Suche nach »geeigneten« Verbündeten gegen Deutschland auf Teufel-komm-raus sehen
würde), sondern auch der notwendigen tschechischen kritischen Selbstreflexion. Ein Zehn-Millionen-Volk, das nicht
fähig ist, sich selbst anders, als durch die Optik seiner gereizten Launen zu sehen, wird beträchtliche Schwierigkeiten mit der rationalen Projektierung der eigenen Zukunft
haben.

Die zweite unselige Manifestation der tschechischen Frustration ist das utilitaristische Verhältnis zu Recht und Gerechtigkeit. Das sudetendeutsche Schicksal ist sein Prüf-
stein. Das zynische Ignorieren unzähligen Unrechts, das an
»den Anderen« verübt wurde (der für Unrecht überzeu-
gendste Schauplatz ist immer die Geschichte des Einzelnen), zeugt nicht von geeigneten Voraussetzungen für das
Entstehen eines rechtlichen und sittlichen Bewußtseins.
Dieses Handicap wird uns daran hindern, bei uns selbst er-
trägliche Zustände zu schaffen.

Wenn wir auch weiterhin die Sudetendeutschen, auch die
heutigen, als bedrohliche Phantome empfinden, können
uns wichtige und ganz natürliche Realitäten entgehen. Die
sudetendeutsche Kommunität ist eine frustrierte Gruppe,
wenn auch anders als wir. Auch auf ihrer Seite kann man
Manifestationen von unreifen und ungesunden Verhältnissen feststellen, wenngleich nicht in dem Maße wie auf unserer (die Mehrzahl der Sudetendeutschen lebt nämlich
schon ein halbes Jahrhundert in den Verhältnissen einer
»normalen« Demokratie). Auch die Sudetendeutschen stehen vor der Aufgabe, ihre Traumata und Stereotypien zu revidieren, insbesondere jene, die in den Jahrzehnten des
»kalten Krieges« erhärtet wurden. Das wird ihnen kaum
ohne ein Mindestmaß an Entgegenkommen von tschechischer Seite gelingen.

Unsere achtjährige öffentliche Debatte hat bewiesen, daß wir unfähig sind, realistisch zu akzeptieren, daß das »sudetendeutsche« Thema nicht vom »deutschen« zu trennen ist, daß ein Ausgleich mit den Deutschen die Sudetendeutschen nicht beiseite lassen kann und ein entsprechender Dialog zwischen uns und ihnen, ein Dialog zwischen zwei frustrierten Kommunitäten sein wird. Das ist immer anspruchsvoller. Bisher haben uns weder unsere Historiker noch unsere Politiker darüber belehrt. Vielleicht wissen sie nichts.

Wir sind zum größeren Teil von einer deutsch sprechenden Welt umgeben, die zahlenmäßig zehnmal so groß ist wie die unsere. Wir sind von ihnen weder durch den Atlantik noch durch den Kanal getrennt. Für uns werden die Deutschen immer ein wichtigerer Faktor sein, als wir für sie. Ihrer Übermacht werden wir nur im Rahmen einer Allianz widerstehen können. Wenn wir uns antideutsche Verbündete suchen, dann tragen wir Verantwortung für das Fortbestehen einer potentiellen Bruchlinie mitten in Europa, wobei doch diese aus Gründen der Selbsterhaltung durch Integration zu überwinden wäre. Eine besser geeignete Alternative ist deshalb die Suche nach Verbündeten direkt in der deutsch sprechenden Welt. Das sind deutsche, demokratische Kräfte, christliche, liberale u. a., also jene, die den enggefaßten stammesmäßigen, resp. nationalen Horizont transzendieren. Und nicht nur in der deutsch sprechenden Welt, sondern auch unter den Sudetendeutschen.

Die achtjährige Debatte, die eher eine Kampagne war, hat noch ein Handicap enthüllt. Diejenigen ihrer Teilnehmer, die sich als beredte Hüter der Sicherheit unserer nationalen Existenz äußerten, nehmen diese nur als Sicherheit vor einer Bedrohung von außen wahr. Ihre Vorstellungskraft reicht offensichtlich nicht aus, um zu bemerken, daß die größte Bedrohung von innen kommt. Diese Ignoranz kann uns zum Verhängnis werden.

15. Kapitel

Stellungnahmen und Verlautbarungen der christlichen Kirchen

15.1 Stellungnahme der Römisch-Katholischen Kirche
Dokumente der Bischofskonferenzen der BRD und der ČSFR über die Versöhnung

Seiner Eminenz
dem hochwürdigsten Herrn
František Kardinal Tomášek
Erzbischof von Prag
(...) Augsburg, den 8. März 1990

Eminenz, sehr geehrter Mitbruder

mit Bewegung und Dankbarkeit empfingen wir Ihre Erklärung zur Versöhnung unserer Völker und zur gemeinsamen Verantwortung für die Zukunft Europas, die Sie am 11. Januar 1990 herausgegeben haben.
In diesen Tagen konnten wir Bischöfe aus ganz Deutschland erstmals nach einem Viertel Jahrhundert frei und ohne Hindernisse zusammenkommen. Bei unseren gemeinsamen Beratungen in Augsburg haben wir gerade aus Ihrer Botschaft große Ermunterung für unsere Arbeit schöpfen können. Mit der Versicherung unseres wahrhaft brüderlichen gemeinsamen Bundes erlauben wir uns, Ihnen unser Wort zur Versöhnung mit dem tschechischen Volk zu überreichen, das wir hier gemeinsam ausgearbeit haben. Wir überschrieben es mit dem Kernsatz Ihrer Botschaft: »Die Wahrheit und die Liebe machen uns frei«.
Wir bitten Sie, diese Botschaft auch Herrn Präsident Václav Havel mit unseren höflichen Grüßen zu übergeben.
Möge Gott den Dienst segnen, den die Kirche für die Versöhnung der Völker und die Erneuerung Europas im Geiste des Evangeliums leistet.

In der Liebe Christi
+ Karl Lehmann, Bischof
+ Georg Sterzinsky, Bischof

15.2 Erklärung der deutschen Bischöfe zur Versöhnung mit dem tschechischen Volk

Die friedliche Revolution in der Tschechoslowakei hat den Menschen in unserem Nachbarland Freiheit und neue Hoffnung gebracht: Mit besonderer Freude begrüßen wir die von den Gläubigen des Landes wiedererrungene Religionsfreiheit. (...) Die neugewonnene Freiheit läßt auch die Hoffnung wachsen, daß die zwischen Tschechen und Deutschen liegende Last der Vergangenheit gemeinsam abgetragen werden kann.

Der Staatspräsident der Tschechoslowakischen Republik, Herr Václav Havel, hat dem deutschen Nachbarvolk die Hand zur Versöhnung gereicht, indem er – in vollem Bewußtsein des auch von Deutschen an Tschechen begangenen Unrechts – die Vertreibung der Deutschen aus ihrer Heimat nach dem Zweiten Weltkrieg als »zutiefst unmoralische Tat« verurteilte. Mit denselben Empfindungen durften wir auch erleben, daß der Erzbischof von Prag, Kardinal František Tomášek, am 11. Januar 1990 erklärte: Die Akte der »Rachgier« und der Verfolgung, die sich gegen die Deutschen in der Tschechoslowakei richteten, bilden einen »Schandfleck auf unserer nationalen Ehre«, der sich nicht durch »Verschweigen oder den Hinweis auf das uns zugefügte Unrecht, sondern nur durch ein objektives Bekenntnis zur ganzen Wahrheit und durch die Distanzierung von dem eigenen Unrecht« tilgen lasse. (...)

»Das Herz Europas, aus dem einige Male in der Geschichte der Haß bis zum Völkermord aufloderte, sollte nun beginnen, im Rhythmus der Freundschaft zu schlagen.«

I. Trauer und Vergebung der Schuld

Wir danken dem Staatspräsidenten der Tschechoslowakei und dem Erzbischof von Prag (...) für dieses befreiende Wort. Die Erwähnung der Schuld, die die Verantwortlichen für die Vertreibung der Deutschen auf sich luden, erinnert aber auch uns an die Untaten, die im Namen des deutschen Volkes dem tschechischen Volk durch die Mißachtung seines Selbstbestimmungsrechtes, durch die Bedrohung seiner nationalen Existenz und durch Unterdrückung (...) zugefügt wurden. Wir wissen um das Versagen und die Schuld, die viele Deutsche dabei auf sich geladen haben.

Wir stellen uns der Verantwortung, die Last der Geschichte, die unser ganzes Volk zu tragen hat, anzunehmen. Mit den Worten der Fuldaer Bischofskonferenz vom 23. 8.1945 erklären wir heute noch einmal im Blick auf jenes dunkle Kapitel in der langen gemeinsamen Geschichte von Tschechen und Deutschen: »Furchtbares ist schon vor dem Krieg in Deutschland und während des Krieges durch Deutsche in den besetzten Ländern geschehen. Wir beklagen es zutiefst, daß sich viele Deutsche, auch aus unseren Reihen, von den falschen Lehren des Nationalsozialismus haben betören lassen, und bei den Verbrechen gegen menschliche Freiheit und menschliche Würde gleichgültig geblieben sind, daß viele durch ihre Haltung den Verbrechen Vorschub leisteten und viele selbst zu Verbrechern geworden sind.«

Die Bischöfe der Berliner Bischofskonferenz erklären, daß sie zutiefst die Teilnahme der Nationalen Volksarmee der DDR an der gewaltsamen Unterdrückung des »Prager Frühlings« im August 1968 bedauern. Dadurch wurden die alten Wunden aufgerissen und das Werk der Versöhnung schwer belastet.

II. Ermutigende Vorbilder gemeinsamer Geschichte

Die Erinnerung an die Zeitspanne, die von Ungerechtigkeit gekennzeichnet ist (...), darf die langen Jahrhunderte friedlichen Zusammenlebens von Tschechen, Slowaken und Deutschen (...) nicht vergessen machen. Erst einem zerstörerischen Nationalismus und den Ideologien unseres Jahrhunderts blieb es vorbehalten, dieses einzigartige kulturelle Zusammenleben zum Schaden aller auszuhöhlen und schließlich zu zersprengen.

Der Weg von Tschechen, Slowaken und Deutschen durch die gemeinsam durchlebte und durchlittene Geschichte wurde von großen Gestalten des christlichen Glaubens begleitet, die von diesen Völkern gleichermaßen als Heilige verehrt werden (...) Agnes, die Tochter König Ottokars I. von Böhmen, der deutsche Kolonisten in das Land gerufen hatte, empfahl Papst Johannes Paul II. Tschechen und Deutschen als Beispiel für ein Leben in gegenseitiger Achtung, ohne Zwist und Haß. Die Fürbitte dieser Heiligen möge den Bau der Brücken begleiten, die wir heute auf dem Fundament unseres Glaubens zwischen den Menschen im Herzen Europas aufs neue errichten wollen.

III. Gemeinsamer Aufbau eines neuen Europas

Die demokratische Revolution in Mittel- und Osteuropa hat die künstlich zwischen den Völkern aufgerichteten Barrieren niedergerissen. Überall dort, wo Grenzsperren fallen (...), können wir heute Europa als geistige Einheit erleben. (...) Wir empfinden den Wandel in Europa aber auch als Herausforderung, gemeinsam mit unseren Nachbarn für das Zusammenleben der Völker in Europa neue, dauerhafte Grundlagen zu legen. Der Friede zwischen den Nationen kann nach den furchtbaren Erfahrungen unseres Jahrhunderts immer weniger durch Abgrenzung oder gar die Macht der Waffen gesichert werden. Vertrauen und Wahrheit zwischen den Menschen müssen dem Frieden ein dauerhaftes Fundament geben.

Eine wichtige Grundlage für diese Aufgabe ist die auf die Liebe Jesu Christi aufgebaute Gemeinschaft der Ortskirchen. (...) Gerade das Volk Gottes kann durch die Gnade Gottes jene Heilskräfte einbringen, die auf besonders wirksame Weise helfen können, die Menschenwürde zu retten (...).

Das gemeinsame christliche Erbe unserer Völker weist den Christen dabei eine besondere Verantwortung zu. Dankbar dürfen wir feststellen, daß im Verhältnis zwischen tschechischen, slowakischen und deutschen Katholiken dafür seit langem gute Voraussetzungen geschaffen wurden, auf denen wir nun weiterbauen können. Wir wollen hier an die Verdienste der Sudetendeutschen, insbesondere aber der sudetendeutschen Katholiken, erinnern, die zusammen mit den anderen Heimatvertriebenen von Anfang an einer Haß- und Rachepolitik absagten und seit Jahrzehnten ihren Beitrag zur Versöhnung leisten. Wir denken dabei mit Hochachtung auch an die tschechischen und slowakischen Katholiken im Exil, die schon früh den Dialog mit ihren deutschen Brüdern und Schwestern suchten. Vor allem aber gilt jenen Gliedern in der Kirche in der Tschechoslowakei unser tiefempfundener Dank, die, selbst mitten in der Verfolgung stehend, aus der Kraft ihres Glaubens voller Weitsicht und Großmut den Boden für die Versöhnung unserer Völker vorbereiten halfen. Dieser Dank richtet sich in besonderer Weise an unseren hochverehrten Mitbruder František Kardinal Tomášek (...). Mit Bewunderung und Dank schauen wir heute auf diese Kirche unseres Nachbarlandes, deren in jahrzehntelanger Unterdrückung geprüfte Treue zum Evangelium auch uns Ansporn ist, mutig Zeugnis für den Glauben in der heutigen Welt abzulegen und als Kirche den Dienst an den Menschen unserer Zeit zu tun.

Zwischen unseren Völkern liegt heute noch die Hinterlassenschaft eines halben Jahrhunderts, das Unrecht und Leid, Mißtrauen und Gleichgültigkeit zwischen den Menschen wachsen ließ. Dieses unselige Erbe beiseite zu räumen und die Herzen der Menschen für den gemeinsamen Bau an einem neuen Europa zu gewinnen, ist die Aufgabe der uns heute geschenkten geschichtlichen Stunde. Mit Kardinal Tomášek, allen Christen und allen Menschen guten Willens in unserem Nachbarland hoffen wir darauf, daß uns dabei die Wahrheit und die Liebe frei machen werden; daß sie uns von der Last der vergangenen Schuld befreien und öffnen für die Gestaltung der Zukunft in Gerechtigkeit und Frieden.

Augsburg, 8. März 1990

15.3 Brief der tschechischen und slowakischen Bischöfe an die deutschen Bischöfe

Christus ist unsere gemeinsame Hoffnung

Geliebte Mitbrüder im bischöflichen Dienst!

Mit Freude haben wir Ihren Brief zur Versöhnung von Deutschen und Tschechen erhalten (...). Er war damals an Herrn Kardinal Tomášek adressiert (...). Wir tschechischen und slowakischen Bischöfe fühlen aber, daß Ihr Brief auch uns gilt, der gesamten Gemeinschaft der Bischöfe beider Nationen. Darum wenden wir uns jetzt nach der Bildung der Bischofskonferenz in der Tschechischen und Slowakischen Föderativen Republik mit unserer gemeinsamen Antwort an Sie als die Repräsentanten des gläubigen Volkes. (...)
Gott möge diese bedeutenden Schritte segnen, die von beiden Seiten getan wurden. Sie mögen Beispiel und Weg sein auch für die anderen (...).

I. Die Ereignisse der letzten Zeit haben uns mit neuer Hoffnung erfüllt und unseren Glauben an die wirksame Gegenwart Gottes in der Geschichte der Menschheit gestärkt. In eigener Erfahrung haben wir deutlich erkannt, daß der Mensch nicht dauernd mit der Lüge leben und sich von Haß nähren kann. (...)

Mit Freude haben wir das Einreißen der Berliner Mauer beobachtet, die das Symbol des geteilten Volkes innerhalb der Nation war und das Merkmal der geteilten Welt. Ihr Sturz war der Auftakt zur Bildung neuer Beziehungen in Europa. Mit Ihnen und Ihrer Nation teilen wir die große Freude (…).Wir wünschen und erbitten für Ihr Volk, daß es nach so vielen bitteren Erfahrungen mit dem Nationalsozialismus und Kommunismus seine Zukunft auf festen christlichen Grundlagen aufbauen möge.

II. Ihre Erklärung als Antwort auf den ersten Schritt von Seiten des Herrn Präsidenten Havel und des Herrn Kardinal Tomášek empfinden wir als Ausdruck Ihrer Bereitschaft, mit uns in dieser Frage auf der Position der Wahrheit und Liebe zum Evangelium Christi zu arbeiten. Auch wir sind uns wohl bewußt, daß uns in diesem Augenblick irgendwelche rein menschlichen rationalen Analysen nicht helfen können, nicht das Wägen von Schuld auf der einen und der anderen Seite und das Verbuchen auf den Seiten von »Soll« und »Haben«. Hiermit lehnen wir die Anstrengungen der Historiker und Politiker auf diesem Gebiet nicht ab und unterschätzen sie nicht, sondern drücken die tiefe Überzeugung aus, daß diese Einstellung zu Vergebung und Liebe die erste Voraussetzung für alles andere sein muß.
Wir danken aufrichtig dafür, daß Sie mit Bedauern bei den Verbrechen verweilen, »die in der Zeit der Okkupation im Namen des deutschen Volkes am tschechischen Volk verübt wurden durch Mißachtung seines Rechtes auf Selbstbestimmung«, und ebenso bei allen anderen Verbrechen, die in der Zeit des Nationalsozialismus an unseren beiden Nationen verübt wurden. Alle diese Taten riefen kritiklosen Haß hervor, zu dem auch Christen mitgerissen wurden, weil die Grundprinzipien des Evangeliums in unserem Leben nicht in ihrer befreienden und lebenspendenden Gestalt gelebt wurden.
Diese Ihre Worte befreien uns und öffnen den Weg, damit auch wir bei einem Rückblick auf alles, was geschehen ist, Bedauern zeigen über die Vertreibung der Deutschen aus ihrer Heimat, wobei das ungerechte Prinzip der Kollektivstrafe angewandt wurde, das schuldlose Menschen, unter ihnen viele Gläubige und eine Reihe von Priestern betroffen hat. Die damaligen Repräsentanten nutzten die allgemeine Atmosphäre des Zorns aus und, ausgehend von unchristlichen Grundsätzen, unternahmen sie ohne Rücksicht auf Gerechtigkeit Schritte, die im Interesse ihrer Politik waren.

Die Diözesen waren zu dieser Zeit zum großen Teil ohne Bischöfe, und die damaligen Repräsentanten der Ortskirchen fanden in der Situation, die eingetreten war, nicht den Mut, ein entscheidendes Wort zu sprechen. So wurden wir als Christen durch unser Schweigen mitschuldig an dem Racheakt gegenüber den Deutschen. In konkreten Fällen haben sich einige unserer Gläubigen damit identifiziert, ja, sich auch direkt an dieser Tat des Hasses und der Lieblosigkeit beteiligt.

Wir bekennen daher eine Mitschuld der Gläubigen und Repräsentanten der Kirche und erklären, daß wir alles zutiefst bereuen, was geschehen ist. Wir sind uns dessen bewußt, daß alle Verbrechen auf beiden Seiten aus Systemen und Mentalitäten entsprangen, die bewußt wesentliche christliche Prinzipien verleugnet haben und allein auf menschlichen Grundlagen erbaut waren. Wir fühlen schmerzlich, daß der Mangel eines voll entfalteten christlichen Lebens in jener Zeit in bedeutendem Maße diesen unchristlichen Einstellungen Raum geboten hat.

Diese schmerzlichen Zeichen der Zeit und bitteren Erfahrungen sind für uns beredte Belehrungen für die Gegenwart und den Weg in die Zukunft.

III. Der Briefwechsel, der zwischen unseren Kirchen stattfindet, ist ein erfreuliches Zeichen des Dialogs, der, wie wir alle hoffen, sich weiter erfolgreich entwickeln wird, zum Gewinn nicht nur unserer Kirchen, sondern auch unserer Länder und eigentlich ganz Europas (...). Es muß jedoch gesagt werden, daß dieser Dialog eine Fortsetzung des Dialogs ist, der in den 40 Jahren der Unfreiheit zwischen uns existiert hat. Dankbar bekennen wir, daß dies vor allem Ihr Verdienst ist. Es war ein Dialog, in welchem Sie sich bemüht haben, der Kirche bei uns zu helfen – und nicht nur der Kirche – mit allen möglichen Mitteln (...). Bei zahlreichen persönlichen Kontakten haben wir auf allen Ebenen immer Verständnis gefunden (...). In der Deutschen Demokratischen Republik fanden unsere Gläubigen immer eine offene Hand der Bischöfe, die alles zur Verfügung stellten, was nur möglich war: Bücher, Zeitschriften, Räume und Mittel für Begegnungen, Schulungen, Exerzitien, für Ferientreffen von Studenten der Theologie. Ja sogar Hilfe bei der Vorbereitung und der Weihe von Priesterkandidaten (...). Auch von der Kirche in der Bundesrepublik Deutschland haben wir immer großzügige Hilfe erhalten. (...) Wir sind dankbar für die finanzielle und materielle Hilfe, die wir

erhalten haben und noch immer erhalten, von einzelnen und durch Organisationen (...), wie die Ackermann-Gemeinde, Kirche in Not, Europäischer Hilfsfonds, Caritas Internationalis.
(...) Es ist so viel, wofür wir Ihnen dankbar sind (...).

IV. Die Kirche in unseren Ländern, ebenso wie die Kirche in Ihrer Heimat, ging aus dieser Zeit bereichert um viele Erfahrungen im Glauben hervor, die wir in dieser neuen Zeit nicht vergessen wollen, denn auch sie sind eine große Gabe Gottes. (...)
Erfreut lasen wir in Ihrem Brief Worte über die Zusammenarbeit an einer besseren Zukunft. Wir wollen gemeinsam mit Ihnen auch durch diese Schritte ein Zeugnis des Glaubens in der heutigen Welt geben, damit wir den Menschen der heutigen Zeit als Kirche dienen können. Wir sehnen uns nach einer engeren Zusammenarbeit (...), einem Austausch von Erfahrungen, weil Sie die für uns wertvollen Erfahrungen mit der Welt haben, für die sich auch bei uns der Horizont geöffnet hat. Wir hoffen dabei, daß unsere Erfahrungen auch Sie bereichern können. Die vergangenen Jahre des gewaltsam eingeführten Atheismus haben uns gezeigt, daß ein Glaube, der auf der Annahme des Kreuzes aufgebaut ist, nicht vernichtet werden kann, durch Leiden jedoch geläutert und vertieft wird.
Auf diese Weise wird unsere Versöhnung erreicht werden, weil persönliches Kennenlernen und gegenseitiger Austausch eine Bereicherung sind. (...)
In Europa sind die Mauern gefallen, die ohne Gott errichteten Systeme, die den Osten vom Westen getrennt haben. Geblieben sind jedoch die Barrieren des Konsummaterialismus, der die Menschen von Gott und voneinander trennt – und die wachsen sogar weiter. Hier gibt es Barrieren, verursacht durch Egoismus, Lieblosigkeit, durch den Verlust des lebendigen Glaubens an Gott, durch Veränderung des Lebensziels und durch die Verschiebung von Werten.
Europa wird glücklich werden, wenn auch diese Hindernisse gefallen sind. Darin sehen wir unsere gemeinsame Aufgabe – das Werk, an dem wir mit Ihnen mitarbeiten wollen.

Bratislava, den 5. September 1990

Die Bischöfe der katholischen Kirche in der
Tschechischen und Slowakischen Föderativen Republik
Archiv der tschechischen Bischofskonferenz

15.4 Gemeinsames Wort der tschechischen und deutschen Bischöfe aus Anlaß des fünfzigjährigen Gedenkens an das Ende des Zweiten Weltkriegs

Fünfzig Jahre sind seit dem Ende des zweiten Weltkriegs vergangen. In der Geschichte unserer beiden Völker steht dieser Krieg – mit seiner Vorgeschichte und seinen Folgen – für bis dahin nie gekanntes Unrecht. Jene Jahre bewirkten die tiefste Entzweiung und Entfremdung auf dem tausendjährigen gemeinsamen Weg der Tschechen und der Deutschen. Mehr als vierzig Jahre lang behinderte der »eiserne Vorhang« die Begegnungen und das Gespräch, die neue Brücken hätten bauen können. Die Indoktrination durch die Ideologie des Hasses und der Unversöhnlichkeit, auf die sich die kommunistische Herrschaft in der Tschechoslowakei stützte, ließ den Gedanken der Versöhnung nicht reifen. Nach dem Zusammenbruch der kommunistischen Systeme in Europa wuchs die Hoffnung, daß die Last der Vergangenheit gemeinsam abgetragen werden kann. In dieser historischen Stunde verkündete die Kirche Vergebung und rief zur Buße auf, um dadurch die Wunden der Vergangenheit heilen zu helfen und die Hoffnung auf eine friedvolle gemeinsame Zukunft zu verbreiten. Kardinal František Tomášek reichte den deutschen Nachbarn die Hand zur Versöhnung. Der Briefwechsel der Bischöfe beider Länder im März und im September 1990 leitete aus den Erfahrungen der jüngsten Vergangenheit die Verpflichtung und die Befähigung beider Ortskirche ab, ihren Beitrag zum Aufbau eines erneuerten Europas zu leisten.

Voraussetzung dafür war das Eingeständnis von Versagen und Schuld, die Angehörige beider Völker auf sich geladen haben und die das Verhältnis zwischen Tschechen und Deutschen immer noch trüben. Die deutschen Bischöfe erinnerten an die Untaten, die in deutschem Namen und von Deutschen, »dem tschechischen Volk durch die Mißachtung seines Selbstbestimmungsrechtes, durch die Bedrohung seiner nationalen Existenz und durch Unterdrückung zugefügt wurden.« Sie bekannten sich zu der Verantwortung, »die Last der Geschichte, die unser ganzes Volk zu tragen hat, anzunehmen.« Die tschechischen Bischöfe »äußerten ihr Bedauern über die Vertreibung der Deutschen aus ihrer Heimat, wobei das ungerechte Prinzip der Kollektivstrafe angewandt wurde.« Sie dankten für die Hilfe, die Christen in Deutschland in den schweren Jahren der Unfreiheit der Kirche des Nachbarlandes geleistet hatten. Sie äußerten die Hoffnung, daß der Versöhnungsprozeß künftig durch gegenseitiges Kennenlernen, Erfahrungsaustausch und Zusammenarbeit fortschreiten möge. Mit Freude dürfen wir heute feststellen, daß Christen in beiden Ländern im Laufe der letzten Jahre diese Absicht schon in vielen konkreten Schritten verwirklichen konnten. Wallfahrten und Gottesdienste haben die Menschen im gemeinsamen Bekenntnis des Glaubens zusammengeführt. Jugendfreizeiten haben dazu beigetragen, auf beiden Seiten der Grenze das Bewußtsein der Zusammengehörigkeit wachsen zu lassen. Christen finden sich zu gemeinsamer Reflexion über ihre Aufgaben in der Gesellschaft und der Nachbarschaft der Völker zusammen. All dies verhilft dazu, sich ein unverfälschtes Bild voneinander zu machen, Vorurteile und Schranken abzubauen und gegenseitige Verständigung und Annäherung wachsen zu lassen. Dieses Zusammenwirken gibt den kulturellen, wirtschaftlichen und politischen Kontakten Festigkeit und über den Tag hinauswirkende Bedeutung. Darüber empfinden wir große Dankbarkeit.

Nach wie vor müssen wir aber auf spürbare Hindernisse und Belastungen im Verhältnis beider Völker hinweisen. Dabei handelt es sich ebenso um die Erwartungen der tschechischen Opfer des nationalsozialistischen Unrechtsregimes, wie auch um die der vertriebenen Sudetendeutschen. Beide Probleme haben ihre Wurzeln in den gleichen Verstrickungen des nationalistischen und totalitären Ungeistes und lassen sich daher nicht voneinander trennen. Es kann nicht die Aufgabe der Kirche sein, dafür juristische, ökonomisch, und politische Lösungen anzubieten. Wohl aber kommt es ihr zu, dabei auf die grundlegenden Prinzipien hinzuweisen, denen solche Lösungen im Interesse der einzelnen Menschen und des Gemeinwohls verpflichtet sein müssen.

Wiedergutmachung zwischen den Menschen verschiedener Völker ist vor allem ein geistiger Vorgang. Eine Revision all dessen, was vor fünfzig Jahren geschah, ist kaum möglich. Wiedergutmachung zwischen Tschechen und Deutschen ist daher in erster Linie »die Bereitschaft, sich innerlich von alter nationaler Feindschaft abzuwenden und mitzuhelfen, daß die Verletzungen geheilt werden, die anderen aus solcher Feindschaft zugefügt worden sind«.

Damit dies gelingt, muß der Gesinnungswandel auch in Taten manifest werden. Dies ist gerade im kirchlichen Raum in vielerlei Weise geschehen. Dieser Prozeß muß freilich noch größere Verbindlichkeit erhalten. Es liegt daher bei den verantwortlichen Politikern in beiden Ländern, der gemeinsamen und konstruktiven Erörterung der strittigen Fragen nicht auszuweichen und die daraus folgenden Konsequenzen zu ziehen. Dabei müssen die berechtigten Anliegen aller beteiligten Seiten Gehör finden. Nur solche Lösungen werden Bestand haben, die dem Gemeinwohl beider Staaten und Europas verpflichtet sind. Sie müssen die jeder menschlichen Gerechtigkeit gesetzten Grenzen beachten und dürfen deshalb nichts Unerfüllbares fordern, und sie müssen die Folgen für die Betroffenen bedenken. Vor allem aber darf dabei nicht übersehen werden, daß es unzulänglich ist, »durch Gebote der Gerechtigkeit allein den Frieden unter den Menschen wahren zu wollen..., wenn nicht unter ihnen die Liebe Wurzeln schlägt«. (Thomas von Aquin, Summa contra gentiles, 3, 130).

Erzwungene Umsiedlung und Vertreibung sind Unrecht, wo immer sie geschehen sind und in unseren Tagen geschehen. Sie trafen viele Tschechen während der deutschen Okkupation und sie trafen die Sudetendeutschen nach dem Ende des zweiten Weltkriegs. Auch heute darf dieses Mittel der Gewaltpolitik von niemandem für Recht erklärt werden. Die Rechte der nationalen Minderheiten und Bevölkerungsgruppen müssen besser geschützt werden, um für die Zukunft den Frieden innerhalb der Staaten und zwischen den Gliedern der Staatengemeinschaft zu erhalten.

Tschechen, Deutsche und Juden haben gemeinsam Kultur und Geschichte Böhmens, Mährens und Schlesiens gestaltet. Erst einem zerstörerischen Nationalismus und den Ideologien unseres Jahrhunderts blieb es vorbehalten, dieses Zusammenleben zum Schaden aller auszuhöhlen und schließlich zu vernichten. Der Verlust dieser Vielgestaltigkeit läßt uns erst ihren Reichtum ermessen.

So wie die Kirche Anteil am Leben beider Völker hat und aus deren Begegnung selbst vielfache Bereicherung gewinnen konnte, so weist ihre Gemeinschaft über räumliche Nachbarschaft und kulturelle Verwandtschaft hinaus. Die Kirche ist vor allem das Volk Gottes, das er sich aus allen Völkern auserwählt hat. Daraus erwächst aber auch ihre Aufgabe, im Vertrauen auf Gottes Beistand als Zeichen und Werkzeug der Einheit und des Friedens zwischen allen Völkern zu wirken. (...)

Die Kirche in beiden Ländern muß sich selbst daher immer von neuem prüfen, ob sie diesen Dienst leistet. Dazu gehört vor allem, sich mutig und in gegenseitiger Achtung und

Liebe um die Wahrhaftigkeit unseres gemeinsamen Zeugnisses zu bemühen.

In diesem Geist sollen auch die vielfältigen Kontakte und Begegnungen zwischen den Christen unserer beiden Länder fortgeführt werden. Es erfüllt uns mit Freude, wenn gerade die Nachbardiözesen sich der jahrhundertealten Zusammengehörigkeit bewußt werden. Es ist ein zukunftsweisendes Glaubenszeugnis, wenn Sudetendeutsche in ihrer alten Heimat die dort oft seit langem in entchristlichter Umgebung lebenden Katholiken durch ein sichtbares Bekenntnis zu Jesus Christus stärken. Die Nachbarschaft in der Grenzregion bringt eine Reihe konkreter Schwierigkeiten mit sich. Hier Zeichen der Verständigung und des Friedens zu setzen, ist eine besondere Herausforderung an die Kirche.

Versöhnung ist nicht nur eine Aufgabe zwischen Sudetendeutschen und Tschechen oder zwischen den Menschen in den Grenzregionen. Deutsche und Tschechen sind in ihrer Gesamtheit dazu aufgerufen, in einem zusammenwachsenden Europa ein Beispiel gelingender Verständigung zu geben. Das Wissen voneinander muß in der Breite unserer beiden Gesellschaften noch vielfältig vertieft und bereichert werden, damit gemeinsam mit unseren Nachbarn in Europa der Weg zu einer wirklichen Einheit unseres Kontinents fortgesetzt werden kann.

Fünfzig Jahre nach Kriegsende stellen wir uns der Verantwortung für die Zukunft unserer Völker. Es wäre töricht, feierlich des Kriegsendes zu gedenken, ohne zugleich dem Ungeist des Egoismus und des Hasses zwischen den Menschen und den Völkern abzuschwören, der den Krieg hervorgebracht hat. Die uns in Jesus Christus geschenkte Freiheit der Kinder Gottes wird uns dazu befähigen, uns von der lähmenden Bürde aus Unrecht und Vergeltung, aus Mißtrauen und Selbstgerechtigkeit zu lösen. Der Mut zur Vergebung wird uns die Kraft zum solidarischen Handeln füreinander finden lassen. Gott richtet heute seinen Aufruf an uns Christen, unseren beiden Völkern ein Beispiel der Versöhnung zu werden.

Prag – Münster, 9. 3. 1995

Bischof Karl Lehmann
Präsident der Deutschen Bischofskonferenz
Kardinal Miloslav Vlk
Präsident der Tschechischen Bischofskonferenz
Mitteilungsblatt des Sekretariats der Tschechischen Bischofskonferenz 5/1995

15.5 Stellungnahme der Evangelischen Kirche der Böhmischen Brüder: Die Aussiedelung der Sudetendeutschen

In den Jahren 1993–1995 erarbeitete der Beratungsausschuß für gesellschaftliche und internationale Angelegenheiten des Synodalrates der Evangelischen Kirche der Böhmischen Brüder, bestehend aus Miroslav Brož, Miloš Calda, Jan Čapek, Jan Dus, Jan Horálek Ladislav Pokorný und Tomáš Růžička (Vorsitzender), unter Hinzuziehung der Historiker Martin Wernisch (direkte Teilnahme) und Jaroslav Procházka (Fernkonsultationen) Unterlagen zur Problematik der ausgesiedelten Sudetendeutschen. Der Synodalrat dieser Kirche hat sie im April 1995 zum Studium und zur Diskussion empfohlen und im November 1995 wurden sie als Stellungnahme der Evangelischen Kirche der Böhmischen Brüder verabschiedet. Wir veröffentlichen den größten Teil des Textes.

Tschechen und Deutsche in der Tschechoslowakischen Republik

Rückblickend erkennen wir auch, daß die demokratische Tschechoslowakei ihren deutschen Mitbürgern zwar die gleichen Bürgerrechte wie den Tschechen einräumte, und faktisch auch größere Minderheitenrechte als manches andere europäische Land, aber dennoch wurde nicht alles dafür getan, daß sich die böhmischen Deutschen innerlich voll mit dem tschechoslowakischen Staat als ihrer Heimat identifizieren konnten. Und das nicht nur in den Teilbereichen der Nationalitäten- und der Sozialpolitik, wie das gelegentlich auch vom europäischen Völkerbund kritisiert wurde. Den Hauptfehler sehen wir in der Zweideutigkeit der Verfassung in Beziehung auf ihr Subjekt (»tschechoslowakische Nation«) und ihre Staatssprache (wiederum die »tschechoslowakische«), die es ermöglichte, die – in vieler Hinsicht demokratisch vorbildliche – erste Republik unzutreffend auch als Nationalstaat im ethnischen Sinne zu verstehen. Zumindest psychologisch führte dies sowohl auf tschechischer als auch auf deutscher Seite dazu, daß die Stellung der einzelnen Nationalitäten als Umkehrung ihrer Stellung im alten Österreich empfunden wurde. Wäre die Sprache des deutschen Drittels der Einwohner der böhmischen Länder eindeutiger als ständige »zweite Landessprache« anerkannt worden, und wäre so beizeiten das von der Schweiz als Typ eines europäischen Vielvölkerstaates (zwar ohne seine Föderalisierung, aber mit weiteren Mitteln eines liberalen Regimes) inspirierte Programm der tschechischen Delegation in St. Germain klar zutage getreten, wäre die Entwicklung weniger gespannt verlaufen. Man kann vielleicht auch sagen, daß sich bis zum Anwachsen von Hitlers Einfluß (unter den bedrückenden Verhältnissen der Wirtschaftskrise) die Entwicklung in dieser Richtung bewegte, allerdings zögernd und langsam.

Die böhmischen Deutschen erliegen dem Nazismus

Auch wenn wir die Fehler der tschechoslowakischen Politik in Bezug auf die Deutschen keineswegs herunterspielen wollen, müssen wir die fatalere Wendung im angespannten Verhältnis der beiden Bevölkerungsteile darin sehen, daß ein großer Teil jener Schichten der deutschen Sprachgemeinschaft, die Einfluß auf die öffentliche Meinung hatten, durch ihre Schuld schließlich auch die Mehrheit der einfachen Bürger deutscher Nationalität in der Tschechoslowakischen Republik, ihr Geschick, durch eigene Wahl, mit einem so monströsen Regime wie dem Nazismus verbunden hatten. Dies gilt auch dann, wenn wir einräumen, daß Henleins Sudetendeutsche Partei von vielen Deutschen, mit einer gewissen Naivität, vor allem als Bewegung der nationalen Einheit aufgefaßt wurde, die die drohende Majorisierung durchbrechen und die Stellung der Deutschen in der Tschechoslowakei verbessern würde. Auch betonten ihre Führer gewisse Unterschiede (unter anderem in Bezug auf christliche Werte) zum Nazismus, der dann erst in der letzten Zeit vor dem Münchner Abkommen den Charakter der Partei offen dominierte. Dennoch vermochte die Überordnung der Ideologie der nationalen Emanzipation über den liberalen Staat mit der Zeit eine Verblendung zu verursachen, die schließlich in den Grenzgebieten dazu führte, daß die Hitler-Macht von den Massen willkommen geheißen wurde; diese besetzte schließlich den Rest der böhmischen Länder und bald darauf entfesselte sie in Europa einen unerhörten Völkermord auf eindeutig nazistischer Grundlage (einschließlich der Ermordung eines Großteils der Juden in den böhmischen Ländern ohne Rücksicht auf ihre Sprache). Die destruktive Verachtung der Staatsbürgerschaft eines demokratischen Staates (in den viele deutsche Bürger, denen in Hitlers Deutschland Tod oder Konzentrationslager drohten, geflüchtet waren, und wo sie mit

Verständnis aufgenommen wurden) und die Zerschlagung der Einheit des Landes in seinen historischen und natürlichen Grenzen zu Gunsten einer unorganischen und stellenweise geradezu frei erfundenen Sprachgrenze, besiegelten den Trend des Zwiespaltes, anstelle des Zusammenlebens. Die Mehrheit unserer Deutschen, ungeachtet ihrer Motive, wurde zum Werkzeug des Nazismus, der den bisher schrecklichsten Krieg aller Zeiten entfesselte. In diesem Zusammenhang erinnern wir daran – auch wenn jeder persönlich nur für seine eigenen Stellungnahmen und Taten verantwortlich ist –, daß diese erschütternde Wende (zusammen mit dem Versagen der westlichen Demokratien gegenüber dem Nazismus im Jahr 1938) auch direkten Einfluß auf die Umorientierung der tschechischen Öffentlichkeit hatte, was dann die unglückselige Nachkriegsentwicklung einleitete, charakterisiert durch die einseitige Hinwendung zu einer Allianz mit der UdSSR.

Motive für die Aussiedlung der Deutschen aus der Tschechoslowakei

Die bedauerliche Rolle der Mehrzahl der böhmischen Deutschen bei der Liquidierung der ersten Tschechoslowakischen Republik und die Einführung von Verhältnissen, die sogar die nackte nationale Existenz der Tschechen bedrohten (u.A. eben auch durch Pläne zu ihrer Aussiedlung), das alles verursachte bei der Mehrheit der Tschechen ein derart intensives Trauma, daß die Angst vor den Deutschen bis heute andauert – bei der älteren, zum Teil jedoch auch bei der jüngeren Generation. Wir befürchten, daß diese Tatsache auf deutscher Seite manchmal nicht genügend ernst genommen wird. Bagatellisierende Bemerkungen in dem Sinne, daß es den Tschechen während der Okkupation im Großen und Ganzen gut gegangen sei, daß sie nicht an die Front mußten, daß der Krieg an unseren Ländern fast vorbeigegangen sei usw., wie wir sie ab und zu aus Deutschland hören, vertiefen nur das gegenseitige Nichtverstehen. Ein gleiches Unverständnis gegenüber der tiefsitzenden Verletztheit derer, die nach 1945 ihre Heimat mit einem Ranzen auf dem Rücken verlassen mußten, äußern allerdings auf der anderen Seite diejenigen Tschechen, die den Abschub in dem Sinne bagatellisieren, den Ausgesiedelten wäre dadurch eigentlich geholfen worden, weil sie nicht unter den Kommunisten leben mußten, sie und ihre Nachkommen hätten heute einen viel höheren Lebensstandard u. ä.

Was in den Jahren 1938–1945 geschehen war, bedeutete einen so tiefen Einschnitt im Verhältnis der Tschechen zu den Deutschen und zu den einheimischen Deutschen im besonderen, daß eine natürliche Fortsetzung unseres Zusammenlebens, wie es vor dem Krieg bestanden hatte, unmöglich erschien. Die tschechische Gesellschaft hatte bei ihren damaligen Mitbürgern auch dann keine bemerkbaren Zeichen einer Abwendung von der Nazipolitik feststellen können, als ihr unmenschlicher Charakter immer offensichtlicher zutage trat (noch vor Kriegsende wurden Tatsachen über Konzentrationslager und ähnliche Greuel bekannt). Nach der Niederlage des Nazismus erschien deshalb der überwältigenden Mehrheit der Tschechen, ebenso wie ihren damaligen politischen Führern, die radikale, und wie man glaubte, auch endgültige Lösung als die einzig richtige. Und so setzte sich der Gedanke einer möglichst breit angelegten Aussiedlung unserer deutschen Bevölkerung nach Deutschland durch.

Die antifaschistische Motivation des Gedankens einer Aussiedlung aus dem Land mag uns bis heute gewichtig erscheinen. Gleichzeitig jedoch müssen wir zugeben, daß sie an sich denen, die im Namen der Menschlichkeit die Nazibarbarei besiegt hatten, die Übernahme eines Programms, mit dem bis dahin totalitäre Regime operiert haben, hätte erschweren sollen. Eine Reihe von unauffälligen Umständen, die die Durchführung des Planes begleiteten, verrieten die Anwesenheit anderer, bedenklicherer Motive: das Prinzip der Kollektivschuld und Vorstellungen über eine strategische Absicherung des Staates, welche mit einer unheilvollen Mißachtung des Individuums verbunden waren. Es ist eine historische Tatsache, die wir nicht vertuschen dürfen, daß die Argumente des Antifaschismus in der Atmosphäre der Nachkriegs-Tschechoslowakei durch eine chauvinistische Rhetorik mit zynisch pragmatischem Unterton überdeckt wurden, und dies gerade auch in offiziellen Verlautbarungen: mit der Maßnahme »Abschub« sollte das »Hinausliquidieren des Volkes der Urfeinde« erreicht werden, und ihr erklärtes Ziel war die Schaffung eines nationalen, slawischen Staates, der keiner Minderheit lästige politische Rechte zugestehen mußte. Dem entsprach, daß sich die Verfolgungen auf der Grundlage der Dekrete des Präsidenten der Republik im Prinzip und oftmals ausschließlich nach dem Kriterium der sprachlich-ethnischen Zugehörigkeit der Menschen richtete, die sich aber ansonsten »nichts hatten zuschulden kommen lassen«, wie gelegentlich ausdrücklich ausgeführt wird (es handelte sich um die Überprüfung der »nationalen Zuverlässigkeit«; ihre Spitze richtete sich sogar gegen Mitglieder der tschechoslowakischen Auslandsarmee und gegen Heimkehrer aus nazistischen Konzentrationslagern, einschließlich deutschsprachiger Juden).

Zugleich sollte es sich wiederum um einen bewußten »Einschnitt in die kontinuierliche Entwicklung der böhmischen Länder« handeln, zu dessen Verwirklichung auch andere Maßnahmen geplant waren; der »Abschub« ist folglich undenkbar ohne die Atmosphäre der damaligen Proklamationen einer mit Nationalismus und Sozialismus verbundenen »Demokratie neuen Typs«. In diesem Kontext war diesmal bei der Behandlung der Deutschen nach dem Krieg zu beobachten, wie man auf tschechischer Seite vom humanistischen Ideal der tschechoslowakischen Demokratie abrückte, im übrigen mit sehr konkreten Folgen beim fortschreitenden Verfall des Rechtsbewußtseins (aber auch des faktischen Rechtsstaates). Daraus folgte nahtlos auch die weitere fatale Entwicklung: Die politischen Parteien übertrafen einander in ihrer antideutschen Haltung und auch die damals bereits einflußreichste, die Kommunistische Partei der Tschechoslowakei, segelte erfolgreich auf der Welle des Nationalismus.

Die Anwendung war schlimmer als die Absichten

Die konkrete Art der Aussiedlung übertraf in ihrem drastischen Ausmaß alle im voraus erwogenen Varianten. Diese hatten verschiedene mildernde Einrichtungen enthalten, die von verschiedenen Instanzen und auf verschiedenen Foren auch zugesagt worden waren – einschließlich des Kaschauer Regierungsprogramms[50], das die Maßnahmen der allgemeinen Enteignung und Massenaussiedlung eines wesentlichen Teils der Vorkriegsbevölkerung des Landes noch nicht festlegte. Die drastische Art und Weise der Aussiedlung sollte ursprünglich durch deren Selektivität gemildert werden, Konfiskationen und Ausweisungen sollten nur aufgrund von Gerichtsverfahren erfolgen. Es sollte die Möglichkeit der eigenen Option entweder für die deutsche oder die tschechoslowakische Staatsbürgerschaft bestehen, ebenso wie die Entschädigung für verlorenes Eigentum aus Reparationen, gegebenenfalls eine mit Hilfe deutscher Antifaschisten durchgeführte Entnazifizierung. Man darf nicht verschweigen, daß die Exilregierung nur im Rahmen solcher Bedingungen die zögernd erteilte vorläufige

Zustimmung der Westmächte zur Umsiedlung erhalten hatte (wiewohl dieser Gedanke als Mittel zur Beseitigung von Quellen unerträglicher zwischenstaatlicher Spannungen in jener Zeit auch im Westen nicht unbekannt war): Im Interesse der Humanität sollte die Umsiedlung nicht überstürzt und keinesfalls in Massen geschehen, das waren Forderungen, die unter nicht geringem Einfluß westlicher Kirchen vorgebracht wurden.

Die Verantwortung für die gewaltsame Aussiedlung des Großteils der Deutschen aus den böhmischen Ländern, fast ohne jede Unterscheidung, ist also bei weitem nicht nur Sache der Kommunisten oder der Großmächte gewesen, wie nicht Informierte heute gerne vermuten (auch wenn besonders Stalin durch die Unterstützung der Aussiedlung zweifellos seine eigenen Ziele verfolgte). Die Initiative kam von tschechoslowakischer Seite, wie Dokumente bestätigen, die den Willen spiegeln, die Anzahl der Deutschen auf dem Gebiet der wiederhergestellten Republik noch vor einer internationalen Entscheidung »maximal zu reduzieren«. Aus der Feder Präsident Trumans als Teilnehmer der Potsdamer Konferenz, ist sogar das ausdrückliche Zeugnis erhalten, er hätte sich vor die vollendete Tatsache eines willkürlichen Gewaltaktes gestellt gefühlt.

Auf tschechischer Seite wagte nur der konservative Teil des Exils, der nicht in die Heimat zurückkehren wollte, wo nun »das neue Revolutionsrecht« und eine »gelenkte Demokratie der Nationalen Front« herrschten, dieses Geschehen sofort eindeutig und öffentlich zu verurteilen. Dies war allerdings eine Randgruppe, die zu Hause kein nennenswertes Ansehen genoß. In der Frage der Aussiedlung der Deutschen sollten ihr jedoch später auch politisch anders orientierte Kreise im Grunde Recht geben. Unter den evangelischen Auslandstschechen war es besonders Prof. Erazim Kohák, der die Reichweite des Prinzips der Unteilbarkeit der Freiheit betonte (im Buch »Národ v nás« [Das Volk in uns] aus dem Jahr 1978, Anm. d. Red.). Warnende Stimmen im Lande, inmitten des Geschehens selbst, regten sich höchstens am Rande der durch das damalige gereizte Klima gesetzten engen Grenzen, wo jeder bedroht war, der es wagte, sich »des Feindes anzunehmen«. Sie reichten von Protesten gegen die brutale Art der Repressionen und tätiger Hilfe für die Leidenden, wie am vorbildlichsten bei Přemysl Pitter vorzufinden, über das eher gedämpfte Vorbringen schwerer moralischer Bedenken gegenüber dem ganzen Projekt bei Professor Rudolf Říčan und Josef B.

Souček, bis hin zu Prof. Josef L. Hromádka und seiner Angst vor der Zukunft, die auf »Endlösungen« mit einer unerwarteten Überraschung antworten könnte. Erwähnt sei hier allerdings auch die Bereitschaft des Synodalrates der Evangelischen Kirche der böhmischen Brüder, die bedrohten deutschen evangelischen Gemeinden in die eigene Kirchengemeinschaft aufzunehmen, was damals in der kommunistischen Presse kritisiert wurde.

Die Kontinuität der Verantwortung

Auch wir empfinden Verantwortung dafür, daß man sich mit den Folgen dessen, was im Namen des tschechischen Volkes in der Grenzsituation des Jahres 1945 und der folgenden Jahre geschehen ist, auseinandersetzt, obwohl die meisten von uns damals im Kindesalter oder noch nicht geboren waren. Wir sind uns dessen bewußt, daß die Tschechen, obwohl die Standpunkte und Handlungsweisen der Väter und Großväter in den damaligen Jahren in vieler Hinsicht begreiflich sind, ihren ehemaligen deutschen Mitbürgern, ebenso wie vorher die Deutschen den Tschechen, ein Trauma verursacht haben, dessen Folgen auch in den folgenden Generationen sichtbar sind. Obwohl es auch für uns nicht einfach ist (nach all dem, was zwischen uns vorher geschehen war), einen eindeutigen Standpunkt zu der vor fünfzig Jahren erfolgten Aussiedlung der böhmischen Deutschen einzunehmen, erklären wir folgendes:
a) Die radikale und scheinbar endgültige Lösung des Problems des Verhältnisses der Tschechen zu den Deutschen in den böhmischen Ländern durch deren kollektive Aussiedlung nach dem zweiten Weltkrieg erscheint uns, selbst im Bewußtsein allen vorangegangenen Unrechts, als moralisch verfehlter Schritt. Wir stützen uns dabei auf die Bewertung konkreter Umstände, die wir bereits berührt haben, sowie auch auf die allgemeinen Überlegungen zum babylonischen Hochmut einer administrativen Maßnahme, die mit einem Schlag eine Jahrhunderte alte Kultur ihrer Heimat beraubte und dadurch entwurzelte und sich anmaßte, ein Volk zu deportieren, das mit seiner Kopfzahl und der Größe seiner Siedlungen den Siedlungsräumen so mancher europäischen Staaten entsprach. Wir sind überzeugt, daß dies ein politisch nicht umsichtiger Schritt war, der uns der Möglichkeit beraubte, eine weise Souveränität im Zusammenleben der Völker zu bezeugen und uns statt dessen Anschuldigungen aussetzte.

b) Gänzlich zu verurteilen sind die Verbrechen, die viele Tschechen an Deutschen vor und während des Abschubs begingen, ohne Rücksicht auf ihr Ausmaß und die Zahl der Opfer und ohne Rücksicht auf eine etwaige amtliche Deckung solcher Taten. Als schändlich muß auch das Gesetz Nr. 115/1945 über ihre summarische Exkulpation (soweit sie vor dem 28.10.1945 verübt wurden) betrachtet werden, was bereits seinerzeit als »monströs« und »in der zivilisierten Welt als einzig dastehend« kritisiert wurde, ein Gesetz durch das der Rechtsnihilismus besonders gestärkt wurde.

c) Wir bedauern auch zutiefst die Art, wie mit dem Eigentum der ehemaligen deutschen Mitbürger umgegangen wurde, das oftmals skrupellos beschlagnahmt, geplündert und vernichtet wurde, besonders in den ersten Jahren der wilden Besiedlung der Grenzgebiete. Umso mehr wurden auch wir selbst um unzählige wirtschaftliche und kulturelle Werte ärmer, die die böhmischen Deutschen über Jahrhunderte geschaffen haben und die ihnen auf einen Schlag zusammen mit ihren Siedlungen genommen wurden.

Die einzige Möglichkeit: ein neuer Anfang

Ebenso wie sich der Versuch als illusorisch erwiesen hat, unser gegenseitiges Verhältnis mit der Endgültigkeit eines einmaligen Aktes der Aussiedlung der böhmischen Deutschen nach dem Krieg »ein für allemal« zu lösen, sehen wir auch heute keine mögliche Lösung für diese Beziehung, in irgendeinem neuen einmaligen Akt der Art, wie er von manchen Gruppierungen sudetendeutscher Organisationen gefordert wird (wenn sie von dem Menschenrecht auf Heimat den Anspruch auf eine rechtliche und das Eigentum betreffende Restitution des Vorkriegszustandes ableiten). Mit Bedauern stellen wir fest, daß die korrekte und aufrichtige Entschuldigung unseres Präsidenten aus dem Jahr 1989 nicht als das verstanden wurde, was sie war: Eine dargereichte Hand, um die unselige Vergangenheit durch gegenseitige Versöhnung zu tilgen, sondern als Gelegenheit zur Aufstellung politischer und vermögensbezogener Forderungen. Wir sind überzeugt, daß derartige Forderungen und Proklamationen aufzustellen, kein Weg sind, der zur Versöhnung führt, sondern im Gegenteil, daß sie die gegenseitige Entfremdung noch vertiefen.

Indem wir die Gefühle jener verstehen, die einstmals von tschechischen Behörden mit einem Minimum an persönlichem Eigentum über die Grenze geschickt wurden, sowie die ihrer Nachkommen, einschließlich der tiefen Verwundungen der Kinder und Enkel derer, die umkamen oder ermordet wurden, appellieren wir daran, daß auch sie die Tiefe des Traumas einsehen, das vorher den Tschechen von deutscher Seite durch die Beteiligung an der Zerschlagung des gemeinsamen demokratischen Staates zugefügt wurde, was das ganze tschechische Volk an den Rand des Verderbens gebracht hat. Unter uns leben noch viele, die in nazistischen Gefängnissen und Konzentrationslagern gefoltert wurden, und viele Kinder und Enkel derer, die dort umgekommen sind. Wir sind uns jedoch bewußt, daß der Weg in die Zukunft nicht durch nie endende Schuldzuweisungen, sondern durch aufrichtige Reue, gegenseitiges Bemühen um Verständnis und durch die Sehnsucht nach Versöhnung geöffnet wird.

Auch wenn wir es bedauern mögen, eine Rückkehr zu früheren Verhältnissen ist unmöglich; was wir alle verloren haben, muß zu den Kriegsverlusten gezählt werden. Das einzige, was uns übrigbleibt ist, vom status quo auszugehen, ohne gegenseitige Beschuldigungen und Forderung, und unsere Beziehungen von Grund auf neu aufzubauen (im übrigen ist auch der deutsch-tschechische Staatsvertrag ein gutes Fundament dafür). Sicherlich sollten wir dabei von tschechischer Seite aus den notwendigen Respekt all denen erweisen, die kommen, um ihre alten Heimstätten zu besuchen, wie auch Offenheit denen gegenüber, die unter heutigen Bedingungen zur tschechischen Staatsbürgerschaft zurückkehren möchten; auch sollten wir uns für den von Deutschen geschaffenen Anteil an der böhmischen Landeskultur interessieren

Im Bewußtsein, daß so ein Weg lang ist und von Scharen von Menschen gesäumt wird, die auch heute noch nicht dem Geist des Nationalismus (oft verbunden mit faschistischer und kommunistischer Nostalgie) entsagen wollen, wenden wir uns hiermit an alle, die im Gegensatz dazu, den christlichen Geist erhalten wollen (Bekennende verschiedener Konfessionen), aber auch an alle anderen Menschen. Wir wollen zu diesem neuen Aufbau bereit sein, und deshalb bitten wir um Vergebung für all das, wodurch wir wirklich an jemandem schuldig geworden sind, und sind bereit, denen zu vergeben, die an uns schuldig geworden sind. Und zu allem Übrigen verhelfe uns allen Gott!

Listy, 3/1996

16. Kapitel

Aus bisher publizierten Texten der »Lesebuch«-Autoren

16.1 Gemeinsam mit den vertriebenen böhmischen Deutschen ... Marienbader Gespräche 8.–10.1994 (Petr Příhoda)

»Wenn ich etwas über Sudetendeutsche höre, schalte ich sofort aus,« sagte ein Arbeitskollege. Ich versuchte nicht, ihm das auszureden, aber meine Disposition sieht gerade umgekehrt aus. Wenn ich von ihnen höre oder über sie lese, merke ich sofort auf. Vor Jahrzehnten wurde für mich der Antisemitismus zum diagnostischen Mittel. Gab jemand zu erkennen, daß er Juden nur schwer ertragen kann, schloß ich daraus auf eine der vermuteten Charakteristiken seiner Persönlichkeit. Entweder waren bei einem solchen Menschen die Ambitionen höher als die realen Fähigkeiten, oder seine Einstellung zur Welt wurde von einem Gemisch aus Minderwertigkeitsgefühl, Größenwahn, Paranoia und Aggressivität diktiert, oder aber er war ein für Suggestionen empfänglicher Einfaltspinsel – ja, und das wäre eigentlich alles. Ähnlich bewährte sich in den letzten Jahren der Begriff »die Sudetendeutschen« als Schlüsselwort. Die Art, wie die Menschen darauf reagieren, indiziert ebenfalls einige wenige mögliche Dispositionen ihrer Persönlichkeit. Auch deren gemeinsamer Nenner ist – wie im erstem Fall – ein verschlossenes Gemüt.

Der sudetendeutsche Komplex des tschechischen Gemütes, jahrzehntelang verdrängt, drang in den Monaten nach dem November 1989 langsam ins Bewußtsein, um ein Problem zu werden; aber in den letzten Jahren – möglicherweise beginnend mit dem deutschen Zaudern bei der Unterzeichnung des Vertrages über gute Nachbarschaft, hervorgerufen durch den für unsere föderalen Abgeordneten bestimmten sog. Motivenbericht – »verpuppt« er sich erneut, und verhält sich folglich wieder wie ein Komplex.

Ein einziger völlig offener sudetendeutsch-tschechischer Dialog ist jedoch weiterhin im Gange, wenngleich vor einem nicht allzu großen Forum. Mit eiserner Regelmäßigkeit finden die alljährlichen Treffen der Prager Christlichen

Akademie und der Münchner Ackermann-Gemeinde statt und die Zeitung Literární noviny (= Literaturzeitung, Anm. Üb.) ist inzwischen bereit, darüber einen Bericht zu veröffentlichen. Ich glaube, daß das nützlich ist. Diese Treffen sind nämlich der einzige Ort, wo Tschechen und vertriebene Sudetendeutsche miteinander völlig ohne Hemmungen sprechen. Deshalb konnten wir auch schon vor drei Jahren unserem Gegenüber mitteilen, daß die tschechische Öffentlichkeit – wiewohl über die Tatsache der Vertreibung desinformiert – eine kritische sudetendeutsche Reflexion über sudetendeutsche Politiker aus der Zeit vor dem Münchner Abkommen vermißt und unsere Mitteilung wurde empfangen.

Ich erinnere daran, daß das Motto der letztjährigen Gespräche das Thema »Heimat« war, und daß wir bei dieser Gelegenheit darüber sprachen, was beide Seiten bisher voneinander nicht wußten. Das war recht viel. Ich erinnere auch daran, daß die Ackermann-Gemeinde (weiterhin nur AG) sich nicht mit der Haltung der Führung der Landsmannschaft identifiziert, tschechisch landsmanšaft, also des Herrn Neubauer, ebenso wie wir, deren tschechische Partner, uns nicht mit der überwiegenden Haltung unserer politischen Repräsentanz, ob der Regierung oder der Opposition, unserer Journalistik sowie der öffentlichen Meinung identifizieren.

Das diesjährige Ausgangsthema lautete »Die erneute Annäherung der Völker nach nationalen Katastrophen«. Obwohl – oder gerade deshalb, weil – der sudetendeutsch-tschechische Dialog anderswo nicht existiert, war die diesjährige Teilnahme ungewöhnlich groß. Sogar ein Fernsehteam der NOVA war angereist (zu was doch die Konkurrenz gut ist: – von dem Tschechischen Fernsehen hätte ich sowieso nicht so viel Mut erwartet). Wir sprachen über psychologische Barrieren auf beiden Seiten, und Professor Baumgartner, ein Deutscher, führte einen bemerkenswerten Begriff in die Diskussion ein: **die Hypothek der Vergangenheit**, die die nachfolgenden Generationen, ob sie wollen oder nicht, übernehmen. Er meinte damit vor allem die sudetendeutsche Seite. Das gilt aber mutatis mutandis auch für die tschechische. Dazu muß man sagen, daß in den Kreisen der AG heute offen über den sudetendeutschen Anteil an dem Scheitern der deutsch-tschechischen Symbiose gesprochen wird, ebenso wie auch in Kreisen der sozialdemokratischen Seliger-Gemeinde. Schade, daß unsere Sozialdemokraten diesen ihren potentiellen Partner so wenig kontaktieren; vielleicht weil in der ČSSD einstweilen noch mehr Postkommunisten, als wirkliche »Sozis« sind. Wir beschlossen, das Thema der **psychologischen Barrieren** zuerst in zwei Arbeitsgruppen, einer tschechischen und einer deutschen, für eine gemeinsame Diskussion vorzubereiten. Das war ungewohnt, so separiert hatten wir bisher nie etwas erörtert. Die Gruppendebatte kreiste jeweils um ein völlig anderes Problem. Das deutsche betraf den **Verzicht** (gemeint ist der auf Eigentum etc.) und die damit verbundenen Schwierigkeiten. Der Verzicht gehört in der sudetendeutschen Publizistik nicht zu den am häufigsten verwendeten Begriffen, von unseren Kollegen war das eine bahnbrechende Leistung. Der Verzicht ist ein moralisch-psychologischer Akt im Rahmen einer bilateralen Beziehung (auf einer zweiten Ebene kann er ein juristischer Akt sein), und damit er als solcher erfüllt werden kann, ist er an bestimmte Voraussetzungen gebunden. Bin ich bestohlen worden und die entwendete Sache ist unerreichbar, etwa weil sie inzwischen verloren oder vernichtet wurde, bleibt oft nichts anderes übrig, als ihre Wiedererlangung aufzugeben. Das ist ein Akt, vollzogen aus der Notwendigkeit, zudem geht es hier nicht um einen bilateralen Akt. Demgegenüber ist der Verzicht eine freie Handlung, ist Bestandteil eines Dialoges und bei der anderen Seite setzt er etwas voraus, zumindest keine Gleichgültigkeit. – Diese abstrakte Betrachtung wollen wir folgendermaßen auslegen: die deutsch-tschechische Versöhnung wird uns Tschechen etwas kosten; uns verbleibt nur, dem zuzustimmen. Man kann nicht von den Sudetendeutschen verlangen, auf etwas zu verzichten, was ihnen gehört, indem man hinzufügt: sonst könnt ihr uns den Buckel 'runterrutschen. Gerade diese nicht eben seltene tschechische Einstellung macht das Thema für die Deutschen psychologisch unverdaulich. Übrigens, manche aus der AG haben auf ihre Ansprüche einseitig verzichtet, ohne einen Akt des Entgegenkommens von tschechischer Seite zu erwarten (z. B. der katholische Priester Anton Otte, bei uns bekannt aus dem Fernsehen). Die Gespräche der tschechischen Arbeitsgruppe über psychologische Barrieren auf tschechischer Seite gingen von der **Angst vor einer Rückkehr der Sudetendeutsche** als Tatsache aus. Im Kreise sitzend testeten wir jeder für sich selbst die Empfänglichkeit für diese Grundangst. Von dreißig Menschen verspürten sie zwei oder drei in sich: Wir sind jedoch keine repräsentative Gruppe: der Kontakt mit den Sudetendeutschen von Mensch zu Mensch hat in uns so manches Vorurteil abgeschliffen, wohl wissend, daß auch die AG keine ganz repräsentative Gruppe ist. Trotzdem, der Großteil der Tschechen der mittleren und älteren Generation hat diese Angst.

Was ist die Quelle dieser Angst, wenn doch die überwiegende Mehrheit der Sudetendeutschen an eine Rückkehr keinen Gedanken verschwendet? (»Was sollen wir in diesem für lange Zeit vernichteten, von Schwefel durchtränkten Land?«) Wie ich glaube, können hier sog. **antizipierende Angstphantasien** eine Erklärung liefern, zu denen sich der Mensch nur ungern bekennt, die jedoch überall existieren und auch wirken. Die Vorstellung eines engeren, deutsch-tschechischen Zusammenlebens ruft ein Gefühl von Bedrohung der tschechischen Identität hervor, z.B. in Form einer sprachlichen Assimilierung (»dann fängt man bei uns an deutsch zu sprechen«), die für jene, die nicht bereit sind, dies auf sich zu nehmen, eine Einschränkung der Kommunikationsmöglichkeiten, also Vereinsamung bedeutet. Eine andere Form: die zahlenmäßig und zivilisatorisch tüchtigeren Deutschen werden für uns ein stärkerer Konkurrent sein und im Wettbewerb mit ihnen werden wir nicht bestehen, was uns auf das Niveau von Europas Parias deklassiert …

Die Angst vor einer Rückkehr der Sudetendeutschen ist eines der Motive für die Zementierung des 25. Februars 1948, als äußerster Restitutionsgrenze. Sie ist auch ein Grund für das »Fehlen eines politischen Willens«, sich mit dem sudetendeutschen Problem zu befassen und dieses überhaupt als Problem zu betrachten. Wir riefen uns die vor kurzem erfolgte, couragierte Initiative von Bohumil Doležal ins Gedächtnis, der versucht hatte, mit offenem Visier an die Sache heranzugehen (z. B. Lidové noviny 70/1994), sowie auch an das rüde Echo unserer Presse. Doležal verteidigte die Diskussion auch in der Zeitschrift Soudobé dějiny (1–2, 1994) /Zeitgeschichte, Anm. Üb./). Die widersprüchliche Resonanz seitens der Berufshistoriker zeigte, leider, auch bei so manch einem von ihnen einen Mangel an Courage. Wir müssen also mit dem Fehlen eines nicht nur politischen Willens rechnen. Mit einem solchen Handikap auf unserer Seite läßt sich nur schwer über ein Thema nachdenken, das die sudetendeutsche Seite besonders schmerzt: über die »**Beneš-Dekrete**«.

Karel Kryl, dessen moralische Integrität nicht zu bezweifeln ist, äußerte sich am 4. November 1989 sehr prägnant über die Dekrete: *»Das Jahr sechsundvierzig, als wir bezüglich* der an Sudetendeutschen begangenen Verbrechen eine allgemeine Amnestie verkündet haben, darf sich nicht wiederholen. *Das hat den tschechischen Charakter zutiefst versaut ...« (Lidové noviny 86/1994)* – Es gab Dutzende von Beneš-Dekreten. Nur manche betreffen die Sudetendeutschen, wie z. B., das von Karel Kryl erwähnte, das zur Vorlage für das Gesetz Nr. 115/1946 Slg. vom 8. Mai 1946 wurde. Sie sind moralisch inakzeptabel, ebenso wie zahlreiche Rechtsnormen der kommunistischen Legislative aus den Jahren 1948/1989. Unseren sudetendeutschen Partnern teilten wir folgendes mit: Die Beneš-Dekrete sind ein innerlich widerspruchsvolles Thema; als Bausteine der Fundamente unserer Nachkriegs-Rechtsordnung sind sie praktisch unverrückbar, sofern wir nicht ein juristisches Chaos riskieren wollen; dabei ist die moralische Unannehmbarkeit einiger davon offenkundig; wir können sie nur verurteilen. Für mich persönlich mache ich das mit diesem Satz: *Die die Sudetendeutschen betreffenden Beneš-Dekrete sind die Legalisierung verabscheuungswürdiger Schandtaten.*

Schließlich stellten wir uns die Frage, ob im Jahr 1945 eine **Alternative zur Vertreibung** existierte. Wir Laien unterliegen – ebenso wie viele unserer Berufshistoriker – der Ideologie des historischen Determinismus: was geschah, mußte geschehen, weil es eben so und nicht anders geschehen ist. Diese Tautologie verdeckt die Tatsache, daß auch ein solches Ereignis, wie die Vertreibung der böhmischen Deutschen, eine Verkettung individueller Akte einzelner Menschen mit freiem Willen war. Edvard Beneš, der von dem *Hinausliquidieren* der Sudetendeutschen sprach, hätte dieses Wort bestimmt auch nicht aussprechen müssen, ebensowenig hätte Prokop Drtina den Brandbrief vom 19.5.1945 an die Zeitung Svobodné slovo schreiben müssen, und auch die damaligen politischen Parteien hätten nicht die populistische Saite anschlagen und den ohnehin schon beträchtlichen Deutschenhaß unserer Öffentlichkeit weiter schüren müssen usw. Man kann zwar nicht mit Sicherheit behaupten, *was* die Alternative zur Vertreibung gewesen wäre, ebenso wie man nicht mit Sicherheit behaupten kann, es hätte *keine Alternative* gegeben.

Wir haben dann über diese Dinge gemeinsam diskutiert und werden darin, so Gott will, auch künftig fortfahren. Heute, »beim dem Fehlen eines politischen Willens« sowie der mangelnden Bereitschaft, über dieses Thema wenigsten eine »innertschechische« Debatte zu beginnen, ziehen zumindest die direkt Beteiligten einen unbestreitbaren Nutzen aus dem sudetendeutsch-tschechischen Dialog. Sollte irgendwann auf tschechischer Seite Wille und Bereitschaft entstehen, dann kann man an etwas anknüpfen.

Literární noviny, 20/1994 (19.5.1994)

16.2 Petr Příhoda:
Teufelskreis der tschechischen Gemütsverfassung – die Sudetendeutschen

Genau vor zehn Jahren habe ich den Textteil des ursprünglich als Samizdat-Publikation gedachten Buches über das tschechische Grenzgebiet, *Ztracené dějiny* (Die verlorene Geschichte, Anm. Üb.) fertiggestellt (die hervorragenden Photographien sind das Werk von Josef Platz). Mit dem sudetendeutschen Thema habe ich mich aber schon gut zwanzig Jahre früher beschäftigt. Hingeführt zu diesem Thema haben mich meine Patienten, Sudetendeutsche, die hierbleiben durften, aber auch deren zugezogene tschechische Nachbarn. Ich pfuschte den tschechischen Historikern als Amateur ins Werk, weil sie mich nicht ordentlich über die Sache belehrt hatten (sie haben das bis heute nicht getan), in der Hauptsache blieb ich aber bei meinem Leisten und beobachtete, was das alles in den menschlichen Seelen angerichtet hatte. Um all das bemühe ich mich nun auch in der Zeit nach dem November 1989, wo man darüber schreiben darf, aber mit ähnlichen Schwierigkeiten zu kämpfen hat wie früher. Das sudetendeutsche Thema ist nämlich wie eine Glaskugel, in der der Zustand der tschechischen Gesinnung und ihr Verhältnis zu anderen Dingen, möglicherweise wichtigeren als diesen, erscheint. Ein Verhältnis, das die meisten tschechischen Gemüter nicht beabsichtigen zu verändern, obwohl ich glaube, das sie es sollten. Statt dessen überwiegt das Bestreben, dieses Thema lieber in Ruhe zu lassen. Wird sein Tabu zufällig verletzt, ertönt der Unmut unisono, um den Störenfried zurechtzuweisen. Es ist immer das gleiche, in eine nur scheinbare Debatte können keine neuen Fragen oder Argumente eingebracht werden, keine neuen Erkenntnisse. Das Notorische dieses Mechanismus ist ermüdend. Ich will versuchen, meine Nachnovember-Erfahrung zusammenzufassen. Namen will ich lieber keine nennen.

Was ist eigentlich geschehen?

Mit dieser Frage sollte man anfangen. Beschreiben und auslegen. Den Fragesteller kann man zum Schweigen bringen, indem man *im Unklaren läßt*, was »beschreiben« und »auslegen« bedeutet, was bei uns auf fachlicher Ebene auch häufig geschieht. Kurz zusammengefaßt meine ich persönlich folgendes: München und die nazistische Okkupation waren für die tschechische Gesellschaft ein Trauma, mit dem sie nicht fertig geworden ist. Angestaute Angst, Haß und Erniedrigung hat sich blindlings durch brutale Vergeltung an den Sudetendeutschen abreagiert: durch Terrorisieren, häufig durch Massakrieren und danach durch die Vertreibung. Die eigentliche Durchführung hatte der tschechische Pöbel übernommen, aber auf tschechischer Seite wurde nur wenig Protest laut (aus christlichen und sozialdemokratischen Kreisen kommend), und auch der war alsbald vergessen. Die Mehrheit der tschechischen Öffentlichkeit schwieg damals. Und billigte es. Diese Tat, die auch damals nicht den anerkannten moralischen Grundsätzen entsprach, ist ein Zeugnis der damaligen tschechischen *Demoralisierung.* Das ist für die tschechische Gesinnung auch heute unannehmbar. Daher das weiterhin gültige, *stille Übereinkommen,* nicht zu der Sache zurückzukehren. Und wenn es denn sein muß, dann soll sie zu Gunsten der Tschechen ausgelegt werden.

Die Sophistik

Die wichtigsten Methoden der Auslegung zu Gunsten der Tschechen sind folgende:
1. Wertende Urteile sind aus der Interpretation der Geschichte als unzulässiges Moralisieren auszuschließen, d. h. man besteht auf der *rein positivistischen Auffassung der Geschichtsschreibung.* So verhält sich ein beachtlicher Teil unserer Historiker, durch deren Beispiel auch viele Laien verführt werden. Solch eine Haltung muß dann auch konsequent beibehalten werden, damit man einen nicht beim Wort nehmen kann. Also muß sie auch *gegenüber späteren Ereignissen* beibehalten werden (vor dem Februar 1948, nach dem Februar 1948, fünfziger Jahre, Normalisierung) und auch gegenüber den heutigen.
2. Diese Tat ist als Akt der Gerechtigkeit auszugeben, die Sudetendeutschen sind mit den Nazis gleichzusetzen, die *Geschichte wird also gefälscht* und der Begriff der *Kollek-*

tivschuld faktisch übernommen (gleichzeitig aber distanziert man sich verbal von ihm). So gehen Kryptokommunisten vor, Sládek-Anhänger und andere primitive Nationalisten. Berufshistoriker gehen nicht so vor, aber bis auf Ausnahmen schweigen sie dazu. – Diese Haltung macht es möglich, daß der *Bodensatz der Gesellschaft* zu ihrem lautesten Verteidiger wird, und den anderen bleibt dann nichts anderes übrig, als sich mit ihm in diesem Punkt zu solidarisieren. – Eine Variante dieses Typs von Geschichtsfälschung ist, wenn die tschechische Vergeltung als Erfüllung der Potsdamer Entscheidung der Großmächte hingestellt wird (»eigentlich können wir gar nichts dafür«). Auch die emotive Betonung der Nazigreuel, die in ihrem Ausmaß tatsächlich die Greuel des »Abschubs« bei weitem übertreffen, macht durch das implizite Appellieren an die »historische Gerechtigkeit« einen Dialog unmöglich.

3. *Die Bedeutung der Vergangenheit* für die Gegenwart *ist zu leugnen*: was geschehen ist, ist geschehen, reißen wir doch nicht alte Wunden auf, ziehen wir einen dicken Strich darunter und blicken wir in die Zukunft. – Das tun diejenigen, die über den Verlauf der Vertreibung einiges wissen, aber nicht wissen, was sie damit heute anfangen sollen. Dieser Schritt kommt auch der jungen Generation entgegen (»wir haben damit nichts zu tun«). Auch unsere Außenpolitik übernimmt im Grunde diese Argumentation und auch eine Reihe von Historikern (ihnen ist vermutlich nicht bewußt, daß sie damit eigentlich den Sinn ihres Berufes leugnen). Auf dem Mechanismus des Leugnens beruht auch das strikte Trennen des sog. wilden Abschubs von dem sog. ordnungsgemäßen, als hätte der zweite mit der ersten »nichts zu tun«. Aus dem gleichen Instrumentarium stammt aber auch das Bestreben, die Bedeutung der kommunistischen Vergangenheit für die Gegenwart zu leugnen …

4. Man versichert sich gegenseitig, *daß auch in Deutschland dieses Problem nicht aktuell ist,* oder man bekennt sich zu dem Prinzip »wo kein Kläger, dort kein Richter«. Dies entspricht zwar der Routine der juristischen Praxis, aber von da auf etwas anderes übertragen, ist das eher ein Ausdruck von Zynismus. Dieser Typ der Argumentation ist eigentlich die Bestätigung für den *Zustand der Ehrlosigkeit*, in den die sog. Normalisierung die tschechischen Gesellschaft gestürzt hat. Abgesehen davon, ist es auch eine implizite Feststellung unserer *Abhängigkeit von Deutschland*: wäre dieses Problem in Deutschland aktuell, dann würden wir uns anders verhalten.

Praktische Konsequenzen

Mag sein, daß ein Politiker, der in dem Sinne pragmatisch sein will, wie dieser Begriff bei uns heute verstanden wird, an diesen Haltungen und den entsprechenden Manövern nichts Unannehmbares findet. Mit Pragmatismus meint man nämlich die Beachtung dessen, was als sichtbarer Erfolg in leicht überschaubarer Zeit empfunden wird – und nicht mehr. Durch die erwähnten Haltungen und Manöver wird ein solcher Erfolg tatsächlich nicht in Frage gestellt. Langfristige, zeitliche Perspektiven entziehen sich allerdings der pragmatischen Sichtweise. Mit ihnen befaßt sich denn auch der tschechische politische Geist nicht allzusehr. Seiner Aufmerksamkeit entgeht daher leicht, daß die jetzige mehrheitliche Einstellung zum sudetendeutschen Problem spürbare Folgen haben kann, die sich erst später bemerkbar machen werden (und die auch etwas anderes betreffen können, als unser Verhältnis zu den Deutschen und Deutschland).

1. Sich nicht mit der etwas entfernteren Vergangenheit zu beschäftigen, erleichtert es, *darauf zu verzichten, sich mit einer weniger entfernten Vergangenheit zu befassen.* Erinnern wir uns an die Worte von George Santayana: »Ein Volk, das seine Vergangenheit nicht kennt, ist verurteilt, sie erneut zu erleben.« Bedenken wir, wie uns die unverdaute jüngere Vergangenheit sehr handgreiflich belastet, und es ist nicht nur der Fall Chemapol[201].

2. Die Unlust, sich mit dem sudetendeutschen Thema zu beschäftigen kommt den Haltungen entgegen, die wir populistisch nennen. Diesen Haltungen ein so weitreichendes Plazet zu geben, wie es gerade in diesem Falle geschieht, bedeutet *denjenigen Kredit zu gewähren, die Masaryk als pathologischen Abschaum der Gesellschaft bezeichnet hatte.* Präwissenschaftliche Bezeichnungen vom Typ »Pöbel«, »Mob«, »Bodensatz« u. ä. bezeichnen *keineswegs eine stabile Gruppe, sondern eine Rolle,* in die jeder geraten kann, du und ich. Die Legitimität dieser Rolle in der Haltung zum sudetendeutschen Problem zu akzeptieren, bedeutet ihre Akzeptanz auch in anderen Fällen zuzulassen. Das kann in Krisensituationen fatale Folgen haben.

3. Die Art, wie sich unsere Publizistik mit diesem Problem auseinandersetzt (zwar mit bescheidenen Ausnahmen, dafür aber unter Beteiligung renommierter Autoren), zeugt davon, daß *abwegige Gedankengänge voll etabliert sind,* z. B. die vom Typ des Orwellschen »doublethink« und

»newspeak«. Gerade bei Aussagen über dieses Problem, erleben wir am häufigsten, daß *eine Behauptung aufgestellt und gleichzeitig negiert wird* z. B. distanziert man sich vom Prinzip der Kollektivschuld und gleichzeitig bekennt man sich dazu, man konstatiert die Wichtigkeit und gleichzeitig die Unwichtigkeit der gleichen Sache (für Deutschland ist dieses Thema uninteressant – Deutschland ist für uns eine Gefahr ...), dies geschieht auch bei den Metaphern, die sich in nüchternem Zustand als irreal erweisen (»dicker Strich«). Die Art, wie das sudetendeutsche Problem von der tschechischen Publizistik traktiert wird, begründet die Angewohnheit *der Selbstverleugnung von Ideen* und *des Verzichts darauf, Realitäten zu überprüfen.*

4. Zu betonen, wir könnten uns so eine Einstellung leisten, weil uns von deutscher Seite unmittelbar nichts droht, begründet die Angewohnheit, *langfristige, zeitliche Perspektiven zu ignorieren,* wofür wir den prägnanten Begriff *Kurzsichtigkeit* haben. Die mangelnde Bereitschaft, die Strategie der eigenen Handlungsweise in Bezug auf zeitlich entferntere Folgen zu überdenken, ist eine andere Form *eines Lebens auf Kosten der Zukunft.*

5. Die Bagatellisierung der Leiden der Vertreibungsopfer, wozu es bei Gesprächen über dieses Thema häufiger kommt, ist schon zur Selbstverständlichkeit geworden. Sie zeugt von der weitreichenden Bereitschaft, den anderen zu depersonalisieren, wodurch ihm *seine menschliche Substanz abgesprochen wird.* Bisher geschieht das unter bestimmten Umständen (»Es waren doch sudeťáci!) (Sudeťáci = pejorativer Begriff für »die Sudetendeutschen«, Anm. Üb.), aber die Abgestumpftheit expandiert gerne.

Zu bezweifeln, daß es um *praktische* Folgen geht, bedeutet, eine sehr enge Sichtweise der Praxis zu vertreten, bedeutet nämlich *Reduktionismus.*

»Die Ursachen«

Ein mächtiges Motiv für die vorherrschende tschechische Haltung zur sudetendeutschen Frage ist *die Angst vor den Deutschen,* die übrigens oft zugegeben wird. Ein solches Verhältnis des Schwächeren zum Stärkeren ist nichts Außergewöhnliches, ist aber nicht die einzige mögliche Haltung. Als Richtschnur sollte hier das *Prinzip der Realität* dienen, das jedoch durch die Haltung, die die Mehrheit zu diesem Problem einnimmt geleugnet wird, und die erwähnten praktischen Konsequenzen bestärken noch diese

Leugnung. Die Angst vor den Deutschen, die nicht nur mit den Erfahrungen mit Nazideutschland begründet wird, sondern auch mit der üblichen Interpretation der ganzen tschechischen Geschichte, wird durch die *nicht eingestandene Angst vor der (sudeten)deutschen Vergeltung vervielfacht.* Hier liegt der Ursprung der verschwiegenen Begründung: falls wir eine andere, als negativistische Haltung einnehmen, werden wir dem (sudeten)deutschen Revisionismus oder Vergeltungsdruck weichen müssen (als könnte bloßer Negativismus einem solchen Druck Paroli bieten).

Ein nicht weniger wirksames Motiv ist *die Unlust, die eigene Vergangenheit zu analysieren* (nicht nur die »mit dem Abschub«). Die Analyse könnte nämlich den Verlust mancher Sicherheiten bedeuten und der Gedanke daran ruft in vielen Menschen ein Gefühl der Bedrohung hervor. Zu diesen Sicherheiten gehört der Komplex von Vorstellungen, die man als *Mythos der ersten Republik* bezeichnen kann. Das ist jedoch nicht der einzige Schwachpunkt in der Infrastruktur unseres kollektiven Selbstbewußtseins. Gewiß würde die Einsicht in *die Art, wie die tschechische Gesellschaft für das kommunistische Regime adaptiert wurde,* vielen eine verletzende Enttäuschung zufügen, insbesondere die *Ehrlosigkeit, mit der die sog. Normalisierung akzeptiert wurde.* Das würde nicht nur das Selbstbewußtsein bedrohen, sondern auch das Funktionieren von Institutionen (wiederum: bei weitem nicht nur solcher wie Chemapol.)

Auch *die zweckmäßige Wahl des sog. Pragmatismus als politischer Philosophie* ist hier im Spiel. Wir haben diesen als Orientierung auf etwas definiert, was als in absehbarer Zeit erreichter sichtbarer Erfolg gilt.

Eine der Ursachen, nicht etwa im Sinne von Motivation, sondern in dem Sinne, daß ein unerläßlicher »Service« fehlt, *ist die Desertion jener, die diese »Service«-Funktion ausüben sollen.* Demonstrieren kann man das z. B. am fehlenden Mut unserer Berufshistoriker: in den Medien gab es zahllose Äußerungen über das sudetendeutsche Thema, zu denen gerade sie etwas zu sagen gehabt hätten; nichts haben sie gesagt. Es geht natürlich nicht nur um sie. Es geht auch um die Konformität von Journalisten, die Desorientierung der Lehrer usw.

Was ist, wenn sich das nicht ändert? Was ist, wenn es bei der bisherigen Sophistik bleibt, bei den praktischen Konsequenzen und Ursachen? Bei einer gewissen Großzügigkeit der Politik des deutschen Staates (ich befürchte, daß sich viele von uns *ehrlos* darauf *verlassen*) müssen sich die deutsch-tschechischen Beziehungen nicht verschlechtern. Jene praktischen Konsequenzen betreffen jedoch auch unserer eigene Substanz, und zwar auf eine Art und Weise, die *einstweilen* als *unbestimmt fatal* qualifiziert werden kann. Das sudetendeutsche Thema ist bestimmt nicht die wichtigste Komponente der tschechoslowakischen Beziehungen, ist aber von ihnen nicht *wegzudenken*. Und unsere Vogel-Strauß-Politik – durch die wir uns von der polnischen Verhandlungsposition unterscheiden – *diskreditiert* uns in den Augen der deutschen demokratischen Öffentlichkeit, die unser natürlicher Verbündeter ist und auch in Zukunft sein sollte.

Literární noviny 5/1995 (2.2.1995)

16.3 Warum »Versöhnung 95«?

Der Aufruf mit dieser Bezeichnung rief unisono Unwillen hervor, aber niemand fragte die Signatare, warum sie sie unterschrieben haben. Die Erbitterung zeigt an, daß es um ein schmerzhaftes Thema geht. Dessen Wichtigkeit zu verbergen wäre unbedacht. Bei seiner Rede im Karolinum riet der Präsident, die Dämonen der Vergangenheit nicht zu wecken. Davor warne ich nachdrücklich. Die einzige vernünftige Art mit Dämonen umzugehen ist, sie vorsichtig ans Tageslicht zu holen.

Ich will versuchen zu erklären, was mich zur Unterschrift geführt hat. Ich möchte gerne überzeugen, daß es die Berücksichtigung der Interessen der tschechischen Volksgemeinschaft war, wenngleich anderer Interessen, als derjenigen, die gerade heute im Vordergrund stehen. Mich leiteten drei Gründe: ein pragmatischer Grund, ein soziopsychologischer und ein moralischer (für mich selbst benutze ich die umgekehrte Reihenfolge, aber sei's drum).

Zuerst der *pragmatische Grund.* Unser geopolitisches Schicksal ist die schwierige deutsche Nachbarschaft. Es liegt in unserem existenziellen Interesse, die zahlenmäßige und auch zivilisatorische deutsche Übermacht anzuerkennen und mit diesem Nachbarn, wenn möglich, konfliktfrei auszukommen. Ich sage »wenn möglich«. »Wenn nicht möglich«, dann bleibt einem nichts anderes übrig, als auf seinem Standpunkt zu beharren. Das gilt für sog. Grenzsituationen. Eine solche Situation war das Münchner Abkommen (ich meine, wir hätten uns militärisch wehren sollen). Die Pflege des Charakters der deutsch-tschechischen Beziehungen sollte eine Konstante der tschechischen praktischen Politik sein. Einer Politik, die wir selbst gestalten sollten, ohne sich in infantiler Weise auf die Protektion mächtigerer, entfernter Verbündeter zu verlassen. Wir sollten uns einfach auf uns selbst verlassen. Es gibt keine geeignetere Quelle für ein reales Selbstbewußtsein.

Wir sind auf die Strategie des Schwächeren gegen den Stärkeren angewiesen. Der Schwächere hat in einer solchen Situation eine einzige vernünftige Möglichkeit: seine Interessen mit den Interessen einer akzeptablen geistigen resp. politischen deutschen Richtung zu verbinden. Das sind für uns die deutschen Demokraten, die nicht nationalistischen Deutschen aus CDU/CSU, SPD, FDP u. a., auch aus den Reihen der vertriebenen böhmischen Deutschen. Zu behaupten, die sudetendeutsche Frage würde für sie nicht existieren, stimmt nicht. Ja, sie äußern sich einmal so und dann wieder anders, ihre Einstellung ist ambivalent, aber nicht gleichgültig.

Der nächste Grund ist der *soziopsychologische.* Erinnern wir uns an das Echo der Aktion »Versöhnung 95«. Ein wichtiger Faktor, der in den tschechischen Betrachtungen bei diesem Thema auftaucht, ist die nicht eingestandene *Angst.* Nicht die berechtigte Wachsamkeit des Schwächeren gegenüber dem Stärkeren ist gemeint, sondern die Angst, die in uns unhaltbare Vorstellungen und inakzeptable Formulierungen nährt. Unsere Historiker korrigieren sie nicht, weil auch sie diese Angst haben. Und die oben erwähnten Vorstellungen und Formulierungen geraten dann auch in die Worte und Taten unserer Politiker. Das bedeutet noch keinen deutsch-tschechischen kalten Krieg, aber es arbeitet diesem in die Hände, weil es uns jenen deutschen geistigen und politischen Kräfte entfremdet, die uns sonst wohlgesonnen wären; abgesehen davon, daß gerade diese Haltung das tschechische Selbstbewußtsein untergräbt, obwohl man sie für einen Ausdruck dieses Selbstbewußtseins ausgibt.

Schließlich ist hier der *moralische* Grund. Der würde angeblich nicht in politische Betrachtungen gehören. Wenn wir uns aber in Europa umschauen, von Irland bis Tschetschenien, dann sehen wir, daß das notorisches Politikum, das selbst nach Generationen nicht seinen Stachel verliert, gerade aus Konflikten mit moralischer Dimension entsteht. Auf sudetendeutscher Seite gibt es allzu viele, die den Horror des »Abschubs« erfahren haben, ohne sich an den Geschehnissen der Jahre 1937–1944 beteiligt zu haben, weil sie damals Kinder waren. Man kann nicht mit gutem Gewissen behaupten, wir hätten ihnen nichts zu sagen.

Im Hinblick auf die genannten Gründe halte ich den Dialog für *unerläßlich*. Und zwar auf allen Ebenen, also auch auf der verbindlichsten, d. h. auf der Ebene der politischen Repräsentanz. Ich weiß nicht, warum das auf unserer Seite nicht auf Regierungsebene geschehen könnte. Hat sich doch auch unsere Regierung schon einmal dafür entschieden (im unpassenden Moment, deshalb zog sie die Zusage zurück). An den Gesprächen sollten damals von unserer Seite nicht etwa Regierungsmitglieder teilnehmen, sondern Menschen, deren Kompetenzen aus dem Willen der Regierung hervorgehen sollten. – Ich stelle mir das nicht etwa so einfältig vor, daß sich die Herren Klaus und Neubauer morgen an einen Tisch setzen. Ich stelle mir auch nicht vor, daß ein solcher Dialog einer Gerichtsverhandlung ähneln würde und seine Schlußakte einem Diktat.

Obwohl ein solcher Dialog unerläßlich ist, findet er nicht statt, weil uns die Angst daran hindert. Deshalb findet auch kein »tschechisch-tschechischer« Dialog statt. (Vorsicht: eine Polemik oder eine Diffamierungskampagne sind kein Dialog). Meiner Meinung nach bedroht ein solcher Zustand unsere existenziellen Interessen. *Deshalb* habe ich die »Versöhnung 95« begrüßt und unterschrieben. Das ist keine *Weisung* (wie der Rektor der Karlsuniversität, weiß Gott warum, behauptete), sondern ein *Aufruf*, also eigentlich ein Angebot, das man auch nicht annehmen muß.

Mladá fronta Dnes, 13.4.1995

16.4 Petr Příhoda: Die Polen und »ihre« Deutschen

Warum sollen wir Probleme mit den Deutschen aus dem ehemaligen Sudetengebiet haben, wenn die Polen mit den Deutschen aus Schlesien, Ostpreußen und Pommern keine haben? Und warum haben sie keine? Weil sie, für ihren Teil, gar nicht zulassen, irgendwelche zu haben. Und die Deutschen sind gezwungen, dies zu respektieren. Die Verkünder der tschechischen Versöhnung mit den Sudetendeutschen sind also naive Phantasten, Masochisten und de facto Schädlinge ihres Volkes, sofern sie nicht gar bezahlte Agenten der »landsmanšaft« sind. – So etwa sieht das heute so mancher tschechische Geist (z. B. Karel Richter, Mladá fronta Dnes = MfD, 25.4.1995).

Der Chef der bayerischen Staatskanzlei Erwin Huber begründet allerdings dieses geringere Maß an polnisch-deutschen Problemen anders: dem sei u. a. deshalb so, weil »wir mit der Tschechischen Republik bisher keinen offenen Dialog über unsere gemeinsame Vergangenheit geführt haben« (MfD, 18.4.1995). So manchen wird hier vielleicht die Wichtigkeit eines Dialogs überraschen, wo er die unerbittliche Fatalität geopolitischer Kräfte ahnt. Aber greifen wir nicht vor und versuchen wir, die Unterschiede in den Beziehungen des polnischen und des tschechischen Staats zu der einstigen deutschen Bevölkerung ihrer Territorien zu untersuchen.

Auf dem Gebiet des heutigen Polens lebten vor Kriegsende 6 bis 7 Millionen Deutsche (davon 1 Million im polnischen Posener Gebiet, die übrigen in Gebieten, die vor dem Krieg nicht zu Polen gehörten; die genaue Zahl kann nicht festgestellt werden, weil viele Deutsche aus den baltischen Staaten dorthin geflohen sind). Polnische Fachleute vermuten, daß die Hälfte davon vor der näher rückenden Sowjetfront geflohen war, die Deutschen setzen dem entgegen, viele Flüchtlinge seien nach dem Krieg wieder zurückgekehrt. Das Wüten des Krieges erlaubt nicht zu unterscheiden, wie viele deutsche Zivilisten infolge von Kampfaktionen umkamen und wie viele beim spontanen Austreiben, dessen Umfang begrenzter als bei uns war: die polnische Bevölkerung war für eine spontane Vergeltung nicht so motiviert, weil der polnische Widerstand die Angelegenheiten mit den nazistischen Posener Deutschen und den Kollaborateuren noch während des Krieges erledigt hatte. Die Aussiedlung nach dem Krieg verlief ruhiger, Sammellager, wie bei uns, existierten nicht. Das Gebiet Polens wurde durch die sowjetische Gebietsexpansion um mehrere hundert Kilometer westlich verschoben. Rund eine Million Deutscher hat Polen später spontan verlassen, vor allem die sog. Schlesier.

Schon aus diesem kurzen Überblick wird ersichtlich, daß der Exodus der Deutschen aus dem Gebiet des heutigen Polens von anders gearteten Kräften erzwungen wurde, als jenen, die den »Abschub« der Sudetendeutschen realisiert haben. Der überwiegende Teil der »polnischen« Deutschen wurde von den tobenden Kriegswirren erfaßt, während der »wilde Abschub« der Sudetendeutschen in den sonnigen Maitagen begann, als Europa das Kriegsende feierte, und insbesondere nachdem zwei wichtige Rechtsakte stattgefunden hatten: die Kapitulation Deutschlands und die

de-facto-Restitution der Tschechoslowakischen Republik.
Kurzum, der Krieg (z. B. in Danzig, in Breslau) wird als ein
Zustand des Unrechts empfunden, während der Frieden (z.
B. in Brünn, Aussig) schon ein Zustand des proklamierten
Rechts ist.
Und dennoch haben wir – gegenüber den Sudetendeutschen – den Kriegszustand in gewisser Weise bis zum 28.
Oktober 1945 verlängert, und mit dem Gesetz Nr. 115/46 sogar kodifiziert (rückwirkend), wodurch wir uns dem Verdacht aussetzten, wir wollten »den Krieg einholen«, obwohl
dieser schon zu Ende war. Dadurch geraten wir auf psychologisch unsicheren Boden. Das sollten wir nicht ignorieren,
weil psychologische Hypothesen, vor allem wenn sie auf
der Hand liegen, großen Einfluß auf die Art des allgemeinen
Problemverständnisses haben, also auch auf die Interpretation der rechtlichen Tatsachen.
Dazu muß man anmerken, daß die Aussiedlung der Deutschen aus den Ländern östlich von Deutschland durch den
Artikel XIII. des am 2. August 1945 unterzeichneten Potsdamer Abkommens kodifiziert war. Die größten Schrecken
des »wilden Abschubs« spielte sich jedoch davor ab. Die
Sache hat noch einen Haken: ein beachtlicher Teil unserer
Öffentlichkeit meint, der »Abschub« wäre erst die Realisierung dieses Abkommens gewesen, die siegreichen Großmächte hätten sie uns gewissermaßen »auferlegt«. Unsere
Historiker haben keine Möglichkeit gefunden, die Öffentlichkeit über diesen Irrtum aufzuklären. Man wird den Eindruck nicht los, daß in Sachen deutsch-tschechische Beziehungen unsere Historiker-Gemeinde gegenüber der öffentlichen Meinung keinen entsprechenden Vorsprung hat.
Diese Probleme haben die Polen nicht. Ihre Position wird
auch psychologisch gestärkt. Der Kriegszustand zwischen
Polen und Deutschland war »von Anfang an« unstrittig, die
Polen haben nämlich gekämpft. Das schlechte Gewissen
Deutschlands gegenüber Polen ist ein wichtiges Moment,
das auf jeden Deutschen einwirkt; es ist schlechter als das
schlechte Gewissen Deutschlands uns gegenüber. Auch
machte die polnische Politik im Westen einen anderen Eindruck als unsere. Sikorski und Mikolajczyk verhielten sich
den Sowjets gegenüber anders als Beneš, der mit diesen
1943, entgegen allen Ratschlägen westlicher Politiker, einen Vertrag schloß. Noch lange nach dem Krieg kämpfte
die illegale Armia krajowa gegen die Kommunisten. Auch
die kommunistischen Führer Polens imponierten dem Westen mehr, als die devoten und farblosen Novotnýs, Husáks,

Jakešs und Bil'áks. Gewiß weckte auch der polnische anti-kommunistische und antisowjetische Widerstand mehr Hoffnungen als unsere einsame, von der Mehrzahl der Bevölkerung ignorierte Charta 77. – Dies alles zählt und das sollten nicht nur die tschechischen Politiker und Ministerialbeamten wissen, sondern vor allem die Journalisten.

Der polnisch-deutsche Nachkriegsdialog drehte sich nicht um das Schicksal der Deutschen aus Schlesien, Pommern u. a., sondern um eine prinzipiellere Sache, und das war die Oder-Neiße-Grenze. Die (west)deutsche Verhandlungsposition wurde maßgeblich dadurch beeinflußt, daß Auschwitz, Sobibor, Treblinka und Majdanek auf polnischem Gebiet lagen und die deutschen Nazis sechs Millionen Polen umgebracht hatten (drei Millionen ethnische Polen und drei Millionen polnische Juden). Zudem hatte Polen Lemberg und Vilna verloren und Massen von Flüchtlingen und Vertriebenen fanden gerade in den westlichen Gebieten Polens eine Heimat (das Erlebnis der Vertreibung haben die Polen am eigenen Leib erfahren, deshalb ist ihnen das Schicksal der deutschen Vertriebenen nicht so fremd). Wie können Deutsche Ansprüche auf »ziemie odzyskane« d. h. »deutsche Gebiete unter polnischer Verwaltung« erheben, wenn es gegen den russischen Willen nicht möglich ist, Polen um einige hundert Kilometer nach Osten zu «verschieben»?

Nicht genug. Die Polen begannen einen offenen Dialog mit den Deutschen. Nicht etwa Bierut oder Gomulka, aber die polnischen Intellektuellen und Exulanten. Z. B. zögerte der heutige polnische Außenminister Bartoszewski nicht, im Exil sehr offene Gespräche mit dem Führer der schlesischen Vertriebenen Czaja zu führen. Auf tschechischer Seite gibt es keine Parallelen zu dieser Gesprächsebene (auch nicht auf Seiten der Exiltschechen).– Einen Umbruch bedeutete der Brief der polnischen Bischöfe an die deutschen Bischöfe im Jahr 1965, also vor dreißig (!) Jahren, mit dem Titel »Wir vergeben und bitten um Vergebung«. Er berief sich auf das Leid des polnischen Volkes während des Krieges ebenso, wie auf das Leid der Deutschen, die ihre Heimat verloren hatten. Der Brief rief den Protest der polnischen kommunistischen Führung hervor, aber zugleich drängte er sie aus dem Spiel, danach wurden die Gespräche anderswo geführt. Und sie wurden fortgesetzt. Leider haben wir uns keinen solchen Verhandlungsservice angeschafft. Die nach dem November 1989 erfolgten gemeinsamen Erklärungen der tschechischen und deutschen Bischöfe blieben von der Öffentlichkeit unbeachtet (ihre letzte Erklärung hat der tschechische Präsident mit der ihm eigenen Ironie der Geringschätzung preisgegeben).

Von Bedeutung sind auch die gemeinsamen Aktionen der deutschen und polnischen Jugend (Jugendwerk) mit ihrer langjährigen Tradition. Auf tschechischer Seite gibt es dafür, leider, nichts Entsprechendes.

Bereiten wir uns auf Schwierigkeiten beim deutsch-tschechischen und sudetendeutsch-tschechischen Dialog vor und wundern wir uns nicht über diese. Der tschechische Premierminister bekannte, er habe bis zum fortgeschrittenen Erwachsenenalter nicht gewußt, daß so ein Problem überhaupt existiert. Das Koalitionsquartett näherte sich vor zwei Jahren zögerlich der Vorstellung, eine Art Kommission zu bilden, die sich mit dem Problem befassen sollte, ihr designierter Vorsitzender verkündete, er werde mit dem Studium der entsprechenden Literatur beginnen, mit der Konstituierung der Kommission zögerte man aber weiter. Das jedes Jahr stattfindende Treffen der Landsmannschaft, von wo der unzufriedene Ruf nach Verhandlungen mit der tschechischen Regierung erklang, bereitete der Idee ein Ende. Aus Angst, jeder Schritt der tschechischen Seite könnte wie ein Rückzieher aussehen, gilt seit dieser Zeit: »Nicht verhandeln!« – Auch viele Polen haben vor den Deutschen Angst, vor ihrem Vordringen nach Polen, vor einem Ausverkauf der polnischen Wirtschaft, vor der Germanisierung. Die polnische Gesellschaft ist jedoch stärker gegliedert und ihre Ansichten sind vielfältiger. Das betrifft auch die Ansichten über die deutsch-polnischen Beziehungen. Von Bedeutung ist, daß überhaupt eine »polnisch-polnische« Diskussion über dieses Thema existiert, daß sie informiert und sachlich ist (auch die Diskussionen, die innerhalb der polnischen Dissidentenkreise geführt wurden, waren rationaler, im Vergleich zu unseren).

Die Polen hatten und haben keine Angst vor einem Dialog mit den Deutschen, auch nicht mit den Vertriebenen (Bartoszewski – Czaja). Die polnische Intellektuellengemeinde ist eine funktionierende Struktur und jene, die sich mit den deutsch-polnischen Beziehungen befassen, sind über das Thema und auch über die Schicksale ihres deutschen Gegenübers viel besser informiert, als das bei uns der Fall ist. Im Gegensatz dazu kommt es bei uns vor, daß sich eine »tschechisch-tschechische« Debatte über das sudetendeutsche Thema auf verhältnismäßig elitärem Niveau (Beteiligte sind z. B. ein hoher Parlamentsfunktionär, ein bedeutender Journalist oder ein hoher Ministerialbeamter) immer noch – wir schreiben das Jahr 1995! – auf der Ebene persönlicher Erlebnisse bewegt (»Im Jahr fünfundvierzig war ich noch ein Junge, aber ich erinnere mich, daß ...«).

Deshalb bringt man auf deutscher Seite den polnischen Teilnehmern des deutsch-polnischen Dialogs Respekt entgegen, obwohl sich mit der Oder-Neiße-Grenze noch viele Deutsche nicht abgefunden haben. Beide Seiten kennen einander schon, ihr gegenseitiges Verhalten ist rational, also für den einen wie den anderen vorausschaubar, was zur Lockerung der Spannung beiträgt, während die tschechische, schlecht informierte und ablehnende Haltung an die auf Konfrontation ausgerichtete, demagogische Rhetorik der einstigen kommunistischen Presse erinnert. Es existiert eigentlich keine »tschechisch-tschechische« Diskussion über dieses Thema. Statt dessen finden bei uns von Zeit zu Zeit nervöse Kampagnen statt. Das Problem wird höchstens unsystematisch wiedergekäut, ohne Anzeichen eines Fortschritts im Bereich der Erkenntnisse: Auf den Seiten der regierungsfreundlichen Presse, der Oppositions- und auch der Boulevardpresse erscheinen die schon seit Jahren immer gleichen, emotional motivierten Ergüsse. – Durch all das wird die sudetendeutsch-tschechische Spannung eher noch gesteigert. Die tschechische Unsicherheit und Gereiztheit spielt der sudetendeutschen Irrationalität in die Hand und macht es rationaler denkenden Sudetendeutschen unmöglich, eine repräsentierende Funktion zu übernehmen. Das alles ist, verständlicherweise, den bundesdeutschen Regierungskreisen unangenehm, was auf der anderen Seite den Raum der tschechischen Diplomatie einengt.

Die Verhandlungsposition der polnischen politischen und kulturellen Repräsentanz im Rahmen des deutsch-polnischen Dialogs ist also nicht dank der polnischen Unnachgiebigkeit günstiger, wie viele bei uns meinen, sondern gerade im Gegenteil, wegen dem polnischen Entgegenkommen, der Offenheit, der Sachkenntnis, die sich schon seit dreißig Jahren bewährt hat. Demgegenüber bleibt die tschechische politische, und leider auch kulturelle Repräsentanz, unhaltbaren Thesen verhaftet, wodurch sie sich dem Risiko aussetzt, daß ihr Konzept schon beim ersten Zusammentreffen vor empirisch überprüfbaren Einwänden nicht bestehen wird und sie in Verlegenheit kommt. Der Ausweg? Bis jetzt haben wir nur einen einzigen erfunden: wir leugnen das Problem. Die Polen haben doch auch keines ...

Literární noviny 20/1995 (19.5.1995)

16.5 Petr Příhoda:
Eine ungewöhnlich freundliche Botschaft

»Ende der Zweideutigkeiten. Offene Antworten auf offene Fragen im deutsch-tschechischen Verhältnis« – so hieß der Vortrag, den die Vizepräsidentin des deutschen Bundestags Antje Vollmer am 5.10.1995 im Prager Karolinum hielt. »Auch für Tschechen und Deutsche gilt: Wir kannten einander viel zu gut, sind uns viel zu ähnlich. Aber die Symbiose, die nahezu ein Jahrtausend bestand, ist zerschlagen,« sagte sie eingangs. Zerschlagene Symbiosen heilen langsamer als andere Kriegsfolgen. Die Versöhnung ist deshalb schwieriger. Der Krieg ist längst zu Ende, aber das Verhältnis zwischen Tschechen und Deutschen ist weder wirklich gut, noch wirklich schlecht. Es ist seltsam unentschieden, voller zweideutiger Botschaften und Halbwahrheiten. Es zeichnet sich also durch Zweideutigkeit aus. Daher die Mißverständnisse bei den Verhandlungen beider Seiten.

Als eine der wenigen Deutschen versteht Vollmer das Fatale bei der Assymetrie der deutsch-tschechischen Beziehungen. Sie kennt den deutschen Anteil am Scheitern des deutsch-tschechischen Zusammenlebens und weiß, was deutscher Nazismus bedeutete. Ebenso weiß sie, daß es auf beiden Seiten zum Rollentausch von Täter und Opfer gekommen ist. So gelangt sie zum Thema der Vertreibung der Sudetendeutschen. Sie versucht, die Tschechen zu verstehen: sie haben es nicht so sehr aus Rache, als aus Angst und Schwäche getan, sie spürten nicht genügend Kraft und Selbstbewußtsein in sich, um mit diesen Deutschen wieder leben zu können. Auch dann verliert Vollmer den deutschen Anteil nicht aus den Augen: die vertriebenen Sudetendeutschen sind in Deutschland nicht vollständig verwurzelt, weil sie dort auf Gleichgültigkeit gestoßen sind. »Unsere Unfähigkeit, den Vertriebenen zuzuhören, Mitleid zu bekunden und zusammen mit ihnen zu trauern, das alles schweißte ihre Gruppe mehr als nötig zusammen.« Daher die Unversöhnlichkeit mancher von ihnen. Auch die Vertriebenenverbände sollten jedoch einen mutigen Schritt machen und sich entscheiden: entweder auf den Forderungen, die niemand erfüllen wird, zu bestehen, oder nach vorne, in ein neues Europa gehen. Noch ist dazu Gelegenheit. Die kann aber auch vertan werden, ohne dabei etwas zu gewinnen.

Hinsichtlich der Eigentumsansprüche der Vertriebenen verweist Vollmer darauf, daß die Bundesregierung, nach der deutschen Wiedervereinigung im Jahr 1990, die Enteignung der preußischen Großgrundbesitzer, zu der es in der ehemaligen DDR nach dem Krieg gekommen war, als irreversibel zur Kenntnis genommen hat. Sie fragt: »*Wenn das für die Enteignung deutscher Bürger auf immer noch deutschem Gebiet gilt, wie durch das Bundesverfassungsgericht im Jahr 1991 bestätigt wurde, wie soll es dann nicht im Zusammenhang mit Enteignungen auf fremdem Gebiet gelten?*«

In der Rede der Vizepräsidentin des Bundestags überwog die an die eigenen Reihen adressierte Kritik. Allerdings würde die Autorin begrüßen, wenn auch der tschechische Staat, im Interesse der Gerechtigkeit, gegenüber seinen ehemaligen deutschen Bürgern bestimmte Schritte unternehmen würde, zum Beispiel in Form einer Erleichterung des Niederlassungsrechts. Erinnern wir uns, daß sie zu ihnen beim diesjährigen Treffen der Landsmannschaft sprechen wollte, aber ausgepfiffen wurde. Sie redet sich nicht ein, daß es möglich wäre, die deutsch-tschechische Symbiose in den böhmischen Ländern zu erneuern. Die jetzige Form der gegenseitigen Beziehungen hält sie jedoch für unhaltbar. Deshalb appelliert sie an beide Seiten. Gegenüber der tschechischen ist ihre Rede großzügig entgegenkommend. Ihrer eigenen deutschen Seite gegenüber ist sie viel strenger.

Antje Vollmer, eine evangelische Theologin, ist Vertreterin der Grünen. Die bisher großzügigste und am meisten entgegenkommende Stimme kommt also aus den Reihen der Opposition, aus der immerhin drittgrößten deutschen Partei, deren Wählerzahl eher wächst. – Vollmer ist auch Vertreterin jener deutschen Generation, die schon in der Demokratie aufgewachsen ist und sich diese zu eigen gemacht hat. In der tschechischen Gesellschaft fehlt bisher eine ähnlich geformte Generation, aber die tschechische politische Repräsentanz kann wohl kaum umhin, auf diese deutsche Stimme nicht zu antworten. Vorerst ist aber gar nicht klar, wer von den tschechischen Politikern fähig sein wird, eine vergleichbare Großzügigkeit und ebensolchen Mut aufzubringen. Ja, er hätte einen schwereren Stand, als die Vizepräsidentin des Bundestags. Die wurde nur beim sudetendeutschen Tag ausgepfiffen. Ihr mögliches tschechisches Gegenüber wird dem Unwillen eines viel größeren Teils der tschechischen Öffentlichkeit entgegentreten müssen.

Wir sollten nicht übersehen, daß selbst für jene politischen Kräfte in Deutschland, deren Wortführerin Antje Vollmer ist, das sudetendeutsche Problem kein Pseudoproblem ist. Gut möglich, daß sich unter den tschechischen Politikern kein Mutiger finden wird. Das tschechische Echo auf dieses einmalige deutsche Entgegenkommen hat ja eigentlich schon stattgefunden. Die Atmosphäre im Karolinum war ungewöhnlich feierlich und herzlich, die Vizepräsidentin des Bundestags wurde von den mit goldenen Ketten um den Hals dekorierten Würdenträgern der Universität hereingeleitet und unter feierlichen Orgelklängen wieder hinausgeleitet und der Beifall war so ausdauernd, daß Frau Vollmer, wäre es beim »Prager Frühling« und sie dort Konzertmeisterin, bestimmt eine oder zwei Zugaben gebracht hätte. Ihre Initiative wurde eigentlich von einem Netz »aufgefangen« – keinem sozialen, sondern einem akademischen. In dieser Regie war sie wie ein Feuerwerk ausgeklungen, nach dem man auseinander- und heimgeht.

Nun muß allerdings damit gerechnet werden, daß eine solche Botschaft von deutscher Seite wohl nicht noch einmal kommen wird, und daß unter den deutschen Demokraten der jüngeren Generation das Interesse an einem deutsch-tschechischen Dialog abzuebben beginnt. Die Frage ist, wo wird die tschechische Außenpolitik (egal, wer an ihrer Spitze stehen sollte) auf deutscher Seite einen solidarischen Partner finden.

Literární noviny 44/1995 (2.11.1995)

16.6 Ein Abend im Kloster Emmaus

Ich habe von der Tschechischen christlichen Akademie die Einladung zu einem Diskussionsabend über die Tätigkeit der gemischten Kommission tschechischer und deutscher Historiker bekommen. Veranstaltungsort: Kloster Emmaus. Ich erinnere mich: die gleiche Institution veranstaltete im Herbst 1996 in Taus eine Debatte über das Thema deutsch-tschechische Beziehungen; dort haben wir zusammen mit Pater Otte unsere Reden gehalten, das Ganze fand in einer Schule statt. »Würden wir das in der Pfarrei veranstalten, kämen die Leute nicht hin,« wurde uns gesagt. Werden sie diesmal ins Kloster kommen?

Es kamen an die 150 Leute. Sie kamen aus dem Historischen Institut der Akademie der Wissenschaften der Tschechischen Republik und von anderswo, Profis, Senioren in großer Überzahl. Über die Arbeit der gemischten Kommission referieren die Herren Křen und Kural, Kommissionsmitglieder und Kenner der Materie. Im Publikum macht sich allmählich Unwille breit. Man kommt auch auf die Erklärung zu sprechen. Klar: die deutsch-tschechische Kommission sowie auch die deutsch-tschechische Erklärung bringen tschechische Interessen nicht ausreichend zum Ausdruck. Die Diskussionsbeiträge deuten an, daß die Unzufriedenheit des Publikums ein Mehrheitsphänomen ist. Auf manche folgt Beifall. Wie auf der Sitzung einer politischen Partei. Die Referenten geben zu, daß die gemischte Kommission in Deutsch verhandelt. Der Nerv des Publikums ist getroffen. Irgendwer spricht über »die tschechische Denkweise,« der sich die Kommission entfremdet hat, sie sei angeblich »der deutschen Denkweise« tributpflichtig. Weitere Zuhörer identifizieren sich damit. Ich überlege: wessen Denkweise beherrscht wohl das Verhalten von Diplomaten, von Fachleuten bei internationalen Konferenzen, von Brüsseler Beamten, wessen Denkweise beherrschte das 2. Vatikanische Konzil? Inzwischen ist das Pathos eskaliert – und die Angst. Jemand teilt mit, Nachfahren nazistischer Flüchtlinge hätten an amerikanischen Universitäten gewisse Positionen erobert. Ein weiterer erwähnt das Allerentsetzlichste: wir dürfen nicht zu einem Protektorat Böhmen und Mähren werden!

Auch mich packt das Entsetzen: das sollen Profis sein! Ich will der Massenpsychose trotzen und melde mich zu Wort. Ich berichte über meine Eindrücke aus der Lektüre unserer Presse während der vergangenen sieben Jahre; überall, beginnend mit Haló-noviny und Špígl bis hin zu Lidové noviny hockt der horror Teutoniae; ich erzähle den Profis von Begegnungen mit jenen, die unser München-und-Protektorat-Trauma nicht überwunden haben (einige von ihnen sitzen hier), über unsere Gespräche, die fast jedesmal ins Irrationale abweichen, darüber, daß das so keinen Sinn macht. Einige Leute klatschen, sonst geschieht nichts, alles geht so weiter wie bisher. Hinten erhebt sich ein Mann, gestikuliert erregt mit den Händen, seine Stimme bebt. Er beschuldigt die Herren Křen und Kural, sie seien den Visionen des deutschen Historikers Nolte verfallen, die fühlen sich gekränkt, meiner Meinung nach zu Recht. Ich erinnere mich: Eva Hahnová berichtete unlängst (Respekt, 4/97) über die Gefühle von Hans Mommsen, einem der deutschen Mitglieder der gemischten Kommission: dieser empfand die Kommission als »Konfrontation einer national indifferenten Gruppe deutscher Historiker mit national engagierten tschechischen Historikern, von denen er einige den Traditionen der konservativen Geschichtswissenschaft zuordnete, die sich dem Bestreben verschrieben hatte, den Sinn der nationalen Geschichte auszulegen und eine nationale Identität zu schaffen.« Würde er seinen Eindruck korrigieren, wäre er hier und könnte sehen, wie die Herrn Křen und Kural die Position der nüchternen Rationalität gegen die Exaltiertheit der Volksgenossen verteidigen?

Ich gehe weg, ich habe andere Pflichten. Mir hinterher läuft ein gewisser Herr Professor aus dem Saal, um mir zu sagen, was er von mir denkt. Zuhause gieße ich mir ein Bier ein und erzähle meinen Söhnen von dem Abend. Ich setze hinzu: »Und das war die Blüte unserer historischen Wissenschaft!« Der Jüngere tröstet mich, so sei es doch überall. Er setzt noch eins drauf, respektive betreibt seine self-promotion: ihn könnten solche Blüten nicht aufregen, er würde sie einfach nicht beachten. Ich opponiere: »Behaupte doch nicht, du würdest nicht davon profitieren, wenn an entsprechender Stelle einer sitzen würde, der dich inspirieren könnte!« Das gibt er lässig zu und wir gehen schlafen. Es gelingt mir nicht. Menschenskinder, da rufen wir ständig nach einer sog. tschechisch-tschechischen Diskussion, und die läuft doch schon, das hier, das ist sie! Ich muß ein weiteres Bier öffnen. Und danach – Gott vergib mir – noch eins …

Nová Přítomnost, 2/1997

Verzeichnis
tschechischer ausgewerteter Zeitungen

ČESKÝ DENÍK	Tschechische Tageszeitung
ČESKÝ TÝDENÍK	Tschechische Wochenzeitung
DNEŠEK	Heute, heutiger Tag
DIALOG (ÚSTÍ N. L.)	Dialog
DENNÍ TELEGRAF	Tagestelegraph
HALÓ NOVINY	Hallo-Zeitung
HOST DO DOMU	Gast ins Haus
LIDOVÁ DEMOKRACIE	Volksdemokratie
LIDOVÉ NOVINY	Volkszeitung
LITERÁRNÍ NOVINY	Literaturzeitung
MLADÁ FRONTA DNES	Junge Front Heute
NÁRODNÍ OSVOBOZENÍ	Nationale Befreiung
NECENZUROVANÉ NOVINY	Unzensierte Zeitung
OBZORY	Horizonte
PŘÍTOMNOST	Gegenwart
PROGLAS	Proglas
PRÁVO (EHEM. RUDÉ PRÁVO)	Recht – ehem. Rotes Recht
PRÁCE	Arbeit
ROVNOST	Gleichheit
RESPEKT	Respekt
RUDÉ PRÁVO (DANN: PRÁVO)	Rotes Recht
PRÁVO LIDU	Volksrecht
SKUTEČNOST	Wirklichkeit
ŠPÍGL	Spiegel
SVOBODNÉ SLOVO	Freies Wort
SVĚDECTVÍ	Zeugenschaft
TELEGRAF	Telegraph
TVORBA	Schaffen, Gestaltung

Verzeichnis
häufig verwendeter tschechischer Abkürzungen

ČR   Česká republika (Tschechische Republik)

ČSR   Československá republika
(Tschechoslowakische Republik)

ČSSR   Československá socialistická republika
(Tschechoslowakische Sozialistische Republik)

ČSFR   Česká a Slovenská federativní republika
(Tschechische und Slowakische Föderative Republik)

ČL   Česká strana lidová (Tschechische Volkspartei)

ČTK   Česká (früher: Československá) tisková kancelář
(Tschechische – früher Tschechoslowakische –
Presseagentur)

KPTsch   Kommunistische Partei der Tschechoslowakei

KSČM   Komunistická strana Čech a Moravy
(Kommunistische Partei Böhmens und Mährens)

NF   Národní fronta (Nationale-Volks-Front)

ODA   Občanská demokratická aliance
(Demokratische Bürgerallianz)

ODS   Občanská demokratická strana
(Demokratische Bürgerpartei)

OF   Občanské forum (Bürger-Forum)

OH   Občanské hnutí (Bürgerbewegung)

NV   Národní výbor (Nationalausschuß)

ZNV   Zemský národní výbor (Landes-Nationalausschuß)

Anmerkungen und Erläuterungen
der Übersetzer

Dieses tschechische »Lesebuch« wurde innerhalb einer sehr kurzen Zeit ungekürzt ins Deutsche übertragen, um eine breite Beschäftigung mit der angeführten Problematik zu ermöglichen.

Um deutschsprachigen Lesern (Wissenschaft, Politik, Publizistik usw.) den Zugang zu erleichtern, wurde den im tschechischen Text eher essaymäßigen Überschriften der einzelnen thematischen Bereiche jeweils die Bezeichnung ›Kapitel‹ mit durchgehender Zählung vorangestellt; es wurden die dann folgenden, durch Zwischenüberschriften voneinander abgehobenen Beiträge ebenso kapitelweise im deutschen Text durchnumeriert und zusätzlich ein vertieftes Sachregister erarbeitet. Da das zunächst für Tschechen als ›Zielgruppe‹ bestimmte ›Lesebuch‹ mit zahlreichen, zumeist nur einem tschechischen Leser vertrauten Begriffen, Abkürzungen, Sigelzeichen, Formeln oder oft auch Namen umgeht, erwies es sich zudem als notwendig, diese im deutschen Text durch zusätzlich angefertigte Anmerkungen, Erläuterungen, manchmal auch Literaturhinweise in fortlaufender Zählung zumindest kurz zu erläutern oder zu erschließen.

Die Übersetzung wurde von Gudrun Heißig (Kapitel 13–16) und Otfrid Pustejovsky (bis einschließlich Kapitel 12) besorgt, die jeweils für ihren Teil verantwortlich zeichnen.

[1] »CHARTISTEN«: Im Tschechischen gebräuchliche Bezeichnung für Unterzeichner und Sympatisanten der »Charta 77«, jener aus mehr als 3000 Personen zwischen dem 1. 1. 1977–25. 11. 1989 locker bestehenden »parallelen Gesellschaft« (Václav Havel) von Oppositionellen zum herrschenden kommunistischen Gesellschaftssystem. Vgl. dazu CHARTA 77. 1977–1989. Od morální k demokratické revoluci. Dokumentace. Uspořádal Vilém Prečan. Scheinfeld-Schwarzenberg a Bratislava 1990. 525 str. (Charta 77. 1977–1989. Von der moralischen zur demokratischen Revolution. Dokumentation. Zusammenstellung und Herausgabe Vilém Prečan. Scheinfeld-Schwarzenberg und Preßburg 1990. 525 S.).

[2] Gemeint ist der kommunistische »Tag des Sieges« – der 25. Februar 1948, an dem die Kommunistische Partei der Tschechoslowakei (KPTsch) legal die alleinige Macht erlangte.

³ ODS = Občanská demokratická strana (= Bürgerliche Demokratische Partei) – hervorgegangen aus dem Bürger-Forum (OF = Občanské forum) vom November-Dezember 1989.

⁴ Offizielle (verfassungsgemäße) Bezeichnung: předseda vlády = Regierungsvorsitzender. Die Struktur der Tschechischen Regierung unterscheidet sich erheblich von der (z. B.) deutschen durch die besonderen »Stellvertreter des ...« mit ressortbestimmten Detailaufgaben.

⁵ Spezieller Begriff der marxistisch-leninistischen Politik-Sprache zur Kennzeichnung grundlegender gesellschaftspolitischer Veränderungen.

⁶ Die Nachfolgepartei der ehemaligen KPTsch, die nunmehrige KSČM erreichte bei den Parlamentswahlen vom 2.6.1996 10,3%, ist damit drittstärkste Partei der Tschechischen Republik hinter der Sozialdemokratischen Partei und der ODS.

⁷ Vom 5. 5. 1945 (Prager Mai-Aufstand) bis 24. /25. 2. 1948 (Kommunistischer »Tag des Sieges«) bis Nov. 1989 als sogenannte Zeit des »Übergangs der nationalen in eine sozialistische Revolution« bezeichnet.

⁸ Das »Bürger-Forum« (Občanské forum – OF) bildete sich aus verschiedenen oppositionellen Gruppierungen in den Novembertagen 1989, organisierte u. a. die Massenstreiks und -versammlungen am Prager Wenzelsplatz und war Verhandlungspartner der Kommunistischen Regierung bis zu deren freiwilligem Rücktritt. Die Tonbandprotokolle wurden 1 Jahr später tschechisch veröffentlicht.

⁹ Der Begriff »Dissident« für die verschiedenen Formen und Inhalte politischer Oppositionsversuche in den kommunistischen Ländern des Warschauer Paktes hat sich im »westlichen« Sprachgebrauch zwar eingebürgert, wurde jedoch u. a. seit jeher von Václav Havel abgelehnt, weil er ihm nicht prinzipiell genug die fundamentalen Unterschiede des Denkens und politischen Handelns gegenüber der Diktatur bestimmte.

¹⁰ Der Bürger-Forum-Führung gehörten seinerzeit u. a. Václav Havel, dann der heutige Prager Weihbischof Václav Malý, der Politologe Petr Pithart, der Psychiater Petr Příhoda u. a. an.

¹¹ Petr Příhoda hatte unter Pseudonym einen Text-Bild-Band über die Zerstörungen im ehemals weitgehend von Deutschen besiedelten Grenzgebiet Böhmens verfaßt; dieses Buch erschien – nach Herausschmuggelung des Manuskripts und der Bilddokumentation – in deutscher Sprache: František JEDERMANN: Verlorene Geschichte. Bilder und Texte aus dem heutigen Sudetenland. Aus dem Tschechischen von Joachim Bruss. Bund-Verlag Köln 1985. 175 S. mit zahlr. Abb.

¹² Seit der Besetzung der seinerzeitigen Tschechoslowakischen Sozialistischen Republik durch Truppen aus den Warschauer-Pakt-Staaten unter Führung der UdSSR ab dem 20./21.8.1968 entwickelte sich im Lande eine mit den Jahren immer breiter werdende Fundamentalopposition gegenüber dem machtmonopolitischen kommunistischen Regime unter Gustav Husák. Sie befaßte sich mit allen wesentlichen Gebieten moderner Staatsaufgaben, nahm Stellung und publizierte die Ergebnisse seit dem 1.1.1977 jeweils als Dokumente der »Charta 77«.

[13] Vgl. Anm. 1.

[14] Bis 1989 war der alleinmaßgebende Begriff in der tschechischen (kommunistischen) Politik-und Wissenschaftssprache für die Vertreibung der Deutschen »ABSCHUB« (odsun); seit1990 wird – zunächst ganz vereinzelt – in steigendem Maße auch der Begriff »vyhnání« = Vertreibung verwendet; in der Erklärung wird dann von »vyhánění« gesprochen; sprachlich wird damit ein sogenannter ›Aspekt‹ ausgedrückt, also ein noch nicht abgeschlossener Vorgang, der Bedeutung nach hat das Wort eher verstärkenden Sinn etwa als »Austreibung« (so beispielweise von Franz Werfel bereits 1932 in seinem Roman »Die 40 Tage des Musa Dagh« verwendet).

[15] Vgl. dazu Josef Belda: Komise vlády ČSFR pro analýzu událostí let 1967–1970. Soudobé dějiny-1(1993)1, s. 129–133. (Regierungskommission der ČSFR zur Analyse der Ereignisse der Jahre 1967–1970. In: Gegenwartsgeschichte-1/1993/1, S. 129–133).

[16] Es handelt sich um die Nachfolgeorganisation der früheren KPTsch.

[17] ČL = Česká strana lidová (Tschechische Volkspartei); 1948–Nov. 1989 »Blockpartei«, danach selbständige, christlich-konservativ orientierte Partei.

[18] Der Begriff wird als tschechischer »gestapismus« verwendet: Synonym für sowjetische und tschechoslowakische Verfolgungsmethoden v. a. in der unmittelbaren Nachkriegszeit; zahlreiche Nachweise bei Tomáš Staněk: Perzekuce 1945 (Verfolgung 1945). Prag 1996.

[19] OBZORY = Horizonte; DNEŠEK = (Das) Heute, Heutzutage.

[20] Zu Přemysl Pitter vgl.: Přemysl Pitter. Život a dílo. Sborník referátů a diskusních přispěvků z mezinárodního semináře konaného dne 27.3.1993 v Pedagogickém muzeu J. A. Komenského v Praze. Praha 1994. (Přemysl Pitter. Leben und Werk. Sammelband der Referate und Diskussionsbeiträge vom Internationalen Seminar im Pädagogischen J. A. Komenský-Museum in Prag am 27.3. 1993. Prag 1994).

[21] ZNV = Zemský národní výbor (Landes-Nationalausschuß); sogenanntes »revolutionäres«, von der KPTsch initiiertes, im Kaschauer Regierungsprogramm vom 5.4.1945 mitenthaltenes, entsprechend dominiertes »Legislativ«- und Exekutivorgan, auf allen Verwaltungsebenen eingerichtet, mit zwei Zentren in Prag und Brünn.

[22] Die Verhältnisse im »Strahover Lager« hat Staněk, Perzekuce 1945 und Derselbe, Tábory v českých zemích (Lager in den Böhmischen Ländern. 1996) gründlich dokumentiert.

[23] Es handelt sich hier um die inzwischen historisch bedeutsame »Haidmühler Predigt« des seinerzeitigen Geistlichen Beirats der Ackermann-Gemeinde, des Augustiner-Paters Dr. Paulus Sladek vom 5.8.1955. Abgedruckt in: Schicksal Vertreibung. Aufbruch aus dem Glauben. Hrsg. Franz Lorenz. Köln 1980, S. 282–287.

[24] Hier wurde bewußt die Rückübersetzung aus dem Tschechischen verwendet.

[25] Peroutka, Ferdinand, geb. 6.2.1895 in Prag, gest. 20.4.1978 in New York. Biographischer Artikel und Literatur in:Jiří Brabec u. a.: Slovník zakázaných autorů 1948–1980. Praha 1991, S. 339–341. (Wörter/Handbuch verbotener Autoren 1948–1980. Prag 1991, S. 339–341). – Über Tigrid (geb. 27.10.1917 in Prag): Ebenda, S. 431–432. Nach Funktion als Kulturminister ist T. heute immer noch außenpolitischer Berater von Staatspräsident Havel.

[26] Näheres dazu bei Stáněk, Tábory (Lager) 1996.

[27] Zwischen 1948–1989 Organ der Tschechoslowakischen Sozialistischen Partei unter kommunistischer Dominanz.

[28] Václav Kopecký war bereits Minister für Information in der I. (Nachkriegs-)Regierung der Tschechoslowakei vom 4.4.1945–6.11.1945 (»Kaschauer« Regierung), ebenso in der II. Regierung bis 2.7.1946, dann bis 25.2.1948 und nach der Kommunistischen Machtübernahme nach dem 25.2.1948 (bis 31.1.1953).

[29] Dazu die aufschlußreiche Studie von Karel Kaplan: Das verhängnisvolle Bündnis. Unterwanderung, Gleichschaltung und Vernichtung der Tschechoslowakischen Sozialdemokratie 1944–1954. Wuppertal 1984.

[30] Rudé právo – RP – (Rotes Recht): Zentralorgan der KPTsch, Tageszeitung. In der Nach-November-Zeit Titelverkürzung auf PRÁVO.

[31] Tvorba (Schaffen, Werk): Gewerkschaftsblatt der kommunistischen Gewerkschaftsbewegung nach 1945. Übersicht der während der Jahre 1948–1989 erscheinenden Zeitungen, Zeitschriften usw. bei Heinrich Kuhn: Handbuch der Tschechoslowakei. München 1967. (= Veröffentlichung des Collegium Carolinum), XVI. Presse, S. 918 ff.

[32] Siehe dazu im einzelnen Karel Kaplan: Der kurze Marsch. Kommunistische Machtübernahme in der Tschechoslowakei 1945–1948. München–Wien 1981. (= Veröffentlichungen des Collegium Carolinum, Band 33).

[33] Edvard Valenta, geboren 22.1.1901 in Proßnitz/Mähren – gestorben 21.8.1978 Prag. Vgl. Angaben in: Jiří Brabec: Slovník zakázaných autorů 1948–1980 (Wörter-/Hand-Buch verbotener Autoren 1948–1980). Prag 1991, S. 449–451.

[34] Michal Mareš, geb. 22.1.1893 in Teplitz-Schönau – gest. 17.2.1971 Prag; Angaben: wie Anm. 33, S. 293.

[35] »Revanchismus«: In der gesamten Publizistik und wissenschaftlichen Literatur zwischen 1947/48 – 1989/90 fest etablierter, gängiger und inhaltlich von der KPTsch determinierter Begriff zur Darstellung und Bewertung jeglicher Tätigkeit der Vertriebenen, insbesondere der Sudetendeutschen. – Als ein besonderes Beispiel sei die Historikerin Věra Olivová genannt. Dazu im einzelnen: Otfrid Pustejovsky: Re-Ideologisierung der Geschichte oder Rückkehr zu Geschichtslegenden? Über Věra Olivovás Sicht der Gesamtpolitik Edvard Beneš und seiner Pläne zur Aussiedlung der Deutschen aus der Tschechoslowakei. In: Europäische Kulturzeitschrift Sudetenland – 38 (1996) Heft 3, S. 214–244.

[36] Skutečnost – Wirklichkeit.

[37] Die Verf. beziehen sich hier wohl auf: DOKUMENTE zur Austreibung der Sudetendeutschen. Herausgegeben von der Arbeitsgemeinschaft zur Wahrung sudetendeutscher Interessen. Einleitung und Bearbeitung Dr. Wilhelm Turnwald. München 1951.

[38] Gemeint ist hier die Tschechoslowakische Abteilung (mit Research-Center) von Radio Liberty – Radio Free Europe in München.

[39] Siehe die Entwicklung der Vorstellungen Hubert Ripkas zwischen 1939–1945 an den Beispielen diverser Akten bei: Češi a sudetoněmecká otázka 1939–1945. Dokumenty. (Die Tschechen und die sudetendeutsche Frage. Dokumente.). Hrsg. von Jitka Vondrová.

Ústav mezinárodních vztahů Praha 1994. (Institut für internationale Beziehungen Prag 1994).

[40] Kurzbiographie von R. Luža in: Biographisches Lexikon zur Geschichte der böhmischen Länder. München 1983, S. 525. – Die umstrittene Publikation: The Transfer of the Sudeten Germans. A Study of Czech-German Relations 1933–1962. New York 1964. Über die Auffassungen Smutnýs vgl. Anm. 39.

[41] Der Titel lautet: Johann Wolfgang Brügel: Tschechen und Deutsche. Band 1: 1918–1938. Band 2: 1939–1946. München 1967–1974. – Hingewiesen sei auch auf Brügels Aufsatz: Die Aussiedlung der Deutschen aus der Tschechoslowakei. Versuch einer Darstellung der Vorgeschichte. In: Vierteljahreshefte für Zeitgeschichte – 8 (1960) S. 134–164.

[42] Der tschechische Titel lautete: Odsun Němců ve světle nových pramenů. In: DIALOG-Nr. 4–6/1967 (Aussig an der Elbe). – Derselbe: O vzniku myšlenky odsunu Němců. In: Odboj a revoluce. Praha 1967 (Über die Entstehung der Überlegung bezüglich des Abschubs der Deutschen. In: Widerstand und Revolution. Prag 1967).

[43] Vgl. die ausführliche Bibliographie (auch zu Křen) bei Tomáš Staněk: Odsun Němců z Československa 1945–1947. Praha 1991 (Der Abschub der Deutschen aus der Tschechoslowakei 1945–1947), insbes. S. 502–520.

[44] Am 5. April 1968 wurde das KPTsch-Reformprogramm veröffentlicht, am 20./21. 8. 1968 wurde die ČSSR durch Truppen aus 4 Staaten des Warschauer Paktes besetzt.

[45] »Gast ins Haus«.

[46] August 1968 – August 1969 markiert den Zeitabschnitt des repressiven »Normalisierungs«-beginns; erst die »Charta 77« mit ihrem ersten Dokument vom 1.1.1977 gibt der Gesamtlage eine neue Dimension.

[47] (Pseud.) Jan Sládeček (alias Petr Pithart): Osmašedesátý. 1977.

[48] Svědectví = Zeugnis, Zeugenschaft; bedeutendste intellektuelle tschechische Exil-Zeitschrift (Erscheinungsort Paris) unter redaktioneller Leitung von Pavel Tigrid.

[49] StB = Státní bezpečnost (Staatssicherheit/spolizei/); inzwischen sind im Rahmen von Forschungsaufträgen des Prager »Instituts für Gegenwartsgeschichte« etliche kleinere und umfangreichere Arbeiten zur Entwicklung, Struktur und zur Tätigkeit der Stb erschienen.

[50] »Kaschauer Regierungsprogramm« vom 4./5.4.1945; nach der Durchsetzung kommunistischer Vorstellungen bei den Dezember-Verhandlungen 1943 in Moskau gegenüber Benesch, bildete dieses Programm die Grundlage für den Weg der Tschechoslowakei in die kommunistische Diktatur. Im einzelnen dazu immer noch: Otfrid Pustejovsky: In Prag kein Fenstersturz. Dogmatismus (1948–1962), Entdogmatisierung (1962–1967), Demokratisierung (1967–1968), Intervention (1968). München 1968. (= dtv-report – 563), insbes. S. 13–19 und Bibliographie, insbesondere Nachweis d. vollständigen (auch deutschsprachigen) Textausgabe dieses Regierungsprogramms.

[51] Právo lidu = Recht des (werktätigen) Volkes.

[52] Češi-Němci-odsun. Diskuse nezavislých historiků. K vydání připravili: Bohumil Černý, Jan Křen, Václav Kural, Milan Otáhal. Praha 1990. (Deutsche – Tschechen – Abschub. Eine Diskussion unabhängiger Historiker. Herausgegeben von B. Černý, J. Křen, V. Kural, M. Otáhal. Prag 1990).

[53] Im Tschechischen flapsig mit dem Verbum »prošustrovalo ...« bezeichnet, was soviel wie verplempert, verschustert, verschleudert bedeutet.

[54] Gemeint ist hier die weltweit bekannt gewordene Studentendemonstration mit Kerzen und Blumen, die unweit des Nationaltheaters von Polizei-Sondereinheiten zusammengeknüppelt wurde. Vgl. dazu den großformatigen Bild-Textband: LISTOPAD 89. Úvodní studii napsali Petr Pithart a Jan Vít, chronologický přehled událostí sestavil Jaroslav Valenta. Praha 1990. (November '89. Einführungsstudie von Petr Pithart und Jan Vít, chronologischer Überblick der Ereignisse von Jaroslav Valenta. Prag 1990).

[55] Bei den täglichen Massenversammlungen auf dem Prager Wenzelsplatz – die im übrigen von den deutschen Fernsehanstalten ausführlich dokumentiert wurden – wurde wiederholt von den Beteiligten durch Schlüsselgeklappere mit den Hausschlüsseln dem Protest auch akustisch Ausdruck verliehen. (Ab Mittwoch, 22.11. 1989, ca. ab 16 Uhr, begannen die Protestversammlungen Montag, 27.11.1989, 12–14 Uhr Generalstreik bei ca. 50% Beteiligung der Gesamtbevölkerung der ČSSR).

[56] Klub českého pohraničí. (Es kann auch mit ›Grenzgebiet‹ übertragen werden).

[57] Gemeint ist hier die sogenannte OLMÜTZER PUNKTATION; Ein Vertrag vom 29.11.1850 zwischen Preußen und Österreich mit der vertraglich vereinbarten Unterordnung Preußens gegenüber Österreich, um einen Krieg abzuwenden – der dann aber 1866 doch stattfand, den Sieg Preußens brachte, ein Jahr später die Gründung des (kleindeutschen) »Norddeutschen Bundes« und die Zweiteilung und strukturelle Destabilisierung Österreichs in die sogen. »Doppel-Monarchie«.

[58] Lidové noviny = Volkszeitung.

[59] Die KPtsch kam in der 1. ČSR vor 1938 kaum über die 10%-Marke hinaus, in den ersten »freien« Nachkriegswahlen vom 26.5.1946 in den böhmischen Ländern auf 40,17% und in der Slowakei (Kommunistische Partei der Slowakei – KPS) auf 30,37% der abgegebenen Stimmen.

[60] Es wird hier Bezug genommen auf die Schauprozesse, die indirekt durch ein Referat Klement Gottwalds vor dem ZK der KPTsch vom 6.12.1951 »Über den Verrat des Rudolf Slánský, über die führende Beteiligung Slánkýs an der gegen Partei und Staat gerichteten Verschwörung sowie über etliche parteiinterne Fragen« eingeleitet und in der Hauptsache vom 20.–27.11.1952 abgewickelt wurden. – Vgl. dazu im einzelnen: Karel Kaplan: Die politischen Prozesse in der Tschechoslowakei 1948–1954. München 1986. (= Veröffentlichungen des Collegium Carolinum, Band 4), insbes. S. 186 ff.

[61] Der Einfachheit halber wird hier auf die schnell zugänglichen, wichtigsten Bestimmungen hingewiesen – abgedruckt in: Herbert Krieger (Hrsg.): Die Welt seit 1945. Teil 1. Materialien für den Ge-

schichtsunterricht Verlag Moritz Diesterweg Frankfurt/Main, Berlin, München. 1983 (= Handbuch des Geschichtsunterrichts, Band VI), insbesondere S. 36–42.

[62] Von 1948 bis in den Dezember 1989 hinein wurde der 25.2.1948 – der Tag der Installierung einer nur mit Kommunisten besetzten Regierung in der CSR auf verfassungsmäßigem Wege – als »Tag des Sieges« gefeiert.

[63] Gesetz Nr. 115/46 Sammlung der Gesetze und Verordnungen vom 8.5.1946: GESETZ VOM 8. MAI 1946. Über die Rechtmäßigkeit von Handlungen, die mit dem Kampf um die Wiedergewinnung der Freiheit der Tschechen und Slowaken zusammenhängen. Slg. Nr. 115. Die vorläufige Nationalversammlung der Tschechoslowakischen Republik hat folgendes Gesetz beschlossen:
§ 1: Eine Handlung, die in der Zeit vom 30. September 1938 bis zum 28. Oktober 1945 vorgenommen wurde und deren Zweck es war, einen Beitrag zum Kampf um die Wiedergewinnung der Freiheit der Tschechen und Slowaken zu leisten, oder die eine gerechte Vergeltung für Taten der Okkupanten oder ihrer Helfershelfer zum Ziele hatte, ist auch dann nicht widerrechtlich, wenn sie sonst nach den geltenden Vorschriften strafbar gewesen wäre.
§ 2: (1) Ist jemand für eine solche Straftat bereits verurteilt worden, so ist nach den Vorschriften über die Wiederaufnahme des Strafverfahrens vorzugehen.
(2) Zuständig ist das Gericht, vor dem das Verfahren erster Instanz stattgefunden hat oder, falls ein solches Verfahren nicht stattgefunden hat, das Gericht, das jetzt in erster Instanz zuständig sein würde, wenn die Rechtswidrigkeit der Tat nicht nach § 1 ausgeschlossen wäre.
(3) Trifft mit einer in § 1 genannten Tat eine Straftat zusammen, für die der Angeklagte durch dasselbe Urteil verurteilt wurde, so fällt das Gericht für diese Tat durch Urteil eine neue Strafe unter Berücksichtigung des bereits erfolgten Schuldspruches.
§ 3: Dieses Gesetz tritt mit dem Tage der Kundmachung (*) in Kraft (1); es wird vom Justizminister und vom Minister für nationale Verteidigung durchgeführt.
Dr. Benes e. h.; Fierlinger e. h.; Dr. Drtina e. h.; Gen. Svoboda.
Text hier zitiert aus: Die Vertreibung der deutschen Bevölkerung aus der Tschechoslowakei. Herausgegeben vom ehemaligen Bundesministerium für Vertriebene, Flüchtlinge und Kriegsgeschädigte. Eine Dokumentation. Sonderausgabe Weltbild Verlag Augsburg 1994. Band 1, S. 291, Anlage Nr. 19. (= Dokumentation der Vertreibung der Deutschen aus Ost-Mitteleuropa-Band II/1).
(*) »Kundmachung« = Austriazismus, entspricht »Bekanntmachung« (O. P.) –
Veröffentlicht am 4. Juni 1946. Die Unterzeichneten hatten folgende Ämter: Dr. Beneš: Staatspräsident, Fierlinger: Ministerpräsident, Dr. Drtina: Justizminister, General Svoboda: Minister für Nationale Verteidigung (O. P.).

[64] Wörtlich: »Wer spät (los-)geht, schadet sich selbst« – tschechisches Sprichwort; paraphrasiert in der Formulierung »Wer zu spät kommt, den bestraft das Leben« durch Michail Gorbatschow anläßlich der Feiern zum 40jährigen Bestehen der DDR im Oktober 1989.

[65] Národní fronta (auch: Fronta národní): Nationale Front: Entstanden aus der Widerstandsbewegung von Tschechen und Slowaken während des Zweiten Weltkriegs und im März 1945 konstituiert, sodann im Kaschauer Regierungsprogramm vom 4./5.4.1945 festgeschrieben – von Anfang an unter kommunistischer Leitung; zugelassen nach dem April 1945: die KPTsch, die KPS, die tschechoslowakische Sozialdemokratische Partei, die Tschechoslowakische National-Sozialistische Partei (Benešs), die Tschechoslowakische Volkspartei, die slowakische Demokratische Partei, die slowakische Partei der Freiheit sowie die gesamtstaatlichen Massenorganisationen Revolutionäre Gewerkschaftsbewegung, Tschechischer und Slowakischer Jugendverband usw. –Zielvorgabe war es, »die Beziehungen zwischen der kommunistischen und den übrigen politischen Parteien und Organisationen zu festigen und in Richtung auf das Ziel des Aufbaus einer sozialistischen und kommunistischen Gesellschaftsordnung die Tätigkeit der einzelnen Glieder ... zu koordinieren«. Heinrich Kuhn: Handbuch der Tschechoslowakei. München 1967, S. 187.

[66] Die deutsche Übersetzung folgt hier unmittelbar dem tschechischen Text; es handelt sich aber um den von der Sudetendeutschen Landsmannschaft alljährlich zu Pfingsten veranstalteten »Sudetendeutschen Tag« – 1999 in Nürnberg (50. Veranstaltung).

[67] Jiří Dienstbier, geb. 20.4.1937 in Prag, Journalist, 1979 einer der Sprecher der Charta 77, Außenminister der ČSFR bis zu deren Auflösung. Weitere biographische Daten bei: Jiří Brabec: Slovník zakázaných autorů 1948–1980 (Wörter/Handbruch verbotener Autoren). Prag 1991, S. 70–71.

[68] Schlacht am Weißen Berg vor Prag vom 8. November 1620; endigte mit der Niederlage des böhmischen Aufgebotes unter dem »Winterkönig« Friedrich von der Pfalz und der Wiederinstallierung der kaiserlichen Macht im Königreich Böhmen. – Dieses Datum hat bis in das 20. Jahrhundert hinein eine traumatische Bedeutung als Beginn einer Zeit des »temno« (des Dunkels, der Düsternis) für die »tschechische Nation« erhalten. Vgl. dazu die entsprechenden Ausführungen bei Ferdinand Seibt: Deutschland und die Tschechen. Geschichte einer Nachbarschaft in der Mitte Europas. Aktualisierte Neuausgabe. München, Zürich, 3. Aufl. Juni 1997, S. 176 ff.

[69] 5.5.1945–24.2.1948; tschechischerseits noch lange nicht beendete Auseinandersetzung um die »Bewertung« der Jahre 1945–1948 als ›Wiedererstehen der Demokratie‹ oder als ›Weg in die kommunistische Diktatur‹ (»Diktatur des zweiten Typs«).

[70] 15.3.1939: Besetzung der »Rest-ČSR« durch das nationalsozialistische Deutschland. Errichtung des »Protektorates Böhmen und Mähren«. Vgl. dazu die Rede von Bundespräsident Richard von Weizsäcker in Prag am 15.3.1990, in: Václav Havel: Gewissen und Politik. Reden und Ansprachen 1984–1990. Richard von Weizsäcker: Prager Rede vom 15. März 1990. Herausgegeben von Otfrid Pustejovsky und Franz Olbert. Institutum Bohemicum der Ackermann-Gemeinde München 1990, S. 104 ff.(= Beiträge-Kleine Reihe des Institutum Bohemicum Nr. 13).

[71] »Zweite Tschechoslowakische Republik«: 4.10.1938–15.3.1939. – Der Regierungsvorsitzende (= Ministerpräsident) der II. Regierung

372

(1.12.38-15.3.39) Rudolf Beran, wurde 1947 vor dem »Volksge-
richtshof« in Prag wegen Hochverrates angeklagt und hielt dabei
eine grundsätzliche Verteidigungsrede, deren Text auch in deutscher Übersetzung xerographiert vom Münchner Sudetendeutschen Archiv (Redaktion Otfrid Pustejovsky) 1963 herausgegeben
wurde.

[72] Hier sind das Leninsche Prinzip des »Demokratischen Zentralis-
mus« und die Alleinherrschaft kommunistischer Parteien gemeint.

[73] Nach dem Beispiel der deutsch-belgischen Euroregionen wurde
1992 auch die Euregio Egrensis (Marktredwitz-Eger) begründet; es
folgte eine tschechisch-polnische Euregio Opava (Troppau)-Opole
(Oppeln); die Entwicklung wurde zeitweise wegen der zentralisti-
schen Vorstellungen unter Ministerpräsident Václav Klaus gebremst.

[74] Samizdat, Samisdat = »Eigen/Selbst-Veröffentlichung«; im land-
läufigen Sinne wurde unter diesem Begriff die gesamte oppositio-
nelle (Dissidenten-) »Untergrund«-Publizistik in den kommunistisch beherrschten Ländern des »Warschauer Paktes« so bezeichnet, insofern sie eine bestimmte Verbreitung fand (maschi-
nenschriftliche Vervielfältigung, Selbstdruck, Kopien usw.). – Das
Wort selbst ist eine Kontraktion zweier russischer Wörter zu einem
neuen Wort.

[75] Häufig verwendeter Begriff für die »neue Klasse« (Milovan Djilas),
das heißt die kommunistische Herrschafts- und Führungsschicht,
die sogenannte »nomenklatura«. – Vgl. dazu Michael Voslensky:
Nomenklatura. Die herrschende Klasse der Sowjetunion. Studien-
ausgabe. Wien, München, Zürich, Innsbruck 1980.

[76] Hier ist Petr Příhoda ein Versehen unterlaufen, insofern er im tschechischen Text von »Max Stoiber« spricht.

[77] Der Freistaat Bayern hat über die »Sudetendeutsche Volksgruppe«
am 6.6.1954 die »Schirmherrschaft« übernommen und 1962 ver-
waltungsmäßig umgesetzt. Das Bayerische Staatsministerium für
Arbeit und Sozialordnung (in der seinerzeitigen Bezeichnung)
wurde zum zuständigen Bezugsorgan bestimmt. Abdruck der
»Schirmherrschafts-Urkunde« bei: Fritz Peter Habel. Die Sudetendeutschen. Erweiterte Neuauflage. 2., durchges. u. erw. Aufl. München 1998, S. 117, Dokument Nr. 21 (= Studienbuchreihe der Stiftung Ostdeutscher Kulturrat – Band 1). – Die Bezeichnung der Sudetendeutschen als »4. Stamm Bayerns« ist umstritten.

[78] Tschechisch: »Národní obrození«: Die Phase der sogenannten nationalen Selbstfindung der tschechischen Nation in der nachnapo-
leonischen Zeit bis zur Mitte des 19. Jhs; sie wird dann durch den
Streit um das »böhmische Staatsrecht« auf eine neue politische
Ebene gehoben.

[79] In der publizistischen und wissenschaftlichen Literatur der Tschechischen Republik wird auch seit 1990 überwiegend von »Nazismus«, »nazistisch« usw. geschrieben, wenn damit ganz allgemein
das NS-Regime gemeint ist.

[80] Dies kann auch umgekehrt von der deutschen Öffentlichkeit gesagt werden. Selbst der Versuch beider Kommissionen, in einer
parallel-zweisprachigen thesenartigen Publikation ein breiteres
Echo hervorzurufen, hatte kaum Widerhall. Vgl. KONFLIKTGE-

MEINSCHAFT, Katastrophe, Entspannung. Skizze einer Darstellung der deutsch-tschechischen Geschichte seit dem 19. Jahrhundert. Herausgegeben von der Gemeinsamen deutsch-tschechischen Historikerkommission. Oldenbourg-Verlag München 1996. 91 S. (Konfliktní společenství, katastrofa, uvolnění. Náčrt výkladu německo-českých dějin od 19. století. Vydala Společná českoněmecká komise historiků. Mnichov 1996.).

[81] Die »Privatisierung« staatlichen Eigentums nach 1991 wurde in zwei Bereiche geteilt, die sogenannte »Kleine Privatisierung« – die Übereignung landwirtschaftlichen Bodens, von Häusern, Kleinbetrieben, handwerklichen Einrichtungen – und die »Große Privatisierung« – der Bereich der gesamten Grund- und Großindustrie – in Form von Anteilsscheinen (Koupons), d. h. eine Art »Volksaktien« nach einem sehr komplizierten Bewertungssystem und Vergabeverfahren.

[82] Die Tschechische und Slowakische Föderative Republik war die letzte gemeinsame staatliche Form des Zusammenlebens von Tschechen und Slowaken in einem Staat vor der definitiven Trennung in zwei souveräne Staaten (im Verhältnis 2:1) zum 1.1.1993.

[83] Mit »München« ist ausnahmslos stets das Münchner Abkommen vom 29.9.1938 gemeint. Vgl. dazu den deutsch-tschechischen Forschungsstand in: DAS SCHEITERN der Verständigung. Tschechen, Deutsche und Slowaken in der Ersten Republik (1918–1938). Für die Deutsch-tschechische und slowakische Historikerkommission herausgegeben von Jörg K. Hoensch und Dušan Kováč. Essen 1994. (= Veröffentlichungen des Instituts für Kultur und Geschichte der Deutschen im östlichen Europa – Band 2), v. a. S. 147 ff. (Beitrag von Hans Lemberg).

[84] Der Vertragstext wurde nicht nur in den jeweiligen Amtsblättern deutsch und tschechisch publiziert, sondern auch deutsch vollständig in der Prager Zeitung. Die Ackermann-Gemeinde widmete dieser Thematik eine Tagung in Eichstätt im Herbst 1992. – Der vollständige Vertragstext ist auch abgedruckt bei Habel, S. 161–164 (Dokument Nr. 28). Vgl. auch Anm. 77.

[85] Der sogenannte »Motivenbericht« aus dem Prager Außenministerium war zunächst als Argumentations»hilfe« für die Nationalversammlung (= Parlament) bestimmt, gelangte aber parallel durch (wohl gezielte?) Indiskretion an die Öffentlichkeit.

[86] Die Teilung in eine Tschechische Republik und in eine Slowakische Republik sollte zum 31.12.1992, 24. 00 Uhr, wirksam werden.

[87] Gemeint ist hier die Sudetendeutsche Landsmannschaft auf Bundesebene.

[88] Vorsitzender der tschechischen Sozialdemokratischen Partei und Ministerpräsident einer durch einen ›Toleranzvertrag‹ von seiten der Bürgerlichen Demokratischen Partei (ODS) von Václav Klaus geduldeten Minderheitsregierung.

[89] Über die »Weißen Flecken« bzw. »schwarzen Löcher« in der tschechischen Geschichte hat sich in den vergangenen Jahren wiederholt der Vorsitzende des tschechischen Teils der Gemeinsamen Deutsch-tschechischen Historikerkommission, Jan Křen, geäußert. Dieser Begriff dient ihm zur Umschreibung von sogenannten »Tabu«-Themen.

[90] Der »4. März 1919« diente viele Jahre hindurch als eine Art ›Leitthema‹ zur Darstellung sudetendeutscher »Unterdrückung« in der 1. ČSR. Der Historiker Ernst Nittner wies wiederholt darauf hin, daß es sich bei den tragischen Ereignissen in den Städten Kaaden und Karlsbad, bei denen mehr als ein halbes Hundert vornehmlich deutsche Arbeiter und einfache Demonstranten erschossen wurden, um eine komplizierte Verkettung unglückseliger Ereignisse gehandelt habe.

[91] Der Verfasser Petr Příhoda verwendet im Tschechischen diese Bezeichnung (České národní společenství).

[92] Im einzelnen zum Jahr 1968: Pustejovsky, In Prag kein Fenstersturz. (Vgl. Anm. 50). Inzwischen wird in der Tschechischen Republik dieser historische Bereich intensiv erforscht. Näheres dazu in der Fachzeitschrift Soudobé dějiny (Gegenwarts-/Zeitgeschichte).

[93] Tomáš Staněk ist derzeit wohl der beste tschechische Spezialist für alle Aspekte der Vertreibung. Da derzeit immer noch kein einziges seiner 4 großen Bücher zur Thematik in deutscher Übersetzung vorliegt, sei der Einfachheit auf die Rezensionen von Otfrid Pustejovsky verwiesen: Tomáš Staněk über die Deutschen in den böhmischen Ländern nach 1948. In: Bohemia-37 (1996) Heft 2, S. 402–408. – Neue Literatur zur Vertreibung. In: Bohemia-39 (1998) Heft 1, S. 71–80.

[94] Eva Hahnová: Sudetoněmecký problém: Obtížné loučení s minulosti. Praha 1996. (Das sudetendeutsche Problem: Eine beschwerliche Trennung von der Vergangenheit. Prag 1996).

[95] Die Karolinum-Rede von Staatspräsident Václav Havel vom 15.2.1995 wurde deutsch teilweise in der Süddeutschen Zeitung, dann in der Frankfurter Allgemeinen Zeitung und in der Prager Zeitung abgedruckt. – Für diese Buchausgabe ist die Rede aus dem Tschechischen unmittelbar übersetzt worden. Vgl. auch: Rozhovory o sousedství (Gespräche mit dem Nachbarn. Cyklus projevů přednesených v karolinu v roce 1995 / Tschechisch-deutsche Redenreihe 1995 im Prager Karolinum. Univerzita Karlovaa / Prager Karls-Universität. Praha / Prag 1997 256 S. – Rede von V. Havel (S. 33–41 (tschechisch), S. 42–54 (deutsch).(

[96] Dekret des Präsidenten der Republik vom 25. Oktober 1945 über die Konfiskation des feindlichen Vermögens und die Fonds der nationalen Erneuerung. Sammlung der Gesetze und Verordnungen – Nr. 108/1945. Der vollständige Text in deutscher Übersetzung ist abgedruckt in: DIE VERTREIBUNG der deutschen Bevölkerung aus der Tschechoslowakei, Bd. 2/1, S. 263–275, Anlage 13. – Da die gesamte Textaufnahme hier zu weit führen würde, seien nur die wichtigsten Passagen wörtlich wiedergegeben:
Teil I. Konfiskation des feindlichen Vermögens.
§ 1: Umfang des konfiszierten Vermögens.
(1) Konfisziert wird ohne Entschädigung – soweit dies noch nicht geschehen ist – für die Tschechoslowakische Republik das unbewegliche und bewegliche Vermögen, namentlich auch die Vermögensrechte (wie Forderungen, Wertpapiere, Einlagen, immaterielle Rechte), das bis zum Tage der tatsächlichen Beendigung der deutschen und madjarischen Okkupation im Eigentum stand oder noch steht:

1. des Deutschen Reiches, des Königreiches Ungarn, von Körperschaften des öffentlichen Rechtes nach deutschem oder ungarischem Recht ...

2. physischer Personen deutscher oder madjarischer Nationalität mit Ausnahme der Personen, die nachweisen, daß sie der Tschechoslowakischen Republik treu geblieben sind, sich niemals gegen das tschechische und slowakische Volk vergangen haben und sich entweder aktiv am Kampfe für deren Befreiung beteiligt ... haben, oder

3. physischer Personen, die gegen die staatliche Souveränität, die Selbständigkeit, die Integrität, die demokratisch-republikanische Staatsform, die Sicherheit und die Verteidigung der Tschechoslowakischen Republik gerichtete Tätigkeit entfaltet haben, die zu einer solchen Tätigkeit aufreizten oder andere Personen dazu zu verleiten suchten, planmäßig auf welche Art immer die deutschen oder madjarischen Okkupanten unterstützt ... haben. (...)

(4) Darüber, ob die Voraussetzungen für die Konsfiskation nach diesem Dekret erfüllt sind, entscheidet der zuständige Bezirksnationalausschuß. (...)

Teil II. Fonds der nationalen Erneuerung. (...)

Teil III. Aufteilung des konfiszierten Vermögens.

Abschnitt 1. Rahmenpläne und Zuteilungsverordnungen.

§ 6: (1) Das Siedlungsamt arbeitet im Einvernehmen mit den zuständigen Ministerien ... und dem Wirtschaftsrat und nach Anhören der zuständigen Wirtschaftsverbände ... und des Zentralrates der Gewerkschaften ... Rahmenpläne aus, in denen insbesondere bestimmt wird:

a) wieviele kleine Vermögenseinheiten in den einzelnen Orten zugeteilt und wie die restlichen behandelt werden sollen,

b) welche mittleren Vermögenseinheiten zugeteilt und wie die restlichen behandelt werden sollen,

c) wie die Industrievermögen und die großen Vermögenseinheiten behandelt werden sollen. (...)

Abschnitt 2. Zuteilungsverfahren.

§ 7: Berechtigung des Bewerbers.

(1) Aus dem nach diesem Dekret konfiszierten Vermögen werden ... einzelne Vermögenseinheiten in das Eigentum berechtigter Bewerber gegen eine Vergütung als Eigentum zugeteilt.

(2) Vermögenseinheiten können Ländern, Bezirken, Gemeinden und anderen öffentlich rechtlichen Körperschaften, insbesondere Zweckverbänden und kulturellen Körperschaften, Genossenschaften und anderen Bewerbern, die den Zuteilungsbedingungen entsprechen, zugeteilt werden ... Bei der Zuteilung konfiszierten Vermögens sind vor allem zu berücksichtigen Teilnehmer am nationalen Widerstand und ihre hinterbliebenen Familienangehörigen, Personen, die durch den Krieg, die nationale, rassische oder politische Verfolgung geschädigt wurden, Personen, die ins Grenzgebiet, welches sie zu verlassen gezwungen waren, oder aus dem Auslande in das Vaterland zurückkehren, und Personen, die infolge der Gebietsveränderungen ihren Wohnsitz in das übrige Gebiet der Tschechoslowakischen Republik verlegt haben. (...)

§ 8: Zuteilungsentscheidung (...)

376

§ 9: Zuteilungskommission (...)
§ 10: Die Zuteilungspläne für kleine Vermögenseinheiten. (...)
§ 11: Die Zuteilungspläne für die mittleren Vermögenseinheiten (...)
§ 12: Die Zuteilungspläne für Industrievermögen und große Vermögenseinheiten.
§ 13: Behandlung des zugeteilten Vermögens. Das nach § 8 zugeteilte Vermögen darf nur nach der in den einzelnen Zuteilungsverordnungen festgesetzten Frist veräußert, vermietet, verpachtet oder belastet werden. Während dieser Frist darf dies nur mit Genehmigung des Fonds geschehen.
§ 14: Die Bezahlung des Übernahmepreises und seine Verwendung (...)
Teil IV. Gemeinsame und Schlußbestimmungen.
§ 15: Verfahren vor dem Fonds (...)
§ 16: Übergang der Liegenschaften und bücherlichen Rechte auf den Staat. Den Übergang der Liegenschaften und bücherlichen Rechte, welche nicht anderen Personen zugeteilt werden, auf den Tschechoslowakischen Staat, tragen die Grundbuchgerichte auf Antrag des zuständigen Fonds und, soweit es sich um das in § 18 angeführte Vermögen handelt, auf Antrag des Gesundheitsministeriums unter Berufung auf dieses Dekret in die öffentlichen Bücher ein.
§ 17: Verhältnis zum landwirtschaftlichen Vermögen. Dieses Dekret bezieht sich nicht auf das landwirtschaftliche Vermögen, soweit es nach dem Dekret des Präsidenten der Republik vom 21. Juni 1945, Slg Nr. 12, über die Konfiskation und beschleunigte Aufteilung des landwirtschaftlichen Vermögens der Deutschen, Madjaren wie auch der Verräter und Feinde des tschechischen und slowakischen Volkes, und nach den entsprechenden in der Slowakei geltenden Vorschriften konfisziert wurde.
§ 18: Verhältnis zum Bädervermögen und zu den Heil- und Pflegeanstalten (...)
§ 19: Strafbestimmungen (...)
§ 20: Mitwirkung der öffentlichen Organe und Behörden. Alle öffentlichen Behörden und Organe sind verpflichtet, auf Verlangen mit den Fonds der nationalen Erneuerung zusammenzuarbeiten und sie tatkräftig bei der Durchführung ihrer Aufgaben zu unterstützen. –
Dieses am 30.10.1945 veröffentlichte Dekret wurde von Staatspräsident Benesch und allen 25 Regierungsmitgliedern – einschließlich der drei Staatssekretäre – unterzeichnet. O. P.
[97] Es handelt sich hier um die Neufassung des Deutschlandvertrags vom 26.5.1952: Vertrag über die Beziehungen zwischen der Bundesrepublik Deutschland und den drei Mächten (Deutschlandvertrag) in der geänderten Fassung vom 23. Oktober 1954 sowie Begründung der geänderten Fassung des Vertrages über die Beziehungen zwischen der Bundesrepublik Deutschland und den drei Mächten (Deutschlandvertrag), 10. Dezember 1954. Abgedruckt in: Die AUSWÄRTIGE POLITIK der Bundesrepublik Deutschland. Herausgegeben vom Auswärtigen Amt unter Mitwirkung eines wissenschaftlichen Beirats. Köln 1972, S. 208–213 (Nr. 30), S. 262–266 (Nr. 53), S. 266–267 (Nr. 54).

[98] »Verbale Aktionsarten« in den slavischen Sprachen sind im allgemeinen sogenannte »Aspekte« eines Verbs (Zeitworts), d. h. die unterschiedliche Betrachtungsweise des Handlungsablaufs: einer vollendeten und einer unvollendeten, also weiterreichenden Handlung. Im ersten Fall wird sozusagen die Ganzheitlichkeit einer durch ein Verb gekennzeichneten Handlung als etwas Abgeschlossenes bezeichnet; unvollendete Verben kennzeichnen demnach den Verlauf oder die Dauer bzw. die Wiederholung einer Handlung.

[99] Tschechisch VYHNÁNÍ.

[100] Tschechisch VYHÁNĚNÍ. – Im Deutschen wohl am besten mit »Austreibung« zu bezeichnen; so bereits von Franz Werfel in seinem Roman »Die 40 Tage des Musa Dagh« 1932 für den Genozid an den Armeniern im Jahre 1915 verwendet.

[101] Dieser Strukturbegriff entstammt direkt dem Vokabular der KPTsch (bzw. KPdSU-)-Sondersprache vor dem November 1989.

[102] ČSSD = Čs. strana sociálně demokratická – Čs. Sozialdemokratische Partei.

[103] Es handelt sich hier um eine der vor dem November 1989 stereotypisch stets verwendeten Formeln zur Kennzeichnung »sudetendeutscher« Politik ohne jegliche Differenzierung.

[104] Tschechisch LID im Gegensatz zu NÁROD, d. h. sozialdifferenzierendes Element im Gegensatz zum ethnischen (Volks-)Begriff.

[105] ČTK = Česká (früher Československá) tisková kancelář – Tschechische (früher Tschechoslowakische) Presseagentur.

[106] Rudý, rudé – rot.

[107] In der Reformphase zwischen dem Dezember 1989 und dem 31.12.1992 hatte die Tschechoslowakei 3 Parlamente: das Föderale (= Bundes-)Parlament und dann die beiden Landesparlamente für die böhmischen Länder und für die Slowakei.

[108] Siehe dazu mit globalem Aussageanspruch: Stéphane Courtois u. a.:Das Schwarzbuch des Kommunismus. Unterdrückung, Verbrechen und Terror. Mit dem Kapitel »Die Aufarbeitung des Sozialismus in der DDR« von Joachim Gauck und Ehrhart Neubert. München, Zürich 2. Aufl. 1998. , z. B. Teil Eins, Kap. 9, S. 189 ff. (»In sozialer Hinsicht fremde Elemente« …).

[109] Im Tschechischen hier als »landsmanšaft« geschrieben.

[110] Auch im Tschechischen wird das adjektivische Attribut groß geschrieben – in Anlehnung an George Orwells »Großen Bruder« in »1984«.

[111] Im tschechischen Text wird hier – so nirgends belegt – deutsch zitiert. Es kann sich um eine Art Gedächtniszitat des Schreibers handeln.

[112] Der Leserbriefschreiber verwendet hier den Pluralbegriff ČECHY; dies ist gleichbedeutend mit dem deutschen BÖHMEN. Der Plural von Tscheche = Čech lautet aber ČEŠI.

[113] Es handelt sich hier um die Liberale National-Soziale Partei.

[114] Tomáš Garrigue Masaryk; Kurzbiographie in: Biographisches Lexikon der böhmischen Länder. Band II, München, Wien 1983, S. 592. Umfangreiche bibliogr. Nachweise zu Person und Werk in allen gängigen Publikationen.

[115] Im tschechischen Text wird der deutsche Begriff unmittelbar verwendet. Neuerdings dazu Johannes Gründel: Heimat als Lebens-

bedingung, Heimatverlust – Heimatsuche – Heimatliebe. In: Mariánskolázeňské vozhovory / Marienbader Gespräche. Ackermann-Gemeinde / Česká křesťanská akademie Praha / Prag 178 S., hier zit.: S. 27–45 (deutsche Fassung).

[116] KSČM – Komunistická strana Čech a Moravy = Kommunistische Partei Böhmens und Mährens.

[117] SPR-RČS: Aus verschiedenen postkommunistischen und nationalistischen Gruppierungen entstandene nationalistisch-radikale (faschistische?) Partei der tschechischen Republikaner; seit 1998 nicht mehr im tschechischen Parlament vertreten.

[118] Noch aus dem sowjetischen Wissenschaftssystem stammender Titel; CSc = Kandidat der Wissenschaften (etwa einem Habilitanden entsprechend). DrSc = Doktor der Wissenschaften; entspricht in etwa dem Dr. habil. – Der Titel wurde jeweils dem Nachnamen angefügt.

[119] Špígl = Spiegel; hier: postkommunistisches »Revolverblatt«.

[120] In dieser auch satzstrukturell stereotypisch aufgebauten Formelhaftigkeit (jeweils mit Ausrufezeichen für den akklamatorischen Charakter) erinnert diese Aussage unmittelbar an die Propaganda in Presse, auf Fabrikwänden, Hauswänden, Spruchbändern der ČSSR vor dem November 1989 als direkte Nachahmung sowjetrussischer Praktiken.

[121] IVVM: (Prager) Institut zur Erforschung der öffentlichen Meinung.

[122] Tschechisch hier als: »… vystěhování Sudeťáků do Reichu«, S. 65 tschech. Text.

[123] ČK = Člen klubu – Mitglied der Fraktion …

[124] »Několik vět«. – Die gesamte Problematik der »Charta 77« und ihres Umfeldes ist – außer auf tschechischer Seite – bisher praktisch nicht untersucht oder zusammenfassend dargestellt worden.

[125] »SL« = Sudetendeutsche Landsmannschaft; im tschechischen Text wird hier das weitgehend nur verbandsintern gebrauchte Kürzel verwendet.

[126] Im tschechischen Text deutsch zitiert.

[127] In tschechischen Texten stets die Bezeichnung für das Attentat auf Reinhard Heydrich und die Folgen für die böhmischen Länder. (27.5.1942; Tod am 4.6.1942; 18.6.1942: Tod der Attentäter in der orthodoxen Bartholomäus-Kirche in der Prager Neustadt).

[128] Tomáš Staněk stellt die Ereignisse ausführlich in seinem Buch Perzekuce 1945. Prag 1996, dar. Die deutsche Übersetzung des Buches wird noch 1999 in Wien erscheinen.

[129] Verband der antifaschistischen Kämpfer (SPB): Begründet im November 1951 als »eine freiwillige Organisation der von der Kommunistischen Partei geleiteten Nationalen Front«. Vgl. Heinrich Kuhn: Handbuch der Tschechoslowakei. München 1967, S. 220–222.

[130] Vgl. ebenfalls Staněk, Perzekuce 1945.

[131] Emanuel Moravec, tschechoslowakischer Offizier, geboren 1893, † 1945; in der III. und IV. Protektoratsregierung (19.1.1942–19.1.1945 und 19.1.1945–5.5.1945 Minister für Schulwesen und Volksaufklärung. Vgl. auch den Beitrag von Detlev Brandes: Nationalsozialistische Tschechenpolitik im Protektorat Böhmen und Mähren. In: Der WEG IN DIE KATASTROPHE. Deutsch-tschechoslowakische Beziehungen 1938–1947. Hrs. Detlev Brandes und

Václav Kural. Essen 1994, S. 39–56 (= Veröffentlichungen des Instituts für Kultur und Geschichte der Deutschen im östlichen Europa-Band 3).

[132] Das Buch ist bereits 1991 erschienen, ist bis heute das am besten dokumentierte Werk über die Aussiedlung der Deutschen aus der Tschechoslowakei zwischen 1945–1945 – und liegt noch immer nicht in deutscher Übersetzung vor; dieses Versäumnis ist wegen der ausgewogenen Urteilsbildung bedauerlich.

[133] Emanuel Rádl, tschechischer Philosoph, trat in den zwanziger Jahren für Verständigung zwischen Sudetendeutschen und Tschechen ein. Vgl. Ferdinand Seibt: Deutschland und die Tschechen, 3. Aufl. 1997, u. a. S. 216–217; auch: Rudolf Hilf: Deutsche und Tschechen. Bedeutung und Wandlungen einer Nachbarschaft in Mitteleuropa. Mit einem Exkurs zur deutschen Frage. Opladen 1986, u. a. S. 70 ff.

[134] StB = Státní bezpečnost (Staatssicherheit/spolizei/); in den vergangenen 5 Jahren sind bereits etliche Untersuchungen über Struktur, Rolle und Verbindungen zur UdSSR in tschechischer Sprache vorgelegt worden. Eine vergleichende Untersuchung zur DDR-Stasi fehlt jedoch noch.

[135] Die Moskauer »Lubljanka« war jeweils Sitz der Tscheka, des NKWD, des KGB und ist weiterhin Zentrale der russischen Nachfolgedienste.

[136] Im tschechischen Text wörtlich deutsch.

[137] Im Tschechischen wird das Wort »ČESKO« nach 1990 und vor allem nach dem 1.1.1993 verwendet, um – außerhalb der staats-und völkerrechtlich korrekten Bezeichnung des Staates als »Česká republika« (Tschechische Republik) – eine gängige Bezeichnung zu haben; sie entspricht etwa dem deutschen »Tschechien«; »Hans Lemberg« hat sich mehrfach mit den Begriffsgeschichten beschäftigt, u. a. in der Fachzeitschrift Bohemia.

[138] Dr. Prokop Drtina, geboren 1900, gestorben 1980, Jurist, 1940–1945 im Londoner Exil politischer Referent des Exilpräsidenten Benesch; in der II. und III. Nachkriegsregierung Justizminister (6.11.1945–2.7.1946; 2.7.1946–25.2.1948).

[139] Rusinen (Russinen)-Ruthenen (»Ukrainer«); bis heute immer wieder benachteiligtes bzw. unterdrücktes Volk. Vgl. dazu immer noch: Nikolaus G. Kozauer: Die Karpaten-Ukraine zwischen den beiden Weltkriegen unter besonderer Berücksichtigung der deutschen Bevölkerung. Bruno Langer Verlag Esslingen am Neckar 1979. 240 S., 67 Bildbeilagen.

[140] Proselyt, Proselyten: aus dem Griechischen (ein »Hinzugekommener«): ein aus einer Religion bzw. Partei in eine andere Hinüberwechselnder; im Altertum die sich Judengemeinden anschließenden »Heiden«.

[141] Rückübersetzung aus dem Tschechischen.

[142] Für die vorliegende Buchausgabe erneut aus dem Tschechischen übersetzt. Siehe auch Anm. 95.

[143] Der Verfasser benützt auch im tschechischen Text denselben Begriff (konečné řešení).

[144] Vaculík benützt im Tschechischen den auch in der »Erklärung« verwendeten Aspekt »vyhánění«.

[145] Es handelt sich hier um den offiziellen Staatsgründungstag der 1. ČSR, den 28.10.1918.

[146] ČMKOS: Českomoravská komora odborových svazů = Tschechische und mährische Kammer der Gewerkschaftsverbände.

[147] Es wird hier auf den 47. Sudetendeutschen Tag Bezug genommen.

[148] ÚVOD: Ústřední vedení odboje domácího (Zentrale Leitung des Heimat-Widerstandes), Anf. 1940 durch Vereinigung von 3 bis dahin gesondert operierenden tschechischen Widerstandsorganisationen.

[149] Es handelt sich hier um die (indirekte) Nachfolgeorganisation des »Verbandes der antifaschistischen Kämpfer« (SPB), welcher 1951 begründet worden war, der Nationalen Front angehörte, strukturell nach KPTsch-Muster aufgebaut war und bis zum Ende der KP-Herrschaft im Dezember 1989 bestand.

[150] Da im Tschechischen hier der Plural verwendet wurde, wird dies auch im Deutschen so belassen, obwohl es hinlänglich bekannt ist, daß es nur eine Sudetendeutsche Landsmannschaft mit entsprechenden Gliederungen gibt – entsprechend der Vereinssatzung.

[151] ČSBS:. Tschechischer Verband der Freiheitskämpfer.

[152] Es handelt sich hier offenkundig um einen chronologischen Fehler. Der Verfasser liefert keinen Nachweis für die Herkunft seines Zitats; eine Verifizierung oder Falsifizierung hätte erheblichen Zeitaufwands bedurft und wurde daher unterlassen.

[153] ODA-Občanská demokratická aliance = Demokratische Bürger-Allianz; eine der aus dem Bürgerforum (OF) von 1989 hervorgegangenen neuen Parteien der ČSFR und heutigen ČR.

[154] Im tschechischen Text wird der Begriff »Untermensch« deutsch zitiert.

[155] Rückübersetzung aus dem Tschechischen (O. P.).

[156] Ebenso.

[157] Zum deutschen »Historikerstreit« vgl.: HISTORIKERSTREIT. Die Dokumentation der Kontroverse um die Einzigartigkeit der nationalsozialistischen Judenvernichtung. Piper Verlag München, Zürich 1987. 397 S. (= Serie Piper – 816).

[158] Im tschechischen Text wird der deutsche Begriff verwendet.

[159] Im Tschechischen handelt es sich um ein Wortspiel. – »Podiven«: Pseudonym von Dr. med. Petr Příhoda vor 1989, Psychiater, nach 1990 Regierungssprecher der tschechischen Regierung unter Petr Pithart – einer der beiden Initiatoren dieses Buches.

[160] Die Persönlichkeit Rudolf Lodgman von Auens ist durchaus umstritten; sein Nachlaß befindet sich im Münchner Sudetendeutschen Archiv. Ein scharf negatives Urteil gibt Ferdinand Seibt in: Deutschland und die Tschechen. 3. Aufl. 1997, insbes. S. 321, 365 f.

[161] Erst kürzlich ist im Rahmen der Veröffentlichungen des Collegium eine neue Studie über Konrad Henlein erschienen; vgl. Ralf Gebel: »Heim ins Reich. Konrad Henlein und die Sudetendeutschen 1938–1948. Oldenbourg Verlag München 1998. (= Veröffentlichungen des Collegium Carolinum, Band 83).

[162] Im Tschechischen SUDETÁK.

[163] »DIE BURG«: Landläufige, gebräuchliche Bezeichnung für den inneren Führungszirkel um Masaryk und Beneš in der 1. Tschecho-

slowakei. Das Collegium Carolinum, München, hat dazu eine ganze Reihe von Publikationen und Tagungsberichten vorgelegt.

164 »Straka-Akademie«: Sitz des Präsidiums der Tschechischen Regierung.

165 Dušan Třeštík verwendet hier den deutschen Begriff »Fehlkonstruktion«; es handelt sich gleichzeitig um den Titel eines von R. Eibicht herausgegeben polemischen ›Geschichtsheftes‹ mit Beiträgen mehrerer Autoren von insgesamt unwissenschaftlichem Charakter.

166 Černín-Palais: Das ehemalige Prager Stadtpalais der Familie Černín dient seit 1918 bis heute als Amtssitz für das Außenministerium.

167 Vgl. Anm. 164.

168 Kutlvašr, Karel (1895–1961) tschechoslowakischer General; bei der ersten kommunistischen Säuberungswelle i. J. 1949 zu lebenslangem Kerker verurteilt, 1960 amnestiert.

169 Im tschechischen Text wird der deutsche Begriff »Vaterland« verwendet.

170 Gemeint ist zweifelsfrei die Sudetendeutsche Landsmannschaft.

171 Im tschechischen Text wird wörtlich deutsch von der »tschechischen Schuldfrage« geschrieben.

172 So wörtlich deutsch im tschechischen Text: »Bundesland Böhmen-Mähren«.

173 Im tschechischen Text in russifizierter Flexion verwendet.

174 Im tschechischen Text wird der deutsche Begriff »Volksgruppe« verwendet.

175 Im tschechischen Text wird der deutsche Begriff »Volksgruppenrecht« verwendet.

176 Im tschechischen Text wird das deutsche Stereotyp »Drang nach Osten« verwendet.

177 Der holprige, ästhetisch wertlose tschechische Gedichttext wurde in ein entsprechendes Deutsch übertragen, um möglichst denjenigen Eindruck zu belassen, welcher sich im Tschechischen widerspiegelt.

178 So unpräzise im tschechischen Text verwendet und daher belassen.

179 Rückübersetzung aus dem Tschechischen.

180 Im tschechischen Text wird hier in Klammern das deutsche Wort »angestammten« eingesetzt.

181 Aus dem Tschechischen übernommen – teilweise Rückübersetzung.

182 Im tschechischen Text ohne Adelsprädikat.

183 Es ist unklar, woraus Dienstbier seinerzeit angeblich zitiert hat; weder ist der Deutschlandvertrag in der Fassung vom 26.5.1952 noch in der Fassung vom 23.10.1954 so konstruiert, daß er der im Tschechischen verwendeten (und genau ins Deutsche übertragenen) Zitierweise entspricht. Artikel 6 enthält in beiden Fassungen nur 2 Absätze. Einer Zitierung aus dem parallelen Finanzvertrag steht wiederum der Kontext entgegen. Zu den beiden Vertragstexten vgl. Anm. Nr. 97. – Entsprechend international üblichem Modus ist der Vertrag nach Artikeln und durchnummerierten Absätzen gegliedert.

[184] 1961, Januar 15: Stellungnahme zur Sudetenfrage (»20 Punkte«; vom Plenum des Sudetendeutschen Rates beschlossen und am 7. Mai 1961 von der Bundesversammlung der Sudetendeutschen Landsmannschaft angenommen. – Textabdruck in: DOKUMENTE zur Sudetendeutschen Frage 1916–1967. Überarbeitete und ergänzte Neuauflage ... Herausgegeben im Auftrag der Ackermann-Gemeinde von Ernst Nittner. München 1967, S. 438–440 (Dokument Nr. 279).

[185] Secretary of State = Staatssekretär im verfassungsrechtlichen Sinne.

[186] Vlajka-Bewegung: tschechische ›faschistische‹ Bewegung in der 1. ČSR, 1945 verboten, führende Mitglieder abgeurteilt (z. T. Todesstrafen).

[187] »Nürnberger Gesetze«: »Gesetz zum Schutz des deutschen Blutes und der deutschen Ehre« vom 15.9.1935. Leicht zugänglicher Abdruck in: GESCHICHTE in Quellen Band V: Weltkriege und Revolutionen 1914–1945. Bearbeitet von Günter Schönbrunn. München 1961, S. 332–333 (Nr. 391) – Auszug.

[188] PNS = Prozatímní národní shromáždění – Vorläufige Nationalversammlung: 28.10.1945–26.5.1946 wurde durch Dekret des Präsidenten der Republik vom 25.8.1945 Slg/47/1945 geschaffen (300 Abgeordnete) und auf der Grundlage einer Regierungsverordnung Slg 48/1945 indirekt über Wahlmänner gewählt; abgelöst durch die »Verfassunggebende Nationalversammlung« vom 26.5.1946–30.5.1948.

[189] Národní obrození = Nationales (Wieder-)Erwachen in der 1. Hälfte des 19. Jhs.

[190] Radobýl: (dt. Radebeule): 398 m hoher Berg im Böhmischen Mittelgebirge westlich der Stadt Leitmeritz

[191] Die sogenannten »Handschriftenfälschungen« (Königinhofer und Grünberger »Handschriften«) des Archivars Wenzel (Václav) Hanka bildeten für Palacký die Grundlage seiner demokratischen Ur-Tschechen-These und ›Ideologie‹ und damit für das verfälschte Idealbild tschechischer Frühgeschichte. Durch die sogenannte »Goll«-Schule (Jaroslav Goll, Josef Pekař, Josef Šusta – aber auch Tomáš G. Masaryk) als Fälschungen nachgewiesen, widerlegt und durch ein historisch-kritisches Geschichtsbild zwischen 1880–1900 ersetzt.

[192] Auch hier wird wieder der Begriff ČESKO verwendet. Vgl. Anm. 137.

[193] František X. Šalda, geb. 1867, gest. 1937, einer der bekanntesten tschechischen Schriftsteller, Literaturkritiker und Journalisten mit erheblichem politischen Einfluß.

[194] »Gestapismus«: tschechische Umschreibung für (tschechische) Verfolgungsmethoden nach dem Mai 1945 v. a. gegenüber Deutschen und Kollaborateuren. Vgl. auch Anm. 18.

[195] Im tschechischen Text heißt es nur: »General Heydrich«; solche historischen Ungenauigkeiten tauchen immer wieder in der tschechischen Gegenwartspublizistik auf und erschweren somit Differenzierungen (z. B. der Dienstrangunterscheidungen zwischen Wehrmacht und SS).

[196] Hier der Einfachheit wegen Rückübersetzung aus dem Tschechi-schen.

[197] Ebenso.

[198] Ebenso. Vgl. auch Winston S. Churchill: Der Zweite Weltkrieg. Mit einem Epilog über die Nachkriegsjahre. Bern, Stuttgart und München, Zürich 1954, insbesondere S. 1102–1104 (Sogen. »Fulton-College«-Rede).

[199] Liechtenstein-Palais (Lichtenštejnský palác) – Ort der Erklärung – gehört zum Außenministerium.

[200] Königsritt in Vlčnov – Pfingstritt in Südmähren (Brauchtum).

[201] Chemapol – In kommunistischer Zeit eine Import-Export-Firma, die nach 1991 zuerst als AG, später dann als Holdingfirma immer wieder mit Betrugsaffären und Finanzskandalen in Verbindung gebracht wurde. Im Management saßen ehemalige Mitglieder aus postkommunistischen Regierungen. Im Januar 1999 ging die Chemapol Group in Konkurs. Der Selbstmord eines Managers verwirrte die Situation noch mehr.

Register

Das »vertiefte Register« nimmt alle wesentlichen Schlag- und Stichworte der in diesem Buch enthaltenen Texte auf, ebenso Redewendungen, vorkommende Stereotypen und zusammenhängende Begriffe.
Zweck ist eine möglichst umfangreiche Erschließung der Textvielfalt und Argumentationsbreite.
Aus praktischen Gründen wurde auf ein Orts- und Personenregister verzichtet. (O. P.)
Anmerkungen und Nachwort wurden ebenfalls nicht mit in das Register aufgenommen.

392

**»Wir wissen natürlich, daß es mit der historischen
Wahrheit so einfach nicht ist ...«**

Dušan Třeštík, Weihnachten 1998[1]

Nachwort
von Otfrid Pustejovsky

I.

Eine große Verunsicherung hat um sich gegriffen: Uralte
Geschichtsbilder sind versunken, alte Geschichtsvorstel-
lungen sind zerbrochen, und neue Verbindlichkeiten bestehen nicht. Gebannt starren die Gesellschaften der nach-
kommunistischen Zeit in Europa auf eine sich erst sche-
menhaft abzeichnende Zukunft, verfolgt von den Tagträu-
men erlebter oder nachempfundener Geschichte.

Was können oder was müssen die Geschichtswissenschaft und Publizistik in einer solchen Lage leisten, und
was kann oder was muß dann die Politik daraus machen?

Diese Fragen sind nur eine vorsichtige Umschreibung dessen, was im 10. Jahr nach den weitgehend friedlichen Revolutionen in Mitteleuropa 1989 an ungelösten Problem einer Lösung harrt oder auf eine mögliche Auflösung hin-
weist, gar hinführt.

Vielleicht liegt in dieser Überlegung die Begründung für die
Veröffentlichung dieses ungewöhnlichen »Lesebuchs«.

Es ist ein Buch, mit dem die Wissenschaft aus der Abge-
schiedenheit ihrer ›Studierstube‹ in Verbindung mit der Publizistik in die Öffentlichkeit hinaustritt, und die Politik damit
beginnt, ernsthafte Argumente und langfristige Überlegungen anstelle kurzfristiger Tageslösungen in ihr Tun mitein-
zubeziehen.

II.

In der ›alten‹ Bundesrepublik Deutschland vor 1989 waren
Politik und Gesellschaft, Wissenschaft und Publizistik, Parteien und Gewerkschaften seit den 60er Jahren in einem
stillen Konsens weitgehend davon überzeugt, daß das »sudetendeutsche Problem«, welches 1938 die internationale
Staatenwelt aufgeschreckt hatte und 1945–1947 auf furchtbare Weise »abschließend geregelt« wurde, durch die
allseitige, effiziente wirtschaftlich-sozial-politische Integration der Vertriebenen im deutschen Binnengebiet im Prinzip als solches »abgeschlossen« sei.

Doch seit der Novemberrevolution in der Tschechoslowakei vom 17.–26.11.1989 ist gerade diese Problematik wieder

»geöffnet« worden und hat innerhalb dieses Jahrzehnts zu immer wieder neuen Turbulenzen geführt, deren Ursachen jedoch viel tiefer liegen, als dies die weithin scheinbar nur oberflächlich geführten Diskussionen erscheinen lassen. Auf deutscher Seite hatte die vielbändige Dokumentation der Vertreibung der Deutschen aus Osteuropa zunächst millionenfach erlittenes Leid von Zivilisten wissenschaftlich dokumentiert; 1960 hatte dann die dreibändige Darstellung über die ›Vertriebenen in Westdeutschland‹ unter Leitung von Eugen Lemberg den Integrationsprozeß nachvollzogen. Doch trat allerdings in der Folgezeit die Gesamtproblematik – trotz der geradezu stereotypisch wiederholten Sympathie- und Unterstützungserklärungen seitens der politischen Führungseliten und Organe der Bundesrepublik Deutschland auf allen nur einigermaßen öffentlichkeitswirksamen Ebenen (so zum Beispiel: auf dem alljährlich stattfindenden Sudetendeutschen Tag, in Schlesiertreffen, »Tag der Heimat« usw.) – eindeutig in den Hintergrund, ja wurde gesamtpolitisch seit der 2. Hälfte der 70er Jahre als zunehmend störend empfunden, in den 80er Jahren vielfach unter dem Aspekt der sich ›biologisch‹ abzeichnenden Geschichtsmarginalie betrachtet. Eine psychologische Aufarbeitung feststellbarer Traumata fand nicht und findet immer noch nicht statt.

III.

Die ›Wende‹ von 1989 hat im Zusammenhang mit der Selbstauflösung des Sowjetblocks, der Gründung neuer ›Nationalstaaten‹, der Schaffung oder der Umwandlung von bestehenden oder neuen machtpolitischen Konstellationen von EU, NATO, GUS, dem Ausbruch regionaler Kriege in Europa (und anderswo) als Ausdruck ungelöster ethnisch-politischer Probleme mit einem Mal die »Vertreibungsfrage« ganz allgemein und diejenige der Deutschen aus Ost- und Ostmitteleuropa wieder politisch relevant gemacht. Während deutscherseits eine durchaus ambivalente Haltung zu beobachten ist, – die vielfach von Ratlosigkeit, schiefer Beurteilungslage, Mangel an konkreten Kenntnissen und nur mangelhafter Resonanz im Bereich zeitgeschichtlicher Forschung begleitet wird –, hat bei den östlichen Nachbarn Deutschlands, vor allem Polen und Tschechen, ein Diskussionsaufbruch eingesetzt, der in den Medien, in Politik und Gesellschaft, in Kirchen und Parteien alle Spektren des Meinungsausdrucks – im Negativen wie im Positiven, vom nationalistischen Eiferertum bis zum ethnischen Rigorismus unteilbarer Ethik – umfaßt. In den böhmischen Ländern verlief diese Diskussion verständlicherweise in der Gesellschaft des ›alten‹ Staates bis 1992 und des ›neuen‹ ab dem 1.1.1993 in tschechischer Sprache – und blieb daher bis heute in Deutschland und im übrigen Ausland weitgehend unbekannt.

Unbekannt geblieben oder vergessen sind aber auch all die schon vor Jahrzehnten feststellbaren Ansätze zu einer tschechischerseits vertieften Betrachtung des »sudetendeutschen Problems«: beispielsweise Bohumil Černýs 1964 erschienenes Buch »Zwischen Elbe und Rhein«[2]; dort hatte der Historiker einen ersten umfassenden Beschreibungsversuch der Sudetendeutschen in der Bundesrepublik Deutschland unternommen. 1961 bereits hatte der ›hardliner‹ Václav Král erstaunlich differenziert über den »Abschub der Deutschen« und seine Voraussetzungen geschrieben[3]. Vergessen war und ist auch, daß bereits im größeren Kontext des »Prager Frühlings« von (1967–)1968 eine ernsthafte Debatte über alle Aspekte der Vertreibung einsetzte – die nun nicht mehr automatisch als zwingende Konsequenz verbrecherischer NS-Politik eingeordnet wurde –, an der beispielsweise der damalige junge Dozent Jan Křen (heute tschechischer Vorsitzender der Gemeinsamen Deutsch-tschechischen Historikerkommission) mitbeteiligt war. Dies waren die ersten Anzeichen einer differenzierten Auseinandersetzung, welche im politischen Widerstand nach 1968/69 weitergeführt wurde, einen thematischen Neubeginn indizierte und in der daraus ableitbaren Konsequenz bis zu dem hier 1998–1999 abseits eingefahrener fachspezifischer Geschichtsbetrachtung oder gar ›-geleise‹ zusammengestellten LESEBUCH geführt hat.

IV.

Die beiden Autoren Pithart und Příhoda stehen mit ihrer Gemeinschaftsarbeit nicht nur in der theoretischen historischen Tradition des in den böhmischen Ländern immer wieder zu beobachtenden »Aufmuckens« gegen Tabus und Stereotypen, gegen Klischees und verzerrtes Denken, sondern auch in einer spezifischen Tradition eines während mehr als 40jähriger kommunistischer Herrschaft entwickelten antikommunistischen gesellschaftspolitischen Gegenbildes zur herrschenden Lehre des Marxismus-Leninismus; sie stehen damit auch für ein Gegenmodell mit seinen in der CHARTA 77 manifest gewordenen Ordnungsvorstellungen im Sinn der seit der europäischen

Renaissance entwickelten und überlieferten humanistischen Menschenbild- und Gesellschaftsvorstellungen und Staatskonstrukten.

Nur so ist es zu verstehen, daß sich ein »Bäuerlein« (Sedláček) Petr Pithart, schon lange vor 1989 für den Hintergrund der Vertreibung von nahezu drei Millionen Menschen aus seinem Lande interessierte und kritisch Stellung bezog, daß sich ein Herr »Jedermann« Petr Příhoda daran machte, die buchstäbliche Verwüstung eines Landes nach der Vertreibung von dessen angestammter Bevölkerung fotographisch und textlich zu dokumentieren und daß beide (zusammen mit dem Historiker Milan Otáhal) als PODIVEN (Überraschte, Erstaunte, Verwunderte, Konsternierte) schon in den 80er Jahren über die »Tschechen in der Geschichte der Neuzeit«[4] nachdachten, so daß der Sozialhistoriker Jiří Rak sogar von einer »Säuberung des Pantheons«[5] sprach.

Von den bereits 1967 vorgetragenen Überlegungen Jan Křens zur Vertreibung, über Ján Mlynáriks polemisch vorgetragene Thesen – welche die achtziger Jahre dominierten – bis zur breit angelegten wissenschaftlichen Diskussion seit 1990 (Křen, Kural, Staněk, Rudolf Kučera, Radvanovský, Houžvička u. a.) und die seit Jahren in der wissenschaftlichen und öffentlichen Publizistik breit gefächerte Auseinandersetzung ist feststellbar, daß tschechischerseits mehr und mehr erkannt wird, daß auch nach mehr als einem halben Jahrhundert der Vertreibungs-»Lösung« die »sudetendeutsche Problematik« ihrer inneren und äußeren ›Bewältigung‹ harrt und daß – fern von der manchmal etwas in den Vordergrund gerückten Diskussion materiell-eigentumsrechtlicher und politisch-wirtschaftlicher Fragen (Eigentum, Grund und Boden, Entschädigung usw.) die eigentliche historisch-politische und moralisch-ethische Aufarbeitung (auch im Hinblick auf die weiterreichenden Traumata!) als schwierige Aufgabe noch weiterhin ansteht.

Die Breite des diskutierten, vorgebrachten, angegriffenen, widerlegten, umstrittenen thematischen Bereichs des besonderen (sudeten-)deutsch-tschechischen Verhältnisses, die sich aus der Vielfalt der abgedruckten Beiträge und Personen ergibt, reicht über nahezu ein Jahrtausend mitteleuropäischer Geschichte und spannt demnach einen manchmal höchst polemischen Bogen von der Přemyslidenzeit bis zur Karolinum-Rede von Staatspräsident Havel 1995. Es werden sowohl Ängste als auch tiefsitzende traumatische Geschichtsverzerrungen, persönliches Leid wie auch fiktionale Leidformeln sichtbar, Unkenntnisse und Verdrängungen, ethischer Rigorismus neben bösartiger Unterstellung, Suche nach historischer Wahrheit neben geradezu absurden Geschichtsverfälschungen. ... So betrachtet liegt mit dieser weitgestreuten Sammlung ein so noch nie unternommener Versuch vor, Tschechen durch Tschechen einen Spiegel vorzuhalten, aber auch dem fernen deutschen Nachbarn mit diesem Material einen Weg zu einer Diskussion unter Gleichen zu eröffnen.

V.

Dem Abschluß des deutsch-tschechoslowakischen Vertrags von 1992 folgte eine kurze Periode der beiderseitigen Euphorie, welche zunächst einer gewissen Ernüchterung, dann jedoch Ratlosigkeit, Niedergeschlagenheit wich, bis dann die Februarrede 1995 Staatspräsident Havels wiederum Bewegung brachte, und die dann folgenden Verhandlungen bis zum Jahre 1997 »erklärungsreif« wurden. Seither haben zwar einerseits verschiedene Aktivitäten im Bereich der Jugendarbeit, der finanziellen Realisierung des sogenannten Zukunftsfonds und des institutionalisierten ›Gesprächsforums‹ praktisch umgesetzt werden können, doch scheint sich andererseits eine geradezu merkwürdige Apathie zu verbreiten, der die beiden Verfasser mit Ihrem ›Lesebuch‹ begegnen wollen. In diesem Sinne will deutscherseits auch die Ackermann-Gemeinde mit dieser Veröffentlichung einen aktiven Beitrag leisten, um endlich einen erfolgversprechenden Weg aus dem mehr als einhundertjährigen Teufelskreis von Argument und Gegenargument, gegenseitiger Anklage bzw. Zurückweisung, von Be- und Entschuldigungen hinausführen zu helfen.

Dieser Neuanfang muß nicht nur gewagt, sondern auch getan werden – bevor noch in einer erweiterten NATO und ostwärts ausgedehnten EU ein ›kalter Friede‹ zwischen einander befehdenden Nachbarn destabilisierend wirken würde. Denn wieder einmal läßt sich unschwer feststellen, daß die BÖHMISCHEN LÄNDER in der Geschichte und politischen Gegenwart – und Zukunft! – Europas eine grundlegende Rolle spielen: entweder durch Einbindung für eine nachhaltige friedliche Stabilisierung der Mitte des Kontinents mitverantwortlich zu sein oder aber durch Ausgrenzung (und sei es eine selbst erzeugte! – wie zum Beispiel die Negierung des Unrechtscharakters der Vertreibung mit allen entsprechenden Konsequenzen) die Konfliktfelder für künftige Generationen zu bestellen.

Im Sinne des 1990 zu früh verstorbenen Theologen Josef Zvěřina könnte aber (Sudeten-)Deutschen wie Tschechen ein ethischer Imperativ, welcher auch politisches Programm ist, als ›europäische‹ Zukunftsaufgabe entgegengehalten werden:
»Unsere seit langem durchdachte moralische Evolution verpflichtet uns, auf die geistigen Erfordernisse unserer Zeit mit großen Gesten zu antworten … Der Kampf für die Wahrheit geht weiter«.[6]

Waakirchen   Ende Februar 1999

Anmerkungen zum Nachwort

[1] Dušan Třeštík: Die tschechische Geschichte und die tschechischen Historiker nach dem 17. November. In: Bohemia, Zeitschrift für Geschichte und Kultur der böhmischen Länder – 32 (1991) Heft 2, S. 277–295, zitiert S. 281.

[2] Bohumil Černý: Mezi Labem a Rýnem. Praha 1965. (Zwischen Elbe und Rhein. Prag 1965). Vollständige deutsche Übersetzung in: Übersetzungs- und Informationsdienst des Sudetendeutschen Archivs in München – Nr. 60–64, Juni 1966. II, 204 S. DIN A 4. (Red. O. Pustejovsky).

[3] Václav Král: Odsun Němcov z Československa (Der Abschub der Deutschen aus der Tschechoslowakei.). In Německá otázka a Československo (1938–1961). Sbornik stati. Bratislava 1962, S. 9–50 [Die deutsche Frage und die Tschechoslowakei (1938–1961). Aufsatzsammlung. Preßburg 1962, S. 9–50]. – Vollständige deutsche Übersetzung in: Übersetzung- und Informationsdienst des Sudetendeutschen Archivs in München – Nr. 27 (Oktober-Dezember 1962), S. 1–52 DIN A 4 (Red. O. Pustejovksy).

[4] PODIVEN: Češi v dějinách nové doby (Pokus o zrcadlo). Rozmluvy Praha prosinec / Die Tschechen in der Geschichte der Neuzeit (Versuch über einen vorgehaltenen Spiegel). Gespräche Prag 1991. /

[5] Jiří Rak. Čištění Pantheonu. [Die Säuberung des Pantheons]. In: Lidové noviny – 1992.

[6] Josef Zvěřina: Meine Geschichte in der Geschichte meines Landes Böhmen. In: Derselbe: Fünf Wege zur Freude. Theologische Reflexionen über eine kämpfende Kirche. Leipzig 1995, S. 185–192, zitiert S. 192.